PLAN GÉNÉRAL DE PARIS
Éditions PONCHET - PLAN NET
7 rue Théodore de Banville 75017 - PARIS
Tél. : 01.47.63.32.81 - r.c. Paris B 309 361 509
AXE ROUGE
A 1
PORTE DE LA CHAPELLE
PORTE DE LA VILLETTE
PORTE D'AUBERVILLIERS
BOULEVARD
NEY
PTE DES POISSONNIERS
PORTE DE CLIGNANCOURT
Bd ORNANO
SIMPLON
JULES JOFFRIN
LAMARCK - CAULAINCOURT
ORDENER
RUE RIQUET
R. de la Chapelle
R. M. Dormoy
MARX DORMOY
MARCADET POISSONNIERS
CHÂTEAU ROUGE
R. Custine
BARBÈS
SACRÉ-CŒUR
8e
19e
10e
11e
3e
4e
2e
5e
12e
13e
20e
PANTIN
AVENUE JEAN LOLIVE
VERS MEAUX
N 3
PETIT PANTIN
HOCHE
ÉGLISE DE PANTIN
Canal de l'Ourcq
PORTE DE PANTIN
PTE CHAUMONT
le PRÉ-St-GERVAIS
les LILAS
Fort de Romainville
Cité des Sciences et de l'Industrie
CORENTIN-CARIOU
MACDONALD
Bd SÉRURIER
Bd D'INDOCHINE
Bd D'ALGÉRIE
FLANDRE
CRIMÉE
RIQUET
STALINGRAD
Bassin de la Villette
AVENUE JEAN JAURÈS
OURCQ
LAUMIÈRE
Hôpital Hérold
DANUBE
R. Manin
BOTZARIS
BUTTES-CHAUMONT
Rue Botzaris
PRÉS-ST-GERVAIS
PTE DU PRÉ St-GERVAIS
Hôpital R. Debré
PLACE DES FÊTES
PORTE DES LILAS
MAIRIE DES LILAS
RUE DE PARIS
AVENUE PASTEUR
BELLEVILLE
TÉLÉGRAPHE
JOURDAIN
PYRÉNÉES
RUE DES PYRÉNÉES
ST-FARGEAU
PELLEPORT
GAMBETTA
Hôpital Tenon
PORTE DE BAGNOLET
BAGNOLET
GALLIENI
A 3
R. Belgrand
Av. de la République
Bd Chanzy
Av. Gambetta
Sadi Carnot
MALASSIS
Bd ROCHECHOUART
PIGALLE
ANVERS
BARBÈS-ROCHECHOUART
Bd DE LA CHAPELLE
Hôpital Lariboisière
GARE DU NORD
LA CHAPELLE
R. de Maubeuge
POISSONNIÈRE
CADET
LE PELLETIER
R. DU Fbg St-DENIS
FAYETTE
Bd DE MAGENTA
GARE DE L'EST
St-MARTIN
QUAI DE JEMMAPES
LOUIS BLANC
CHÂTEAU-LANDON
COLONEL FABIEN
PL. DU Col FABIEN
Hôpital St-Louis
AV. SIMON BOLIVAR
Bd DE LA VILLETTE
CHÂTEAU D'EAU
JACQUES BONSERGENT
Bd DE STRASBOURG
Bd BONNE NOUVELLE
BOURSE
SENTIER
R. RÉAUMUR
RÉAUMUR-SÉBASTOPOL
PL. DE LA RÉPUBLIQUE
RÉPUBLIQUE
R. DU Fbg DU TEMPLE
GONCOURT
BELLEVILLE
Bd DE BELLEVILLE
COURONNES
MÉNILMONTANT
PARMENTIER
AV. DE LA RÉPUBLIQUE
OBERKAMPF
ST-MAUR
ST-AMBROISE
TEMPLE
ARTS ET MÉTIERS
FILLES DU CALVAIRE
Bd DES FILLES DU CALVAIRE
RAMBUTEAU
ÉTIENNE MARCEL
Bd DE SÉBASTOPOL
PALAIS ROYAL - MUSÉE DU LOUVRE
CHÂTELET-LES-HALLES
Forum des-Halles
Centre G. Pompidou
RIVOLI
LOUVRE-RIVOLI
QUAI DU LOUVRE
CHÂTELET
HÔTEL DE VILLE
ST-SÉBASTIEN FROISSART
Bd Richard Lenoir
RICHARD LENOIR
BRÉGUET-SABIN
Bd VOLTAIRE
PL. L. BLUM
ROQUETTE
VOLTAIRE
AV. GAMBETTA
PÈRE-LACHAISE
Cimetière Parisien du Père Lachaise
PHILIPPE AUGUSTE
Bd DE MÉNILMONTANT
RUE DE BAGNOLET
ALEXANDRE DUMAS
Bd DAVOUT
PORTE DE MONTREUIL
ROBESPIERRE
RUE DE PARIS
N 3
MONTREUIL
Île de la Cité
PALAIS DE JUSTICE
CITÉ
HÔTEL DIEU
NOTRE DAME
PT MARIE
île St-Louis
ST-PAUL
R. St-ANTOINE
BASTILLE
PL. DE LA BASTILLE
Opéra Bastille
Bd BOURDON
SULLY MORLAND
R. DE LA ROQUETTE
RUE DE CHARONNE
CHARONNE
LEDRU-ROLLIN
BOULETS-MONTREUIL
R. DE MONTREUIL
BUZENVAL
MARAÎCHERS
RUE D'AVRON
AVRON
PL. DE LA NATION
NATION
RUE DE LAGNY
PORTE DE VINCENNES
Crs DE VINCENNES
ST-MANDÉ-TOURELLE
BÉRAUL
AV. DE PARIS
N 34
ST-MICHEL
MABILLON
Bd SAINT GERMAIN
CLUNY-LA SORBONNE
MAUBERT-MUTUALITÉ
CARDINAL LEMOINE
Inst. du Monde Arabe
JUSSIEU
PANTHÉON
Faculté des Sciences
LUXEMBOURG
Bd SAINT MICHEL
RUE St JACQUES
MONGE
JARDIN des PLANTES
GARE D'AUSTERLITZ
QUAI D'AUSTERLITZ
CENSIER-DAUBENTON
PORT ROYAL
Hop. du Val de Grâce
Bd DE PORT ROYAL
Hôpital Cochin
GOBELINS
Bd St-MARCEL
ST-MARCEL
CAMPO-FORMIO
Gr. Hospitalier la Pitié-Salpêtrière
CHEVALERET
BOULEVARD ARAGO
Maison d'Arrêt de la Santé
Bd St-JACQUES
PLACE D'ITALIE
CORVISART
Bd A. BLANQUI
GLACIÈRE
Ctre Hospitalier Saint-Anne
NATIONALE
RUE VINCENT AURIOL
Bibliothèque Nationale de France François Mitterrand
GARE DE LYON
AVENUE DAUMESNIL
REUILLY-DIDEROT
DIDEROT
FAIDHERBE-CHALIGNY
Orphelinat E. Napoléon
MONTGALLET
Hôpital Rothschild
R. de Picpus
PORTE DE St-MANDÉ
BEL-AIR
Hôpital Trousseau
BOULEVARD SOULT
AV. DE St MANDÉ
AV. V. HUGO
St-MANDÉ
BOIS DE VINCENNES
BERCY
Palais Omnisports de Paris-Bercy
Ministère de l'Économie des Finances et du Budget
DUGOMMIER
Bd DE REUILLY
DAUMESNIL
MICHEL BIZOT
PORTE DORÉE
QUAI DE BERCY
LA SEINE
QUAI DE LA GARE
R. DE CHARENTON
PORTE DE CHARENTON
Bd PONIATOWSKI
Lac Daumesnil
Parc Zoologique
PORTE DE BERCY
PORTE DE LA GARE
MÉTÉOR
RUE DE TOLBIAC
TOLBIAC
RUE D'ALÉSIA
BOULEVARD MASSÉNA
MAISON-BLANCHE
AV. DE CHOISY
PORTE DE CHOISY
AV. D'IVRY
PORTE D'IVRY
PTE DE VITRY
AV. D'ITALIE
PORTE D'ITALIE
PARC MONTSOURIS
CITÉ UNIVERSITAIRE
PORTE DE GENTILLY
Bd KELLERMANN
BOULEVARD PÉRIPHÉRIQUE
GENTILLY
A 6b
le KREMLIN-BICÊTRE
AV. MAURICE THOREZ
AV. P. SÉMARD
AV. D. CASANOVA
PIERRE CURIE
PETIT IVRY
IVRY-S-SEINE
IVRY-SUR-SEINE
RUE LÉNINE
Bd P. V. COUTURIER
Q. J. COMPAGNON
QUAI DES CARRIÈRES
IVRY-PORT
N 19
R. DU Gal DE GAULLE
PTE DE CHARENTON
CHARENTON-ÉCOLES
Rte DE CEINTURE DU LAC DE DAUMESNIL
AV. DU Mal DE L. DE TASSIGNY

# PLAN DU MÉTRO

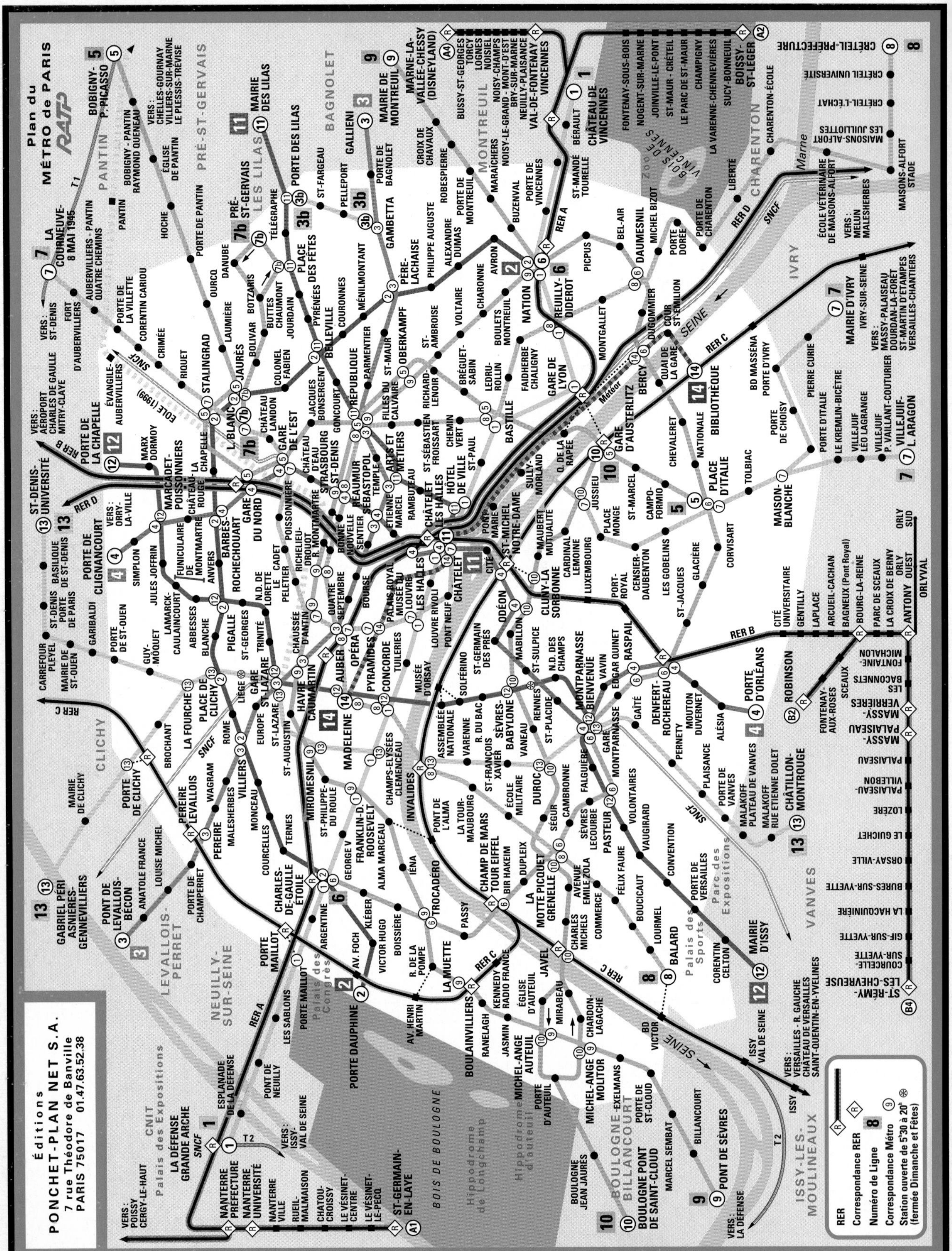

# GRAND PLAN NET *

## DE

# PARIS

## 20 Arrondissements

### 80 Quartiers

### sens uniques
### métro

## 50 Plans de la Proche Banlieue

**PLAN GÉNÉRAL DE PARIS - SORTIES DE PARIS**

**AXES ROUGES**

Bois de Boulogne - Bois de Vincennes
Aéroports - Halles de Rungis - La Défense
Parc des Expositions de Villepinte
Forum des Halles

17ème ÉDITION

**PONCHET – PLAN NET**
**7 rue Théodore de Banville - 75017 PARIS**
**Tél. : 01.47.63.32.81 - 01.47.63.52.38**

# GRAND PLAN NET DE PARIS

**Big Net Map of Paris - Grosse Stadtplan von Paris - Gran Plano Neto de Paris - Grande Pianta-Guido Stradale di Parigi**

Ce grand Plan de Paris et de la Périphérie a été mis au point à la suite d'une enquête faite auprès du public. Bon nombre d'usagers, notamment les aut désirent un plan plus lisible. Avec cette présentation, nous espérons avoir atteint le but désiré.
This large Map of Paris and its periphery was drawn up following a survey carried out with the public. Many users, especially motorists would like a map. We hope that, with this presentation, we have achieved the desired aim.
2
Dieser grosse Stadtplan von Paris und den Vororten wurde nach einer entsprechenden Untersuchung in der Öffentlichkeit verwirklicht. Zahlreich insbesondere die Autofahrer, wünschten einen leserlicheren Stadtplan. Wir hoffen, das gewünschte Ziel mit dieser Aufmachung erreicht zu haben.
Este Gran Plano de Paris y de la periferia fue puesto a punto luego de una encuesta efectuada en el público. Un gran numero de usuarios, especi automovilistas, desean un plano más lisible. Con esta presentación esperamos haber alcanzado el fin deseado.
Questa grande Pianta-Guida di Parigi e della periferia è stata messa a punto in seguito ad una indagine effettuata presso il pubblico. Infatti, una buona utenti, e in particolare gli automobilisti, desideravano una pianta stradale più leggibile. Con questa presentazione confidiamo di aver raggiunto detto o

**Le Grand Plan Net de Paris et de la Proche banlieue se divise en quatre parties :**
**1re partie :** La liste des rues de Paris. Sur chaque page les rues de Paris sont classées par ordre alphabétique sur deux colonnes.
**2e partie :** Renseignements divers.
**3e partie :** Les Plans des vingt arrondissements avec la liste et le découpage des quatre-vingt quartiers de Paris.
**4e partie :** L'index et les plans des communes de la proche banlieue.
Indication concernant les rues de Paris : Pour les rues verticales, le numérotage des rues commence à la Seine. Pour les rues horizontales, il suit fleuve. Numéros pairs à droite. Numéros impairs à gauche.

**The Big Net Map of Paris and the Inner Suburbs is divided into 4 parts:**
**1st Part:** A list of the streets of Paris. On each page, the streets of Paris are classified in alphabetical order in two columns.
**2nd Part:** Useful information.
**3rd Part:** The Maps of the twenty "arrondissements" with a list and the layout of the eighty neighbourhoods of Paris.
**4th Part:** The index and the Maps of the boroughs of the inner suburbs. Information regarding the streets in Paris: In the case of vertical streets, the nu the streets starts at the Seine. For horizontal streets, it follows the course of the river. Even numbers on the right. Odd numbers on the right.

**Der Grosse Stadtplan von Paris und der Bannmeile ist in 4 Teile gegliedert:**
**1. Teil:** Das Verzeichnis der Strassen von Paris. Auf jeder Seite sind die Strassen von Paris in alphabetischer Reihenfolge in zwei Spalten eingeteilt.
**2. Teil:** Nutzliche auskünfte.
**3. Teil:** Die Pläne der zwanzig Arrondissements (Bezirke) mit der Liste und der Aufteilung der achtzig Viertel von Paris
**4. Teil:** Das Strassenverzeichnis und die Pläne der Vororte der nahen Bannmeile.
Hinweis für die Strassen von Paris: Für die auf die Seine zulaufenden Strassen beginnt die Numerierung stets an der Seine. Für di parallel zur Seine ver Strassen erfolgt die Numerierung entlang dem Stromverlauf. Gerade Zahlen rechts. Ungerade Zahlen links.

**El Gran Plano Neto de Paris y de los Suburbios Cercanos se divide en 4 partes:**
**1ra parte:** La lista de las calles de Paris. En cada pagina, las calles de Paris estan classificadas por orden alfabético en dos columnas.
**2a parte:** Informaciones utiles.
**3a parte:** Los Planos de los veinte sectores con la lista y el recorte de los ochenta barrios de Paris.
**4a parte:** El índice y los planos de las comunas de los suburbios cercanos.
Indicacion referente a las calles de Paris: Para las calles verticales, la numeración de las calles comienza en el Sena. Para las calles, horizontales ell curso del rio. Números pares a la derecha. Numeros impares a la izquierda.

**La Grande Pianta-Guida Stradala di Parigi e dei prossimi dintorni consta di 4 parti distincte:**
**1a parte:** Elenco delle strade di Parigi. Su ciascuna pagina le strade di Parigi vengono elencate in ordine alfabetico su due colonne.
**2a parte:** Informazioni utile.
**3a parte:** Piante-guida delle venti circoscrizioni municipali (arrondissements), con l'elenco e l'ubicazione dei 80 quartieri di Parigi.
**4a parte:** L'indice e le piante-guida dei comuni dei prossimi dintorni.
Precisazione concernente le strade di Parigi: Per le strade verticali la numerazione inizia dalla Senna, mentre per le strade orizzontal: detta numerazione corso di quest'ultima. I numeri pari si trovano a destra e i numeri dispari a sinistra.

**Nota : Conformément à la jurisprudence constante « Toulouse 14-01-1887 » les erreurs ou omissions involontaires qui auraient pu subsister dans les g les cartes malgré les soins et les contrôles de rédaction et d'exécution, ne sauraient engager la responsabilité de l'Éditeur.**

## TABLE DES MATIÈRES - index - Inhaltsverzeichnis - Indice - Tavola delle Materie




**1999**

Imprimé en France – Aubin Imprimeur, Ligugé, Poitiers

# 1$^{re}$ Partie

*1st Part - 1. Teil - 1ra Parte - 1a Parte*

# LISTE DES AVENUES, BOULEVARDS, RUES, ETC.

| m | Rues | Commençant | Finissant | Métro |
|---|---|---|---|---|
| aye | (de l') | de l'Échaudé, 18 | Bonaparte, 37 | St-Germain-des-Prés |
| bé-Basset | (place de l') | Mont.-Ste-Geneviève | St-Etienne-du Mont | Cardinal-Lemoine |
| bé-Carton | (de l') | des Suisses, 7 | des Plantes | Plaisance |
| bé-de-l'Épée | (de l') | Gay-Lussac, 48 | Henri-Barbusse, 1 | Luxembourg |
| bé-Esquerré | (square de l') | av. Duquesne | bd des Invalides | Saint-François-Xavier |
| bé-Franz-Stock | (place de l') | Gal-Claverie | Dode-de-la-Brunerie | Porte de Saint-Cloud |
| bé-Georges-Hénocque | (place de l') | Peupliers, 30 | Colonie, 81 | Tolbiac |
| bé-Gillet | (de l') | av. Alphonse-XIII | Jean-Bologne | Passy |
| bé-Grégoire | (de l') | de Sèvres, 75 | de Vaugirard, 92 | Saint-Placide |
| bé-Groult | (de l') | Entrepreneurs, 104 | Convention, 237 | Convention |
| bé-Jean-Lebeuf | (place de l') | R.-Guilleminot | du Château | Pernéty |
| bé-Lemire | (square de l') | Vercingétorix | | Pernéty |
| bé-Migne | (square de l') | pl. Denfert-Rochereau | | Denfert-Rochereau |
| bé-Migne | (de l') | Francs-Bourgeois, 51 | | Hôtel de Ville |
| bé-Patureau | (des) | Paul-Féval, 11 | Caulaincourt, 116 | Lamarck-Caulaincourt |
| bé-Roger-Derry | (de l') | de la Cavalerie | av. de Suffren, 96 | La M.-Picquet-Grenelle |
| bé-Roussel | (avenue de l') | la Fontaine | av. Théophile-Gautier | Église d'Auteuil |
| bé-Rousselot | (de l') | bd Berthier, 114 | av. Brunetière, 11 | Péreire |
| bé-Soulange-Bodin | (de l') | Guilleminot | de l'Ouest | Pernéty |
| bbesses | (des) | des Martyrs, 89 | Lepic, 34 | Abbesses |
| bbesses | (passage des) | des Abbesses, 20 | Trois-Frères, 57 | Abbesses |
| bbesses | (place des) | des Abbesses, 20 | | Abbesses |
| bbeville | (d') | Pl. Franz Lizt | Maubeuge, 82 | Poissonnière |
| bel | | bd Diderot, 23 | Charenton, 90 | Gare de Lyon |
| bel-Ferry | | bd Murat, 128 | Petite-Arche, 8 | Porte de Saint-Cloud |
| bel-Gance | | quai de la Gare | av. de France | Quai de la Gare |
| bel-Hovelacque | | av. des Gobelins, 62 | Auguste-Blanqui, 18 | Place d'Italie |
| bel-Leblanc | (passage) | de Charenton, 127 | Crozatier, 19 | Reuilly-Diderot |
| bel-Rabaud | | av. Parmentier, 142 | des Goncourt, 9 | Goncourt |
| bel-Truchet | | bd Batignolles, 30 | Caroline, 11 | Place de Clichy |
| boukir | (d') | place des Victoires | Saint-Denis, 287 | Sentier |
| n$^{os}$ 104-115 | | place des Victoires | Saint-Denis, 287 | Bonne-Nouvelle |
| n$^{os}$ 117-129 | | place des Victoires | Saint-Denis, 287 | Saint-Denis |
| breuvoir | | des Saules, 5 | Girardon, 16 | Lamarck-Caulaincourt |
| cacias | (passage des) | av. Mac-Mahon, 33 | des Acacias, 56 | Charles de Gaulle-Étoile |
| Acacias | (des) | av.de la Gde-Armée, 36 | av. Mac-Mahon, 37 | Argentine |
| Acadie | (place d') | du Four | bd St-Germain | Mabillon |
| Achille | | des Rondeaux, 28 | Ramus, 25 | Gambetta |
| Achille-Luchaire | | Albert-Sorel, 8 | bd Brune, 114 | Porte d'Orléans |
| Achille-Martinet | | Marcadet, 178 | Montcalm, 30 | Lamarck-Caulaincourt |
| Adanson | (square) | Monge, 119 | impasse | Censier-Daubenton |
| Adjudant-Réau | (de l') | Cap.-Marchal, 20 | de la Dhuis, 21 | Pelleport |
| Adjudant-Vincenot | (place de l') | Surmelin | bd Mortier | Saint-Fargeau |
| Adolphe-Adam | | quai des Gesvres, 13 | av. Victoria, 13 | Châtelet |
| Adolphe-Chérioux | (pl. et square) | Blomet, 93 | Vaugirard, 258 | Vaugirard |
| Adolphe-Focillon | | Sarrette, 28 | Leneveux, 1 | Alésia |
| Adolphe-Jullien | | de Viarmes,15 | du Louvre, 42 | Louvre-Rivoli |
| Adolphe-Max | (place) | Bruxelles, 22 | Douai, 52 | Porte de Clichy |
| Adolphe-Mille | | av. Jean-Jaurès, 185 | en impasse | Ourcq |
| Adolphe-Pinard | (boulevard) | av. de la Pte de Châtillon | pl. Porte de Vanves | Porte de Vanves |
| Adolphe-Yvon | | av. H.-Martin, 84 | bd Lannes, 65 | Rue de la Pompe |
| Adour | (villa de l') | de la Villette, 13 | Mélingue | Jourdain |
| Adrien-Hébrard | (avenue) | place Rodin | av. Mozart, 63 | Jasmin |
| Adrien-Oudin | (place) | Helder | Haussmann | Chaussée d'Antin |
| Adrienne | (villa) | av. Gal-Leclerc, 19 | | Mouton-Duvernet |
| Adrienne | (cité) | de Bagnolet, 82 | | Alexandre-Dumas |
| Adrienne-Lecouvreur | (allée) | av. S.-de Sacy, 5 | place Joffre | École Militaire |
| Adrienne-Simon | (villa) | Daguerre, 48 | en impasse | Denfert-Rochereau |
| Affre | | de Jessaint, 18 | Myrha, 7 | Porte de la Chapelle |
| Agar | | Gros, 39 | la Fontaine, 19 | Jasmin |
| Agent-Bailly | (de l') | Rodier, 15 | Milton, 24 | Cadet |
| Agrippa-d'Aubigné | | quai Henri-IV, 40 | bd Morland, 17 | Sully-Morland |
| Aguesseau | (d') | fg St-Honoré, 60 | de Surène, 23 | Madeleine |
| Aide-Sociale | (square de l') | av. du Maine, 158 | | Gaîté |
| Aigrettes | (villa des) | David-d'Angers, 16 | | Danube |
| Aimé-Lavy | (place) | Hermel, 35 | Mont-Cenis, 74 | Jules-Joffrin |
| Aimé-Maillart | (place) | av. Niel | Laugier | Place des Ternes |
| Aimé-Morot | | bd Kellermann, 67 | av. Caffiéri | Porte d'Italie |
| Aisne | (de l') | quai de l'Oise, 15 | de l'Ourcq, 28 | Crimée |
| Aix | (d') | fg du Temple, 57 | J.-Louvel-Tessier, 10 | Goncourt |
| Ajaccio | (square d') | de Grenelle | bd des Invalides | Varenne |
| Alain | | Vercingétorix | pl. de Catalogne | Pernéty |
| Alain-Chartier | | Blomet, 151 | Convention, 195 | Convention |
| Alain-Fournier | (square) | square A.-Renoir | de la Briqueterie, 3 | Porte de Vanves |
| Alasseur | | Dupleix, 19 | Champaubert | La M.-Picquet-Grenelle |
| Alban-Satragne | (square) | fg St-Denis, 107 | | Gare de l'Est |
| Albéric-Magnard | | Octave-Feuillet, 7 | Gal-d'Andigné | La Muette |
| Albert | | Regnault, 62 | Tolbiac, 53 | Porte d'Ivry |
| Albert-1er-de-Monaco | (avenue) | place de Varsovie | Palais-de-Chaillot | Trocadéro |
| Albert-Bartholomé | (avenue) | av. Porte de la Plaine | Porte Brancion | Porte de Vanves |
| Albert-Bartholomé | (square) | av. A.-Bartholomé | | Porte de Vanves |
| Albert-Bayet | | av. Edison | bd Vincent-Auriol | Place d'Italie |
| Albert-Besnard | (square) | place Mal-Juin | | Péreire |
| Albert-Camus | | pl. Colonel-Fabien | pl. R.-Desnos | Colonel-Fabien |
| Albert-Cohen | (place) | Leblanc, 10 | | Balard |
| Albert-de-Lapparent | | av. de Saxe, 30 | J.-M.-de-Hérédia | Ségur |
| Albert-de-Mun | (avenue) | av. de New-York, 54 | av. Prés.-Wilson | Iéna |
| Albert-Ier | (cours) | François-1$^{er}$ | place de l'Alma | Ch.-Élysées-Clemenceau |
| Albert-Khan | (place) | bd Ornano | Championnet | Porte de Clignancourt |
| Albert-Londres | (place) | av. de Choisy | av. d'Ivry | Porte d'Ivry |
| Albert-Malet | | E.-Laurent, 5 | Jules-Lemaître, 6 | Bel-Air |
| Albert-Marquet | | Courat, 15 | Vitruve, 44 | Maraîchers |
| Albert-Robida | (villa) | de Crimée, 35 | Arthur-Rozier, 51 | Botzaris |
| Albert-Samain | | bd Berthier, 168 | Stéph.-Mallarmé, 5 | Porte de Champerret |
| Albert-Sorel | | bd Brune, 122 | av. Ernest-Reyer | Porte d'Orléans |
| Albert-Thomas | | de la Douane, 7 | Magenta, 32 | République |
| Albert-Tournaire | (square) | voie Mazas | bd Diderot | Quai de la Rapée |
| Albert-Willemetz | | av. Pte de Vincennes | de Lagny | Saint-Mandé-Tourelle |
| Albin-Cachot | (square) | L.éon-M.-Nordmann | | Glacière |
| Albin-Haller | | Fontaine-à-Mulard | Küss, 18 | Maison-Blanche |
| Albinoni | | allée Vivaldi, 50 | J.-Hillairet, 34 | Montgallet |
| Alboni | (de l') | Prés.-Kennedy | bd Delessert, 15 | Passy |
| Alboni | (square) | de l'Alboni, 6 | des Eaux | Passy |
| Alembert | (d') | Halle, 17 | Bezout, 4 | Mouton-Duvernet |
| Alençon | (d') | bd Montparnasse, 46 | av. du Maine, 9 | Montparnasse-Bienvenüe |
| Alésia | (d') | av. Reille, 2 | chemin-de-Fer | Alésia |
| Alésia | (villa d') | d'Alésia, 111 | des Plantes, 39*bis* | Alésia |

| Plan | Arr. | Nom | Rues | Commençant | Finissant | Métro |
|---|---|---|---|---|---|---|
| K 7 | 14 | Alésia-Ridder | (square) | d'Alésia | R.-Losserand | Plaisance |
| E 9 | 9 | Alex.-Biscarre | (square) | Notre-Dame de Lorette | | Saint-Georges |
| D 16 | 19 | Alexander-Fleming | | av. Pte Pré-St-Gervais | av. du Belvédère | Pré-Saint-Gervais |
| J 7 | 15 | Alexandre | (passage) | bd Vaugirard, 71 | bd Pasteur | Pasteur |
| G 2 | 16 | Alexandre-1$^{er}$-de-Yougoslavie | (square) | place Colombie | bd Lannes | Rue de la Pompe |
| 6 | 15 | Alexandre-Cabanel | | av. Lowendal, 31 | bd Garibaldi, 1 | Cambronne |
| D 5 | 17 | Alexandre-Charpentier | | bd G.-St-Cyr, 49 | bd de l'Yser, 23 | Porte de Champerret |
| C 14 | 19 | Alexandre-de-Humboldt | | de Colmar, 5 | quai de la Marne, 6 | Crimée |
| H 15 | 11 | Alexandre-Dumas | | bd Voltaire, 201 | bd de Charonne, 112 | Porte de Bagnolet |
| H 16 | 20 | Alexandre-Dumas | | bd de Charonne, 112 | place de la Réunion | Boulets-Montreuil |
| G 7 | 7 | Alexandre-III | (pont) | quai d'Orsay | cours-la-Reine | Invalides |
| B 10 | 18 | Alexandre-Lécuyer | (impasse) | du Ruisseau, 103 | | Porte de Clignancourt |
| F 14 | 20 | Alexandre-Luquet | (square) | Piat | Botha | Pyrénées |
| D 12 | 10 | Alexandre-Parodi | | quai Valmy, 169 | fg Saint-Martin | Louis-Blanc |
| D 15 | 19 | Alexandre-Ribot | (villa) | David-d'Angers, 76 | Égalité, 17 | Danube |
| F 11 | 2 | Alexandrie | (d') | Saint-Denis, 241 | Aboukir, 106 | Réaumur-Sébastopol |
| H 14 | 11 | Alexandrine | (passage) | Léon-Frot | Émile-Lepeu, 20 | Charonne |
| H 5 | 15 | Alexis-Carrel | | av. de Suffren, 46 | Fédération, 55 | Dupleix |
| H 4 | 16 | Alfred-Bruneau | | des Vignes, 26 | place Chopin, 3 | La Muette |
| I 2 | 16 | Alfred-Capus | (square) | bd Suchet, 116 | Maréchal-Lyautey, 27 | Porte d'Auteuil |
| E 6 | 8-17 | Alfred-de-Vigny | | Pl. Gal-Brocard | de Chazelles, 12 | Courcelles |
| G 3 | 16 | Alfred-Dehodencq | (square) | Alf.-Dehodencq, 9 | | La Muette |
| G 3 | 16 | Alfred-Dehodencq | | O.-Feuillet, 19 | Franqueville, 12 | La Muette |
| L 6 | 14 | Alfred-Durand-Claye | | Losserand, 198 | Vercingétorix, 233 | Porte de Vanves |
| M12 | 13 | Alfred-Fouillée | | bd Masséna, 117 | av. Léon-Bollée | Porte de Choisy |
| J 10 | 5 | Alfred-Kastler | (place) | Erasme, 1 | Rataud, 4 | Place Monge |
| C 6 | 17 | Alfred-Roll | | bd Péreire, 78 | bd Berthier, 33 | Péreire |
| H 5 | 15 | Alfred-Sauvy | (place) | Desaix, 23 | allée M.-Yourcenar, 3 | Dupleix |
| D 10 | 9 | Alfred-Stevens | (passage) | Al.-Stevens, 8 | bd de Clichy, 9 | Pigalle |
| D 10 | 9 | Alfred-Stevens | | des Martyrs, 67 | passage A.-Stevens | Pigalle |
| G 9 | 1 | Alger | (d') | de Rivoli, 216 | Saint-Honoré, 221 | Tuileries |
| I 13 | 12 | Alger | (cour d') | Bercy, 245 | | Bercy |
| D 16 | 19 | Algérie | (boulevard d') | av. Porte Brunet | av. Pré-Saint-Gervais | Pré-Saint-Gervais |
| F 13 | 10 | Alibert | | quai Jemmapes, 66 | av. Parmentier, 161 | République |
| L 7 | 14 | Alice | (square) | Didot, 129 | | Porte de Vanves |
| I 14 | 12 | Aligre | (d') | de Charenton, 97 | fg St-Antoine, 138 | Ledru-Rollin |
| I 14 | 12 | Aligre | (place d') | de Cotte, 12 | Beccaria, 25 | Ledru-Rollin |
| H 2 | 16 | Aliscamps | (square des) | bd Suchet | av. Maréchal-Liautey | Porte d'Auteuil |
| J 17 | 12 | Allard | | Saint-Mandé | bd Carnot | Saint-Mandé-Tourelle |
| H 9 | 7 | Allent | | de Lille, 17 | de Verneuil, 24 | Rue du Bac |
| K 6 | 15 | Alleray | (d') | de Vaugirard, 301 | place Falguière | Vaugirard |
| K 6 | 15 | Alleray | (hameau d') | d'Alleray, 65 | Brancion | Vaugirard |
| K 6 | 15 | Alleray | (place d') | d'Alleray, 65 | Brancion | Vaugirard |
| K 7 | 15 | Alleray-Labrouste | (jardin) | d'Alleray | place d'Alleray | Vaugirard |
| K 6 | 15 | Alleray-Quintinie | (square) | La Quintinie | | Vaugirard |
| A 14 | 19 | Allier | (quai de l') | bd Macdonald | hors Paris | Porte de la Villette |
| G 6 | 7 | Alma | (cité de l') | av. Bosquet, 4 | av. Rapp, 11 | Alma-Marceau |
| G 6 | 7-8-16 | Alma | (pont de l') | av. de New-York | quai d'Orsay | Alma-Marceau |
| G 6 | 8-16 | Alma | (place de l') | av. de New-York | av. George-V | Alma-Marceau |
| G 11 | 3 | Alombert | (passage) | Gravilliers, 26 | au-Maire, 9 | Arts-et-Métiers |
| E 14 | 19 | Alouettes | (des) | Fessart, 32 | Botzaris, 66 | Botzaris |
| K 12 | 13 | Alpes | (place des) | bd Vincent-Auriol | Godefroy | Place d'Italie |
| L 11 | 13 | Alphand | | Cinq-Diamants, 56 | Barrault, 15 | Corvisart |
| E 4 | 16 | Alphand | (avenue) | Duret, 25 | Piccini, 18 | Porte Maillot |
| F 14 | 20 | Alphonse-Allais | (place) | de Tourtille | Pali-Kao | Couronnes |
| D 16 | 19 | Alphonse-Aulard | | bd Sérurier, 52 | bd de l'Algérie, 9 | Pré-Saint-Gervais |
| G 13 | 11 | Alphonse-Baudin | | Pelée, 19 | St-Sébastien, 30 | St-Sébastien-Froissart |
| K 7 | 15 | Alphonse-Bertillon | | Procession, 96 | de Vouillé, 61 | Plaisance |
| L 8 | 14 | Alphonse-Daudet | | Sarrette, 32 | av. Gal-Leclerc, 91 | Alésia |
| C 6 | 17 | Alphonse-de-Neuville | | av. de Wagram, 147 | bd Péreire, 79 | Wagram |
| I 9 | 6 | Alphonse-Deville | (place) | bd Raspail | du Cherche-Midi | Sèvres-Babylone |
| I 4 | 15 | Alphonse-Humbert | (place) | Capitaine-Ménard | av. Émile-Zola | Javel-André-Citroën |
| B 14 | 19 | Alphonse-Karr | | av. de Flandre, 169 | de Cambrai, 22 | Corentin-Cariou |
| J 10 | 5 | Alphonse-Laveran | (place) | du Val-de Grâce | Saint-Jacques | Port-Royal |
| F 16 | 20 | Alphonse-Penaud | | du Surmel, 50 | du Capitaine-Ferber | Saint-Fargeau |
| H 4 | 16 | Alphonse-XIII | (avenue) | Reynouard, 34 | en impasse | Passy |
| E 12 | 10 | Alsace | (d') | de Strasbourg, 6 | La Fayette, 166 | Gare de l'Est |
| D 15 | 19 | Alsace | (villa d') | de Mouzaïa, 22b | en impasse | Botzaris |
| I 15 | 12 | Alsace-Lorraine | (cour d') | de Reuilly, 61 | | Montgallet |
| D 15 | 19 | Alsace-Lorraine | (d') | Gal-Brunet, 47 | Manin, 40*ter* | Danube |
| D 15 | 19 | Amalia | (villa) | Gal-Brunet, 36 | Liberté, 11 | Danube |
| G 15 | 20 | Amandiers | (des) | place Métivier | Ménilmontant, 54 | Père-Lachaise |
| F 10 | 2 | Amboise | (d') | Richelieu, 95 | Favart, 16 | Richelieu-Drouot |
| D 11 | 10 | Ambroise-Paré | | de Maubeuge, 93 | bd Magenta, 154 | Barbès-Rochechouart |
| D 15 | 19 | Ambroise-Rendu | | av. Porte Chaumont | av. Porte Brunet | Place du Danube |
| E 10 | 9 | Ambroise-Thomas | | Richer, 6 | fg Poissonnière, 57 | Poissonnière |
| K 14 | 12 | Ambroisie | (d') | Richelieu, 95 | Favart, 16 | Richelieu-Drouot |
| E 16 | 20 | Amélie | (villa) | Borrégo, 42*bis* | v. Désiré | Saint-Fargeau |
| G 6 | 7 | Amélie | | Saint-Dominique, 95 | de Grenelle, 172 | La Tour-Maubourg |
| H 13 | 11 | Amelot | (impasse) | Amelot, 62 | | St-Sébastien-Froissart |
| G 12 | 11 | Amelot n$^{os}$ 6-7 | | bd Richard-Lenoir, 5 | bd Voltaire, 8 | Bréguet-Sabin |
| | | n$^{os}$ 10-19 | | | | Chemin-Vert |
| | | n$^{os}$ 44-63 | | | | St-Sébastien-Froissart |
| | | n$^{os}$ 114-163 | | | | Filles-du-Calvaire |
| C 5 | 17 | Amérique-latine | (jardin de l') | pl. Porte de Champerret | | Porte de Champerret |
| H 14 | 11 | Ameublement | (cité de l') | de Montreuil, 31 | en impasse | Faidherbe-Chaligny |
| G 17 | 20 | Amiens | (square d') | Harpignies | Serpollet | Porte de Montreuil |
| E 4 | 16 | Amiral-Bruix | (square de l') | bd de l'Amiral Bruix | pl. Pte Maillot | Porte Maillot |
| E 4 | 16 | Amiral-Bruix | (bd de l') | av. Foch, 88 | av. Grde-Armée | Porte Maillot |
| I 3 | 16 | Amiral-Cloué | (de l') | quai L.-Blériot, 58 | av. Versailles, 69 | Mirabeau |
| F 4 | 16 | Amiral-Courbet | (de l') | av. Victor-Hugo, 96 | de la Pompe, 152 | Victor-Hugo |
| G 10 | 1 | Amiral-de-Coligny | (de l') | quai du Louvre | Rivoli | Louvre-Rivoli |
| F 5 | 16 | Amiral-de-Grasse | (place de l') | av. d'Iéna | pl. des États-Unis | Boissière |
| F 5 | 16 | Amiral-d'Estaing | (de l') | de Lübeck, 10 | pl. des États-Unis, 15 | Boissière |
| K 17 | 12 | Amiral-La-Roncière-le-Noury | (de l') | bd Soult, 4 | Am.-Rousseau, 9 | Porte Dorée |
| M10 | 14 | Amiral-Mouchez n$^{os}$ pairs | (de l') | av. Reille, 1 | bd Kellermann, 108 | Cité Universitaire |
| J 6 | 15 | Amiral-Roussin | (de l') | Croix-Nivert, 39 | Blomet, 90 | Cambronne |
| | | n$^{os}$ 49-92 | | | | |
| B 11 | 18 | Amiraux | (des) | Poissonniers, 121 | Clignancourt, 134 | Simplon |
| D 6 | 17 | Ampère | | bd Malesherbes, 155 | bd Péreire, 119 | Wagram |
| K 7 | 14 | Amphithéâtre | (place de l') | rue-Vercingétorix | | Pernéty |
| E 8 | 8 | Amsterdam | (impasse d') | Amsterdam, 21 | Londres, 43 | Saint-Lazare |
| E 8 | 9 | Amsterdam | (d') | Saint-Lazare, 108 | place de Clichy, 3 | Saint-Lazare |
| | | n$^{os}$ 49-58 | | n$^{os}$ pairs, 9$^{e}$ | n$^{os}$ impairs, 8$^{e}$ | Europe |
| | | n$^{os}$ 99-108 | | | | Place de Clichy |

| Plan | Arr. | Nom | Rues | Commençant | Finissant | Métro |
|---|---|---|---|---|---|---|
| J 10 | 5 | Amyot | | Tournefort, 12 | Lhomond, 23 | Place Monge |
| E 5 | 17 | Anatole-de-la-Forge | | av. de la Grde-Armée, 22 | av. Carnot, 25 | Argentine |
| H 5 | 7 | Anatole-France | (avenue) | av. Éd.-Branly | place Joffre | École Militaire |
| G 8 | 7 | Anatole-France | (quai) | du Bac | pont de la Concorde | Assemblée Nationale |
| H 10 | 6 | Ancienne-Comédie | (de l') | Saint-A.-des-Arts, 67 | bd St-Germain, 13 | Odéon |
| G 11 | 3 | Ancre | (passage de l') | Saint-Martin, 223 | de Turbigo, 30 | Réaumur-Sébastopol |
| G 3 | 16 | Andigné | (d') | Chauss. de la Muette | R.-A.-Magnard | La Muette |
| D 10 | 18 | André-Antoine | (de l') | bd Clichy, 24 | Abbesses, 23 | Pigalle |
| D 10 | 18 | André-Barsacq | | Foyatier | Drevet | Abbesses |
| B 8 | 17 | André-Bréchet | | av. Porte St-Ouen | de Pont-à-Mousson | Porte de Saint-Ouen |
| G 10 | 1 | André-Breton | (allée) | Forum des Halles Niv. 1 | voir détails page 38 | Les Halles |
| J 3 | 15 | André-Citroën | (parc) | quai A.-Citroën | Leblanc | Balard |
| I 4 | 15 | André-Citroën | (quai) | place Fd-Forest | bd Victor, 7 | Javel-André-Citroën |
| H 3 | 16 | André-Colledebœuf | | Ribéria, 32 | en impasse | Jasmin |
| C 14 | 19 | André-Danjon | | Lorraine | av. Jean-Jaurès | Ourcq |
| D 10 | 18 | André-Del-Sarte | (allée d') | Clignancourt | Charles-Nodier, 14 | Château-Rouge |
| J 16 | 12 | André-Derain | | du Sahel | | Bel-Air |
| L 10 | 13 | André-Dreyer | (square) | Wurtz, 18 | | Glacière |
| D 14 | 19 | André-Dubois | | av. Laumière, 2 | Rhin, 24 | Laumière |
| K 7 | 15 | André-Gide | | de la Procession | du Cotentin | Pasteur |
| D 10 | 18 | André-Gill | | des Martyrs, 78 | en impasse | Pigalle |
| I 9 | 6 | André-Honnorat | (place) | Auguste-Comte | en impasse | Luxembourg |
| J 4 | 15 | André-Lefebvre | | Balard | des Cévennes | Javel-André-Citroën |
| L 7 | 14 | André-Lichtenberger | (square) | bd Brune | en impasse | Porte de Vanves |
| G 10 | 1 | André-Malraux | (place) | av. de l'Opéra, 2 | | Palais-Royal-Musée du Louvre |
| L 11 | 13 | André-Masson | (place) | Vandrezanne, 17 | | Tolbiac |
| E 4 | 16 | André-Maurois | (boulevard) | Porte Maillot | Neuilly-sur-Seine | Porte Maillot |
| H 10 | 6 | André-Mazet | | Dauphine, 49 | St-André-des Arts, 66 | Odéon |
| B 10 | 18 | André-Messager | | Letort, 27 | Champion, 97 | Jules-Joffrin |
| G 3 | 16 | André-Pascal | | de Franqueville | Pil.-de Rozier | La Muette |
| M 9 | 14 | André-Rivoire | (avenue) | av. David-Weill | av. Dr-Lannelon | Cité Universitaire |
| B 7 | 17 | André-Suarès | | bd Berthier,16 | av. de la Pte de Clichy, 9 | Porte de Clichy |
| H 7 | 7 | André-Tardieu | (place) | bd des Invalides | av. de Villars | Saint-François-Xavier |
| L 5 | 15 | André-Theuriet | | bd Lefebvre, 68 | av. Albert-Barth | Porte de Vanves |
| C 6 | 17 | André-Ulmann | (jardin) | bd de Reims | avenue Brunetière | Porte de Champerret |
| M13 | 13 | André-Voguet | | René-Villars | du Vieux-Chemin | Porte d'Ivry |
| C 11 | 18 | Andrezieux | (allée d') | des Poissonniers | en impasse | Marcadet-Poissonniers |
| D 8 | 8 | Andrieux | | Constantinople, 22 | bd des Batignolles, 45 | Rome |
| C 10 | 18 | Androuet | | Trois-Frères, 56 | Berthe, 57 | Abbesses |
| B 9 | 18 | Angélique-Compoint | | passage Saint-Jules, 5 | bd Ney, 115 | Saint-Ouen |
| B 9 | 18 | Angers | (impasse d') | Liebnitz, 44 | | Saint-Ouen |
| C 13 | 19 | Anglais | (impasse des) | av. de Flandre, 72 | | Riquet |
| I 10 | 5 | Anglais | (des) | Galande, 21 | bd St-Germain, 70 | Maubert-Mutualité |
| F 13 | 11 | Angoulême | (cité d') | J.-P.-Timbaud, 66 | en impasse | Parmentier |
| I 12 | 4 | Anjou | (quai d') | St-Louis-en-l'Ile, 2 | Deux-Ponts, 40 | Sully-Morland |
| F 8 | 8 | Anjou nos 20-21 nos 75-78 | (d') | fg St-Honoré, 44 | Pépinière, 13 | Madeleine Saint-Lazare |
| H 4 | 16 | Ankara | (d') | quai du Prés.-Kennedy | Berton | Trocadéro |
| E 3 | 16 | Anna-de-Noailles | (square) | bd Amiral-Bruix | av. Gal-Anselin | Porte Maillot |
| F 15 | 20 | Annam | (d') | de la Bidassoa | du Retrait, 9 | Gambetta |
| D 13 | 19 | Anne-de-Beaujeu | (allée) | av. M.-Moreau, 33 | passage des-Fours-à-Chaux | Colonel-Fabien |
| E 15 | 19 | Annelets | (des) | des Solitaires, 19 | de Crimée, 57 | Botzaris |
| L 9 | 14 | Annibal | (cité) | Tombe-Issoire, 87 | en impasse | Alésia |
| H 4 | 16 | Annonciation | (de l') | Raynouard, 48 | place de Passy, 5 | La Muette |
| J 7 | 15 | Anselme-Payen | | Vigée-Lebrun | Falguière | Volontaires |
| I 16 | 11 | Antilles | (place des) | bd de Charonne | pge du Trône | Nation |
| F 9 | 2 | Antin | (cité d') | Danielle-Casanova | de Port-Mahon, 7 | Opéra |
| F 7 | 8 | Antin | (impasse d') | av. Fr.-Roosevelt, 29 | | Ch.-Elysées-Clemenceau |
| E 9 | 9 | Antin | (cité d') | de Provence, 61 | La Fayette, 5 | Chaussée d'Antin |
| H 3 | 16 | Antoine-Arnault | (square) | Antoine-Arnaud, 5 | en impasse | Ranelagh |
| H 3 | 16 | Antoine-Arnault | | Gustave-Zédé, 14 | Davioud, 5 | Ranelagh |
| J 7 | 15 | Antoine-Bourdelle | | av. du Maine, 26 | Falguière, 19 | Montparnasse-Bienvenüe |
| G 10 | 1 | Antoine-Carême | (passage) | Passage des Lingères | St-Honoré | Châtelet |
| L 8 | 14 | Antoine-Chantin | | av. Jean-Moulin, 26 | des Plantes, 47 | Alésia |
| I 10 | 6 | Antoine-Dubois | | Éc. de Médecine, 23 | M.-Le-Prince, 23 | Odéon |
| I 4 | 15 | Antoine-Hajje | | Saint-Charles, 97 | Villa des Entrepr. | Charles-Michels |
| F 15 | 20 | Antoine-Loubeyre | (cité) | de la Mare, 23 | | Ménilmontant |
| I 3 | 16 | Antoine-Roucher | | Mirabeau, 14 | Corot, 6 | Église d'Auteuil |
| I 13 | 12 | Antoine-Vollon | | Théophile-Roussel, 8 | du Faubourg-Saint-Antoine, 106 | Ledru-Rollin |
| L 6 | 15 | Antonin-Mercié | | bd Lefebvre, 90 | av. Albert-Barth | Porte de Vanves |
| D 10 | 9 | Anvers | (square d') | pl. d'Anvers | | Anvers |
| D 10 | 9 | Anvers | (place d') | av. Trudaine, 19 | bd Rochechouart, 39 | Anvers |
| C 8 | 17 | Apennins | (des) | av. de Clichy, 120 | Davy, 41 | Brochant |
| D 12 | 10 | Aqueduc | (de l') | La Fayette, 159 | bd de la Villette, 149 | Louis-Blanc |
| C 15 | 19 | Aquitaine | (square d') | av. Porte Chaumont | bd Sérurier | Porte de Pantin |
| K 10 | 13 | Arago | (jardin) | Léon-M. Nordmann | | Glacière |
| K 10 | 13 | Arago | (square) | bd Arago, 44 | en impasse | Glacière |
| K 11 | 13 | Arago nos 40-45 | (boulevard) | av. des Gobelins | de la Santé | Les Gobelins Glacière |
| K 9 | 14 | Arago nos 75-116 | (boulevard) | de la Santé | pl. Denfert-Rochereau | Denfert-Rochereau Glacière |
| J 10 | 5 | Arbalète | (de l') | des Patriarches, 22 | Berthollet, 13 | Censier-Daubenton |
| G 10 | 1 | Arbre-Sec | (de l') | p. St-Germain-l'Aux., 16 | Saint-Honoré, 109 | Pont-Neuf |
| L 7 | 14 | Arbustes | (des) | R.-Losserand, 203 | en impasse | Porte de Vanves |
| E 5 | 17 | Arc-de-Triomphe | (de l') | du G.-Lanrezac | Acacias, 50 | Ch.-de-Gaulle-Étoile |
| G 10 | 1 | Arc-en-Ciel | (de l') | Forum des Halles Niv. 3 | voir détails page 38 | Les Halles |
| E 8 | 8 | Arcade nos 1-2 nos 61-62 | (de l') | bd Malesherbes, 4 | de Rome, 11 | Madeleine Saint-Lazare |
| C 13 | 19 | Archereau | | Mathis, 24 | de l'Ourcq, 87 | Crimée |
| H 11 | 4 | Archevêché | (quai de l') | pont Saint-Louis | place Parvis-N.-Dame | Cité |
| I 11 | 5 | Archevêché | (pont de l') | quai de l'Archevêché | quai de la Tournelle | Maubert-Mutualité |
| G 12 | 4 | Archives | (des) | de Rivoli, 52 | de Bretagne | Hôtel de Ville |
| G 11 | 3 | nos 89-96 | | | | Temple |
| H 11 | 4 | Arcole | (d') | quai aux-Fleurs, 23 | Cloître-N.-Dame, 22 | Cité |
| H 11 | 4 | Arcole | (pont d') | quai de Gèvres | quai aux Fleurs | Cité |
| M10 | 14 | Arcueil | (d') | de l'Amiral-Mouchez, 80 | bd Jourdan, 14 | Cité Universitaire |
| C 14 | 19 | Ardennes | (des) | av. Jean-Jaurès, 163 | quai de Marne, 40 | Ourcq |
| J 11 | 5 | Arènes | (des) | Linné, 27 | de Navarre, 7 | Jussieu |
| I 11 | 5 | Arènes de Lutèce | (square des) | des Arènes | de Navarre | Jussieu |
| E 7 | 8 | Argenson | (d') | la Boétie, 16 | bd Haussmann, 111 | Miromesnil |
| G 10 | 1 | Argenteuil | (d') | de l'Échelle, 9 | Saint-Roch, 34 | Pyramides |
| E 5 | 16 | Argentine | (cité) | av. Victor-Hugo, 111 | | Victor-Hugo |
| E 5 | 16 | Argentine | (d') | Chalgrin, 10 | av. de la Gde-Armée, 27 | Argentine |
| C 14 | 19 | Argonne | (de l') | quai de l'Oise,41 | av. de Flandre, 156 | Corentin-Cariou |
| B 14 | 19 | Argonne | (place de l') | de l'Argonne, 17 | Dampierre, 2 | Corentin-Cariou |
| F 10 | 2 | Argout | (d') | Étienne-Marcel, 46 | Montmartre, 63 | Sentier |
| J 1 | 16 | Arioste | (de l') | boulevard-Murat, 82 | av. Parc des Princes | Porte de Saint-Cloud |
| G 8 | 7 | Aristide-Briand | | bd Saint-Germain | pl. d. Pal.-Bourbon | Assemblée Nationale |
| D 9 | 18 | Aristide-Bruant | | Véron, 40 | Abbesses, 59 | Blanche |
| K 7 | 15 | Aristide-Maillol | | Falguière, 109 | Maurice-Maignen, 14 | Pasteur |
| E 5 | 17 | Armaillé | (d') | des Acacias, 31 | av. des Ternes, 67 | Argentine |
| B 9 | 18 | Armand | (villa) | Champion, 217*bis* | | Guy-Môquet |
| D 14 | 19 | Armand-Carrel | (place) | Armand-Carrel, 1 | Meynadier, 71 | Laumière |
| D 13 | 19 | Armand-Carrel | | place Arm.-Carrel, 13 | av. Jean-Jaurès | Laumière |
| D 15 | 19 | Armand-Fallières | (villa) | Mig.-Hidalgo | en impasse | Botzaris |
| C 9 | 18 | Armand-Gauthier | (de l') | Félix-Ziem, 1 | Émile-Carrière, 12 | Lamarck-Caulaincourt |
| J 7 | 15 | Armand-Moisant | | Falguière, 23 | bd Vaugirard, 28 | Montparnasse-Bienvenüe |







| Plan | Arr. | Nom | Rues | Commençant | Finissant | Mét |
|---|---|---|---|---|---|---|
| K 17 | 12 | Armand-Rousseau | (avenue) | place Ed.-Renard | Ernest-Lefébure | Porte |
| C 9 | 18 | Armée-d'Orient | (de l') | Lepic, 70 | Lepic, 80 | Blan |
| D 4 | 17 | Armenonville | (d') | G.-Charpentier | Neuilly-sur-Seine | Porte |
| J 7 | 15 | Armorique | (de l') | bd Pasteur, 70 | du Cotentin, 22 | Paste |
| B 8 | 17 | Arnault-Tzanck | (place) | av. Porte Pouchet | | Porte |
| G 12 | 3 | Arquebusiers | (des) | bd Beaumarchais | Saint-Claude, 3 | St-Sé |
| I 11 | 5 | Arras | (d') | des Écoles, 9 | Alfred-Cornu, 6 | Card |
| J 8 | 15 | Arrivée | (de l') | bd Montparnasse, 64 | place Bienvenüe | Mont |
| I 12 | 4 | Arsenal | (de l') | Mornay, 2 | de la Ceriseraie, 5 | Basti |
| I 12 | 4 | Arsenal | (passage de l') | Bourdon | Bastille | Basti |
| E 6 | 8 | Arsène-Houssaye | | av. des Ch.-Élysées, 154 | Beaujon, 3 | Ch.-d |
| J 7 | 15 | Arsonval | (d') | Falguière, 63 | de l'Armorique, 8 | Paste |
| I 14 | 12 | Artagnan | (d') | Col-Rozanoff | en impasse | Reuil |
| B 8 | 17 | Arthur-Brière | | av. Saint-Ouen, 117 | J.-Leclaire | Porte |
| F 13 | 10 | Arthur-Groussier | | av. Parmentier | Saint-Maur, 202 | Gonc |
| C 15 | 19 | Arthur-Honegger | (allée) | Sente-des-Dorées | av. Jean-Jaurès, 228 | Porte |
| B 9 | 18 | Arthur-Ranc | (villa des) | bd Ney, 166 | Henri-Brisson | Porte |
| E 15 | 19 | Arthur-Rozier | | Solitaires, 39 | Compans, 69 | Botza |
| L 9 | 14 | Artistes | (des) | d'Alésia, 13 | Saint-Yves, 2 | Corvis |
| E 7 | 8 | Artois | (d') | la Boétie, 98 | Washington, 52 | Saint- |
| I 16 | 12 | Arts | (impasse des) | du Pensionnat, 5 | | Natio |
| K 8 | 14 | Arts | (passage des) | R.-Losserand, 33 | Éd.-Jaques, 16 | Perné |
| D 4 | 17 | Arts | (avenue des) | av. Verzy, 5 | | Porte |
| C 8 | 18 | Arts | (villa des) | Pierre-Ginier, 15 | | La Fou |
| H 10 | 6 | Arts | (pont des) | quai du Louvre | place Institut | Pont-N |
| G 13 | 11 | Asile | (passage de l') | passage Chemin-Vert, 2 | Popincourt, 51 | Saint-A |
| G 13 | 11 | Asile-Popincourt | (de l') | passage Moufle, 4 | Popincourt, 59 | Saint-A |
| I 9 | 6 | Assas nos 13-16 nos 78-57 | (d') | Cherche-Midi | av. l'Observat., 12 | Saint-P Notre-D |
| K 8 | 14 | Asseline | | Maison-Dieu, 12 | du Château, 141 | Perné |
| D 11 | 18 | Assommoir | (place de l') | des Islettes, 9 | | Barbès |
| H 2 | 16 | Assomption | (de l') | Boulainvilliers, 16 | bd Montmorency | Ranela |
| E 8 | 8 | Astorg | (d') | Ville-L'Évêque, 24 | la Boétie, 3 | Saint-A |
| J 8 | 15 | Astrolabe | (impasse de l') | de Vaugirard, 119 | | Falgui |
| E 9 | 9 | Athènes | (d') | de Clichy, 21 | Amsterdam, 38 | Trinité |
| J 7 | 15 | Atlantique | (jardin) | Gare Montpartnasse | | Montpa |
| E 13 | 19 | Atlas | (de l') | Rébeval, 1 | av. Sim.-Bolivar, 69 | Bellevi |
| E 13 | 19 | Atlas | (passage de l') | de l'Atlas, 10*bis* | de l'Atlas, 16 | Bellevi |
| F 9 | 9 | Auber | | place de l'Opéra, 5 | Tronchet, 36 | Opéra |
| C 12 | 19 | Aubervilliers | (impasse d') | d'Aubervilliers, 48 | | Staling |
| B 13 | 18 | Aubervilliers | (d') | bd de la Chapelle, 2 | bd Ney, 1 | Staling |
| C 12 | 19 | n° 164 | | nos impairs, 18e | | Crimée |
| D 5 | 17 | Aublet | (villa) | Laugier, 44 | | Péreire |
| B 8 | 17 | Auboin | | Clichy | Fanny | Porte de |
| K 14 | 12 | Aubrac | (de l') | de l'Ambroisie, 15 | Baron-Le-Roy, 14 | Dugomm |
| H 11 | 4 | Aubriot | | Ste-Croix-Bret., 13 | Blancs-Mant., 17 | Hôtel de |
| H 15 | 20 | Aubry | (cité) | de Bagnolet, 15 | de Bagnolet, 35 | Alexand |
| G 11 | 4 | Aubry-le-Boucher | | Saint-Martin, 103 | Sébastopol, 24 | Châtelet |
| L 9 | 14 | Aude | (de l') | av. Montsouris, 54 | Tombe-Issoire, 91 | Alésia |
| D 9 | 18 | Audran | | Véron, 30 | des Abbesses, 47 | Abbesse |
| I 13 | 12 | Audubon | | bd Diderot, 5 | de Bercy, 225 | Quai de |
| I 16 | 20 | Auger | | bd Charonne, 36 | d'Avron, 16 | Buzenva |
| H 6 | 7 | Augereau | | St-Dominique, 141 | de Grenelle, 218 | École Mi |
| C 5 | 17 | Auguste-Balagny | (jardin) | Jean-Oestreicher | bd de la Somme | Porte de |
| F 13 | 11 | Auguste-Barbier | | Font.-au-Roi, 39 | av. Parmentier, 125 | Goncourt |
| A 15 | 19 | Auguste-Baron | (place) | av. Pte de la Villette | bd de la Commanderie | Porte de |
| I 5 | 15 | Auguste-Bartholdi | | place Dupleix | bd Grenelle, 73 | Dupleix |
| K 13 | 13 | Auguste-Blanqui | (villa) | Jeanne-d'Arc, 46 | | Nationale |
| L 10 | 13 | Auguste-Blanqui nos 102-121 | (boulevard) | place d'Italie, 9 | de la Santé, 81 | Corvisart Glacière |
| L 8 | 14 | Auguste-Cain | | av. Jean-Moulin, 60 | des Plantes, 67 | Porte d'O |
| K 5 | 15 | Auguste-Chabrières | (cité) | Aug.-Chabrières, 22 | | Porte de |
| K 5 | 15 | Auguste-Chabrières | | Desnouettes, 41 | Croix-Nivert, 250 | Porte de |
| H 17 | 20 | Auguste-Chapuis | | Mendelssohn, 5 | Dr-Déjerine, 15 | Porte de |
| J 9 | 6 | Auguste-Comte | | bd Saint-Michel, 66 | d'Assas, 57 | N.-Dame- |
| I 6 | 15 | Auguste-Dorchain | | de la Croix-Nivert | Neuve-du Théâtre | Commerc |
| M10 | 13 | Auguste-Lançon | | Barrault, 84 | de Rungis, 36 | Cité Unive |
| H 14 | 11 | Auguste-Laurent | | Mercoeur, 3 | de la Roquette, 142 | Voltaire |
| J 2 | 16 | Auguste-Maquet | | bd Exelmans, 7 | bd Murat, 187 | Exelmans |
| G 15 | 20 | Auguste-Métivier | (place) | bd Ménilmontant, 44 | av. Gambetta, 1 | Père-Lach |
| K 8 | 14 | Auguste-Mie | | Froidevaux, 75 | av. du Maine, 99 | Gaîté |
| L 12 | 13 | Auguste-Perret | | av. de Choisy, 107 | av. d'Italie, 81 | Tolbiac |
| L 7 | 14 | Auguste-Renoir | (square) | R.-Losserand, 207 | en impasse | Porte de V |
| F 5 | 16 | Auguste-Vacquerie | | Newton, 5 | Dr-d'Urville | Kléber |
| I 4 | 15 | Auguste-Vitu | | av. Émile-Zola, 16 | Sébastien-Mercier, 15 | Javel-And |
| E 15 | 19 | Augustin-Thierry | | Compans, 13 | Pré-Saint-Gervais, 14 | Place des |
| E 9 | 9 | Aumale | (d') | Saint-Georges, 47 | Rochefoucauld, 24 | Saint-Geo |
| L 12 | 13 | Aumont | | de Tolbiac, 127 | av. d'Ivry, 108 | Tolbiac |
| D 5 | 17 | Aumont-Thiéville | | bd G.-Saint-Cyr, 27 | Roger-Bacon, 19 | Porte de C |
| D 4 | 17 | Aurelle-de-Paladines | (boulevard d') | pl. Porte des Ternes, 14 | Neuilly-sur-Seine | Porte Mail |
| I 13 | 12 | Austerlitz | (d') | de Bercy, 234 | de Lyon, 25 | Gare de Ly |
| J 12 | 13 | Austerlitz | (pont d') | place Mazas | place Valhubert | Gare d'Aus |
| J 13 | 13 | Austerlitz | (port d') | pont de Bercy | pont d'Austerlitz | Gare d'Aus |
| J 13 | 13 | Austerlitz | (quai d') | bd Vincent-Auriol, 2 | place Valhubert | Gare d'Aus |
| J 12 | 5 | Austerlitz | (cité d') | Nicolas-Houël | en impasse | Gare d'Aus |
| I 2 | 16 | Auteuil | (boulevard d') | av. Porte Molitor | Boulogne | Porte d'Aut |
| I 3 | 16 | Auteuil | (d') | Théophile-Gautier, 66 | bd Murat, 1 | Michel-Ang |
| I 3 | 16 | Auteuil | (port d') | pont du Garigliano | pont Mirabeau | Exelmans |
| I 1 | 16 | Auteuil-Aux-Lacs | (route d') | pl. de la Pte d'Auteuil | ch. de C.-du-Lac-Sup. | Porte d'Aut |
| H 12 | 4 | Ave-Maria | (square de l') | quai des Célestins | | Sully-Morla |
| H 12 | 4 | Ave-Maria | (de l') | Saint-Paul, 4 | du Fauconnier, 2 | Pont-Marie |
| F 14 | 11 | Avenir | (cité de l') | bd Ménilmontant, 123 | | Ménilmonta |
| F 15 | 20 | Avenir | (de l') | Pixérécourt, 32 | en impasse | Place des F |
| E 4 | 16 | Avenue-du-Bois | (square de l') | Le Sueur, 9 | | Argentine |
| E 4 | 16 | Avenue-Foch | (square de l') | av. Foch, 80 | | Porte Daupl |
| C 6 | 17 | Aveyron | (square de l') | Jules-Bourdais | en impasse | Péreire |
| I 6 | 15 | Avre | (de l') | bd Grenelle, 140 | Letellier, 43 | La M.-Picqu |
| H 17 | 20 | Avron | (d') | bd Charonne, 44 | bd Davout, 67 | Avron |
| C 10 | 18 | Azaïs | | Guibert | Saint-Éleuthère, 8 | Abbesses |
| B H 8 | 7 | Babylone nos 69-76 | (de) | bd Raspail, 46 | bd Invalides, 46 | Sèvres-Baby St-François- |
| H 8 | 7 | Bac nos 45-54 nos 135-148 | (du) | quai Voltaire, 35 | de Sèvres, 26 | Rue du Bac Sèvres-Baby |
| F 10 | 2 | Bachaumont | | Montorgueil, 67 | Montmartre, 76 | Sentier |
| C 10 | 18 | Bachelet | (du) | Nicolet, 18 | Lambert, 29 | Château-Rou |
| G 16 | 20 | Bagnolet | (de) | bd de Charonne, 148 | bd Davout, 229 | Alexandre-D |
| C 10 | 18 | Baigneur | (boulevard) | Ramey, 53 | Mont-Cenis, 30 | Marcadet-Po |
| G 10 | 1 | Baillet | | de la Monnaie, 23 | Arbre-Sec, 24 | Louvre-Rivoli |
| G 10 | 1 | Bailleul | | Arbre-Sec, 39 | du Louvre, 12 | Louvre-Rivoli |
| L 8 | 14 | Baillou | | des Plantes, 52 | Lecuirot, 7 | Alésia |
| G 11 | 3 | Bailly | | Réaumur, 27 | Beaubourg, 98 | Arts-et-Métie |
| K 4 | 15 | Balard | (place) | av. Félix-Faure, 150 | Balard | Place Balard |
| J 4 | 15 | Balard | | rd-pt Mirabeau | place Balard | Javel-André- |
| F 13 | 11 | Baleine | (impasse de la) | J.-P.-Timbaud, 92 | | Couronnes |
| G 16 | 20 | Balkans | (des) | Vitruve, 61 | de Bagnolet, 146 | Porte de Bagn |
| D 9 | 9 | Ballu | (villa) | Ballu, 23 | | Place de Clich |
| D 9 | 9 | Ballu | | Blanche, 57 | de Clichy, 74 | Place de Clich |
| D 5 | 17 | Balny-d'Avricourt | | Pierre-Demours, 51 | av. Niel, 82 | Péreire |
| G 10 | 1 | Baltard | | Berger | Rambuteau | Les Halles |
| E 6 | 8 | Balzac | | av. des Ch.-Élysées, 124 | fg St-Honoré, 195 | George V |

| | | Rues | Commençant | Finissant | Métro |
|---|---|---|---|---|---|
| | que | (de la) | Petits-Champs, 2 | place de la Bourse, 5 | Bourse |
| | quier | (du) | Duméril, 22 | av. des Gobelins, 53 | Campo-Formio |
| | iste-Renard | | Ch.-des-Rentiers, 105 | Nationale, 96 | Nationale |
| | banègre | | de Nantes, 16 | quai Gironde, 11 | Corentin-Cariou |
| | bès nos 35-46 | (boulevard) | bd de la Chapelle, 126 | Ordener, 75 | Barbès-Rochechouart |
| | 7-86 | | | | Château-Rouge |
| | bet-de-Jouy | | de Varenne, 69 | de Babylone, 64 | Varenne |
| | bette | | Elzévir, 9 | Vieille-du-Temple, 70 | Saint-Paul |
| | bey-d'Aurevilly | (avenue) | av. la Bourdonnais | allée A.-Lecouvreur | École Militaire |
| | celone | (place de) | av. de Versailles | Rémusat | Mirabeau |
| | dinet | | d'Alésia, 181 | de l'A.-Carton, 27 | Plaisance |
| | gue | | de Vaugirard, 241 | Falguière, 136 | Volontaires |
| | on | | la Jonquière, 58 | Navier, 51 | Guy-Môquet |
| | on-le-Roy | | place Lachambeaudie, 4 | en impasse | Dugommier |
| | rault | (passage) | des Cinq-Diamants | Barrault, 9 | Corvisart |
| | rault | | bd A.-Blanqui, 73 | place du Rungis, 9 | Corvisart |
| | relet-de-Ricou | | av. Simon-Bolivar, 44 | Philippe-Hecht | Bolivar |
| | res | (des) | quai Hôtel-de Ville, 66 | François-Miron, 16 | Hôtel de Ville |
| | rier | (impasse) | de Citeaux, 21 | | Reuilly-Diderot |
| | rois | (passage) | des Gravillons, 34 | Au-Maire, 15 | Arts-et-Métiers |
| | rthélemy | (passage) | fg Saint-Martin, 265 | de l'Aqueduc, 86 | Porte de la Villette |
| | rthélemy | | av. de Breteuil, 78 | bd Garibaldi, 59 | Sèvres-Lecourbe |
| | rye | | Médéric, 19 | Cardinet, 22 | Courcelles |
| | rye | (square) | bd Henri-IV | | Sully-Morland |
| | sfour | (passage) | Saint-Denis, 178 | de Palestro, 29 | Réaumur-Sébastopol |
| | sfroi | (passage) | pl. Ch.-Dallery, 22 | av. Ledru-Rollin, 159 | Voltaire |
| | asfroi | | de Charonne, 71 | la Roquette, 108 | Voltaire |
| | asilide-Fossard | | av. Gambetta, 90 | en impasse | Pelleport |
| | assano | (de) | av. d'Iéna | av. Marceau | av. des Champs-Élysées |
| | | | av. Marceau | av. des Ch.-Élysées | George V |
| | asses-des-Carmes | | Mt-Ste-Geneviève | des Carmes, 3 | Maubert-Mutualité |
| | assompierre | | bd Bourdon, 25 | de l'Arsenal, 12 | Bastille |
| | aste | | Secrétan,35 | Bouret, 21 | Bolivar |
| | astien-Lepage | | Pierre-Guérin, 13 | la Fontaine, 81 | Michel-Ange-Auteuil |
| | astille | (de la) | Tournelles, 2*bis* | place de la Bastille | Bastille |
| | astille nos 2, 4 et 6 | (place de la) | fg Saint-Antoine, 1 | bd Beaumarchais, 1 | Bastille |
| | 1 à 7 | | | | |
| | 8 à 14 | | | | |
| | astille nos 52 | (bd de la) | place Mazas | place de la Bastille | Quai de la Rapée |
| | os impairs | | | | Bastille |
| | ataille-de-Stalingrad | (place de la) | bd de la Villette | entour.-Rotonde | Bastille |
| | ataillon-du-Pacifique | (place du) | bd de Bercy | de Bercy | Bercy |
| | ataillon-Français-de-l'ONU-en-Corée | (place du) | quai de l'Hôtel-de Ville | | Pont-Marie |
| | Batignolles | (square des) | place Ch.-Fillon | | Brochant |
| | Batignolles | (bd des) | place Clichy, 5 | place Pr.-Goubaux | Place de Clichy |
| | nos impairs | | nos 43 à 63 | | Rome |
| | nos pairs | | nos 65 à 110 | | Villiers |
| | Bauches | (des) | Boulainvilliers, 45 | de la Muette | Ranelagh |
| | Baudelique | | Ordener, 64 | bd Ornano, 23 | Simplon |
| | Baudoin | | Clisson, 19 | Dunois, 42 | Chevaleret |
| | Baudoyer | (place) | François-Miron | de Rivoli, 25 | Hôtel de Ville |
| | Baudran | (impasse) | Daumesne, 19 | | Tolbiac |
| | Baudricourt | (impasse) | Baudricourt, 68 | | Tolbiac |
| | Baudricourt | | Nationale, 111 | av. de Choisy, 72 | Nationale |
| | nos 23-24 | | | | Tolbiac |
| | Bauer | (cité) | Didot, 36 | Boyer-Barret | Pernéty |
| | Baulant | | Charolais, 32 | Charenton, 210 | Dugommier |
| | Baumann | (villa) | Alph.-Penaud, 35 | Étienne-Marey | Pelleport |
| | Bausset | | pl. Ad.-Chérioux, 6 | Abbé-Groult, 79 | Vaugirard |
| | Bayard | | cours-Albert-1er | av. Montaigne, 44 | Ch.-Elysées-Clemenceau |
| | Bayen | | Poncelet, 3 | Gouv.-Saint-Cyr, 21 | Ternes |
| | nos 68-73 | | | | Porte de Champerret |
| | Bazeilles | | Censier, 53 | Monge, 118 | Censier-Daubenton |
| | Béarn | (de) | place des Vosges, 28 | Saint-Gilles, 5 | Chemin-Vert |
| | Béatrix-Dussane | | Viala, 23 | de Lourmel, 18 | Dupleix |
| | Beaubourg | (impasse) | Beaubourg, 39 | | Rambuteau |
| | Beaubourg 1 à 19 - 2 à 20 | | Sim.-le-Franc, 14 | de Turbigo, 48 | Rambuteau |
| | nos 21 à 107 | | Rambuteau, 36 | | |
| | Beauce | (de) | Pastourelle, 10 | de Bretagne, 47 | Temple |
| | Beaucour | (avenue) | fg Saint-Honoré, 248 | en impasse | Ternes |
| | Beaufils | (passage) | du Volga, 13 | d'Avron, 84 | Maraîchers |
| | Beaugrenelle | | Émeriau, 65 | Saint-Charles, 80 | Charles-Michels |
| | Beauharnais | (cité) | des Boulets, 54 | | Charonne |
| | Beaujolais | (de) | de Valois, 43 | Montpensier, 40 | Bourse |
| | Beaujolais | (galerie de) | périst.-Beaujolais | périst.-Joinville | Bourse |
| | Beaujolais | (passage de) | Montpensier, 47 | de Richelieu, 52 | Bourse |
| | Beaujon | (square) | bd Haussmann, 150 | | Miromesnil |
| | Beaujon | | av. Friedland, 12 | av. de Wagram, 8 | Ch.-de-Gaulle-Étoile |
| | Beaumarchais | (boulevard) | pl. de la Bastille | Pont-aux-Choux | Bastille |
| | nos 12-17 | | nos pairs | nos pairs | Chemin-Vert |
| | nos 74-79 | | de 33 à la fin | des impairs | St-Sébastien-Froissart |
| | Beaune | (de) | quai Voltaire, 29 | Université, 34 | Rue du Bac |
| | Beaunier | | Tombe-Issoire, 138 | av. Gl-Leclerc, 115 | Porte d'Orléans |
| | Beauregard | | Poissonnière, 18 | bd Bonne-Nouvelle, 5b | Bonne-Nouvelle |
| | Beaurepaire | | bd Magenta, 2 | quai Valmy, 71 | République |
| | Beaurepaire | (cité) | Greneta, 48 | | Étienne-Marcel |
| | Beauséjour | (boulevard de) | Ch.-de-Muette, 15 | l'Assomption, 106 | Ranelagh |
| | Beauséjour | (villa de) | bd Beauséjour, 7 | en impasse | Ranelagh |
| | Beautreillis | | des Lions, 4 | Saint-Antoine, 45 | Sully-Morland |
| | Beauvau | (place) | Saint-Honoré, 100 | Mirosmenil, 2 | Ch.-Elysées-Clemenceau |
| | Beaux-Arts | (des) | de Seine, 16 | Bonaparte, 13 | St-Germain-des-Prés |
| | Beccaria | | Charenton, 115 | place d'Aligre, 15 | Gare de Lyon |
| | Becquerel | | Bachelet, 2 | Saint-Vincent | Lamarck-Caulaincourt |
| | Beethoven | | av. Pt-Kennedy | bd Delessert, 11 | Passy |
| | Bel-Air | (avenue du) | av. Saint-Mandé, 15 | pl. de la Nation, 26 | Nation |
| | Bel-Air | (cour du) | fg Saint-Antoine, 56 | | Ledru-Rollin |
| | Bel-Air | (villa du) | av. Saint-Mandé, 102 | en impasse | Vincennes |
| | Bela-Bartok | (square) | place Brazzaville | | Bir-Hakeim |
| | Belfort | (de) | bd Voltaire, 135 | Léon-Frot | Charonne |
| | Belgrade | | av. la Bourdon, 58 | Adrienne-Lecouvreur | École Militaire |
| | Belgrand | | place Gambetta | Bagnolet, 179 | Gambetta |
| 3 | Belhomme | | bd Rochechouart, 22 | de la Nation, 9 | Barbès-Rochechouart |
| 7 | Belidor | | av. des Ternes, 95 | bd G.-Saint-Cyr, 71 | Porte Maillot |
| 5 | Bellart | | Pérignon, 17 | av. Suffren, 157 | Sèvres-Lecourbe |
| | Bellechasse | (de) | quai A.-France, 9 | de Varenne, 68 | Solférino |
| | Bellefond | (de) | fg Poissonnière, 107 | Rochechouart, 30 | Poissonnière |
| 6 | Belles-Feuilles | (des) | place de Mexico, 10 | rd-pt Bugeaud, 5 | Porte Dauphine |
| 6 | Belles-Feuilles | (impasse des) | des Belles-Feuilles | | Porte Dauphine |
| 0 | Belleville | (parc de) | des Couronnes | Piat | Pyrénées |
| 9 | Belleville | (de) | bd de la Villette, 2 | bd Sérurier, 1 | Belleville |
| 0 | nos 128-135 | | | | Jourdan |
| | nos 225-230 | | | | Télégraphe |
| | fin | | | | Porte des Lilas |
| 11 | Belleville | (boulevard de) | Oberkampf, 159 | fg du Temple, 124 | Ménilmontant |
| 20 | nos impairs | | nos 22-58 | | Couronnes |
| | nos pairs | | nos 79-132 | | Belleville |
| 19 | Bellevue | (de) | Compans, 70 | des Lilas, 31 | Place des Fêtes |
| 19 | Bellevue | (villa de) | de Mouzaïa, 32 | de Bellevue, 17 | Danube |
| 18 | Belliard | | des Poissonniers, 159 | av. Saint-Ouen, 126 | Porte de Clignancourt |

| Plan | Arr. | Nom | Rues | Commençant | Finissant | Métro |
|---|---|---|---|---|---|---|
| B 9 | 18 | Bélliard | (villa) | passage Daunay, 12 | Belliard, 189 | Porte de Saint-Ouen |
| L 11 | 13 | Bellier-Dedouvre | | Charles-Fournier, 27 | Colonie, 63 | Tolbiac |
| K 13 | 13 | Bellièvre | (de) | quai d'Austerlitz, 11 | Ed.-Flamand, 8 | Quai de la Gare |
| G 4 | 16 | Bellini | | Scheffer, 23 | la Tour, 56 | Passy |
| C 12 | 19 | Bellot | | de Tanger, 19 | d'Aubervilliers, 42 | Stalingrad |
| F 5 | 16 | Belloy | (de) | pl. des États-Unis, 16 | av. Kléber, 37 | Boissière |
| D 16 | 19 | Belvédère | (avenue du) | av. René-Fonck, 25 | A.-Fleming | Pré-Saint-Gervais |
| D 11 | 10 | Belzunce | (de) | bd Magenta, 111 | de Maubeuge, 86 | Gare du Nord |
| F 10 | 2 | Ben-Aïad | (passage) | Mandar, 8 | Léopold-Bellan | Sentier |
| K 8 | 14 | Bénard | | des Plantes, 22 | Didot, 37 | Mouton-Duvernet |
| B 14 | 19 | Benjamin-Constant | | av. Corentin-Cariou, 9 | de Cambrai, 32 | Corentin-Cariou |
| G 4 | 16 | Benjamin-Franklin | | bd Delessert, 10 | pl. du Trocadéro | Passy |
| | | nos 58-39 | | | | Trocadéro |
| F 3 | 16 | Benjamin-Godart | | av. Victor-Hugo, 182 | de Lota | Rue de la Pompe |
| F 3 | 16 | Benouville | | Spontini, 34 | Faisanderie, 37 | Porte Dauphine |
| H 3 | 16 | Béranger | (hameau) | la Fontaine, 16 | | Ranelagh |
| F 12 | 3 | Béranger | | Charlot, 83 | du Temple, 182 | Ranelagh |
| H 12 | 4 | Bérard | (cour) | impasse Guéméné, 8 | | Bastille |
| K 11 | 13 | Berbier-du-Mets | | Croulebarbe, 26 | bd Arago, 17 | Les Gobelins |
| J 13 | 12 | Bercy | (allée de) | bd de Bercy, 13 | bd Diderot, 20 | Bercy |
| J 15 | 12 | Bercy | (bd de) | quai de la Rapée, 2 | Charenton, 240 | Bercy |
| L 14 | 12 | Bercy | (port de) | limite de Paris | pont de Bercy | Porte de Charenton |
| L 14 | 12 | Bercy | (quai de) | bd Poniatowski | quai de la Rapée | Bercy |
| K 13 | 13 | Bercy | (pont de) | quai de Bercy, 2 | quai de la Gare | Quai de la Gare |
| K 14 | 12 | Bercy | (de) | de Dijon, 1 | bd de la Bastille, 18 | Bercy |
| | | nos 210-211 | | | | Gare de Lyon |
| H 16 | 20 | Bergame | (impasse de) | des Vignoles, 28 | | Avron |
| G 11 | 1 | Berger | | bd Sébastopol, 31 | du Louvre, 40 | Les Halles |
| G 10 | 1 | Berger | (porte) | Forum des Halles Niv. 1 | | Les Halles |
| | | | | Forum des Halles Niv. 2 | voir détails p. 38 | |
| | | | | Forum des Halles Niv. 3 | | |
| F 10 | 9 | Bergère | (cité) | fg Montmartre, 6 | Bergère, 21 | Rue Montmartre |
| F 10 | 9 | Bergère | | fg Poissonnière, 13 | fg Montmartre, 12 | Rue Montmartre |
| J 4 | 15 | Bergers | (des) | de Javel, 62 | Cauchy, 35 | Charles-Michels |
| I 8 | 6 | Bérite | | du Cherche-Midi, 69 | Gerbillon, 9 | Saint-Placide |
| D 9 | 9 | Berlioz | (square) | pl. Adolphe-Max | | Place de Clichy |
| E 4 | 16 | Berlioz | | Pergolèse, 32 | Ct-Marchand, 5 | Porte Maillot |
| G 11 | 3 | Bernard-de-Clairvaux | | Brantôme | Saint-Martin, 172 | Rambuteau |
| K 7 | 14 | Bernard-de-Ventadour | | Desprez | Pernéty | Pernéty |
| B 9 | 18 | Bernard-Dimey | | Jules-Cloquet | Vauvenargues | Porte de Saint-Ouen |
| J 11 | 5 | Bernard-Halpern | (place) | des Patriarches | Marché des Patriarches | Censier-Daubenton |
| D 4 | 17 | Bernard-Lafay | (promenade) | bd A.-de-Palandines | av. Pte d'Asnières | Porte de Champerret |
| I 17 | 12 | Bernard-Lecache | | du Chaffault, 21 | av. Pte de Vincennes | Saint-Mandé-Tourelle |
| H 9 | 6 | Bernard-Palissy | | de Rennes, 54 | du Dragon, 15 | St-Germain-des-Prés |
| I 11 | 5 | Bernardins | (des) | quai de la Tournelle, 59 | en impasse | Maubert |
| D 8 | 8 | Berne | (de ) | de St-Petersbourg, 5 | de Moscou, 35 | Rome |
| D 8 | 8 | Bernoulli | | de Rome, 71 | Constantine, 20 | Rome |
| E 7 | 8 | Berri | (de ) | av. des Ch.-Élysées, 92 | bd Haussmann, 165 | George V |
| F 8 | 8 | Berryer | (cité) | Royale, 25 | Boissy-d'Anglas, 24 | Madeleine |
| E 6 | 8 | Berryer | | av. Friedland, 6 | fg Saint-Honoré, 193 | George V |
| G 11 | 3 | Berthaud | (impasse) | Beaubourg, 26 | | Rambuteau |
| D 10 | 18 | Berthe | | Drevet | Ravignan, 18 | Abbesses |
| D 5 | 17 | Berthier | (villa) | av. de Villiers, 133 | | Porte de Champerret |
| C 7 | 17 | Berthier | (boulevard) | Porte de Clichy | av. de Villiers, 136 | Porte de Clichy |
| | | no 10 | | | | Porte de Champerret |
| J 10 | 5 | Berthollet | | Claude Bernard, 45 | bd Port-Royal, 64 | Censier-Daubenton |
| E 6 | 8 | Bertie-Albrecht | (avenue) | Beaujon, 14 | av. Hoche | Ch.-de-Gaulle-Étoile |
| H 11 | 1 | Bertin-Poirée | | quai Mégisserie, 14 | Rivoli, 63 | Châtelet |
| H 4 | 16 | Berton | | av. Marcel-Proust | Raynouard, 65 | Passy |
| G 14 | 11 | Bertrand | (cité) | av. de la République, 83 | en impasse | Saint-Maur |
| D 11 | 18 | Bervic | | bd Barbès, 3 | Belhomme, 6 | Barbès-Rochechouart |
| B 8 | 17 | Berzélius | | av. de Clichy, 170 | la Jonquière, 75 | Brochant |
| B 8 | 17 | Berzélius | (passage) | Pouchet, 65 | Berzélius, 72 | Brochant |
| G 13 | 11 | Beslay | (passage) | Folie-Méricourt, 30 | av. Parmentier, 65 | Parmentier |
| B 7 | 17 | Bessières | | Fragonard, 15 | la Jonquière, 105 | Porte de Clichy |
| B 8 | 17 | Bessières | (boulevard) | av. Porte de Saint-Ouen | av. Porte de Clichy | Porte de Saint-Ouen |
| | | nos 115-75 | | | | Porte de Clichy |
| K 6 | 15 | Bessin | (du) | Lieuvin, 7 | Castagnary, 104 | Porte de Vanves |
| I 11 | 4 | Béthune | (quai de) | bd Henri-IV, 1 | pont de la Tournelle | Sully-Morland |
| | | no 16 | | | | Pont-Marie |
| D 8 | 17 | Beudant | | bd des Batignolles, 74 | des Dames, 91 | Rome |
| F 6 | 16 | Beyrouth | (place de) | av. P.-1er-de Serbie | av. Marceau | George V |
| L 9 | 14 | Bezout | | Tombe-Issoire, 68 | av. Gal-Leclerc, 65 | Alésia |
| F 13 | 10 | Bichat | | fg du Temple, 45 | quai Jemmapes, 108 | Goncourt |
| F 15 | 20 | Bidassoa | (de la) | av. Gambetta, 53 | Sorbier, 7 | Gambetta |
| I 14 | 12 | Bidault | (ruelle) | de Charenton, 158 | av. Daumesnil, 123 | Reuilly-Diderot |
| B 9 | 18 | Bienaimé | (cité) | bd Ney, 113 | | Saint-Ouen |
| E 8 | 8 | Bienfaisance | (de la ) | du Rocher, 29 | av. Messine, 22 | Saint-Augustin |
| J 8 | 15 | Bienvenüe | (place) | bd de Vaugirard, 4 | av. du Maine, 24 | Montparnasse-Bienvenüe |
| I 11 | 5 | Bièvre | (de) | quai de la Tournelle, 67 | bd St-Germain, 54 | Maubert-Mutualité |
| J 15 | 12 | Bignon | | de Charenton, 191 | av. Daumesnil, 134 | Dugommier |
| L 9 | 14 | Bigorre | (de) | du Commandeur | d'Alésia, 30 | Alésia |
| A 14 | 19 | Bigot | (sente à) | de la Commanderie | en impasse | Porte de la Villette |
| D 14 | 19 | Binder | (passage) | passage du Sud | passage Dubois, 10 | Laumière |
| D 8 | 17 | Biot | | place de Clichy, 5 | des Dames, 11 | Place de Clichy |
| H 5 | 15 | Bir-Hakeim | (pont de) | av. Pt-Kennedy | quai de Grenelle | Passy |
| H 12 | 4 | Birague | (de) | Saint-Antoine, 36 | place des Vosges, 2 | Bastille |
| I 13 | 12 | Biscornet | | Lacuée, 9 | bd de la Bastille, 50 | Bastille |
| F 14 | 20 | Bisson | | bd de Belleville, 86 | des Couronnes, 27 | Couronnes |
| C 14 | 19 | Bitche | (square) | pl. de Bitche | de Crimée | Crimée |
| C 14 | 19 | Bitche | (place de) | quai de l'Oise, 1 | Jomard, 2 | Crimée |
| H 7 | 7 | Bixio | | av. Ségur, 2*ter* | Lowendal | École Militaire |
| D 8 | 17 | Bizerte | (de) | Nollet, 13 | Truffaut, 18 | Place de Clichy |
| J 11 | 5 | Blainville | | Mouffetard, 10 | Tournefort, 1 | Place Monge |
| G 10 | 1 | Blaise-Cendrars | (allée) | Forum-des-Halles | voir détails page 38 | Les Halles |
| I 8 | 6 | Blaise-Desgoffe | | de Rennes, 138 | de Vaugirard, 79 | Saint-Placide |
| H 17 | 20 | Blanchard | | Félix-Terrier | bd Davout | Porte de Montreuil |
| L 6 | 14 | Blanche | (cité) | R.-Losserand, 190 | Vercingétorix, 291 | Porte de Vanves |
| D 9 | 9 | Blanche | (place) | Blanche, 102 | bd de Clichy, 59 | Blanche |
| D 9 | 9 | Blanche | | Châteaudun, 60 | place Blanche, 3 | Trinité |
| | | nos 83-102 | | | | Blanche |
| D 15 | 19 | Blanche-Antoinette | | François-Pinton, 6 | en impasse | Danube |
| G 11 | 4 | Blancs-Manteaux | (des) | Vieille-du Temple, 51 | du Temple, 40 | Rambuteau |
| E 10 | 9 | Bleue | | fg Poissonnière, 69 | La Fayette, 72 | Cadet |
| J 6 | 15 | Blomet | (square) | Blomet | | Volontaires |
| J 5 | 15 | Blomet | | Lecourbe, 23 | Saint-Lambert, 31 | Sèvres-Lecourbe |
| | | nos 85-98 | | | | Vaugirard |
| | | nos 170-175 | | | | Convention |
| F 11 | 2-3 | Blondel | | Saint-Martin, 351 | Saint-Denis, 240 | Strasbourg-Saint-Denis |
| G 14 | 11 | Bluets | (des) | av. République, 79*ter* | bd Ménilmontant, 109 | Saint-Maur |
| L 11 | 13 | Bobillot | | place d'Italie, 18 | place de Rungis, 5 | Place d'Italie |
| | | nos 22-31 | | | | Corvisart |
| L 6 | 15 | Bocage | (du) | Castagnary | du Lieuvin | Porte de Vanves |
| F 6 | 8 | Boccador | (du ) | av. Montaigne, 21 | av. George-V, 24 | Alma-Marceau |
| D 10 | 9 | Bochart-de-Saron | | Condorcet, 52 | bd Rochechouart | Anvers-Pigalle |
| D 15 | 19 | Boers | (villa des) | Gal-Brunet, 19 | Miguel-Hidalgo, 27 | Danube |
| G 11 | 4 | Bœuf | (impasse du) | Saint-Merri, 10 | | Rambuteau |
| I 10 | 5 | Bœufs | (impasse des) | de l'École Polyt., 22 | | Maubert-Mutualité |
| F 9 | 2 | Boïeldieu | (place) | Favart, 1 | Marivaux, 5 | Richelieu-Drouot |
| I 14 | 16 | Boileau | | d'Auteuil, 31 | av. de Versailles, 18 | Michel-Ange-Molitor |

| Plan | Arr. | Nom | Rues | Commençant | Finissant | Métro |
|---|---|---|---|---|---|---|
| I 2 | 16 | Boileau | (villa) | Molitor, 18 | | Michel-Ange-Molitor |
| B 11 | 18 | Boinod | | bd Ornano, 6 | Championnet, 1 | Simplon |
| E 16 | 19 | Bois | (des) | Pré-St-Gervais, 42 | bd Sérurier, 69 | Place des Fêtes |
| E 5 | 16 | Bois-de-Boulogne | (du) | Le Sueur | Duret, 30 | Argentine |
| B 8 | 17 | Bois-le-Prêtre | (boulevard du) | Pouchet | limite de Clichy | Porte de Saint-Ouen |
| H 3 | 16 | Bois-le-Vent | | place de Passy | Mozart, 7 | La Muette |
| F 5 | 16 | Boissière | (villa) | Boissière, 29 | | Boissière |
| F 5 | 16 | Boissière | | place d'Iéna, 6 | place Victor-Hugo, 3 | Boissière |
| | | nos 81-82 | | | | Victor-Hugo |
| D 11 | 18 | Boissieu | | bd Barbès, 5 | Belhomme, 10 | Barbès-Rochechouart |
| J 9 | 14 | Boissonade | | bd Montparnasse, 156 | bd Raspail, 257 | Raspail |
| F 8 | 8 | Boissy-d'Anglas | | place Concorde, 10 | bd Malesherbes, 5 | Concorde |
| L 11 | 13 | Boiton | (passage) | Buttes-aux-Cailles, 13 | Martin-Bernard, 10 | Corvisart |
| C 14 | 19 | Boléro | (villa) | | en impasse | Ourcq |
| E 14 | 19 | Bolivar | (square) | Simon-Bolivar, 36 | Clavel, 27 | Pyrénées |
| H 4 | 16 | Bolivie | (place de) | d'Ankara | de Lamballe | |
| H 14 | 11 | Bon-Secours | (impasse) | bd Voltaire, 174 | | Charonne |
| H 9 | 6 | Bonaparte | | quai Malaquais, 7 | de Vaugirard, 56 | St-Germain-des-Prés |
| | | nos 1-50 | | | | Saint-Sulpice |
| | | nos 50-92 | | | | St-Germain-des-Prés |
| C 10 | 18 | Bonne | (de la) | Chevalier-de-la-Barre | Becquerel | Château-Rouge |
| H 13 | 11 | Bonne-Graine | (passage de la) | fg Saint-Antoine, 115 | Ledru-Rollin, 59 | Ledru-Rollin |
| F 11 | 10 | Bonne-Nouvelle | (impasse de) | bd Bonne-Nouvelle, 24 | | Bonne-Nouvelle |
| F 11 | 2 | Bonne-Nouvelle | (boulevard de) | Porte de Saint-Denis | | Strasbourg-Saint-Denis |
| | 10 | nos 9-12 | | nos pairs, 10e | fg Poissonnière, 2 | Bonne-Nouvelle |
| B 9 | 18 | Bonnet | | passage Saint-Jules, 3 | Jean-Dolfus, 20 | Saint-Ouen |
| G 10 | 1 | Bons-Enfants | (des) | Saint-Honoré, 194 | Colonel-Driant | Palais-Royal-Musée du Louvre |
| G 10 | 1 | Bons-Vivants | (des) | Forum des Halles Niv.3 | voir détails p. 38 | Les Halles |
| F 11 | 3 | Borda | | Volta, 33 | Montgolfier, 12 | Arts-et-Métiers |
| D 11 | 18 | Boris-Vian | | de Chartres, 18 | Polonceau, 7 | Babès-Rochechouart |
| E 16 | 20 | Borrégo | (du) | Pelleport, 54 | Haxo, 79 | Saint-Fargeau |
| E 16 | 20 | Borrégo | (villa) | Borrégo, 33 | | Saint-Fargeau |
| J 6 | 15 | Borromée | | Blomet, 59 | Vaugirard, 224 | Volontaires |
| I 2 | 16 | Bosio | | Poussin, 8 | P.-Guérin, 23 | Michel-Ange-Auteuil |
| H 6 | 7 | Bosquet | (avenue) | quai d'Orsay, 93 | pl. École Militaire, 29 | École Militaire |
| G 6 | 7 | Bosquet | (villa) | Université, 167 | | École Militaire |
| H 6 | 7 | Bosquet | | Cler, 48 | av. Bosquet, 69 | École Militaire |
| E 11 | 10 | Bossuet | | La Fayette, 111 | de Belzunce, 3 | Gare du Nord |
| F 14 | 20 | Botha | | Piat, 2 | Transwaal, 22 | Pyrénées |
| D 14 | 19 | Botzaris | | Pradier, 15 | de Crimée, 41 | Buttes-Chaumont |
| | | no 72 | | | | Botzaris |
| F 11 | 10 | Bouchardon | | René-Boulanger, 84 | Château d'Eau, 33 | Strasbourg-Saint-Denis |
| | | nos 17-18 | | | | Château d'Eau |
| G 10 | 1 | Boucher | | du pont-Neuf, 8 | Bourdonnais, 25 | Châtelet |
| I 7 | 15 | Bouchut | | Pérignon, 5 | Barthélémy, 4 | Sèvres-Lecourbe |
| I 8 | 7 | Boucicaut | (square) | de Sèvres | de Babylone | Sèvres-Babylone |
| J 4 | 15 | Boucicaut | | de Lourmel, 111 | de Sarasate, 5 | Boucicaut |
| B 12 | 18 | Boucry | | pl. Hébert | la Chapelle, 66 | Porte de la Chapelle |
| F 16 | 20 | Boudin | (passage) | allée Penaud | de la Justice, 20 | Saint-Fargeau |
| I 3 | 16 | Boudon | (avenue) | la Fontaine, 43 | George-Sand, 14 | Église d'Auteuil |
| F 9 | 9 | Boudreau | | Auber, 9 | Caumartin, 30 | Opéra |
| I 2 | 16 | Boufflers | (avenue de) | Poussin, 12 | villa Montmorency | Michel-Ange-Auteuil |
| H 7 | 7 | Bougainville | | av. la Motte-Pic., 19 | Chevert, 18 | École Militaire |
| K 4 | 15 | Bouilloux-Lafont | | av. Félix-Faure, 139 | Leblanc, 87 | Place Balard |
| H 3 | 16 | Boulainvilliers | (hameau de) | de Boulainvilliers | Ranelagh, 63 | École Militaire |
| H 3 | 16 | Boulainvilliers | (de) | place Clément-Ader | de Passy, 101 | Ranelagh |
| I 11 | 5 | Boulangers nos 18-19 | (des) | Linné, 41 | Monge, 31 | Jussieu |
| K 9 | 14 | Boulard | | Froidevaux, 13 | Brézin, 28 | Denfert-Rochereau |
| B 7 | 17 | Boulay | | av. de Clichy | la Jonquière, 85 | Porte de Clichy |
| B 8 | 17 | Boulay | (passage) | la Joncquière, 104 | bd Bessières, 101 | Porte de Clichy |
| B 8 | 17 | Boulay-Level | (square) | Boulay | Level | Porte de Clichy |
| I 15 | 12 | Boule-Blanche | (pte de la) | de Charenton, 47 | fg St-Antoine, 50 | Ledru-Rollin |
| E 10 | 9 | Boule-Rouge | (de la) | Montyon, 6 | Richer, 27 | Rue Montmartre |
| E 10 | 9 | Boule-Rouge | (impasse de la) | Geoffroy-Marie, 9 | | Rue Montmartre |
| D 13 | 19 | Bouleaux | (square des) | de Meaux | en impasse | Jaurès |
| I 15 | 11 | Boulets | (des) | fg Saint-Antoine, 303 | bd Voltaire | Nation |
| | | nos 78-79 | | | | Charonne |
| L 7 | 14 | Boulitte | | Didot, 97 | en impasse | Plaisance |
| H 13 | 11 | Boulle | | bd R.-Lenoir, 32 | Fromant, 5 | Bréguet-Sabin |
| E 5 | 17 | Boulnois | (place) | Bayen, 6 | | Ternes |
| G 10 | 1 | Bouloi | (du) | Croix-P.-Champs, 12 | Coquillière, 29 | Louvre-Rivoli |
| F 5 | 16 | Bouquet-de-Longchamp | (du) | Longchamp, 26 | Boissière, 29 | Boissière |
| H 11 | 4 | Bourbon | (quai de) | des Deux-Ponts, 39 | Jean-de Bellay | Pont-Marie |
| H 9 | 6 | Bourbon-Le-Château | | des Buci, 28 | de l'Échaudé, 19 | St-Germain-des-Prés |
| E 9 | 9 | Bourdaloue | | Châteaudun, 20 | Saint-Lazare, 1 | Notre-Dame-de-Lorette |
| F 6 | 8 | Bourdin | (impasse) | de Marignan, 3 | | Franklin-D.-Roosevelt |
| I 12 | 4 | Bourdon | (boulevard) | bd Morland, 2 | place de la Bastille | Bastille |
| G 10 | 1 | Bourdonnais | (des) | quai Mégisserie, 20 | Berger, 23 | Châtelet |
| G 10 | 1 | Bourdonnais | (impasse des) | des Bourdons, 37 | | Châtelet |
| D 13 | 19 | Bouret | | Édouard-Pailleron, 17 | Jean-Jaurès, 10 | Jean-Jaurès |
| G 11 | 2 | Bourg-l'Abbé | (passage du) | Saint-Denis, 120 | de Palestro, 3 | Etienne-Marcel |
| G 11 | 3 | Bourg-l'Abbé | (du) | Saint-Martin, 203 | bd de Sébastopol, 68 | Etienne-Marcel |
| H 11 | 4 | Bourg-Tibourg | (du) | de Rivoli, 42 | Ste-Cr.-Bretonnerie, 7 | Hôtel de Ville |
| H 8 | 7 | Bourgogne | (de) | pl. Palais-Bourbon | de Varennes, 86 | Varenne |
| M12 | 13 | Bourgoin | (impasse) | Nationale, 33 | | Porte d'Ivry |
| L 13 | 13 | Bourgoin | (passage) | Ch.-des-Rentiers, 45 | Nationale, 32 | Porte d'Ivry |
| M11 | 13 | Bourgon | | av. d'Italie, 142 | Damesme, 41 | Maison-Blanche |
| D 8 | 17 | Boursault | | bd Batignolles, 62 | Ch.-Fillion, 1 | Rome |
| D 8 | 17 | Boursault | (impasse) | Boursault | | Rome |
| F 10 | 2 | Bourse | (de la) | Vivienne, 31 | Richelieu, 80 | Bourse |
| F 10 | 2 | Bourse | (place de la) | N.-D.-des Victoires, 19 | Vivienne, 24 | Bourse |
| J 6 | 15 | Bourseul | | des Favorites, 12 | d'Alleray, 17 | Vaugirard |
| L 10 | 13 | Boussingault | | place de Rungis, 4 | de Tolbiac, 247 | Glacière |
| H 11 | 4 | Boutarel | | quai d'Orléans, 36 | Saint-Louis, 77 | Pont-Marie |
| I 10 | 5 | Boutebrie | | Parcheminerie, 25 | bd Saint-Germain, 90 | Cluny |
| L 10 | 13 | Boutin | | de la Glacière, 118 | de la Santé, 123 | Glacière |
| E 12 | 10 | Boutron | (impasse) | fg Saint-Martin, 172 | | Château-Landon |
| M13 | 13 | Boutroux | (avenue) | av. Porte de Vitry | av. de la Porte d'Ivry | Porte d'Ivry |
| I 10 | 5 | Bouvart | (impasse) | Lanneau, 8 | | Maubert-Mutualité |
| H 14 | 11 | Bouvier | | des Boulets, 45 | de Chanzy | Charonne |
| I 15 | 11 | Bouvines | (avenue de) | place de la Nation, 9 | de Montreuil, 102 | Nation |
| I 15 | 11 | Bouvines | (de) | de Tunis, 2 | av. Bouvines, 1 | Nation |
| E 12 | 10 | Boy-Zelenski | | pl. Robert-Desnos | Écluses-St-Martin | Colonel-Fabien |
| F 15 | 20 | Boyer | | de la Bidassoa, 42 | Ménilmontant, 94 | Gambetta |
| K 7 | 14 | Boyer-Barret | | R.-Losserand, 95 | cité Bauer, 21 | Pernéty |
| F 11 | 10 | Brady | (passage) | fg Saint-Martin, 43 | fg Saint-Denis, 46 | Château d'Eau |
| J 15 | 12 | Brahms | | av. Daumesnil, 181 | allée Vivaldi, 9 | Daumesnil |
| L 6 | 15 | Brancion | (square) | av. A.-Bartholomé | | Porte de Vanves |
| K 6 | 15 | Brancion | | d'Alleray, 4 | bd Lefebvre, 167 | Convention |
| G 6 | 7 | Branly | (quai) | pont de l'Alma | bd de Grenelle | Bir-Hakeim |
| H 5 | 15 | nos 73-107 | | | | Bir-Hakeim |
| G 11 | 3 | Brantôme | (passage) | Brantôme | Rambuteau | Rambuteau |
| G 11 | 3 | Brantôme | | Rambuteau, 46 | Grenier-St-Lazare, 11 | Rambuteau |
| G 11 | 3 | Braque | (de) | des Archives, 49 | du Temple, 70 | Rambuteau |
| I 4 | 15 | Brazzaville | (place de) | quai de Grenelle | Émériau | Dupleix |
| J 9 | 6 | Bréa | | Vavin, 19 | bd Raspail, 143 | Vavin |
| K 15 | 12 | Brèche-aux-Loups | (de la) | de Charenton, 257 | Claude-Decaen, 95 | Daumesnil |
| H 13 | 11 | Bréguet | | bd Richard-Lenoir, 26 | Popincourt, 33 | Bréguet-Sabin |
| H 13 | 11 | Bréguet-Sabin | (square) | bd Richard-Lenoir | | Richard-Lenoir |





| Plan | Arr. | Nom | Rues | Commençant | Finissant | Mét |
|---|---|---|---|---|---|---|
| D 6 | 17 | Brémontier | | av. Villiers, 72 | av. Wagram, 128 | Wag |
| D 6 | 17 | Brésil | (place du) | av. de Wagram | av. de Villiers | Wag |
| K 2 | 16 | Bresse | (square de la) | bd Murat, 140 | en impasse | Porte |
| G 12 | 3 | Bretagne | (de) | Vieille-du-Temple, 137 | du Temple, 158 | Filles |
| | | nos 43-48 | | | | Arts- |
| I 7 | 7-15 | Breteuil | (place de) | av. de Breteuil | av. de Saxe | Sèvre |
| H 7 | 15 | Breteuil | (avenue de) | place Vauban, 5 | de Sèvres, 114 | Sèvre |
| I 7 | 7 | nos 1-69 et 2-76 | | | | Saint- |
| F 16 | 20 | Bretonneau | | Pelleport, 82 | Le-Bua, 27 | Pellep |
| F 13 | 10 | Bretons | (cour des) | fg du Temple, 99 | en impasse | Gonco |
| I 12 | 4 | Bretonvilliers | (de) | quai de Béthune, 16 | St-Louis-en-l'Ile, 7 | Sully- |
| G 10 | 1 | Brève | | Forum des Halles Niv.3 | voir détails p. 38 | Les Ha |
| E 5 | 17 | Brey | | Montenotte, 13 | av. Wagram, 19 | Ch.-de |
| L 9 | 14 | Brézin | | av. Gal-Leclerc, 48 | av. du Maine, 171 | Mouto |
| E 10 | 9 | Briare | (impasse) | Rochechouart, 9 | | Cadet |
| D 8 | 17 | Bridaine | | Truffault, 41 | Boursault, 50 | Rome |
| D 13 | 19 | Brie | (passage de la) | de Meaux, 45 | de Chaumont, 9 | Jean-J |
| J 16 | 12 | Briens | (sentier) | Sibuet, 39 | bd Picpus, 54 | Picpus |
| G 5 | 16 | Brigitte-Galliera | (square) | av. Pdt-Wilson, 16 | Pierre-1er-de Serbie | Iéna |
| F 5 | 16 | Brignole | | av. Pdt-Wilson | Pierre-1er-de Serbie | Iéna |
| G 5 | 16 | Brignole-Galliera | (square) | av. Pdt Wilson, 16 | Pierre-1er-de Serbie, 10 | Iéna |
| M10 | 13 | Brillat-Savarin | | des Peupliers, 42 | Boussingault, 43 | Maison |
| | | nos 42-5 | | | | Anvers |
| D 10 | 18 | Briquet | (passage) | Seveste, 3 | Briquet, 2 | Anvers |
| D 10 | 18 | Briquet | | bd Rochechouart, 68 | d'Orsel, 31 | Anvers |
| L 6 | 14 | Briqueterie | (de la) | R.-Losserand, 225 | bd Brune, 23 | Porte d |
| G 11 | 4 | Brisemiche | | Clos-St-Méri, 10 | Simon-Le-Franc, 29 | Hôtel d |
| I 12 | 4 | Brissac | (de) | bd Morland, 8 | Grillon, 5 | Quai de |
| F 15 | 20 | Brizeux | (square) | Chine | Ménilmontant | Pellepo |
| J 11 | 5 | Broca | | Claude-Bernard | bd Arago | Les Gob |
| K 10 | 13 | nos 47-48-67-54 | | | | Les Gob |
| C 8 | 17 | Brochant | | Charles-Fillion, 16 | av. Clichy, 129 | Brocha |
| F 10 | 2 | Brongniart | | Montmartre, 135 | N.-D.-des Victoires, 52 | Bourse |
| H 11 | 4 | Brosse | (de) | quai H.-de-Ville, 90 | place Saint-Gervais | Hôtel de |
| C 9 | 18 | Brouillards | (allée des) | Girardon, 13 | Simon-Dereure | Lamarc |
| L 9 | 14 | Broussais | | Dareau, 31 | d'Alésia, 8 | Saint-Ja |
| J 7 | 15 | Brown-Séquard | | Falguière, 47 | bd Vaugirard, 48 | Pasteur |
| K 12 | 13 | Bruant | | bd Vincent-Auriol, 60 | Jenner, 10 | Chevale |
| L 9 | 14 | Bruller | | Mont-Saint-Gothard, 22 | av. René-Coty | Saint-Ja |
| I 14 | 12 | Brulon | (passage) | de Citeaux, 39 | Crozatier, 66 | Chaligny |
| M 8 | 14 | Brune | (boulevard) | place Pte de Vanves | av. Gal-Leclerc, 142 | Porte de |
| L 8 | 14 | Brune | (villa) | des Plantes, 72 | en impasse | Porte d'( |
| E 5 | 17 | Brunel | | av. de la Gde-Armée, 40 | bd Péreire, 237 | Argentin |
| M14 | 13 | Brunesseau | | quai d'Ivry | bd Masséna | Porte de |
| C 6 | 17 | Brunetière | (avenue) | Jules-Bourdais | av. Porte d'Asnières | Porte de |
| I 14 | 12 | Brunoy | (passage) | de Chalon, 28 | passage Raguinot, 13 | Gare de |
| D 9 | 9 | Bruxelles | (de) | place Blanche | de Clichy, 80 | Blanche |
| D 8 | 8 | Bucarest | (de ) | d'Amsterdam, 61 | Moscou, 20 | Place de |
| H 11 | 5 | Bûcherie | (de la) | Haut-Pavé, 6 | du Petit-Pont | Maubert- |
| H 10 | 6 | Buci | (carrefour de) | Dauphine, 63 | Anc.-Comédie, 2 | Odéon |
| H 9 | 6 | Buci | (de) | Anc.-Comédie, 2 | bd St-Germain, 164 | St-Germa |
| E 8 | 9 | Budapest | (de) | Saint-Lazare, 96 | place Budapest | Saint-Laz |
| E 8 | 9 | Budapest | (place) | Budapest, 16 | de Londres, 32 | Saint-Laz |
| H 11 | 4 | Budé | | quai d'Orléans, 10 | St-Louis-en-l'Ile, 47 | Pont-Mar |
| H 5 | 7 | Buenos-Ayres | (de) | allée Léon-Bourgeois | av. de Suffren, 3 | Bir-Hakei |
| E 10 | 9 | Buffault | | fg Montmartre, 48 | Lamartine, 13 | Cadet |
| J 12 | 5 | Buffon | | bd de l'Hôpital, 2 | Geoffroy-St-Hilaire, 36 | Austerlitz |
| F 4 | 16 | Bugeaud | (avenue) | pl. Victor-Hugo, 8 | av. Foch, 77 | Victor-Hu |
| I 3 | 16 | Buis | (du) | Ch.-Lagache, 8 | Auteuil, 11*bis* | Église d'A |
| F 13 | 10 | Buisson-Saint-Louis | (du) | Saint-Maur, 194 | bd de la Villette, 27 | Belleville |
| E 13 | 10 | Buisson-Saint-Louis | (passage de) | Buisson-St-Louis, 7 | Buisson-St-Louis, 13 | Belleville |
| H 13 | 11 | Bullourde | (passage) | Keller, 14 | Charles-Dallery, 15 | Voltaire |
| L 11 | 13 | Buot | | de l'Espérance, 7 | Martin-Bernard, 14 | Corvisart |
| H 12 | 11 | Bureau | (impasse du) | passage du Bureau, 5 | | Alexandre |
| H 12 | 11 | Bureau | (passage du) | de Charonne, 170 | bd Charonne, 69 | Alexandre |
| E 13 | 19 | Burnouf | | bd de la Villette, 66 | Simon-Bolivar, 91 | Colonel-Fa |
| C 9 | 18 | Burq | | des Abbesses, 48 | en impasse | Abbessses |
| L 11 | 13 | Butte-aux-Cailles | (de la) | pl. Paul-Verlaine, 2 | Barrault, 29 | Corvisart |
| D 16 | 19 | Butte-du-Chapeau-Rouge | (square de la) | bd d'Algérie | | Pré-Saint-( |
| D 14 | 19 | Buttes-Chaumont | (parc des) | Manin | Botzaris | Buttes-Cha |
| D 14 | 19 | Buttes-Chaumont | (villa des) | de la Villette, 73 | | Botzaris |
| C 12 | 18 | Buzelin | | Riquet, 72*bis* | de Torcy, 15 | Marx-Dorm |
| I 16 | 20 | Buzenval | (de) | de Lagny | Alexandre-Dumas, 94 | Buzenval |
| G 12 | 4 | C.V.-Langlois | (square) | de l'Abbé-Migne | Vieille-du-Temple | Rambuteau |
| L 10 | 14 | Cabanis | | de la Santé, 66 | Broussais, 1 | Glacière |
| M10 | 13 | Cacheux | | bd Kellermann, 96 | en impasse | Cité Univers |
| E 10 | 9 | Cadet | | fg Montmartre, 36 | Lamartine, 1 | Cadet |
| K 5 | 15 | Cadix | (de) | du Hameau, 21 | Vaugirard, 372*bis* | Porte de Ve |
| D 10 | 18 | Cadran | (impasse du) | bd Rochechouart, 54 | | Anvers |
| G 12 | 3 | Caffarelli | | de Bretagne, 58 | Perrée, 5 | Temple |
| M11 | 13 | Caffieri | (avenue) | Poterne des Peupliers | Louis-Pergault | Porte d'Itali |
| D 15 | 19 | Cahors | (de) | bd Sérurier, 114 | Ambroisie-Rendu | Place du Da |
| D 12 | 10 | Cail | | P. de Girard, 21 | fg Saint-Denis, 214 | Porte de la ( |
| M12 | 13 | Caillaux | | av. de Choisy, 61 | av. d'Italie, 113 | Maison-Bla |
| J 17 | 12 | Cailletet | | Mongenot | Saint-Mandé | Saint-Mand |
| D 12 | 18 | Caillié | | bd de la Chapelle, 10 | Département, 27 | Stalingrad |
| F 11 | 2 | Caire | (du) | bd Sébastopol, 111 | Damiette, 6 | Réaumur-Sé |
| F 11 | 2 | Caire | (passage du) | place du Caire, 2 | d'Alexandrie, 33 | Sentier |
| F 11 | 2 | Caire | (place du) | du Caire, 53 | d'Aboukir, 100 | Sentier |
| D 9 | 9 | Calais | (de) | Blanche, 65 | de Vintimille, 24 | Blanche |
| B 10 | 18 | Calmels | (impasse) | du Pôle-Nord, 3 | | Jules-Joffrin |
| B 10 | 18 | Calmels | | du Ruisseau, 53 | cité Nollez | Jules-Joffrin |
| B 10 | 18 | Calmels (prolongée) | (du) | du Pôle-Nord, 18 | cité Nollez | Jules-Joffrin |
| C 10 | 18 | Calvaire | (du) | Gabrielle, 20 | place du Tertre, 11 | Abbesses |
| C 10 | 18 | Calvaire | (place du) | du Calvaire, 3 | | Abbesses |
| E 8 | 8 | Cambacérès | | des Saussaies, 1-6 | la Boétie, 17 | Miromesnil |
| E 15 | 19 | Cambo | (de) | des Bois, 14 | en impasse | Télégraphe |
| F 16 | 20 | Cambodge | (du) | av. Gambetta, 85 | Orfila, 60 | Gambetta |
| G 9 | 1 | Cambon | | des Bois, 14 | en impasse | Concorde |
| B 14 | 19 | Cambrai | (de) | de l'Ourcq, 68 | av. Corentin-Cariou | Corentin-Cari |
| I 6 | 15 | Cambronne | (square) | place Cambronne | avenue Lowendal | Cambronne |
| I 6 | 15 | Cambronne | (place) | bd de Grenelle, 168 | av. Lowendal | Cambronne |
| J 6 | 15 | Cambronne | | place Cambronne, 7 | de Vaugirard, 230 | Cambronne |
| | | no 100 | | | | Vaugirard |
| L 7 | 14 | Camélias | (des) | R.-Losserand, 197 | des Arbustes, 11 | Porte de Vanv |
| B 9 | 17 | Camille-Blaisot | | André-Bréchet, 6 | en impasse | Porte de Saint |
| F 17 | 20 | Camille-Bombois | | bd Mortier, 19 | Irénée-Blanc, 44 | Porte de Bagn |
| I 7 | 15 | Camille-Claudel | (place) | du Cherche-Midi | de Vaugirard | Montparnasse- |
| G 14 | 11 | Camille-Desmoulins | | place Léon-Blum | Saint-Maur, 15 | Voltaire |
| B 10 | 18 | Camille-Flammarion | | bd Ney, 136 | Réné-Binet | Porte de Clign |
| J 9 | 6 | Camille-Jullian | (place) | N.-D.-des Champs, 127 | Assas | Port-Royal |
| C 9 | 18 | Camille-Tahan | (du) | Cavallotti, 10 | en impasse | Place de Clich |
| G 4 | 16 | Camöens | (avenue de) | bd Delessert, 4 | Franklin, 14 | Passy |
| J 9 | 14 | Campagne-Première | | bd Montparnasse, 148 | bd Raspail, 243 | Raspail |
| K 12 | 13 | Campo-Formio | (de) | Pinel, 2 | bd de l'Hôpital, 123 | Campo-Formio |
| L 6 | 15 | Camulogène | | Chauvelot, 9 | en impasse | Porte de Vanve |
| C 12 | 18 | Canada | (du) | cours-la-Reine | cours-Albert-1er | Marx-Dormoy |
| G 7 | 8 | Canada | (place du ) | Riquet, 86 | Guadeloupe, 3 | Franklin-D.-Roc |
| E 12 | 10 | Canal | (allée du) | quai de Valmy | av. de Verdun | Gare de l'Est |
| I 17 | 12 | Canart | (impasse) | de la Voûte, 32 | | Porte de Vincer |

| | n | Rues | Commençant | Finissant | Métro |
|---|---|---|---|---|---|
| | die | (de) | Trousseau, 20 | La Forge Royale, 9 | Ledru-Rollin |
| | dolle | (de) | Monge, 104 | Daubenton, 35 | Censier-Daubenton |
| | ettes | (des) | du Four, 29 | pl. St-Sulpice, 8 | Mabillon |
| | ge | (du) | Desprez | Moulin-Vierge | Pernéty |
| | ivet | (du) | Servandoni, 12 | Férou, 5 | Saint-Sulpice |
| | nebière | | Claude-Decaen, 76 | av. Daumesnil, 188 | Daumesnil |
| | tagrel | | du Chevaleret, 23 | de Tolbiac, 45 | Porte d'Ivry |
| | tal | (cour du) | de la Roquette | de Lappe, 18 | Bastille |
| | tate | (villa) | | en impasse | Ourcq |
| | pitaine-Dronne | (allée du) | dalle Montparnasse | | Montparnasse-Bienvenüe |
| | pitaine-Ferber | (du) | Pelleport, 40 | bd Mortier, 55 | Pelleport |
| | pitaine-Lagache | (du) | Legendre, 177 | Guy-Môquet, 52 | Guy-Môquet |
| | pitaine-Madon | | av. de Saint-Ouen, 50 | Ganneron, 65 | Guy-Môquet |
| | pitaine-Marchal | (du) | la Bua, 32 | Étienne-Marey | Porte de Bagnolet |
| | pitaine-Ménard | (du) | de Javel, 32 | Convention | Javel-André-Citroën |
| | pitaine-Olchanski | (du) | av. Mozart, 128 | Mission-March, 2 | Michel-Ange-Auteuil |
| | pitaine-Scott | (du) | Desaix, 10 | de la Fédération, 35 | Dupleix |
| | pitaine-Tarron | (du) | Géo-Chavez | bd Mortier, 5 | Porte de Bagnolet |
| | pitan | (square) | des Arènes | | Jussieu |
| | plat | | Charbonnière, 32 | Goutte-d'Or, 45 | Barbès-Rochechouart |
| | poral-Peugeot | (du) | bd Somme, 58 | Octave-Mirbeau | Porte de Champerret |
| | pri | (de) | Wattignies, 59 | Claude-Decaen, 45 | Michel-Bizot |
| | pron | (du) | av. de Clichy, 20 | Cavallotti, 1 | Place de Clichy |
| | apucines | (des) | de la Paix, 1 | bd des Capucines, 43 | Opéra |
| | pairs | | | | |
| | apucines | (bd des) | Louis-Le-Grand, 25 | Capucines, 24 | Opéra |
| | pairs | | | | |
| | arcel | | Maublanc, 6 | Gerbert, 5 | Vaugirard |
| | ardan | | Emmanuel-Level | Boulay | Porte de Clichy |
| | ardeurs | (square des) | Saint-Blaise | | Porte de Montreuil |
| | ardinal-Amette | (place du) | place Dupleix, 27 | Dupleix | Dupleix |
| | ardinal-Dubois | (du) | Muller | Foyatier | Abbesses |
| | ardinal-Guibert | | Azaïs | Chevalier-de-la-Barre | Abbesses |
| | ardinal-Lavigerie | (place du) | bd Poniatowski | bd de Vincennes | Porte Dorée |
| | ardinal-Lemoine | (cité du) | Cardinal-Lemoine, 18 | en impasse | Cardinal-Lemoine |
| | ardinal-Lemoine | (du) | quai Tournelle, 19 | place Contrescarpe | Cardinal-Lemoine |
| | nos 32-37 | | | | Place Monge |
| | Cardinal-Mercier | (du) | de Clichy, 56*ter* | en impasse | Place de Clichy |
| | Cardinal-Wyszynski | (square) | Alain | Vercingétorix | Pernéty |
| | Cardinale | | de Furstenberg, 5 | Vercingétorix | St-Germain-des-Prés |
| | Cardinet | (passage) | de Tocqueville, 76 | Cardinet, 127 | Malesherbes |
| | Cardinet | | av. Wagram, 78 | av. de Clichy, 151 | Courcelles |
| | n° 192 | | | | Brochant |
| | Carducci | | de la Villette, 45 | Alouettes, 20 | Botzaris |
| | Carlo-Sarrabezolles | | bd Victor | bd périphérique | Balard |
| | Carmes | (des) | bd St-Germain, 49 | Éc. Polytechnique, 22 | Maubert-Mutualité |
| | Carnot | (boulevard) | av. Porte de Vincennes | av. Émile-Laurent | Porte Dorée |
| | Carnot | (avenue) | place Ch.-de-Gaulle | des Acacias, 30 | Ch.-de-Gaulle-Étoile |
| | Caroline | | Darcet, 9 | des Batignolles, 8 | Place de Clichy |
| | Carolus-Duran | | de l'Orme, 6 | Haxo, 143 | Pré-Saint-Gervais |
| | Caron | | Saint-Antoine, 84 | de Jarente, 5 | Saint-Paul |
| | Carpeaux | (square) | Carpeau, 23 | Marcadet, 225 | Guy-Môquet |
| | Carpeaux | | Etex, 4 | Marcadet, 205 | Guy-Môquet |
| | Carré | (jardin) | Clovis | | Cardinal-Lemoine |
| | Carrée | (cour) | Musée du Louvre | | Louvre-Rivoli |
| | Carrier-Belleuse | | bd Garibaldi, 10 | Cambronne, 15 | Cambronne |
| | Carrière-Mainguet | (impasse) | Émile-Lepeu, 37 | en impasse | Charonne |
| | Carrières | (impasse des) | de Passy, 24 | | Passy |
| | Carrières-d'Amérique | (des) | Manin, 68 | bd Sérurier, 141 | Danube |
| | Carrousel | (jardin du) | Jardin des Tuileries | | Palais Royal-Musée du Louvre |
| | Carrousel | (place du ) | Jardin des Tuileries | | Palais Royal-Musée du Louvre |
| | Carrousel | (pont du) | quai du Louvre | quai Voltaire | Palais Royal-Musée du Louvre |
| | Cartellier | (avenue) | av. Porte de Bagnolet | limite de Paris | Galliéni |
| | Casablanca | (de) | Croix-Nivert, 192 | en impasse | Boucicaut |
| | Casadesus | | allée des Brouillards | Simon-Dereure | Lamarck-Caulaincourt |
| | Cascades | (des) | Ménilmontant, 103 | de la Mare, 82 | Pyrénées |
| | Casimir-Delavigne | | Monsieur-le-Prince, 12 | place de l'Odéon, 3 | Odéon |
| | Casimir-Périer | | Saint-Dominique, 31 | de Grenelle, 126 | Solférino |
| | Cassette | | de Rennes, 73 | Vaugirard, 72 | Saint-Sulpice |
| | Cassini | | fg Saint-Jacques, 34 | av. Denfert-Rochereau | Port-Royal |
| | Castagnary | (square) | Jacques-Baudry | Castagnary | Porte de Vanves |
| | Castagnary | | place Falguière, 6 | Brancion, 107 | Plaisance |
| | Casteggio | (impasse de) | des Vignoles, 23 | | Avron |
| | Castel | (villa) | du Transvaal | en impasse | Pyrénées |
| | Castellane | (de ) | Tronchet, 19 | de l'Arcade, 30 | Madeleine |
| | Castex | | bd Henri-IV, 37 | Saint-Antoine, 17 | Bastille |
| | Castiglione | (de) | Rivoli, 232 | Saint-Honoré, 237 | Tuileries |
| | Catalogne | (place de) | Vercingétorix | Cdt-Mouchotte | Gaîté |
| | Catherine-Labouré | (jardin) | de Babylone, 31 | | Sèvres-Babylone |
| | Catinat | | Lavrillère, 6 | place des Victoires, 1 | Bourse |
| | Catulle-Mendès | | av. S.-Mallarmé | bd Somme, 27 | Porte de Champerret |
| | Cauchois | | Lepic, 15 | Constance, 9 | Blanche |
| | Cauchy | | quai A.-Citroën, 107 | Saint-Charles, 172 | Javel-André-Citroën |
| | Caulaincourt | (square) | Caulaincourt, 63 | Lamarck, 85 | Lamarck-Caulaincourt |
| | Caulaincourt | | bd de Clichy, 124 | Mont-Cenis, 45 | Place de Clichy |
| | nos 72-73 | | | | Lamarck-Caulaincourt |
| | Caumartin | (de) | bd des Capucines, 30 | Saint-Lazare, 99 | Havre-Caumartin |
| 5 | Cavalerie | (de la) | av. la Motte-Picquet-Grenelle, 53 | Abbé-Roger-Derry | La M.-Picquet-Grenelle |
| 8 | Cavallotti | | Capron, 29 | Ganneron, 18 | Place de Clichy |
| 8 | Cavé | (de la) | Stephenson, 25 | des Gardes, 30 | Château-Rouge |
| 9 | Cavendish | | Manin, 65 | de Meaux, 86 | Laumière |
| 8 | Cazotte | | Charles-Nodier, 3 | Ronsard, 2 | Anvers |
| 4 | Célestins | (pont des) | pont Sully | pont Marie | Sully-Morland |
| 4 | Célestins | (quai des) | bd Henri-IV, 7 | Nonnains-d'Hyères | Sully-Morland |
| | n° 22 | | | | Pont-Marie |
| 14 | Cels | (impasse) | de Cels | | Raspail-Gaîté |
| 14 | Cels | | Fermat, 10 | Auguste-Mie, 7 | Raspail-Gaîté |
| 20 | Cendriers | (des) | bd Ménilmontant, 102 | Amandiers, 81 | Ménilmontant |
| 5 | Censier | | G.-Saint-Hilaire, 35 | Mouffetard, 141 | Censier-Daubenton |
| 15 | Cépré | | bd Garibaldi, 18 | Miollis, 24 | Cambronne |
| 4 | Cerisaie | (de la) | bd Bourdon, 33 | Petit-Musc, 26 | Bastille |
| | nos 16-19 | | | | Sully-Morland |
| 8 | Cerisoles | (de ) | Clément-Marot, 26 | François-1er, 41 | Franklin-D.-Roosevelt |
| 17 | Cernuschi | | bd Malesherbes, 150 | Tocqueville, 79 | Wagram |
| 8 | César-Caire | (avenue) | place Saint-Augustin | de la Bienfaisance | Saint-Augustin |
| 15 | César-Franck | | av. de Saxe, 52 | Bellart, 3 | Sèvres-Lecourbe |
| 11 | Cesselin | (impasse) | Paul-Bert, 8 | | Faidherbe-Chaligny |
| 15 | Cévennes | (square des) | Cauchy | | Javel-André-Citroën |
| 15 | Cévennes | (des) | quai A.-Citroën, 87 | de Lourmel, 146 | Javel-André-Citroën |
| 14 | Ch.Viollet | (square du) | Didot | | Pernéty |
| 2 | Chabanais | | Petits-Champs, 24 | Rameau, 11 | Bourse |
| 12 | Chablis | (de) | Pommard, 4 | de Bercy, 5 | Bercy |
| 10 | Chabrol | (cité) | Ferme-St-Lazare, 16 | de Chabrol, 27 | Gare de l'Est |
| 10 | Chabrol | | bd Magenta, 85 | la Fayette, 100 | Gare de l'Est |
| | nos 54-71 | | | | Poissonnière |
| 12 | Chaffault | (du) | Jeanne-Jugan | Saint-Mandé | Saint-Mandé-Tourelle |







| Plan | Arr. | Nom | Rues | Commençant | Finissant | Métro |
|---|---|---|---|---|---|---|
| F 6 | 16 | Chaillot | (de) | Pierre-1er-de Serbie | av. de Marceau, 37 | Iéna |
| F 5 | 16 | Chaillot | (square de) | de Chaillot | | Iéna |
| H 8 | 7 | Chaise | (de la) | de Grenelle, 33 | bd Raspail, 37 | Sèvres-Babylone |
| H 9 | 7 | Chaise-Récamier | (square) | Récamier | | Sèvres-Babylone |
| C 7 | 17 | Chalabre | (impasse) | av. de Clichy, 163 | | Brochant |
| E 13 | 10 | Chalet | (du) | bd Saint-Louis, 27 | Sainte-Marthe, 34 | Belleville |
| H 3 | 16 | Chalets | (avenue des) | Ranelagh, 101*bis* | l'Assomption, 66 | Ranelagh |
| E 5 | 16 | Chalgrin | | av. Foch, 22 | Le Sueur, 4 | Argentine |
| I 14 | 12 | Chaligny | (de) | pl. Cl.-Bourgoin | fg Saint-Antoine, 200 | Reuilly-Diderot |
| | | nos 23-28 | | | | Faidherbe-Chaligny |
| J 13 | 12 | Chalon | (de) | de Rambouillet, 5 | bd Diderot, 22 | Gare de Lyon |
| J 14 | 12 | Chambertin | (de) | de Bercy, 118 | bd de Bercy, 38 | Bercy |
| L 6 | 15 | Chambéry | (de) | des Morillons, 60 | Castagnary, 140 | Porte de Vanves |
| F 6 | 8 | Chambiges | | Boccador, 10 | Clément-Marot, 107 | Alma-Marceau |
| H 2 | 16 | Chamfort | | de la Source, 16 | Mozart, 107 | Jasmin |
| B 9 | 18 | Champ-à-Loup | (passage du) | de Leibniz | Bernard-Dimey | Porte de Saint-Ouen |
| K 10 | 13 | Champ-de-l'Alouette | (du) | Corvisart, 22 | de la Glacière, 61 | Glacière |
| H 6 | 7 | Champ-de-Mars | (parc du) | quai d'Orsay | av. de La Motte-Picquet | École Militaire |
| H 6 | 7 | Champ-de-Mars | (du) | Duvivier, 20 | av. la Bourdon, 93 | École Militaire |
| B 9 | 18 | Champ-Marie | (passage) | Vinc.-Compoint, 25 | Belliard, 125 | Porte de Clignancourt |
| K 15 | 12 | Champagne | (terrasse de) | quai de Bercy | Baron Le Roy | Dugommier |
| H 16 | 20 | Champagne | (cité) | des Pyrénées, 81 | de la Réunion, 16 | Maraîchers |
| H 8 | 7 | Champagny | (de) | Casimir-Périer, 2 | Martignac, 1 | Solférino |
| I 6 | 15 | Champaubert | (avenue de) | av. de Suffren, 82 | av. Paul-Déroulède | La M.-Picquet-Grenelle |
| H 5 | 7 | Champfleury | (passerelle) | Thomy-Thierry | av. de Suffren, 45 | Dupleix |
| B 9 | 18 | Championnet | (passage) | Championnet, 57 | Nve-Chardonnière | Porte de Clignancourt |
| B 10 | 18 | Championnet | (voie) | Championnet, 198 | | Guy-Môquet |
| B 9 | 18 | Championnet | | Poissonniers, 135 | av. de Saint-Ouen, 90 | Simplon |
| | | n° 232 | | | | Guy-Môquet |
| I 10 | 5 | Champollion | | des Écoles, 53 | pl. de la Sorbonne, 8 | Luxembourg |
| G 7 | 8 | Champs-Élysées | (port des) | pont de la Concorde | pont des Invalides | Concorde |
| F 7 | 8 | Champs-Élysées | (avenue des ) | place de la Concorde | Ch.-de-Gaulle-Étoile | Concorde |
| | | nos 15-20 | | | | Ch.-Élysées-Clemenceau |
| | | nos 41-48 | | | | Franklin-D.-Roosevelt |
| | | nos 99-104 | | | | George V |
| F 7 | 8 | Champs-Élysées-M.-Dassault | (rond-point des) | av. des Ch.-Élysées, 9-16 | av. Montaigne, 60 | Franklin-D.-Roosevelt |
| H 8 | 7 | Chanaleilles | (de) | Vaneau, 26 | Barbet-de Jouy, 1 | Saint-François-Xavier |
| F 4 | 16 | Chancelier-Adenauer | (place du) | Spontini | Belles-Feuilles | Porte Dauphine |
| J 4 | 15 | Chandon | (impasse) | Lecourbe, 282 | | Boucicaut |
| I 2 | 16 | Chanez | (villa) | Chanez, 1*bis* | en impasse | Porte d'Auteuil |
| I 2 | 16 | Chanez | | d'Auteuil, 77 | Molitor, 52 | Porte d'Auteuil |
| I 17 | 12 | Changarnier | | bd Soult | av. Lamoricière | Porte de Vincennes |
| H 10 | 4 | Change | (pont au) | quai de la Corse | quai de Gesvres | Châtelet |
| H 11 | 4 | Chanoinesse | | Cloître-Notre-Dame | d'Arcole, 9 | Cité |
| F 3 | 16 | Chantemesse | (avenue) | bd Lannes | av. Maréchal-Fayolle | Rue de la Pompe |
| I 13 | 12 | Chantier | (passage du) | de Charenton, 55 | fg Saint-Antoine, 67 | Ledru-Rollin |
| I 11 | 5 | Chantiers | (des) | Fossé-St-Bernard, 14 | Cardinal-Lemoine | Cardinal-Lemoine |
| E 10 | 9 | Chantilly | (de) | de Bellefond, 26 | Maubeuge, 60 | Poissonnière |
| H 11 | 4 | Chantres | (des) | quai aux Fleurs, 11 | Chanoinesse, 12 | Cité |
| K 13 | 13 | Chanvin | (passage) | du Chevaleret | de Vimoutiers | Chevaleret |
| H 14 | 11 | Chanzy | | Saint-Bernard, 30 | bd Voltaire, 21 | Charonne |
| D 4 | 17 | Chapelle | (avenue de la) | av. de Verzy, 3 | en impasse | Porte Maillot |
| C 12 | 18 | Chapelle | (cité de la) | Marx-Dormoy, 39 | en impasse | Porte de la Chapelle |
| B 12 | 18 | Chapelle | (impasse de la) | la Chapelle, 31 | en impasse | Marx-Dormoy |
| B 12 | 18 | Chapelle | (place de la) | Marx-Dormoy | de Jessaint, 2 | Porte de la Chapelle |
| D 12 | 18 | Chapelle | (rd-pt de la) | de la Chapelle | Boucry | Porte de la Chapelle |
| D 11 | 18 | Chapelle | (bd de la) | d'Aubervilliers, 1 | bd Barbès, 212 | Stalingrad |
| | | nos 34-37 | | | | Porte de la Chapelle |
| | | nos 63-126 | | nos pairs, 18e | nos impairs, 10e | Barbès-Rochechouart |
| C 12 | 18 | Chapelle | (de la) | Ordener | bd Ney, 29 | Marx-Dormoy |
| | | nos 77-84 | | | | Porte de la Chapelle |
| G 11 | 3 | Chapon | | du Temple, 115 | Saint-Martin, 238 | Arts-et-Métiers |
| D 10 | 18 | Chappe | (passage) | des Trois-Frères, 8 | Saint-Eleuthère, 3 | Abbesses |
| D 9 | 9 | Chaptal | (cité) | Chaptal, 20 | | Blanche |
| D 9 | 9 | Chaptal | | Pigalle, 49 | Blanche, 68 | Pigalle |
| J 2 | 16 | Chapu | | bd Exelmans, 18 | av. de Versailles, 163 | Exelmans |
| M10 | 13 | Charbonnel | | Bril.-Savarin, 57 | Amiral-Mouchez, 59 | Cité Universitaire |
| D 11 | 18 | Charbonnière | (de la) | Goutte-d'Or, 1 | bd de la Chapelle, 100 | Barbès-Rochechouart |
| I 7 | 15 | Charbonniers | (passage des) | bd Garibaldi, 90 | Lecourbe, 10 | Sèvres-Lecourbe |
| L 13 | 13 | Charcot | | Chevaleret, 127 | place Jeanne-d'Arc | Chevaleret |
| J 11 | 5 | Chardin | (de) | Le-Nôtre | Beethoven, 4 | Passy |
| J 2 | 16 | Chardon-Lagache | | d'Auteuil, 1 | Versailles, 178 | Chardon-Lagache |
| B 14 | 19 | Charente | (quai de la) | canal de l'Ourcq | bd Macdonald, 9 | Porte de la Villette |
| J 14 | 12 | Charenton | (de) | place de la Bastille | bd Poniatowski | Bastille |
| | | nos 28-47 | | | | Ledru-Rollin |
| | | nos 113-120 | | | | Reuilly-Diderot |
| | | nos 211-240 | | | | Dugommier |
| | | nos 273-302 | | | | Porte de Charenton |
| H 12 | 4 | Charlemagne | (passage) | Charlemagne, 16 | Saint-Antoine, 119 | Saint-Paul |
| H 12 | 4 | Charlemagne | | Saint-Paul, 31 | de Fourcy, 2 | Saint-Paul |
| B 9 | 18 | Charles-Albert | (passage) | Leibniz, 70 | Jules-Cloquet, 1 | Porte de Saint-Ouen |
| I 13 | 12 | Charles-Baudelaire | | de Prague, 2 | fg Saint-Antoine, 118 | Ledru-Rollin |
| J 16 | 12 | Charles-Bénard | (villa) | Gal-M.-Bizot, 169 | en impasse | Picpus |
| B 10 | 18 | Charles-Bernard | (place) | Poteau | Duhesme | Jules-Joffrin |
| M12 | 13 | Charles-Bertheau | | Simone-Weil | av. de Choisy, 44 | Porte de Choisy |
| J 14 | 12 | Charles-Bossut | | du Charolais, 74 | av. Daumesnil, 100 | Reuilly-Diderot |
| E 17 | 20 | Charles-Cros | | bd Mortier | des Glaïeuls | Porte des Lilas |
| H 13 | 11 | Charles-Dallery | (passage) | de Charonne, 55 | Roquette, 92 | Voltaire |
| J12-13 | 13 | Charles-de-Gaulle | (pont) | quai d'Austerlitz | quai de la Rapée | Gare d'Auterlitz |
| E 5 | 8 | Charles-de-Gaulle | (place) | Champs-Élysées | av. de la Grande-Armée | Ch.-de-Gaulle-Étoile |
| E 5 | 8-16-17 | Charles-de-Gaulle | (place) | Champs-Élysées | av. de la Grande-Armée | Ch.-de-Gaulle-Étoile |
| H 14 | 11 | Charles-Delescluze | | Trousseau | Saint-Bernard | Ledru-Rollin |
| H 4 | 16 | Charles-Dickens | (square) | des Eaux, 4 | en impasse | Trocadéro |
| H 4 | 16 | Charles-Dickens | | des Eaux, 9 | av. Fremiet | Passy |
| K 8 | 14 | Charles-Divry | | Boulard, 44 | Gassendi, 31 | Denfert-Rochereau |
| D 10 | 18 | Charles-Dullin | (place) | d'Orsel, 48 | Dancourt, 10 | Anvers |
| H 17 | 20 | Charles-et-Robert | | bd Davout | av. Pte de Montreuil | Porte de Montreuil |
| C 7 | 17 | Charles-Fillion | (place) | des Moines, 1 | Cardinet, 146 | Brochant |
| H 5 | 7 | Charles-Floquet | (avenue) | av. Octave-Gréard | Jean-Carriès | La M.-Picquet-Grenelle |
| K 16 | 12 | Charles-Foucauld | (avenue) | J.-Chailley | av. Gal-Dodds | Porte Dorée |
| L 11 | 13 | Charles-Fourier | | des Peupliers | de Tolbiac, 193 | Tolbiac |
| E 15 | 20 | Charles-Friedel | | Olivier-Métra, 2 | Pixérécourt | Télégraphe |
| F 9 | 9 | Charles-Garnier | (place) | Auber, 4 | Scribe, 11 | Opéra |
| D 6 | 17 | Charles-Gerhardt | | Gustave-Doré, 7 | en impasse | Wagram |
| F 7 | 8 | Charles-Girault | (avenue) | av. Alexandre-III | av. Dutuit | Ch.-Élysées-Clemenceau |
| D 10 | 9 | Charles-Godon | (cité) | Milton, 25 | la Tour-d'Auvergne, 41 | Saint-Georges |
| A 12 | 18 | Charles-Hermite | (square) | Charles-Hermite | | Porte de la Chapelle |
| A 13 | 18 | Charles-Hermite | | av. Porte d'Aubervilliers | bd Ney, 111 | Porte de la Chapelle |
| F 4 | 16 | Charles-Lamoureux | | Émile-Ménier, 23 | de Noisiel, 3 | Porte Dauphine |
| J 6 | 15 | Charles-Laurent | (square) | Cambronne, 71 | Lecourbe, 100 | Volontaires |
| B 12 | 18 | Charles-Lauth | | Tissandier | bd Ney | Porte de la Chapelle |
| M 8 | 14 | Charles-Le-Goffic | | av. Reyer | bd Brune | Porte d'Orléans |
| J 5 | 15 | Charles-Lecocq | | Croix-Nivert, 123 | Lecourbe, 204 | Convention |
| N 12 | 13 | Charles-Leroy | | av. de la Porte de Choisy | Ivry-sur-Seine | Porte de Choisy |
| G 12 | 11 | Charles-Luizet | | bd Filles-du Calvaire | Amelot | St-Sébastien-Froissart |
| J 2 | 16 | Charles-Marie-Widor | | Chardon-Lagache, 88 | Boileau | Exelmans |
| I 4 | 15 | Charles-Michels | (place) | Saint-Charles | Émile-Zola | Charles-Michels |
| D 16 | 19 | Charles-Monselet | | bd Sérurier | bd de l'Algérie | Pré-Saint-Gervais |
| L 12 | 13 | Charles-Moureu | | de Tolbiac, 100 | av. Edison | Tolbiac |

| Plan | Arr. | Nom | Rues | Commençant | Finissant | Métro |
|---|---|---|---|---|---|---|
| J 14 | 12 | Charles-Nicolle | | Charenton, 173 | cité Moynet-II | Reuilly-Diderot |
| D 10 | 18 | Charles-Nodier | (de) | Levingston, 12 | André-del-Sarte, 25 | Anvers |
| J 16 | 12 | Charles-Péguy | (square) | de Montempoivre | Rottenbourg | Michel-Bizot |
| I 14 | 11 | Charles-Petit | (impasse) | Paul-Bert, 6 | | Faidherbe-Chaligny |
| G 16 | 20 | Charles-Renouvier | | des Rondeaux | Stendhal, 27 | Gambetta |
| H 6 | 7 | Charles-Risler | (avenue) | al. Adrien.-Lecouvreur | allée Th.-Thierry | École Militaire |
| E 13 | 10 | Charles-Robin | | Claude Vellefaux, 37 | Grange-aux-Belles, 40 | Colonel-Fabien |
| J 2 | 16 | Charles-Tellier | | bd Murat, 159 | Claude-Terrasse, 33 | Porte de Saint-Cloud |
| C 4 | 17 | Charles-Tournemire | | av. Porte de Champerret | av. Porte de Villiers | Louise-Michel |
| H 12 | 4 | Charles-V | | Petit-Musc, 17 | Saint-Paul, 20 | Sully-Morland |
| K 6 | 15 | Charles-Vallin | (place) | de la Convention | Abbé-Groult | Convention |
| K 7 | 15 | Charles-Weiss | | Labrouste, 45 | Castagnary, 52 | Plaisance |
| G 12 | 3 | Charlot | | Quatre-Fils, 14 | bd du Temple | Filles du Calvaire |
| K 6 | 15 | Charmilles | (impasse des) | Castagnary, 56 | | Plaisance |
| J 14 | 12 | Charolais | (du) | bd de Bercy, 19 | Daumesnil | Dugommier |
| J 14 | 12 | Charolais | (passage du) | du Charolais, 26 | Baulant, 4 | Dugommier |
| H 16 | 20 | Charonne | (boulevard de) | cours de Vincennes | Pierre-Bayle, 2 | Avron |
| | | nos 111-148 | | | | Porte de Bagnolet |
| | | nos 151-212 | | | | Philippe-Auguste |
| H 14 | 11 | Charonne | (de) | fg St-Antoine, 63 | bd de Charonne, 116 | Ledru-Rollin |
| | | nos 77-88 | | | | Charonne |
| | | nos 110-115 | | | | Alexandre-Dumas |
| E 9 | 9 | Charras | | bd Haussmann, 56 | Provence, 101 | Havre-Caumartin |
| H 14 | 11 | Charrière | | de Charonne | en impasse | Charonne |
| I 10 | 5 | Chartière | (impasse) | de Lanneau, 11 | en impasse | Maubert-Mutualité |
| D 11 | 18 | Chartres | (de) | bd de la Chapelle, 60 | Goutte-d'Or, 45 | Porte de la Chapelle |
| J 9 | 6 | Chartreux | (des) | av. de l'Observatoire, 8 | d'Assas, 87 | Port-Royal |
| E 7 | 8 | Chassaigne-Goyon | (place) | la Boétie | av. Franklin-Roosevelt | Saint-Philippe du Roule |
| I 6 | 15 | Chasseloup-Laubat | | av. Suffren, 140 | av. Ségur, 58 | Ségur |
| C 6 | 17 | Chasseurs | (avenue des) | bd Péreire, 57 | bd Malesherbes, 168 | Wagram |
| K 8 | 14 | Château | (du) | Cdt-Mouchotte | av. du Maine, 166 | Gaîté |
| | | nos 185-190 | | | | Pernéty |
| E 6 | 8 | Chateaubriant | | Washington, 17 | av. de Friedland | Charles de Gaulle-Étoile |
| F 11 | 10 | Château-d'Eau | (du) | bd Magenta, 1 | fg St-Denis, 70 | République |
| | | nos 55-56 | | | | Château d'Eau |
| L 12 | 13 | Château-des-Rentiers | (du) | bd Masséna, 26 | bd Vincent-Auriol, 17 | Porte d'Ivry |
| | | nos 105-116 | | | | Nationale |
| D 12 | 10 | Château-Landon | (du) | fg Saint-Martin, 185 | bd de la Chapelle, 1 | Château-Landon |
| C 11 | 18 | Château-Rouge | (place du) | bd Barbès, 44 | Custine | Château-Rouge |
| E 9 | 9 | Châteaudun | (de) | La Fayette, 57 | Chaussée-d'Antin, 70 | Notre-Dame-de-Lorette |
| | | nos 59-60 | | | | Trinité |
| H 10 | 1-4 | Châtelet | (place du) | bd Sébastopol, 1 | quai de Gèvres, 10 | Châtelet |
| B 8 | 17 | Châtelet | (passage) | J.-Kellner | bd Bessières, 37 | Porte de Saint-Ouen |
| L 8 | 14 | Châtillon | (de) | av. Jean-Moulin, 18-22 | des Plantes, 43 | Alésia |
| L 8 | 14 | Châtillon | (square de) | av. Jean-Moulin, 33 | en impasse | Alésia |
| H 10 | 5 | Chat-qui-Pêche | (du) | quai Saint-Michel, 11 | la Huchette, 14 | Saint-Michel |
| E 6 | 8 | Chateaubriand | | Washington, 19 | av. Friedland, 35 | George V |
| E 10 | 9 | Chauchat | | bd Haussmann | La Fayette, 44 | Richelieu-Drouot |
| | | nos 12-13 | | | | Le Peletier |
| D 12 | 10 | Chaudron | | fg Saint-Martin, 24 | Château-Landon, 54 | Stalingrad |
| E 13 | 19 | Chaufourniers | (des) | de Meaux, 18 | en impasse | Colonel-Fabien |
| D 13 | 19 | Chaumont | (de) | av. Secrétan, 26 | | Jean-Jaurès |
| F 16 | 20 | Chauré | (square) | Lieutenant-Chauré | en impasse | Gambetta |
| E 9 | 9 | Chaussée-d'Antin | (de la) | bd Capucines, 2 | Saint-Lazare, 73 | Chaussée d'Antin |
| | | nos 55-70 | | | | Trinité |
| J 16 | 12 | Chaussin | (passage) | de Picpus, 99 | de Toul, 23 | Bel-Air |
| E 12 | 10 | Chausson | (impasse) | Grange-aux-Belles, 33 | | Colonel-Fabien |
| F 8 | 8 | Chauveau-Lagarde | | pl. de la Madeleine, 25 | bd Malesherbes, 12 | Madeleine |
| L 6 | 15 | Chauvelot | | Brancion, 117 | bd Lefebvre, 183 | Porte de Vanves |
| D 6 | 17 | Chazelles | (de) | de Courcelles, 96 | de Prony, 19 | Courcelles |
| J 8 | 14 | Chef-d'Escadron-de-Guillebon | (allée du) | dalle Montparnasse | | Montparnasse-Bienvenüe |
| B 15 | 19 | Chemin-de-Fer | (du) | av. Porte de la Villette | Pantin | Porte de la Villette |
| G 13 | 11 | Chemin-Vert | (passage du) | Chemin-Vert, 45 | Popincourt, 16 | Richard-Lenoir |
| H 13 | 11 | Chemin-Vert | (du) | Beaumarchais, 48 | av. République, 132 | Chemin-Vert |
| | | nos 16-17 | | | | Bréguet-Sabin |
| | | nos 152-153 | | | | Père-Lachaise |
| C 16 | 19 | Cheminets | (des) | av. Centenaire | limite de Paris | Porte de Pantin |
| I 13 | 12 | Chêne-Vert | (cour du) | de Charenton, 48 | | Ledru-Rollin |
| F 11 | 2 | Chénier | | Sainte-Foy, 27 | de Cléry, 96 | Strasbourg-Saint-Denis |
| G 16 | 20 | Cher | (du) | des Prairies, 80 | Belgrand, 8 | Gambetta |
| K 6 | 15 | Cherbourg | (de) | Fizeau | des Morillons | Porte de Vanves |
| I 9 | 6 | Cherche-Midi | (du) | de Sèvres, 1 | Vaugirard, 144 | Sèvres-Babylone |
| H 8 | 15 | nos 131-146 | | | | Falguière |
| L 11 | 13 | Chéreau | | Buttes-aux-Cailles, 3 | Robillot, 36 | Corvisart |
| H 4 | 16 | Chernoviz | | Raynouard, 26 | de Passy, 37 | Passy |
| D 8 | 17 | Chéroy | (de) | bd des Batignolles, 80 | des Dames, 101 | Rome |
| F 9 | 2 | Chérubini | | Chabanais, 15 | Sainte-Anne, 54 | Quatre-Septembre |
| H 13 | 11 | Cheval-Blanc | (passage du) | de la Roquette, 3 | | Bastille |
| L 13 | 13 | Chevaleret | (du) | Regnault, 14 | bd Vincent-Auriol, 79 | Chevaleret |
| C 10 | 18 | Chevalier-de-la-Barre | | Ramey, 11 | Mont-Cenis, 10 | Abbesses |
| E 15 | 20 | Chevaliers | (impasse des) | Pixérécourt, 40 | en impasse | Télégraphe |
| H 7 | 7 | Chevert | | bd la T.-Maubourg, 7 | av. de Tourville, 22 | École Militaire |
| E 9 | 9 | Cheverus | (de) | square de la Trinité | de la Trinité, 1 | Trinité |
| F 13 | 11 | Chevet | (du) | Deguerry, 6 | Darboy, 2 | Goncourt |
| I 15 | 11 | Chevreul | | fg St-Antoine, 303 | de Montreuil, 74 | Boulets-Nation |
| J 9 | 6 | Chevreuse | (de) | N.-Dame-des Champs, 80 | bd Montparnasse, 125 | Vavin |
| J 2 | 16 | Cheysson | (villa) | Boileau, 86 | villa É.-Meyer, 2 | Exelmans |
| F 16 | 20 | Chine | (de la) | cour-des Noues, 18 | Ménilmontant, 128 | Gambetta |
| K 14 | 13 | Choderlos-de-Laclos | | Neuve-Tolbiac, 6 | Émile-Durkheim, 7 | |
| F 9 | 2 | Choiseul | (de) | Saint-Augustin | bd des Italiens, 25 | Quatre-Septembre |
| F 9 | 2 | Choiseul | (passage) | Petits-Champs, 42 | Saint-Augustin, 25 | Quatre-Septembre |
| L 12 | 13 | Choisy | (parc de) | av. de Choisy | rue Charles-Moureu | Tolbiac |
| M12 | 13 | Choisy | (avenue de) | bd Masséna, 120 | bd Vincent-Auriol | Porte de Choisy |
| | | nos 48-51 | | | | Maison-Blanche |
| | | nos 74-101 | | | | Tolbiac |
| | | nos 166-183 | | | | Place d'Italie |
| H 8 | 7 | Chomel | | bd Raspail, 42 | de Babylone, 12 | Sèvres-Babylone |
| H 4 | 16 | Chopin | (place) | Leskain, 12 | Duban, 2 | La Muette |
| E 10 | 9 | Choron | | Maubeuge, 11 | des Martyrs, 20 | Notre-Dame-de-Lorette |
| J 14 | 12 | Chrétien-de-Troyes | | Rambouillet | av. Daumesnil, 68 | Gare de Lyon |
| I 15 | 12 | Christian-Dewet | | Sergent-Bauchant, 39 | Dorian, 11 | Nation |
| C 11 | 18 | Christiani | | bd Barbès, 19 | Clignancourt, 34 | Barbès-Rochechouart |
| H 10 | 6 | Christine | | Grands-Augustins, 14 | Dauphine, 35 | Saint-Michel |
| C 7 | 17 | Christine-de-Pisan | | de Saussure | | Porte de Clichy |
| F 6 | 8 | Christophe-Colomb | | av. George-V, 41 | av. Marceau, 56 | George V |
| J 8 | 6 | Cicé | (de) | Stanislas, 16 | Montparnasse, 25 | N.-D.-des-Champs |
| F 5 | 16 | Cimarosa | | av. Kléber, 68 | Lauriston, 77 | Boissière |
| B 7 | 17 | Cimetière-des-Batignolles | (avenue du) | av. Porte de Clichy | Saint-Just | Porte de Clichy |
| I 10 | 5 | Cimetière-Saint-Benoît | (du) | impasse Chartière | Saint-Jacques, 109 | Maubert-Mutualité |
| D 4 | 17 | Cino-Del-Duca | | av. Porte de Champerret | bd d'Aur.-d.-Paladines | Porte Maillot |
| L 11 | 13 | Cinq-Diamants | (des) | bd A.-Blanqui, 33 | Buttes-aux-Cailles, 34 | Corvisart |
| J 7 | 15 | Cinq-Martyrs-du-Lycée-Buffon | (place des) | bd Pasteur | pl. de Catalogne | Pasteur |
| F 7 | 8 | Cirque | (du ) | av. Gabriel, 42 | fg Saint-Honoré, 63 | Ch.-Élysées-Clemenceau |
| H 9 | 6 | Ciseaux | (des) | bd Saint-Germain, 145 | du Four, 14 | St-Germain-des-Prés |
| H 11 | 4 | Cité | (de la) | place Louis-Lépine | pl. Parvis-Notre-Dame | La Cité |
| I 14 | 12 | Citeaux | (de) | bd Diderot, 45 | fg Saint-Antoine, 164 | Reuilly-Diderot |
| | | nos 26-27 | | | | Faidherbe-Chaligny |
| H 15 | 11 | Cité-Beauharnais | (jardin de la) | cité Beauharnais | | Boulets-Montreuil |

| Plan | Arr. | Nom | Rues | Commençant | Finissant | Métr |
|---|---|---|---|---|---|---|
| M10 | 14 | Cité-Universitaire | (de la) | Liard | Jourdan, 22 | Cité U |
| E 13 | 10 | Civiale | | bd de la Villette, 9 | Buisson-St-Louis, 32 | Belle |
| J 2 | 16 | Civry | (de) | bd Exelmans, 95 | de Varize, 25 | Miche |
| C 8 | 17 | Clairaut | | av. de Clichy, 113 | en impasse | La Fou |
| D 8 | 8 | Clapeyron | | de Moscou, 24 | bd des Batignolles, 31 | Rome |
| J 10 | 5 | Claude-Bernard | | de Bazeilles, 4 | d'Ulm, 47 | Censi |
| G 4 | 16 | Claude-Chahu | | de Passy, 18 | Gavarni, 9 | Passy |
| F 3 | 16 | Claude-Debussy | (jardin) | av. Mal Fayolle | boulevard Lannes | Porte |
| D 5 | 17 | Claude-Debussy | | bd Gouvion-Saint-Cyr, 39 | av. Pte de Champerret | Porte |
| D 7 | 17 | Claude-Debussy | (square) | Legendre, 25 | quai Fernand-d.-l.-Tom | Villier |
| K 16 | 12 | Claude-Decaen | | bd Poniatowski, 65 | pl. Félix-Éboué, 4 | Porte |
| | | nos 15-16 | | | | Porte D |
| | | nos 60-63 | | | | Daume |
| J 1 | 16 | Claude-Farrère | | av. Gal-Sarrail | Boulogne | Exelma |
| L 6 | 15 | Claude-Garamond | | av. Porte Brancion | Julia-Bartet | Malake |
| J 2 | 16 | Claude-Lorrain | | Boileau | Michel-Ange, 79 | Exelma |
| D 15 | 19 | Claude-Monet | (villa) | Miguel-Hidalgo, 20 | François-Pinton | Danube |
| K 9 | 14 | Claude-Nicolas-Ledoux | (square) | pl. Denf.-Rochereau | | Denfer |
| D 7 | 17 | Claude-Pouillet | | Lebouteux, 14 | Legendre, 36 | Villiers |
| M13 | 13 | Claude-Regaud | (avenue) | bd Masséna, 49 | place du Dr-Yersin | Porte d |
| K 2 | 16 | Claude-Terrasse | | av. de Versailles, 191 | bd Murat, 129 | Porte d |
| I 15 | 12 | Claude-Tillier | | Diderot, 83 | fg Saint-Antoine, 240 | Reuilly |
| E 13 | 10 | Claude-Vellefaux | (avenue) | Alibert, 22 | place Colonel-Fabien | Colonel |
| D 10 | 9 | Clauzel | | des Martyrs, 35 | Henri-Monnier, 8 | Saint-G |
| E 14 | 19 | Clavel | | de Belleville, 97 | Fessart, 45 | But.-Ch |
| J 11 | 5 | Clef | (de la) | Fer-à-Moulin | Lacépède, 17 | Censier |
| | | nos 29-36 | | | | Place M |
| F 7 | 8 | Clemenceau | (place) | av. des Champs-Élysées | av. Marigny | Ch.-Élys |
| G 10 | 1 | Clémence-Royer | | de Viarmes,29 | Coquillière, 9 | Les Hal |
| H 9 | 6 | Clément | | de Seine, 74 | Mabillon, 5 | Mabillon |
| H 4 | 16 | Clément-Ader | (place) | av. de Versailles | de Boulainvilliers | Mirabea |
| F 6 | 8 | Clément-Marot | | av. Montaigne, 31 | Pierre-Charron, 48 | Franklin |
| J 4 | 15 | Clément-Myionnet | | Balard | Léontine | Javel-Ar |
| H 6 | 7 | Cler | | St-Dominique, 113 | la Motte-Picquet-Grenelle, 32 | École M. |
| F 11 | 2 | Cléry | (passage de) | Cléry, 56 | Beauregard, 20 | Bonne-N |
| F 11 | 2 | Cléry nos 4-15 | (de) | Montmartre, 106 | bd Bonne-Nouvelle, 5 | Sentier |
| | | nos 35-58 | | | | Bonne-N |
| | | nos 97-102 | | | | Strasbou |
| D 8 | 18 | Clichy | (passage de) | Forest, 1 | av. de Clichy, 4 | Place de |
| D 8 | 8-9-18 | Clichy | (place de ) | bd de Clichy, 91 | bd des Batignolles, 10 | Place de |
| | 17 | de 1 et de 2 à 10*bis* | | de 12 à 16, 18 n° 39 | 8e | Place de |
| D 8 | 17 | Clichy | (avenue de) | place Clichy, 7 | bd Bessière, 131 | Place de |
| | | nos 45-56 | | nos impairs, 17e | nos pairs, 18e | La Fourch |
| | | nos 129-136 | | | | Brochant |
| | | nos 187-194 | | | | Porte de C |
| E 9 | 9 | Clichy | (de) | Saint-Lazare, 70 | place Clichy, 1 | Trinité |
| | | nos 88-91 | | | | Place de |
| D 9 | 9 | Clichy | (boulevard de) | des Martyrs, 67 | place Clichy, 12 | Blanche |
| | 18 | nos impairs, 9e | | | | |
| D 10 | 18 | Clignancourt | (square de) | Ordener, 70 | Hermel, 30 | Simplon |
| C 10 | 18 | Clignancourt | (de) | bd Rochechouart, 40 | Championnet, 33 | Barbès-Ro |
| | | nos 44-51 | | | | Château-R |
| | | nos 86-87 | | | | Marcadet |
| | | nos 120-129 | | | | Simplon |
| K 12 | 13 | Clisson | (impasse) | Clisson, 43 | | Nationale |
| K 13 | 13 | Clisson | | du Chevaleret, 173 | Nationale, 118 | Nationale |
| F 15 | 20 | Cloche | (de la) | Villiers-l'Isle-Adam, 6 | Westermann | Gambetta |
| H 11 | 4 | Cloche-Perce | | François-Miron, 15 | Roi-de Sicile, 27 | Saint-Paul |
| H 5 | 15 | Clodion | (du) | bd de Grenelle, 53 | Daniel-Stern, 20 | Dupleix |
| H 11 | 4 | Cloître-Notre-Dame | (du) | quai aux Fleurs, 1 | d'Arcole, 23 | Cité |
| G 11 | 4 | Cloître-Saint-Merri | (du) | du Renard, 17 | Saint-Martin, 80 | Hôtel de Vi |
| H 16 | 20 | Clos | (du) | Courat, 2 | Saint-Blaise, 58 | Maraîchers |
| I 10 | 5 | Clos-Bruneau | (passage du) | des Écoles, 33 | des Carmes,11 | Maubert-M |
| K 5 | 15 | Clos-Feuquières | (square) | Clos-Feuquières | | Convention |
| K 5 | 15 | Clos-Feuquières | (du) | Théodore-Deck, 5 | Desnouettes, 10 | Convention |
| I 10 | 5 | Clotaire | | place du Panthéon, 15 | Fossés-St-Jacques, 15 | Luxembourg |
| I 10 | 5 | Clotilde | | Clovis, 23 | l'Estrapade, 17 | Cardinal-Le |
| H 13 | 11 | Clotilde-de-Vaux | | bd Beaumarchais, 56 | Amelot, 47 | Chemin-Ver |
| B 15 | 19 | Clôture | (de la) | bd Macdonald | limite Pantin | Porte de la V |
| I 6 | 15 | Clouet | | Garibaldi, 24 | Miollis, 16 | Cambronne |
| I 11 | 5 | Clovis | | Cardinal-Lemoine, 56 | pl. Ste-Geneviève | Cardinal-Le |
| D 13 | 19 | Clovis-Hugues | | av. Jean-Jaurès, 30 | de Meaux, 65 | Bolivar |
| C 9 | 18 | Cloys | (des) | Duhesme, 53 | Damrémont, 102 | Jules-Joffrin |
| B 9 | 18 | Cloys | (impasse des) | des Cloys, 21 | | Jules-Joffrin |
| C 10 | 18 | Cloys | (passage des) | Marcadet, 190 | Montcalm, 22 | Lamarck-Ca |
| I 10 | 5 | Cluny | (de) | bd Saint-Germain, 73 | des Écoles, 56 | Cluny |
| I 11 | 5 | Cochin | | de Poissy, 4 | de Pontoise, 5 | Maubert-Mu |
| I 9 | 6 | Coëtlogon | | de Rennes, 92 | d'Assas, 5 | Saint-Sulpice |
| L 9 | 14 | Cœur-de-Vey | (villa) | av. Gal-Leclerc, 54 | | Mouton-Duve |
| G 6 | 7 | Cognacq-Jay | | Malar, 2 | av. Bosquet, 1 | Alma |
| F 10 | 2 | Colbert | (passage) | des Petits-Champs,6 | galerie Colbert, 4 | Bourse |
| F 10 | 2 | Colbert | (galerie) | des Petits-Champs, 6 | en impasse | Bourse |
| F 10 | 2 | Colbert | | Vivienne, 9 | Richelieu, 60 | Bourse |
| G 9 | 1 | Colette | (place) | Saint-Honoré | Théâtre-Français | Palais-Royal Louvre |
| F 7 | 8 | Colisée | (du ) | av. des Ch.-Élysées, 50 | fg Saint-Honoré, 99 | Saint-Philipp |
| J 11 | 5 | Collégiale | (de la) | bd Saint-Marcel, 86 | Fer-à-Moulin, 39 | Les Gobelins |
| L 7 | 14 | Collet | (villa) | Didot, 121 | en impasse | Vanves |
| B 8 | 17 | Collette | | av. Saint-Ouen, 85 | Jean-Leclaire, 6 | Guy-Môquet |
| D 9 | 9 | Collin | (passage) | Duperré, 18 | bd de Clichy, 29 | Pigalle |
| C 14 | 19 | Colmar | (de) | de Crimée, 154 | Évette, 2 | Crimée-Rique |
| H 11 | 4 | Colombe | (de la) | quai aux Fleurs, 21 | Chanoinesse, 26 | Cité |
| G 3 | 16 | Colombie | (place de) | bd Suchet | bd Lannes | Rue de la Pom |
| H 4 | 16 | Colonel-Bonnet | (avenue du) | Raynouard, 68 | Alfred-Bruneau | La Muette |
| J 14 | 12 | Colonel-Bourgoin | | Crozatier | Charenton | Reuilly-Didero |
| I 6 | 15 | Colonel-Colonna-d'Ornano | (du) | Fr.-Bonvin, 12 | Villa Poirier | Sèvres-Lecour |
| G 6 | 7 | Colonel-Combes | (du) | Jean-Nicot, 6 | Malar, 7 | La Tour-Maub |
| M11 | 13 | Colonel-Dominé | (du) | bd Kellermann | | Porte d'Italie |
| G 10 | 1 | Colonel-Driant | (du) | J.-J.-Rousseau | Valois, 8 | Palais-Royal-Louvre |
| E 13 | 10 | Colonel-Fabien | (place du) | bd de la Villette | av. M.-Moreau | Colonel-Fabien |
| B 8 | 17 | Colonel-Manhès | (du) | Pouchet, 67 | de la Jonquière | Porte de Clichy |
| E 5 | 17 | Colonel-Moll | (du) | des Acacias, 11 | Saint-Ferdinand | Ch.-de-Gaulle- |
| L 7 | 14 | Colonel-Monteil | (du) | bd Brune | Maurice-Bouchor | Porte de Vanve |
| K 16 | 12 | Colonel-Oudot | (du) | av. Daumesnil, 273 | bd Soult, 25 | Porte Dorée |
| L 3 | 15 | Colonel-Pierre-Avia | (du) | Louis-Armand | limite Issy-les-Moulin. | Corentin-Celto |
| I 15 | 12 | Colonel-Rozanoff | (du) | Erard | de Reuilly | Reuilly-Diderot |
| E 5 | 17 | Colonels-Renard | (des) | Colonel-Moll, 10 | d'Armaillé, 17 | Argentine |
| M11 | 13 | Colonie | (de la) | Vergniaud, 41 | des Peupliers, 20 | Corvisart |
| | | nos 53-62 | | | | Tolbiac |
| F 10 | 2 | Colonnes | (des) | Quatre-Septembre, 4 | Feydeau, 23 | Bourse |
| I 16 | 12 | Colonnes-du-Trône | (des) | av. Saint-Mandé, 23 | bd Picpus, 79*ter* | Nation |
| K 16 | 12 | Combattants-d'Indochine | (square des) | av. Daumesnil | | Porte Dorée |
| K 16 | 12 | Combattants-en-Afrique-du-Nord | (place des) | bd Diderot | de Lyon | Gare de Lyon |
| G 7 | 7 | Comète | (de la) | Saint-Dominique, 77 | de Grenelle, 162 | La Tour-Maubou |
| H 8 | 7 | Commaille | (de) | de la Planche, 6 | du Bac, 105 | Sèvres-Babylone |
| D 8 | 17 | Commandant-Ch.-Martel | (passage du) | Dulong, 30 | de Rome, 113 | Rome |
| J 1 | 16 | Commandant-Guilbaud | (du) | av. Porte de Saint-Cloud | Claude-Farrère | Porte de Saint-C |

| n | Rues | Commençant | Finissant | Métro |
|---|---|---|---|---|
| mandant-Lamy | (du) | Roquette, 49 | Sedaine, 30 | Bréguet-Sabin |
| mandant-Léandri | (du) | Convention, 152 | Jacques-Mawas | Convention |
| mandant-l'Herminier | (du) | Pte de Vincennes | Lagny | Saint-Mandé-Tourelle |
| mandant-Marchand | (du) | av. Malakoff, 151 | en impasse | Porte Maillot |
| mandant-Mortenol | (du) | quai de Valmy | | Gare de l'Est |
| mandant-René- | (du) | av. du Maine, 54 | Jean-Zay, 6 | Montparnasse-Bienvenüe |
| ouchotte | | | | |
| mandant-Rivière | (du ) | av. Franklin-Roosevelt, 73 | d'Artois, 8 | Saint-Philippe du Roule |
| mandant-Schlœsing | (du) | av. Paul-Doumer | Pétrarque, 12 | Trocadéro |
| mmanderie | (bd de la) | av. Porte de la Villette | limite d'Aubervilliers | Porte de la Villette |
| mmandeur | (du) | Bezout, 13 | passage Montbrun, 10 | Alésia |
| mmerce | (du) | bd de Grenelle, 128 | Entrepreneurs, 99 | La M.-Picquet-Grenelle |
| mmerce | (impasse du) | du Commerce, 70 | | Commerce |
| mmerce | (place du) | du Commerce, 82 | Violet, 71 | Commerce |
| mmerce-Saint-André | (cour du) | St-André-des Arts, 4 | bd Saint-Germain | Odéon |
| mmerce-Saint-Martin | (passage du) | Saint-Martin | Brantôme | Rambuteau |
| mmines | | de Turenne, 90 | bd Filles-du Calvaire, 11 | Filles du Calvaire |
| mmun | (passage) | de Reuilly | en impasse | Montgallet |
| | | de Liège | en impasse | Liège |
| | | de Liège | en impasse | Liège |
| mpans | | de Belleville, 219 | d'Hautpoul, 16 | Place des Fêtes |
| mpiègne | (de) | bd Magenta, 122 | Dunkerque, 27 | Gare du Nord |
| mpoint | (villa) | Guy-Môquet, 40 | | Guy-Môquet |
| mtesse-de-Ségur | (allée de la ) | Parc Monceau | | Monceau |
| ncorde | (place de la ) | jardin des Tuileries | Champs-Élysées | Concorde |
| ncorde | (pont de la) | quai des Tuileries | quai d'Orsay | Concorde |
| ncorde | (port de la) | pont de la Concorde | | Concorde |
| ndé | (de) | carrefour Odéon | Vaugirard, 22 | Odéon |
| ndillac | | av. République, 99 | des Nanettes, 10 | Père-Lachaise |
| ndorcet | (cité) | Condorcet, 29 | | Anvers |
| ndorcet | | Maubeuge, 59 | des Martyrs, 60 | Anvers |
| nférence | (port de la) | pont des Invalides | pont de l'Alma | Alma |
| nfiance | (impasse de la) | des Vignoles | impasse | Buzenval |
| ngo | (du) | du Charolais, 38 | av. Daumesnil, 128 | Dugommier |
| nseiller-Collignon | (du) | de Franqueville | Gal-d'Andigné | La Muette |
| nservatoire | (du) | Bergère, 12 | Richer, 11 | Rue Montmartre |
| nstance | | Lepic, 19 | de Maistre, 11 | Blanche |
| onstant-Berthaut | | du Jourdain, 5 | de Belleville, 132 | Jourdain |
| onstant-Coquelin | (avenue) | bd des Invalides, 59 | en impasse | Duroc |
| onstantin-Brancusi | (place) | de l'Ouest | Jules-Guesde | Gaîté |
| onstantin-Pecqueur | (passage) | Girardon, 15 | Caulaincourt, 91 | Lamarck-Caulaincourt |
| onstantine | (de) | quai d'Orsay, 37 | de Grenelle, 142 | Invalides |
| onstantinople | (de ) | place de l'Europe | du Rocher, 92 | Europe |
| onté | | Montgolfier, 3 | Vaucanson, 4 | Arts-et-Métiers |
| Conti | (impasse de) | quai de Conti, 13 | | Pont-Neuf |
| Conti | (quai de) | pont-Neuf | pont des Arts | Pont-Neuf |
| Contrescarpe | (place de la) | Mouffetard, 12 | Lacépède, 57 | Place Monge |
| Convention | (de la) | quai André-Citroën, 43 | Dombasle, 65 | Javel-André-Citroën |
| nos 179-198 | | | | Convention |
| Conventionnel-Chiappe | (du) | bd Masséna | av. Léon-Bollée | Porte de Choisy |
| Copenhague | (de ) | de Rome, 69 | Constantin, 12 | Rome |
| Copernic | (villa) | Copernic, 38 | | Victor-Hugo |
| Copernic | | av. Kléber, 54 | place Victor-Hugo, 1 | Victor-Hugo |
| Copreaux | | Blomet, 33 | de Vaugirard, 202 | Volontaires |
| Coq | (cour du) | Saint-Sabin, 60 | allée Verte, 1 | Richard-Lenoir |
| Coq | (avenue du) | Saint-Lazare, 87 | en impasse | Trinité |
| Coq-Héron | | Coquillière, 28 | du Louvre, 19 | Les Halles |
| Coquillière | | du Jour, 1 | Croix Pts-Champs, 46 | Les Halles |
| Corbéra | (avenue de) | Charenton, 135 | Crozatier, 13 | Reuilly-Diderot |
| Corbineau | | de Bercy, 100 | bd de Bercy, 48*bis* | Bercy |
| Corbon | | d'Alleray, 42 | Abbé-Groult, 139 | Vaugirard |
| Cordelières | (des) | bd Arago, 29 | Corvisart, 26 | Les Gobelins |
| nos 35-38 | | | | Corvisart |
| Corderie | (de la) | Franche-Comté | Dupetit-Thouars, 8 | Temple |
| Cordon-Boussard | (impasse) | Pyrénées, 247 | | Gambetta |
| Corentin-Cariou | (avenue) | av. de Flandre | Porte de la Villette | Corentin-Cariou |
| Coriolis | | Nicolaï,1 | bd de Bercy, 70 | Dugommier |
| Corneille | (impasse) | av. Despréaux | | Michel-Ange-Molitor |
| Corneille | | place de l'Odéon, 7 | de Vaugirard, 16 | Odéon |
| Corot | | Wilhem, 30 | Théophile-Gautier, 61 | Eglise d'Auteuil |
| Corrèze | (de la) | bd Sérurier | av. Ambroisie-Rendu | Danube |
| Corse | (quai de la) | Arcole, 2 | bd du Palais, 1 | Cité |
| Cortambert | | av. G.-Mandel, 47 | place Possoz | La Muette |
| Cortot | | Mont-Cenis, 23 | des Saules | Lamarck-Caulaincourt |
| Corvetto | | Treilhard, 6 | de Lisbonne, 15 | Villiers |
| Corvisart | | Léon-M.-Nordmann | bd A.-Blanqui, 56 | Corvisart |
| Cossonnerie | (de la) | bd Sébastopol, 41 | Pierre-Lescot, 12 | Les Halles |
| Costa-Rica | (place de) | bd Delessert | de Passy | Passy |
| Cotentin | (du) | bd Pasteur | Falguière, 93 | Pasteur |
| Cothenet | | Faisanderie, 28 | bd Flandrin, 90 | Porte Dauphine |
| Cottages | (des) | Duhesme, 11 | Marcadet, 159 | Lamarck-Caulaincourt |
| Cotte | (de) | Charenton, 93 | fg Saint-Antoine, 128 | Ledru-Rollin |
| Cottin | (passage) | Ramey, 19 | Chevalier-d.-l.-Barre | Château-Rouge |
| Couche | | d'Alésia, 57 | Sarrette, 10 | Alésia |
| Couédic | (du) | av. R.-Coty | av. Gal-Leclerc | Mouton-Duvernet |
| Coulmiers | (de) | av. Gal-Leclerc, 128 | av. Jean-Moulin, 41 | Porte d'Orléans |
| Couperin | (square) | des Barrès | du Pont Louis-Philippe | Pont-Marie |
| Cour-des-Noues | (de la) | Pelleport, 31 | des Pyrénées, 198 | Gambetta |
| Courat | | des Orteaux, 63 | Saint-Blaise, 46*bis* | Maraîchers |
| Courcelles | (boulevard de ) | du Rocher, 101 | place des Ternes, 6 | Villiers |
| nos 48-60 | | | | Monceau |
| nos 35-94 | | | | Courcelles |
| Courcelles | (de ) | la Boétie, 68 | Levallois-Perret | St-Philippe-du-Roule |
| nos 91-94 | | de 1 à 77 et de 2 à 94 | de 79 à 96 à la fin | Courcelles |
| nos 199-22 | | 8e | 17e | Péreire |
| Cournot | | de Javel, 187 | en impasse | Convention |
| Couronnes | (des) | bd de Belleville, 58 | Envierges, 58 | Couronnes |
| Courtalon | | Saint-Denis, 21 | Saint-Opportune, 4 | Châtelet |
| Courteline | (square) | av. de Saint-Mandé | | Picpus |
| Courteline | (avenue) | bd Soult | Saint-Mandé | Saint-Mandé-Tourelle |
| Courtois | (passage) | Léon-Frot | Folie-Regnault, 18 | Charonne |
| Courty | (de) | bd Saint-Germain, 239 | l'Université, 106 | Assemblée Nationale |
| Coustou | | bd de Clichy, 68 | Lepic, 14 | Blanche |
| Coutellerie | (de la) | de Rivoli, 33 | av. Victoria, 6 | Hôtel de Ville |
| Coutures-Saint-Gervais | (des) | de Thorigny, 7 | Vieille-du-Temple, 96 | St-Sébastien-Froissart |
| Couvent | (cité du) | de Charonne | | Charonne |
| Coypel | | bd de l'Hôpital, 142 | av. des Gobelins, 71 | Place d'Italie |
| Coysevox | (de la) | Etex, 8 | Marcadet, 295 | Guy-Môquet |
| Crébillon | | de Condé, 17 | place de l'Odéon, 4 | Odéon |
| Crèche | (de la) | de Saussure, 142 | | Porte de Clichy |
| Crédit-Lyonnais | (impasse du) | Amiral-Mouchez, 95 | | Cité Universitaire |
| Crémieux | | de Bercy, 230 | de Lyon, 21 | Gare de Lyon |
| Crespin-Du-Gast | | Oberkampf, 146 | pass. Ménilmontant, 19 | Ménilmontant |
| Cretet | | Bochard-de-Saron, 7 | Lallier, 10 | Anvers |
| Crevaux | | av. Bugeaud, 32 | Foch, 63 | Victor-Hugo |
| Crillon | | bd Morland, 6 | de l'Arsenal, 6 | Quai de la Rapée |
| Crimée | (passage de) | de Crimée, 221 | Curial, 52 | Crimée |
| Crimée | (de) | des Fêtes, 27 | d'Aubervilliers, 182 | Place des Fêtes |
| nos 35-88 | | | | Botzaris |
| nos 79-155 | | | | Ourcq |
| nos 160-257 | | | | Crimée |

| Plan | Arr. | Nom | Rues | Commençant | Finissant | Métro |
|---|---|---|---|---|---|---|
| H 16 | 20 | Crins | (impasse des) | des Vignoles, 23 | | Avron |
| I 17 | 20 | Cristino-Garcia | | Maryse-Hilsz, 12 | de Lagny, 127 | Porte de Vincennes |
| K 7 | 14 | Crocé-Spinelli | | Vercingétorix, 63 | de l'Ouest, 82 | Pernéty |
| I 7 | 15 | Croisic | (square du) | bd Montparnasse, 12 | | Duroc |
| F 10 | 2 | Croissant | (du) | du Sentier, 15 | Montmartre, 148 | Sentier |
| G 10 | 1 | Croix-des-Petits-Champs | | Saint-Honoré, 168 | place des Victoires, 3 | Palais-Royal-Musée du Louvre |
| G 14 | 11 | Croix-Faubin | (de la) | Folie-Regnault, 7 | la Roquette, 168 | Voltaire |
| L 14 | 13 | Croix-Jarry | (de la) | Watt, 17 | Ch.-de-Fer-Ceinture | Porte d'Ivry |
| B 12 | 18 | Croix-Moreau | (de la) | Tristan-Tzara | Tchaïkovski, 23 | Porte de la Chapelle |
| I 6 | 15 | Croix-Nivert | (villa) | Croix-Nivert, 33 | en impasse | Cambronne |
| K 5 | 15 | Croix-Nivert | (de la) | place Cambronne, 3 | Vaugirard, 372 | Cambronne |
| | | nos 155-166 | | | | Félix-Faure |
| | | nos 188 à la fin | | | | Porte de Versailles |
| H 9 | 6 | Croix-Rouge | (carrefour de la) | de Sèvres, 2 | Cherche-Midi, 2 | Sèvres-Babylone |
| H 17 | 20 | Croix-Saint-Simon | (de la) | Maraîchers, 80 | bd Davout, 105 | Maraîchers |
| D 15 | 19 | Cronstadt | (villa de) | du Général-Brunet, 27 | Miguel-Hidalgo | Danube |
| K 6 | 15 | Cronstadt | (de) | de Vouillé, 2 | des Morillons, 51 | Convention |
| K 11 | 13 | Croulebarbe | (de) | av. des Gobelins, 44 | Corvisart, 55 | Les Gobelins |
| | | nos 28-29 | | | | Corvisart |
| I 14 | 12 | Crozatier | (impasse) | Crozatier, 47 | | Reuilly-Diderot |
| I 14 | 12 | Crozatier | | place du Cl.-Bourgouin | fg Saint-Antoine, 128 | Reuilly-Diderot |
| | | nos 56-57 | | | | Ledru-Rollin |
| G 12 | 11 | Crussol | (cité de) | Oberkampf, 7 | en impasse | Filles du Calvaire |
| G 13 | 11 | Crussol | (de) | bd du Temple, 4 | la Folie-Méricourt, 63 | Filles du Calvaire |
| | | nos 14-17 | | | | |
| C 12 | 18 | Cugnot | | de Torcy | place Hébert | Marx-Dormoy |
| I 10 | 5 | Cujas | | place du Panthéon, 8 | bd Saint-Michel, 51 | Luxembourg |
| F 11 | 3 | Cunin-Gridaine | | de Turbigo, 47 | Saint-Martin, 252 | Arts-et-Métiers |
| H 3 | 16 | Cure | (de la) | Mozart, 64 | de l'Yvette, 4 | Jasmin |
| C 12 | 18 | Curé | (impasse du) | de la Chapelle, 9 | SNCF-Nord | Marx-Dormoy |
| C 13 | 19 | Curial | (villa) | Curial, 7 | Aubervilliers, 118 | Riquet |
| B 14 | 19 | Curial | | Riquet, 48*bis* | de Cambrai, 11 | Riquet |
| | | nos 88-89 | | | | Corentin-Cariou |
| C 5 | 17 | Curnonsky | | Raymond-Pitet | Levallois-Perret | Porte de Champerret |
| C 10 | 18 | Custine | | bd Barbès, 35 | du Mont-Cenis, 36 | Château-Rouge |
| I 12 | 5 | Cuvier | | quai Saint-Bernard | Linné, 2 | Jussieu |
| G 11 | 1 | Cygne | (du) | bd Sébastopol, 57 | de Turbigo, 8*bis* | Étienne-Marcel |
| H 4 | 15 | Cygnes | (allée des) | pont de Passy | pont de Grenelle | Passy |
| C 10 | 18 | Cyrano-de-Bergerac | (rue du) | Francœur, 14 | Marcadet, 117 | Lamarck-Caulaincourt |
| J 16 | 12 | Dagorno | | de Picpus, 61 | bd de Picpus, 23 | Bel-Air |
| H 16 | 20 | Dagorno | (passage) | des Haies, 102 | des Pyrénées, 103 | Maraîchers |
| K 9 | 14 | Daguerre | | av. Gal-Leclerc, 6 | av. du Maine, 111 | Denfert-Rochereau |
| I 14 | 11 | Dahomey | (du) | Saint-Bernard, 12 | Faidherbe, 11 | Faidherbe-Chaligny |
| F 9 | 2 | Dalayrac | | Méhul, 4 | Monsigny, 2 | Pyramides |
| C 10 | 18 | Dalida | (place) | de l'Abreuvoir | des Brouillards | Lamarck-Caulaincourt |
| M13 | 13 | Dalloz | | bd Masséna, 69 | Dupuy-de-Lome | Porte d'Ivry |
| J 7 | 15 | Dalou | | de Vaugirard, 171 | Falguière, 44 | Pasteur |
| G 2 | 16 | Dames | (allée des) | av. Clichy, 27 | de Lévis | Rome |
| D 8 | 17 | Dames | (des) | av. Clichy, 27 | de Lévis | Place de Clichy |
| | | nos 80-120 | | | | Rome |
| M11 | 13 | Damesme | (impasse) | Damesme, 57 | | Maison-Blanche |
| L 11 | 13 | Damesme | | de Tolbiac, 161 | bd Kellermann, 42 | Tolbiac |
| | | nos 23-3 | | | | Maison-Blanche |
| F 11 | 2 | Damiette | (de) | Forges, 1 | Aboukir, 96 | Sentier |
| H 13 | 11 | Damoye | (cour) | place de la Bastille, 12 | Daval, 10 | Bastille |
| B 14 | 19 | Dampierre | | place de l'Argonne | quai de la Gironde, 17 | Corentin-Cariou |
| B 14 | 19 | Dampierre-Rouvet | (square) | Dampierre | Rouvet | Corintin-Cariou |
| C 9 | 18 | Damrémont | (villa) | Damrémont, 10 | | Lamarck-Caulaincourt |
| B 9 | 18 | Damrémont | | de Maistre, 18 | Belliard, 109 | Lamarck-Caulaincourt |
| | | nos 135-136 | | | | Porte de Clignancourt |
| D 10 | 18 | Dancourt | (villa) | bd Rochechouart | pl. Charles-Dublin, 2 | Lamarck-Caulaincourt |
| D 10 | 18 | Dancourt | | bd Rochechouart, 93 | Dancourt | Anvers |
| H 3 | 16 | Dangeau | | Ribera, 32 | Mozart, 79 | Jasmin |
| I 8 | 7 | Daniel-Lesueur | (avenue) | bd des Invalides, 63 | | Duroc |
| I 5 | 15 | Daniel-Stern | | place Dupleix, 20 | bd de Grenelle, 59 | Dupleix |
| F 9 | 2 | Danielle-Casanova | | av. de l'Opéra, 31 | de la Paix, 4 | Dupleix |
| | 1 | nos impairs | | | | Pyramides |
| I 10 | 5 | Dante | | Galande, 45 | bd Saint-Germain, 82 | Maubert-Mutualité |
| H 10 | 6 | Danton | | pl. St-André-des Arts | bd Saint-Germain, 116 | Odéon |
| K 6 | 15 | Dantzig | (de) | de la Convention | bd Lefebvre, 93 | Convention |
| K 5 | 15 | Dantzig | (passage de) | de Dantzig, 48 | de la Saïda | Convention |
| D 15 | 19 | Danube | (hameau du) | du Gal-Brunet | en impasse | Danube |
| D 15 | 19 | Danube | (villa du) | David-d'Angers, 70 | de l'Égalité | Danube |
| K 8 | 14 | Danville | | Daguerre, 43 | Liancourt, 18 | Denfert-Rochereau |
| E 8 | 8 | Dany | (impasse) | du Rocher, 42 | | Saint-Lazare |
| F 13 | 11 | Darboy | | av. Parmentier, 132 | Saint-Maur, 163 | Goncourt |
| D 8 | 17 | Darcet | | bd des Batignolles, 18 | des Dames, 25 | Place de Clichy |
| F 16 | 20 | Darcy | | du Surmelin, 51 | Haxo, 36 | Saint-Fargeau |
| D 4 | 17 | Dardanelles | (des) | bd Pershing | bd de Dixmude | Porte Maillot |
| L 9 | 14 | Dareau | (passage) | Dareau, 36 | Tombe-Issoire, 41 | Saint-Jacques |
| K 10 | 14 | Dareau | | bd Saint-Jacques, 21 | av. René-Coty, 17 | Saint-Jacques |
| D 15 | 19 | Darius-Milhaud | (allée) | Manin, 95 | Petit, 120 | Danube |
| M13 | 13 | Darmesteter | | av. Boutroux, 10 | bd Masséna, 27 | Porte d'Ivry |
| E 6 | 8 | Daru | | fg Saint-Honoré, 256 | Courcelles, 77 | Courcelles |
| C 10 | 18 | Darwin | | des Saules, 27 | Fontaine-du But, 6 | Lamarck-Caulaincourt |
| J 11 | 5 | Daubenton | | G.-Saint-Hilaire, 37 | Mouffetard, 127 | Censier-Daubenton |
| D 7 | 17 | Daubigny | | Cardinet, 81 | Cernuschi, 6 | Malesherbes |
| K 16 | 12 | Daumesnil | (villa) | av. Daumesnil, 216 | Fécamp, 57 | Michel-Bizot |
| J 15 | 12 | Daumesnil nos 36-73 | (avenue) | de Lyon, 32 | Poniatowski, 119 | Gare de Lyon |
| | | nos 174-197 | | | | Daumesnil |
| | | nos 204-229 | | | | Michel-Bizot |
| | | nos 259-264 | | | | Porte Dorée |
| J 2 | 16 | Daumier | | bd Murat, 179 | Claude-Terrasse, 3 | Porte de Saint-Cloud |
| G 14 | 11 | Daunay | (impasse) | de la Folie-Regnault, 58 | en impasse | Père-Lachaise |
| B 9 | 18 | Daunay | (passage) | av. de Saint-Ouen, 122 | av. de Saint-Ouen, 126 | Porte de Saint-Ouen |
| F 9 | 2 | Daunou | | Louis-Le-Grand, 13 | bd des Capucines, 39 | Opéra |
| H 10 | 1 | Dauphine | (place) | Harlay, 2 | place pont-Neuf, 15 | Pont-Neuf |
| H 10 | 6 | Dauphine | (passage) | Dauphine, 28 | Mazarine, 27 | Odéon |
| H 10 | 6 | Dauphine | | quai des Gds-Augustins, 61 | St-André-des Arts, 72 | Odéon |
| C 8 | 17 | Dautancourt | | av. de Clichy, 92 | Davy, 5 | La Fourche |
| H 13 | 11 | Daval | | bd Richard-Lenoir, 14 | Saint-Sabin | Bréguet-Sabin |
| D 15 | 19 | David-d'Angers | | Manin, 24 | bd Sérurier, 119 | Danube |
| M 9 | 14 | David-Weil | (avenue) | av. André-Rivoire | bd Jourdan | Cité Universitaire |
| L 10 | 13 | Daviel | (villa) | Daviel, 7 | | Glacière |
| L 10 | 13 | Daviel | | Barrault, 30 | de la Glacière, 99 | Glacière |
| H 3 | 16 | Davioud | | Mozart, 21 | Assomption, 50 | Ranelagh |
| I 17 | 20 | Davout | (boulevard) | cours de Vincennes, 111 | de Bagnolet, 178 | Porte de Vincennes |
| I 17 | 20 | no 227 | | | | Gambetta |
| C 8 | 17 | Davy | | av. de Saint-Ouen, 45 | Guy-Môquet | Brochant |
| E 4 | 17 | Débarcadère | (du) | Saint-Ferdinand, 34 | bd Péreire, 271 | Porte Maillot |
| G 12 | 3 | Debelleyme | | de Turenne, 85 | de Turenne, 113 | St-Sébastien-Froissart |
| | | nos 11-20 | | | | |
| I 16 | 12 | Debergue | (cité) | Rendez-Vous, 28 | | Picpus |
| D 15 | 19 | Debidour | (avenue) | bd Sérurier, 68 | en impasse | Danube |
| H 14 | 11 | Debille | (cour) | av. Ledru-Rollin | | Voltaire |
| G 6 | 16 | Debilly | (port) | pont de l'Alma | pont d'Iéna | Alma-Marceau |
| G 5 | 16 | Debilly | (port) | pont de l'Alma | pont d'Iéna | Alma-Marceau |
| G 5 | 7 | Debilly | (passerelle) | av. de New-York | quai d'Orsay, 103 | Alma-Marceau |

10

| Plan | Arr. | Nom | Rues | Commençant | Finissant | Métro |
|---|---|---|---|---|---|---|
| G 14 | 20 | Debrousse | (jardin) | de Bagnolet | | Porte de Bagnolet |
| G 6 | 16 | Debrousse | | av. de New-York | av. du Pdt-Wilson, 5 | Alma-Marceau |
| G 4 | 16 | Decamps | | place de Mexico | de la Pompe, 66 | Rue de la Pompe |
| G 10 | 1 | Déchargeurs | (des) | de Rivoli, 122 | des Halles, 15 | Châtelet |
| K 7 | 14 | Decrès | | de Gergovie, 36 | d'Alésia, 176 | Plaisance |
| D 8 | 18 | Défense | (impasse de la) | av. de Clichy, 22 | | Place de Clichy |
| I 3 | 16 | Degas | | Félicien-David | quai Louis-Blériot | Église d'Auteuil |
| F 11 | 2 | Degrés | (des) | de Cléry, 89 | Beauregard, 52 | Plaisance |
| F 13 | 11 | Deguerry | | av. Parmentier, 128 | Saint-Maur, 161 | Goncourt |
| C 11 | 18 | Dejean | (passage) | Poissonnière, 23 | Poulet, 26 | Château-Rouge |
| F 14 | 20 | Delaitre | | des Panoyaux, 47 | Ménilmontant, 44 | Ménilmontant |
| J 8 | 14 | Delambre | (square) | Delambre, 19 | bd Edgar-Quinet, 30 | Edgar-Quinet-Vavin |
| J 8 | 14 | Delambre | | bd Montparnasse, 108 | Montparnasse, 69 | Edgar-Quinet-Vavin |
| E 11 | 10 | Delanos | (passage) | d'Alsace, 25 | fg Saint-Denis, 143 | Gare de l'Est |
| H 14 | 11 | Delaunay | (impasse) | de Charonne, 125 | | Charonne |
| L 8 | 14 | Delbet | | d'Alésia, 149 | Jacquier, 28 | Alésia |
| E 7 | 8 | Delcassé | (avenue) | Penthièvre, 24 | la Boétie, 37 | Miromesnil |
| I 5 | 15 | Delecourt | (avenue) | Violet, 65 | | Émile-Zola |
| H 13 | 11 | Delépine | (cour) | de Charonne | | Ledru-Rollin |
| H 15 | 11 | Delépine | (impasse) | Léon-Frot, 2 | bd Voltaire, 197 | Charonne |
| D 12 | 10 | Delessert | (passage) | quai de Valmy, 165 | Pierre-Dupont, 8 | Château-Landon |
| G 4 | 16 | Delessert | (boulevard) | Le-Nôtre | de l'Alboni, 10 | Passy |
| C 14 | 19 | Delesseux | | des Ardennes, 16 | Adolphe-Mile, 13 | Ourcq |
| B 8 | 17 | Deligny | (impasse) | passage Pouchet, 85 | | Porte de Saint-Ouen |
| M12 | 13 | Deloder | (villa) | Vistule, 21 | | Maison-Blanche |
| E 14 | 19 | Delouvain | | de la Villette, 18 | Lassus, 13 | Botzaris-Jourdan |
| D 11 | 9 | Delta | (du) | fg Poissonnière, 192 | Rochechouart, 84 | Barbès-Rochechouart |
| D 12 | 10 | Demarquay | | de l'Aqueduc, 25 | fg Saint-Denis, 192 | Gare du Nord |
| E 11 | 10 | Denain | (boulevard de) | bd Magenta, 114 | Dunkerque, 23 | Gare du Nord |
| K 9 | 14 | Denfert-Rochereau | (avenue) | av. de l'Observatoire | pl. Denfert-Rochereau | Denfert-Rochereau |
| K 9 | 14 | Denfert-Rochereau | (place) | bd Raspail, 301 | av. Gal-Leclerc, 2 | Denfert-Rochereau |
| E 5 | 17 | Denis-Poisson | | av. de la Gde-Armée, 52 | pl. St-Ferdinand, 55 | Argentine |
| H 14 | 11 | Denis-Poulot | (square) | place Léon-Blum | | Voltaire |
| F 14 | 20 | Dénoyez | | Ramponeau , 5 | de Belleville, 8 | Belleville |
| H 7 | 7 | Denys-Cochin | (place) | av. de Lowendal | av. de Tourville | École Militaire |
| C 7 | 17 | Déodat-de-Séverac | | Tocqueville | Jouffroy | Malesherbes |
| C 9 | 18 | Depaquit | (passage) | Caulaincourt, 24 | Lepic | Blanche |
| K 8 | 14 | Deparcieux | | Froideveaux, 51 | en impasse | Denfert-Rochereau |
| J 8 | 14-15 | Départ | (du) | bd Montparnasse, 68 | av. du Maine, 41 | Montparnasse-Bienvenüe |
| D 12 | 19 | Département | (du) | de Tanger, 9 | Marx-Dormoy, 36 | Stalingrad |
| | | nos 26-63 | | de 20 à 21 à la fin | | La Chapelle |
| H 5 | 15 | Desaix | | bd de Grenelle | av. de Suffren | Dupleix |
| H 5 | 15 | Desaix | (square) | bd de Grenelle, 33 | en impasse | Dupleix |
| F 13 | 11 | Desargues | | de l'Orillon, 22 | de la Fontaine-au-Roi | Belleville |
| I 3 | 16 | Désaugiers | | d'Auteuil, 11 | du Buis, 8 | Église d'Auteuil |
| G 3 | 16 | Desbordes-Valmore | | de la Tour, 75 | Faustin-Hélie, 8 | La Muette |
| I 11 | 5 | Descartes | | M.-Ste-Geneviève, 14 | Thouin, 10 | Cardinal-Lemoine |
| D 5 | 17 | Descombes | | Guillaume-Tell, 9 | av. de Villiers, 145 | Péreire |
| J 15 | 12 | Descos | | Charenton, 187 | av. Daumesnil, 130 | Dugommier |
| G 7 | 7 | Desgenettes | | quai d'Orsay, 47 | Université, 146 | La Tour-Maubourg |
| C 13 | 19 | Desgrais | (passage) | Curial, 36 | Mathis, 34 | Crimée |
| L 7 | 14 | Deshayes | (villa) | Didot, 109 | en impasse | Plaisance |
| E 11 | 10 | Désir | (passage du) | fg Saint-Martin, 89 | fg Saint-Denis, 86 | Château d'Eau |
| B 9 | 18 | Désiré-Ruggieri | | Ordener, 168 | Champion, 167 | Porte de Saint-Ouen |
| G 15 | 20 | Désirée | | des Partants, 24 | av. Gambetta, 33 | Gambetta |
| K 4 | 15 | Desnouettes | (square) | Desnouettes, 90 | | Porte de Versailles |
| K 5 | 15 | Desnouettes | | de Vaugirard, 352 | bd Victor, 27 | Convention |
| J 2 | 16 | Despréaux | (avenue) | Boileau, 38 | av. Molière | Molitor |
| K 7 | 14 | Desprez | | Vercingétorix, 8 | de l'Ouest, 100 | Pernéty |
| L 13 | 13 | Dessous-des-Berges | (du) | bd de Courcelles, 11 | av. Niel, 36 | Porte d'Ivry |
| L 13 | 13 | nos 74-99 | | | | Chevaleret |
| H 9 | 6 | Deux-Anges | (impasse des) | Saint-Benoît, 6 | | St-Germain-des-Prés |
| L 12 | 13 | Deux-Avenues | (des) | av. de Choisy, 159 | av. d'Italie, 33 | Tolbiac |
| G 10 | 1 | Deux-Boules | (des) | Lav. Ste-Opportune, 1 | Bertin-Poirée, 20 | Châtelet |
| D 5 | 17 | Deux-Cousins | (impasse des) | l'Héliopolis, 13 | | Porte de Champerret |
| G 10 | 1 | Deux-Écus | (place des) | du Louvre, 11 | J.-J.-Rousseau, 22 | Louvre-Rivoli |
| E 11 | 10 | Deux-Gares | (des) | d'Alsace, 31 | fg Saint-Denis, 154 | Gare de l'Est |
| D 8 | 18 | Deux-Néthes | (impasse des) | av. de Clichy, 30 | | Place de Clichy |
| F 10 | 1 | Deux-Pavillons | (passages des) | du Beaujolais | des Petit-Champs | Bourse |
| H 11 | 4 | Deux-Ponts | (des) | quai de Béthune, 38 | quai d'Anjou, 43 | Pont-Marie |
| G 16 | 20 | Deux-Portes | (passage des) | Galleron, 8 | Saint-Blaise, 28 | Gambetta |
| E 10 | 9 | Deux-Soeurs | (passage des) | fg Montmartre, 42 | la Fayette, 58 | Cadet |
| J 8 | 15 | Deuxième-D.B. | (allée de la) | dalle Montparnasse | | Montparnasse-Bienvenüe |
| F 16 | 20 | Déveria | | Pelleport, 148 | Télégraphe, 23 | Télégraphe |
| F 16 | 20 | Dhuis | (de la) | Étienne-Marey | Surmelin, 34 | Pelleport |
| E 9 | 9 | Diaghilev | (place) | bd Haussmann | Scribe | Chaussée d'Antin |
| E 14 | 19 | Diane-de-Poitiers | (allée) | de Belleville, 21 | Rébéval, 36 | Belleville |
| C 15 | 19 | Diapason | (square du) | Adolphe-Mille | | Ourcq |
| C 10 | 18 | Diard | (du) | Marcadet, 127 | Francœur, 18 | Lamarck-Caulaincourt |
| I 15 | 12 | Diderot nos 20-21 | (boulevard) | quai de la Rapée, 94 | place de la Nation, 4 | Gare de Lyon |
| | | nos 57-90 | | | | Reuilly-Diderot |
| | | nos 59-102 | | | | Reuilly-Diderot |
| | | nos 97-144 | | | | Nation |
| L 8 | 14 | Didot | | du Château, 146 | bd Brune, 55 | Pernéty |
| J 2 | 16 | Dietz-Monin | (villa) | villa Cheysson, 12 | Parent-de-Rosan | Exelmans |
| H 16 | 20 | Dieu | (passage) | des Haies, 107 | des Orteaux, 48 | Maraîchers |
| M13 | 13 | Dieudonné-Costes | | av. Pte d'Ivry, 43 | Émile-Levassor | Porte d'Ivry |
| M11 | 13 | Dieulafoy | | Dr-Leray, 6 | Henri-Pape, 17 | Tolbiac |
| K 14 | 12 | Dijon | (de) | de Pommard, 2 | de Bercy, 40 | Dugommier |
| M12 | 13 | Disque | (du) | av. d'Ivry, 28 | av. d'Ivry, 70 | Porte d'Ivry |
| J 8 | 6-15 | Dix-Huit-Juin-1940 | (place du) | de Rennes | Tour-Montparnasse | Montparnasse-Bienvenüe |
| D 4 | 17 | Dixmude | (boulevard de) | av. Porte de Villiers | bd d'Aurelle-Palad | Porte Maillot |
| D 4 | 17 | Dobropol | (du) | bd Gouvion-St-Cyr | bd de Dixmude | Porte de Champerret |
| E 12 | 10 | Docteur-Alfred-Fournier | (place du) | Bichat | av. Richerand | Jacques-Bonsergent |
| I 14 | 12 | Docteur-Antoine-Béclère | (place) | fg Saint-Antoine | Montreuil | Faidherbe-Chaligny |
| J 16 | 12 | Docteur-Arnold-Netter | (avenue du) | Sahel | cours de Vincennes | Porte de Vincennes |
| A 9 | 18 | Docteur-Babinski | (carrefour) | av. Porte Montmartre | av. Porte Saint-Ouen | Porte de Saint-Ouen |
| H 2 | 16 | Docteur-Blanche | (du) | Assomption, 89 | Raffet, 16 | Jasmin |
| H 2 | 16 | Docteur-Blanche | (square du) | du Dr-Blanche, 53 | | Jasmin |
| M12 | 13 | Docteur-Bourneville | (du) | bd Kellermann | av. Porte d'Italie | Porte d'Italie |
| H 5 | 7 | Docteur-Brouardel | (avenue du) | allées-Thomy-Thierry | av. de Suffren, 45 | Dupleix |
| L 5 | 15 | Docteur-Calmette | (square du) | bd Lefebvre, 80 | Av. A.-Bartholomé | Porte de Vanves |
| K 12 | 13 | Docteur-Charles-Richet | (du) | Jeanne-d'Arc | Nationale | Nationale |
| C 8 | 17 | Docteur-Félix-Lobligeois | (place) | Legendre | Batignolles | Rome |
| H 5 | 15 | Docteur-Finlay | (du) | quai de Grenelle, 27 | bd de Grenelle, 54 | Dupleix |
| H 4 | 16 | Docteur-Germain-Sée | (du) | av. Pdt-Kennedy | Raynouard | Passy |
| E 17 | 20 | Docteur-Gley | (avenue) | av. Porte des Lilas | limite des Lilas | Porte des Lilas |
| J 16 | 12 | Docteur-Goujon | (du) | bd Reuilly, 55 | de Picpus | Daumesnil |
| H 3 | 16 | Docteur-Hayem | (place du) | Boulainvilliers | la Fontaine | Ranelagh |
| C 8 | 17 | Docteur-Heulin | (du) | av. de Clichy, 102 | Davy, 19 | La Fourche |
| J 6 | 15 | Docteur-Jacquemaire-Clemenceau | (du) | Mademoiselle | Jean-Formigé | Vaugirard |
| F 6 | 8 | Docteur-Jacques-Bertillon | (impasse du) | Pierre-1er-de Serbie | en impasse | Alma-Marceau |
| F 17 | 20 | Docteur-Labbé | (avenue du) | bd Mortier | en impasse | Saint-Fargeau |
| C 13 | 19 | Docteur-Lamaze | (du) | Riquet | Archereau | Riquet |
| E 7 | 8 | Docteur-Lancereaux | (du) | av. de Messine, 11 | de Courcelles, 34 | Miromesnil |
| M11 | 13 | Docteur-Landouzy | (du) | Dr-Leray | des Peupliers, 27 | Maison-Blanche |
| M 9 | 14 | Docteur-Lannelongue | (avenue du) | av. André-Rivoire | Émile-Faguet | Porte d'Orléans |
| L 11 | 13 | Docteur-Laurent | (du) | av. d'Italie, 102 | Damesme, 5 | Tolbiac |
| M11 | 13 | Docteur-Lecène | (du) | Dr-Truffier | Dr-Landouzy | Maison-Blanche |

10





| Plan | Arr. | Nom | Rues | Commençant | Finissant | Mét |
|---|---|---|---|---|---|---|
| M11 | 13 | Docteur-Leray | (du) | Damesme | place des Peupliers | Mais |
| M11 | 13 | Docteur-Lucas-Championnière | (du) | Dr-Leray, 17 | Damesme, 42 | Mais |
| L 12 | 13 | Docteur-Magnan | (du) | av. de Choisy | Charles-Moureu | Tolbi |
| L 12 | 13 | Docteur-Navarre | (place du) | Nationale | Baptiste-Renard | Natic |
| F 16 | 20 | Docteur-Paquelin | (du) | av. Gambetta, 66 | Ernest-Lefèvre, 7 | Pelle |
| B 8 | 17 | Docteur-Paul-Brousse | (du) | de la Jonquière, 94 | bd Bessières, 91 | Porte |
| J 1 | 16 | Docteur-Paul-Michaux | (place du) | av. Parc des Princes | Porte de Saint-Cloud | Porte |
| E 16 | 19 | Docteur-Potain | (du) | de Belleville, 253 | Bois, 18 | Télég |
| J 7 | 15 | Docteur-Roux | (du) | bd Pasteur, 36 | Volontaires, 40 | Paste |
| H 11 | 4 | Docteur-Schweitzer | (square du) | de l'Hôtel de Ville | | Pont- |
| M11 | 13 | Docteur-Tuffier | (du) | des Peupliers | Damesme | Maisc |
| E 16 | 20 | Docteur-Variot | (square) | bd Mortier | av. Gambetta | Porte |
| K 12 | 13 | Docteur-Victor-Hutinel | | Jeanne-d'Arc | Nationale | Natior |
| M13 | 13 | Docteur-Yersin | (place du) | bd Masséna | Ivry | Porte |
| H 17 | 20 | Docteurs-Déjérine | (des) | square Gascogne, 7 | Eugène-Reiz, 4 | Porte |
| K 2 | 16 | Dode-de-la-Brunerie | (avenue) | av. Marcel-Doret | av. Georges-Laffont | Porte |
| E 5 | 17 | Doisy | (passage) | d'Armaillé, 18*bis* | av. des Ternes, 55 | Ternes |
| J 11 | 5 | Dolomieu | | de la Clef, 45 | Monge, 77*bis* | Place |
| I 10 | 5 | Domat | | des Anglais, 10 | Dante, 7 | Maube |
| K 6 | 15 | Dombasle | (impasse) | Dombasle, 58 | | Conve |
| K 6 | 15 | Dombasle | (passage) | Abbé-Groult, 128 | de la Convention | Conve |
| K 6 | 15 | Dombasle | | Vaugirard, 355 | Convention, 252 | Conve |
| F 5 | 16 | Dôme | (du) | Lauriston, 24 | Victor-Hugo, 27 | Ch.-de |
| K 5 | 15 | Dominique-Pado | | de la Croix-Nivert, 211 | en impasse | Porte c |
| L 13 | 13 | Domrémy | (de) | Chevaleret, 109 | Tolbiac, 70 | Cheval |
| | | nos 51-62 | | | | |
| I 2 | 16 | Donizetti | | Auteuil, 6 | Poussin, 9 | Michel |
| C 6 | 17 | Dordogne | (square de la) | bd Berthier | | Péreire |
| C 15 | 19 | Dorées | (sente des) | Petit, 99 | | Porte d |
| I 15 | 12 | Dorian | (avenue) | de Picpus, 9 | place de la Nation, 4 | Nation |
| I 15 | 12 | Dorian | | de Picpus, 14 | Pierre-Bourdan | Nation |
| F 4 | 16 | Dosne | | de la Pompe, 163 | av. Bugeaud, 27 | Victor-H |
| D 9 | 9 | Douai nos 22-23 | (de) | Pigalle, 65 | de Clichy, 77 | Blanch |
| | | nos 62-73 | | | | Place d |
| L 9 | 14 | Douanier-Rousseau | (du) | du Père-Corentin | de la Tombe-Issoire | Porte d' |
| B 7 | 17 | Douaumont | (boulevard de) | bd Fort-de Vaux | av. Porte de Clichy | Porte de |
| H 11 | 4-5 | Double | (pont au) | quai de l'Archevêché | quai Montebello | Cité |
| C 11 | 18 | Doudeauville | | Marx-Dormoy, 59 | Clignancourt, 62 | Marx-D. |
| H 9 | 6 | Dragon | (du) | bd Saint-Germain | de Grenelle, 2 | St-Germ |
| F 14 | 11 | Dranem | | impasse Gaudelet | | Ménilm |
| D 4 | 17 | Dreux | (de) | du Midi | Pte Maillot | Porte M |
| D 10 | 18 | Drevet | (cité du) | des Trois-Frères, 32 | Gabrielle, 21 | Abbesse |
| I 14 | 12 | Driancourt | (passage) | de Citeaux, 35 | Crozatier, 60 | Faidherb |
| E 10 | 9 | Drouot | | bd Montmartre | La Fayette, 50 | Richelie |
| | | nos 9-12 | | | | Le Pelet |
| I 14 | 12 | Druinot | (impasse) | de Citeaux, 45 | | Faidherb |
| H 5 | 15 | Du-Guesclin | (passage) | Dupleix | de Presles | La M.-Pi |
| H 5 | 15 | Du-Guesclin | | de Presles | Dupleix | La M.-Pi |
| I 10 | 5 | Du-Sommerard | | des Carmes | bd St-Michel | Maubert |
| E 12 | 10 | Dubail | (passage) | des Vinaigriers, 50 | fg Saint-Martin, 120 | Gare de |
| H 4 | 16 | Duban | | place Chopin | place de Passy, 5 | La Muett |
| D 8 | 8 | Dublin | (place de) | de St-Petersbourg | de Moscou | Liège |
| D 14 | 19 | Dubois | (passage) | Petit, 40 | en impasse | Laumière |
| G 16 | 20 | Dubourg | (cité) | Stendhal, 52 | des Prairies, 57 | Gambetta |
| J 15 | 12 | Dubrunfaut | | bd Reuilly, 5 | av. Daumesnil, 148 | Dugommi |
| K 15 | 12 | Dubuffet | (passage) | des Pirogues de Bercy | av. des terroirs de France | Dugommi |
| C 10 | 18 | Duc | | Hermal, 29 | Duhesme, 52 | Jules-Jof |
| K 13 | 13 | Duchefdelaville | (impasse) | Duchefdelaville | | Chevalere |
| K 13 | 13 | Duchefdelaville | | Chevaleret, 155 | Dunois, 32 | Chevalere |
| G 14 | 11 | Dudouy | (passage) | Saint-Maur, 50 | Sevran, 59 | Saint-Ma |
| F 15 | 20 | Duée | (de la) | Pixérécourt, 10 | Pelleport, 129 | Gambetta |
| F 15 | 20 | Duée | (passage de la) | de la Duée, 17 | Pixérécourt, 28 | Gambetta |
| F 3 | 16 | Dufrenoy | | av. Victor-Hugo, 182 | bd Lannes, 37 | Rue de la |
| K 2 | 16 | Dufresne | (villa) | bd Murat, 153 | Claude-Terrasse, 39 | Porte de S |
| J 15 | 12 | Dugommier | | bd de Reuilly, 5 | av. Daumesnil-154 | Dugommie |
| I 9 | 6 | Duguay-Trouin | | d'Assas, 56 | de Fleurus, 19 | Saint-Plac |
| B 10 | 18 | Duhesme | (passage) | Mont-Cenis, 108 | Championnet, 44 | Porte de C |
| B 10 | 18 | Duhesme | | Lamarck, 94 | passage Duhesme, 6 | Lamarck-C |
| | | nos 66-65 | | | | Jules-Joff |
| | | nos 100-115 | | | | Simplon |
| J 7 | 15 | Dulac | | Vaugirard, 159 | Falguière, 24 | Falguière |
| F 17 | 20 | Dulaure | | bouleverd-Mortier | Le-Vau | Porte de B |
| D 12 | 10 | Dulcie-Semptember | (place) | Philippe-de-Girard | du Château-Landon | Château-La |
| D 8 | 17 | Dulong | | des Dames, 86 | Cardinet, 142 | Rome |
| H 15 | 11 | Dumas | (passage) | bd Voltaire, 215 | Voltaire, 22 | Boulets-M |
| K 12 | 13 | Duméril | | bd Saint-Marcel, 43 | bd de l'Hôpital, 104 | Campo-For |
| F 5 | 16 | Dumont-d'Urville | | pl. des États-Unis, 14 | av. d'Iéna, 65 | Kléber |
| E 14 | 19 | Dunes | (des) | Lauzin, 10 | av. Simon-Bolivar, 53 | Belleville |
| D 11 | 10 | Dunkerque | (de) | d'Alsace, 43 | bd Rochechouart, 39 | Gare du No |
| | 9 | nos 90-95 | | | | Anvers |
| K 12 | 13 | Dunois | (square) | Dunois, 76 | | Chevaleret |
| L 13 | 13 | Dunois | | de Domrémy, 32 | bd Vincent-Auriol, 101 | Chevaleret |
| D 9 | 9 | Duperré | | place Pigalle, 13 | de Douai, 22 | Pigalle |
| F 12 | 3 | Dupetit-Thouars | (cité) | Dupetit-Thouars, 14 | | Temple |
| F 12 | 3 | Dupetit-Thouars | | de Picardie, 23 | du Temple, 160 | Temple |
| F 8 | 1-8 | Duphot | | Saint-Honoré, 384 | bd de la Madeleine, 23 | Madeleine |
| I 8 | 6 | Dupin | | de Sèvres, 49 | du Cherche-Midi, 50 | Sèvres-Bab |
| E 4 | 16 | Duplan | (cité) | Pergolèse, 12*bis* | en impasse | Porte Maillo |
| I 5 | 15 | Dupleix | (place) | Dupleix, 26 | | Dupleix |
| H 6 | 15 | Dupleix | | av. de Suffren, 26 | bd de Grenelle, 83 | Dupleix |
| G 14 | 11 | Dupont | (cité) | Saint-Maur, 52 | | Saint-Maur |
| E 4 | 16 | Dupont | (villa) | Pergolèse, 48 | | Porte Maillo |
| F 16 | 20 | Dupont-de-l'Eure | | av. Gambetta, 115 | Orfila, 104 | Gambetta |
| G 6 | 7 | Dupont-des-Loges | | Edmont-Valentin, 9 | av. Bosquet, 16*ter* | École Milita |
| G 12 | 3 | Dupuis | | Dupetit-Thouars, 4 | Béranger, 7 | République |
| C 12 | 18 | Dupuy | (impasse) | Ph.-de Girard, 74*bis* | | Marx-Dormo |
| M13 | 13 | Dupuy-de-Lôme | | av. de la Porte d'Ivry | Péan | Porte d'Ivry |
| I 10 | 6 | Dupuytren | | École de Médecine, 29 | Monsieur-Le-Prince, 7 | Odéon |
| I 7 | 7 | Duquesne | (avenue) | av. de Tourville, 29 | Éblé, 6 | Saint-Franço |
| J 15 | 12 | Durance | (de la) | Brèche-aux-Loups, 27 | Taine | Daumesnil |
| G 14 | 11 | Duranti | | Saint-Maur, 22 | Folie-Regnault, 59 | Père-Lachais |
| C 9 | 18 | Durantin | | Ravignan, 1 | Lepic, 64 | Abbesses |
| J 4 | 15 | Duranton | (jardin) | Duranton | | Boucicaut |
| J 4 | 15 | Duranton | | de Lourmel, 131 | Lecourbe, 276 | Boucicaut |
| F 8 | 8 | Duras | (de) | fg Saint-Honoré, 78 | Montalivet, 15 | Ch.-Élysées-C |
| B 9 | 18 | Durel | (cité) | Leibniz, 20 | Jean-Dollfus | Porte de Sain |
| E 4 | 16 | Duret | | Foch, 48 | av. de la Gde-Armée | Argentine |
| G 15 | 20 | Duris | (passage) | Duris | | Père-Lachais |
| G 15 | 20 | Duris | | Amandiers, 39 | des Panoyaux, 36 | Père-Lachais |
| F 14 | 11 | Durmar | (cité) | Oberkampf, 154 | | Ménilmontant |
| I 7 | 7 | Duroc | | bd des Invalides, 52 | place de Breteuil | Duroc |
| K 8 | 14 | Durouchoux | | Charles-Divry | av. du Maine, 171 | Mouton-Duve |
| E 16 | 20 | Dury-Vasselon | (villa) | Belleville, 292 | | Porte des Lilas |
| F 11 | 2 | Dussoubs | | Tiquetonne, 24 | du Caire, 33 | Étienne-Marce |
| L 7 | 14 | Duthy | (villa) | Didot, 99 | en impasse | Plaisance |
| J 7 | 15 | Dutot | | Volontaires | place d'Alleray, 5 | Pasteur |
| F 7 | 8 | Dutuit | (avenue) | Cours-la-Reine, 79 | av. des Ch.-Élysées | Ch.-Élysées-Cl |
| C 13 | 19 | Duvergier | | quai de la Seine, 79 | av. de Flandres, 86 | Crimée |

| Nom | Rues | Commençant | Finissant | Métro |
|---|---|---|---|---|
| vier | | de Grenelle, 159 | la Motte-Picquet-Grenelle, 22 | École Militaire |
| | (des) | av. du Pdt-Kennedy | Charles-Dickens | Passy |
| .-Vives | (passage des) | bd Richard-Lenoir | | Richard-Lenoir |
| men | | Montgallet, 21 | Ste-Claire-Devil | Montgallet |
| | | bd des Invalides, 46 | av. de Breteuil, 39 | Duroc |
| udé | (de l') | de Seine, 40 | bd St-Germain, 166 | Mabillon |
| lle | (de l') | de Rivoli, 184 | av. de l'Opéra, 3 | Palais-Royal-Musée du Louvre |
| quier | (de l') | fg Saint-Denis, 35 | fg Poissonnière, 18 | Strasbourg-Saint-Denis |
| 0-11 | | | | Bonne-Nouvelle |
| ses-Saint-Martin | (des) | Grange-aux-Belles, 49 | qu.de Jemmapes, 148 | Colonel-Fabien |
| le | (place de l') | quai du Louvre, 14 | Prêtres-St-G.-l'Aux. | Louvre-Rivoli |
| le | (impasse de l') | de l'Agent-Bailly | en impasse | Cadet |
| le-de-Médecine | (de l') | bd Saint-Michel, 26 | bd Saint-Germain, 85 | Odéon |
| e-Militaire | (place de l') | av. la Motte-Picquet-Grenelle, 23 | Duquesne | École Militaire |
| le-Polytechnique | (de l') | M.-Ste-Geneviève, 52 | Carmes, 21 | Maubert-Mutualité |
| les | (cité des) | Vill. de l'Ile-Adam | Orfila, 11 | Gambetta |
| les | (des) | Cardinal-Lemoine, 32 | bd Saint-Michel, 27 | Cardinal-Lemoine |
| 3-21 | | | | Maubert-Mutualité |
| 38-43 | | | | Odéon |
| oliers | (passage des) | Violet, 75 | pass. Entrepreneurs, 9 | Commerce |
| osse | (d') | de Lanneau, 5 | en impasse | Maubert-Mutualité |
| ouffes | (des) | Rivoli, 28 | des Rosiers, 23 | Saint-Paul |
| rivains-Combattants-Morts pour la France | (square des) | bd Suchet, 22 | Mal Mounoury, 21 | La Muette |
| uyers | (sentier des) | Croix-Saint-Simon, 10 | Orteaux, 70 | Maraîchers |
| gar-Faure | | Desaix, 21 | pl. Dupleix, 8 | Dupleix |
| gar-Poë | | Barrelet-de Ricou | R.-et-J.-de-Gourmont | Buttes-Chaumont |
| gar-Quinet | (boulevard) | bd Raspail, 232 | place Bienvenüe | Raspail |
| 57-60 | | | | Edgar-Quinet |
| gar-Varèse | | Adolphe-Mille | galerie de la Villette | Porte de Pantin |
| imbourg | (d') | Rome, 59 | Rocher, 70 | Europe |
| ison | (avenue) | de Tolbiac | place d'Italie | Place d'Italie |
| lith-Piaf | (place) | Capitaine-Ferber | Belgrand | Porte de Bagnolet |
| dmond-About | | de Siam, 15 | bd Émile-Augier, 48 | Rue de la Pompe |
| dmond-Flamand | | bd Vincent-Auriol | Sauvage | Quai de la Gare |
| dmond-Gondinet | | Corvisart, 54 | bd A.-Blanqui, 70 | Corvisart |
| dmond-Guillout | | Dalou, 12 | bd Pasteur, 45 | Pasteur |
| dmond-Michelet | (cité) | Curial | | Corentin-Cariou |
| dmond-Michelet | (place) | St-Martin | Quicampoix | Rambuteau |
| dmond-Roger | | Violet, 62 | Entrepreneurs, 67 | Charles-Michels |
| dmond-Rostand | (place) | Carrefour-Médicis | bd Saint-Michel | Luxembourg |
| dmond-Rousse | | bd Brune | av. Ernest-Reyer | Porte d'Orléans |
| dmond-Valentin | | av. Bosquet, 14 | av. Rapp, 23 | Alma-Marceau |
| douard-Colonne | | quai de la Mégisserie, 2 | av. Victoria, 23 | Châtelet |
| douard-Detaille | | Cardinet, 41 | av. Villiers, 61 | Wagram |
| douard-Fournier | | bd Jules-Sandeau, 21 | Octave-Feuillet, 24 | Rue de la Pompe |
| douard-Jacques | | Ray.-Losserand, 23 | du Château, 139 | Pernéty |
| douard-Lartet | | du Gal-Archinard | bd de la Guyane | Porte Dorée |
| douard-Lockroy | | av. Parmentier, 70 | J.-P.-Timbaud, 60 | Parmentier |
| douard-Manet | | Stéphen-Pichon | bd de l'Hôpital, 159 | Place d'Italie |
| douard-Pailleron | | av. S.-Bolivar, 116 | Manin, 59 | Bolivar |
| Édouard-Quénu | | Claude-Bernard | Mouffetard, 144 | Censier-Daubenton |
| Édouard-Renard | (place) | bd Soult | av. Armand-Rousseau | Porte Dorée |
| Édouard-Robert | | Fécamp, 41*bis* | Tourneux, 8 | Michel-Bizot |
| Édouard-Vaillant | (avenue) | Porte de Saint-Cloud | av. Ferdinand-Buisson | Porte de Saint-Cloud |
| Édouard-VII | (place) | Édouard-VII | | Opéra |
| Édouard-VII | | bd des Capucines, 18 | Comartin, 18 | Opéra |
| Edward-Tuck | (avenue) | Cours-la Reine | av. Dutuit | Ch.-Élysées-Clemenceau |
| Égalité | (de l') | Mouzaïa, 57 | de la Fraternité | Danube |
| Eginhard | | Saint-Paul, 33 | Charlemagne, 6 | Saint-Paul |
| Église | (de l') | Saint-Charles, 107 | av. Félix-Faure, 6 | Félix-Faure |
| Église | (impasse de l') | de l'Église, 85 | | Félix-Faure |
| Église-d'Auteuil | (place de l') | av. Théophile-Gautier | Chardon-Lagache | Église d'Auteuil |
| Église-de-l'Assomption | (place de l') | de l'Assomption, 106 | | Ranelagh |
| Eiders | (allée des) | Cambrai, 10 à 16 | av. de Flandres, 145 | Crimée |
| El-Greco | | quai Panhard Levassor | Olivier-Messiaen | Quai de la Gare |
| Élie-Faure | | av. de la Pte de Vincennes | du Chaffault | Saint-Mandé-Tourelle |
| Elisa-Borey | (square) | Elisa-Borey | | Ménilmontant |
| Élisa-Borey | | Amandiers, 68 | Sorbier, 30 | Père-Lachaise |
| Élisa-Lemonnier | | Dubrunfaut, 11 | av. Daumesnil, 136 | Dugommier |
| Élisée-Reclus | (avenue) | av. Sylvie-de-Sacy | av. Émile-Pouvillon,3 | École Militaire |
| El-Savador | (place) | bd des Invalides | av. de Breteuil | Saint-François-Xavier |
| Élysée | (de l') | av. Gabriel, 26 | fg Saint-Honoré, 49 | Ch.-Élysées-Clemenceau |
| Élysée-Ménilmontant | (de l') | Julien-Lacroix, 10 | en impasse | Ménilmontant |
| Élysée-Rond-Point | (galerie) | av. des Champs-Élysées | av. Franklin-Roosevelt | Ménilmontant |
| Elzévir | | Francs-Bourgeois, 24 | Parc-Royal, 19 | Saint-Paul |
| Émélie | | Crimée, 164 | de Joinville, 1 | Crimée |
| Émeriau | | Dr-Finlay, 24 | Linois, 29 | Charles-Michels |
| Émile-Acollas | (avenue) | Jean-Carriès | place Joffre | La M.-Picquet-Grenelle |
| Émile-Allez | | bd G.-Saint-Cyr, 31 | Roger-Bacon, 5 | Porte de Champerret |
| Émile-Augier | (boulevard) | ch. de la Muette, 12 | av. Henri-Martin, 97 | La Muette |
| Émile-Bergerat | (avenue) | av. Recteur-Poincaré | av. Léopold-II | Jasmin |
| Émile-Bertin | | bd Ney | Charles-Hermite | Porte de la Chapelle |
| Émile-Blémont | | du Poteau, 34 | André-Messager, 7 | Jules-Joffrin |
| Émile-Borel | (square) | Émile-Borel | | Porte de Saint-Ouen |
| Émile-Borel | | pl. Arnault-Tzanck | | Porte de Saint-Ouen |
| Émile-Chaine | | Poissonniers, 101 | Boinod, 24 | Marcadet-Poissonniers |
| Emile-Chautemps | (square) | bd de Sébastopol | Saint-Martin | Strasbourg-Saint-Denis |
| Émile-Cohl | (square) | bd Soult | Jules-Lemaitre | Porte de Vincennes |
| Émile-Deschanel | (avenue) | av. Joseph-Bouvard | Savorgnan-de Brazza | École Militaire |
| Émile-Deslandres | | Berbier-du Mets | Cordeliers | Les Gobelins |
| Émile-Desvaux | | Romainville, 17 | des Bois, 24 | Pré-Saint-Gervais |
| É.-Deutsch-de-la-Meurthe | | parc Montsouris | bd Jourdan, 30 | Cité Universitaire |
| Émile-Dubois | | Dareau, 18 | Tombe-Issoire, 25 | Saint-Jacques |
| Émile-Duclaux | | Blomet, 13 | Vaugirard, 184 | Volontaires |
| Émile-Duployé | | Stephenson, 53 | Marcadet, 3 | Marcadet-Poissonniers |
| Émile-Durkheim | | qu. François-Mauriac, 13 | av. de France, 126 | Quai de la Gare |
| Émile-et-Armand-Massard | (avenue) | av. Paul-Adam, 18 | Jules-Bourdais | Porte de Champerret |
| Émile-Faguet | | bd Jourdan | av. Paul-Appell | Porte d'Orléans |
| Émile-Gilbert | | bd Diderot, 23 | Parot, 4 | Gare de Lyon |
| Émile-Goudeau | (place) | Ravignan | Abbesses | Abbesses |
| Émile-Landrin | (place) | Cour-des-Noues | Prairies | Gambetta |
| Émile-Landrin | | Rondeaux | place Émile-Landrin | Gambetta |
| Émile-Laurent | (avenue) | bd Soult | bd Carnot | Porte Dorée |
| Émile-Lepeu | | Léon-Frot | imp. Car.-Maingu | Charonne |
| Émile-Levassor | | bd Masséna, 79 | en impasse | Porte d'Ivry |
| Émile-Level | | av. de Clichy, 172 | Jonquière | Brochant |
| Émile-Loubet | (villa) | Mouzaïa, 28 | Bellevue, 11 | Botzaris |
| Émile-Mâle | (place) | des Arènes | de Navarre | Place Monge |
| Émile-Ménier | | Charles-Lamoureux | Belles-Feuilles, 71 | Victor-Hugo |
| Émile-Meyer | (villa) | villa Cheysson | Parent-de-Rozan, 4 | Exelmans |
| Émile-Pierre-Casel | | Belgrand, 15 | Géo-Chavez, 13 | Porte de Bagnolet |
| Émile-Pouvillon | (avenue) | av. la Bourdonnais, 40 | Adrienne-Lecouvreur | École Militaire |
| Émile-Reynaud | | bd Commanderie | av. Pte de la Villette | Porte de la Villette |
| Émile-Richard | | bd Edgar-Quinet | Froidevaux, 39 | Raspail |
| Émile-Zola | (square) | av. Émile-Zola | en impasse | Charles-Michels |

| Plan | Arr. | Nom | Rues | Commençant | Finissant | Métro |
|---|---|---|---|---|---|---|
| I 5 | 15 | Émile-Zola | (avenue) | Convention, 1 | Commerce, 38 | Javel-André-Citroën |
| | | nos 45-60 | | | | Charles-Michels |
| | | nos 121-120 | | | | Émile-Zola |
| I 13 | 12 | Émilio-Castelar | | Traversière, 44 | Cotte, 11 | Ledru-Rollin |
| F 17 | 20 | Emman.-Fleury | (square) | Le Vau | | Saint-Fargeau |
| D 7 | 17 | Emmanuel-Chabrier | (square) | quai Claude-Debussy | en impasse | Malesherbes |
| J 4 | 15 | Emmanuel-Chauvière | | Léontine | Gutenberg, 42 | Javel-André-Citroën |
| F 15 | 20 | Emmery | | des Pyrénées, 30 | Rigoles, 37 | Jourdain |
| D 15 | 19 | Encheval | (de l') | de la Villette, 98 | Annelets, 37 | Botzaris |
| J 7 | 15 | Enfant-Jésus | (impasse de l') | de Vaugirard, 148 | | Pasteur |
| J 9 | 14 | Enfer | (passage d') | Campagne-Première | bd Raspail, 249 | Raspail |
| F 11 | 10 | Enghien | (d') | fg Saint-Denis, 47 | fg Poissonnière, 22 | Château d'Eau |
| J 5 | 15 | Entrepreneurs | (des) | place Charles-Michels | Croix-Nivert, 102 | Charles-Michels |
| J 5 | 15 | Entrepreneurs | (passage des) | Entrepreneurs, 89 | place du Commerce | Commerce |
| I 4 | 15 | Entrepreneurs | (villa des) | Entrepreneurs, 42 | en impasse | Charles-Michels |
| F 14 | 20 | Envierges | (des) | Piat, 18 | Couronnes, 107 | Pyrénées |
| J 11 | 5 | Épée-de-Bois | (de l') | Monge, 98 | Mouffetard, 91 | Censier-Daubenton |
| H 10 | 6 | Éperon | (de l') | St-André-des Arts | bd Saint-Germain, 1 | Odéon |
| B 8 | 17 | Épinettes | (square des) | Maria-Deraisme | Jean-Leclaire | Guy-Môquet |
| J 8 | 14 | Épinettes | (passage des) | bd Montparnasse, 78 | en impasse | Montparnasse-Bienvenüe |
| B 8 | 17 | Épinettes | (des) | la Jonquière, 64 | bd Bessières, 39 | Guy-Môquet |
| B 8 | 17 | Épinettes | (impasse des) | Épinettes, 40 | | Guy-Môquet |
| E 14 | 19 | Équerre | (de l') | Rébeval, 75 | Simon-Bolivar, 25 | Buttes-Chaumont |
| G 10 | 1 | Équerre d' Argent | (de l') | Forum des Halles Niv.3 | voir détails p. 38 | Les Halles |
| I 14 | 12 | Érard | (impasse) | Érard, 7 | | Reuilly-Diderot |
| I 14 | 12 | Érard | | Charenton, 155 | Reuilly, 28 | Reuilly-Diderot |
| J 10 | 5 | Érasme | | Rafaud | Ulm | Place Monge |
| C 11 | 18 | Erckmann-Chatrian | | Polonceau, 34 | Richomme, 9 | Barbès-Rochechouart |
| D 14 | 19 | Erik-Satie | | Darius-Milhaud | Georges-Auric | Danube |
| I 2 | 16 | Erlanger | (villa) | Erlanger, 17 | en impasse | Michel-Ange-Molitor |
| I 2 | 16 | Erlanger | | d'Auteuil, 67 | bd Exelmans | Exelmans |
| I 2 | 16 | Erlanger | (avenue) | Erlanger, 5 | en impasse | Michel-Ange-Molitor |
| | | nos 70-73 | | | | Exelmans |
| J 2 | 16 | Ermitage | (avenue de l') | av. Villa Réunion | en impasse | Chardon-Lagache |
| F 15 | 20 | Ermitage | (cité de l') | de Ménilmontant, 113 | | Gambetta |
| F 15 | 20 | Ermitage | (de l') | Ménilmontant, 107 | Olivier-Métra | Jourdain |
| F 15 | 20 | Ermitage | (villa de l') | l'Ermitage, 16 | Pyrénées, 315 | Ménilmontant |
| K 9 | 14 | Ernest-Cresson | | av. du Gal-Leclerc, 20 | Boulard, 33 | Denfert-Rochereau |
| J 9 | 6 | Ernest-Denis | (place) | bd Saint-Michel | av. de l'Observatoire | Port-Royal |
| L 11 | 13 | Ernest-et-Henri-Rousselle | | Damesme, 16 | Moulin-des-Prés, 67 | Tolbiac |
| B 8 | 17 | Ernest-Goüin | | Émile-Level, 13 | Boulay | Porte de Clichy |
| G 2 | 16 | Ernest-Hébert | | bd Suchet, 12 | Mal-Maunoury, 11 | La Muette |
| K 3 | 15 | Ernest-Hemingway | | Leblanc, 64 | bd Gal-M.-Valin, 49 | Balard |
| K 16 | 12 | Ernest-Lacoste | | Picpus, 149 | bd Poniatowski, 103 | Porte Dorée |
| J 17 | 12 | Ernest-Lavisse | | bd Soult | Albert-Malet | Porte de Vincennes |
| K 17 | 12 | Ernest-Lefébure | | bd Soult, 12 | Armand-Rousseau | Porte Dorée |
| F 16 | 20 | Ernest-Lefèvre | | Surmelin, 17 | av. Gambetta, 88 | Pelleport |
| H 7 | 7 | Ernest-Psichari | | av. de la Motte-Picquet | cité Négrier | École Militaire |
| K 4 | 15 | Ernest-Renan | (avenue) | pl. Pte de Versailles | Issy-les-Moulineaux | Porte de Versailles |
| J 7 | 15 | Ernest-Renan | | Lecourbe,17 | Vaugirard, 176 | Pasteur |
| M 8 | 14 | Ernest-Reyer | (avenue) | av. Pte de Châtillon | place du 25-Août-1944 | Porte d'Orléans |
| B 8 | 17 | Ernest-Roche | | Dr.-Paul-Brousse, 2 | Pouchet, 75 | Porte de Clichy |
| C 11 | 18 | Ernestine | | Doudeauville, 46 | Ordener, 29 | Marcadet-Poissonniers |
| K 13 | 13 | Escadrille-Normandie-Niemen | (place de l') | Vimoutiers | Pierre-Gourdault | Chevaleret |
| B 13 | 19 | Escaut | (de l') | de Crimée, 229 | Curial, 60 | Crimée |
| B 10 | 18 | Esclangon | | du Ruisseau, 104 | Letort, 49 | Porte de Clignancourt |
| L 15 | 12 | Escoffier | | quai de Bercy | de l'Entrepôt | Porte de Charenton |
| L 10 | 13 | Espérance | (de l') | Buttes-aux-Cailles, 29 | Barrault, 61 | Corvisart |
| K 12 | 13 | Esquirol | | place Pinel, 12 | bd de l'Hôpital, 111 | Nationale |
| J 12 | 5 | Essai | (de l') | bd Saint-Marcel, 36 | Poliveau, 37 | Saint-Marcel |
| F 15 | 20 | Est | (de l') | Pixérécourt, 11*bis* | Pyrénées, 290 | Jourdain |
| M12 | 13 | Este | (villa d') | bd Masséna | en impasse | Porte d'Ivry |
| I 17 | 20 | Esterel | (square de l') | bd Davout | square du Var | Porte de Vincennes |
| E 9 | 9 | Estienne-d'Orves | (place d') | de Clichy | Blanche | Trinité |
| I 10 | 5 | Estrapade | (de l') | Tournefort, 2 | Fossés-St-Jacques, 1 | Place Monge |
| I 10 | 5 | Estrapade | (place de l') | Fossés-St-Jacques | Estrapade | Luxembourg |
| H 7 | 7 | Estrées | (d') | av. de Villars, 16 | place Fontenoy, 1 | Saint-François-Xavier |
| F 5 | 16 | États-Unis | (place des) | av. d'Iéna | Galilée, 20 | Boissière |
| C 9 | 18 | Étex | (villa) | Étex, 12 | | Guy-Môquet |
| C 9 | 18 | Étex | | de Maistre, 46 | av. de Saint-Ouen, 62 | Guy-Môquet |
| F 14 | 20 | Étienne-Dolet | | bd de Belley, 6 | Jules-Lacroix, 3 | Ménilmontant |
| C 8 | 18 | Étienne-Jodelle | | Pierre-Ginier, 1 | av. de Saint-Ouen, 12 | La Fourche |
| G 10 | 1-2 | Étienne-Marcel | | bd Sébastopol, 6 | place de la Victoire, 9 | Étienne-Marcel |
| F 16 | 20 | Étienne-Marey | (villa) | Étienne-Marey, 16 | en impasse | Pelleport |
| F 16 | 20 | Étienne-Marey | | Octave-Chanute | du Surmelin | Pelleport |
| J 5 | 15 | Étienne-Pernet | (place) | Entrepreneurs, 104 | av. Félix-Faure | Félix-Faure |
| E 5 | 17 | Étoile | (de l') | av. Wagram, 29 | av. Mac-Mahon, 20 | Ch.-de-Gaulle-Étoile |
| H 13 | 11 | Étoile-d'Or | (cour de l') | fg Saint-Antoine, 75 | | Ledru-Rollin |
| L 11 | 13 | Eugène-Atget | | bd A.-Blanqui, 59 | Jonas | Corvisart |
| H 2 | 16 | Eugène-Beaudouin | (passage) | de l'Yvette, 38 | | Jasmin |
| C 9 | 18 | Eugène-Carrière | | de Maistre, 44 | Vauvenargues, 1 | Guy-Môquet |
| G 4 | 16 | Eugène-Delacroix | | Descamps, 39 | de la Tour, 102 | Rue de la Pompe |
| C 6 | 17 | Eugène-Flachat | | Verniquet, 5 | Gourgaud, 18 | Péreire |
| B 10 | 18 | Eugène-Fournière | | bd Ney | René-Binet | Porte de Clignancourt |
| K 5 | 15 | Eugène-Gibez | | Vaugirard, 371 | Olivier-de-Serres, 42 | Convention |
| C 15 | 19 | Eugène-Jumin | | Petit, 95 | av. Jean-Jaurès, 196 | Porte de Pantin |
| G 3 | 16 | Eugène-Labiche | | bd Jules-Sandeau, 29 | Octave-Feuillet | Rue de la Pompe |
| D 15 | 19 | Eugène-Leblanc | (villa) | Mouzaïa, 26 | Bellevue, 9 | Botzaris |
| G 4 | 16 | Eugène-Manuel | (villa) | Eugène-Manuel, 7 | | Passy |
| G 4 | 16 | Eugène-Manuel | | Claude-Chahu, 9 | av. Paul-Doumer | Passy |
| K 5 | 15 | Eugène-Millon | | Convention, 174 | Saint-Lambert, 25 | Convention |
| L 13 | 13 | Eugène-Oudiné | | Chevaleret, 21 | Albert | Porte d'Ivry |
| K 9 | 14 | Eugène-Pelletan | | Froidevaux, 13 | Lalande, 1 | Denfert-Rochereau |
| I 4 | 16 | Eugène-Poubelle | | | quai Louis-Blériot | Mirabeau |
| H 17 | 20 | Eugène-Reisz | | bd Davout | Lucien-Lambeau, 31 | Porte de Montreuil |
| G 12 | 3 | Eugène-Spuller | | de Bretagne, 46 | Dupetit-Thouars | Temple |
| C 10 | 18 | Eugène-Sue | (de l') | Marcadet, 92 | Clignancourt, 103 | Marcadet-Poissonniers |
| E 12 | 10 | Eugène-Varlin | (square) | quai de Valmy, 15 | fg, Saint-Martin, 198 | Château-Landon |
| D 12 | 10 | Eugène-Varlin | | quai de Valmy, 15 | fg Saint-Martin, 198 | Château-Landon |
| E 15 | 19 | Eugénie-Cotton | | Compans | Lilas, 23 | Place des Fêtes |
| I 14 | 12 | Eugénie-Éboué | | Érard, 12 | | Reuilly-Diderot |
| G 16 | 20 | Eugénie-Legrand | | Rondeaux, 16 | Ramus, 13 | Gambetta |
| F 6 | 8 | Euler | | de Bassano, 33 | av. Marceau, 66 | George V |
| F 14 | 20 | Eupatoria | (d') | Julien-Lacroix, 2 | de la Mare, 1 | Ménilmontant |
| F 14 | 20 | Eupatoria | (passage d') | d'Eupatoria | en impasse | Ménilmontant |
| K 8 | 14 | Eure | (de l') | Hip.-Maindron, 12 | Didot, 23 | Pernéty |
| E 8 | 8 | Europe | (place de l') | de Londres, 58 | de St-Petersbourg, 2 | Europe |
| C 13 | 19 | Euryale-Dehaynin | | Jean-Jaurès, 81 | quai de la Loire, 64 | Laumière |
| B 13 | 18 | Évangile | (de l') | de Torcy, 44 | Aubervilliers, 17 | Marx-Dormoy |
| E 17 | 20 | Évariste-Galois | | Noisy-le-Sec | Léon-Frapié | Saint-Fargeau |
| G 16 | 20 | Eveillard | (impasse) | Belgrande, 36 | | Gambetta |
| C 14 | 19 | Evette | | de Thionville, 5 | quai de la Marne, 12 | Crimée |
| I 2 | 16 | Exelmans | (boulevard) | quai Louis-Blériot, 168 | Auteuil, 83 | Michel-Ange-Molitor |
| | | nos 71-144 | | | | Exelmans |
| H 6 | 7 | Exposition | (de l') | Saint-Dominique, 131 | de Grenelle, 208 | École Militaire |
| G 4 | 16 | Eylau | (avenue d') | place du Trocadéro | place de Mexico | Trocadéro |
| F 5 | 16 | Eylau | (villa d') | av. Victor-Hugo, 44 | | Victor-Hugo |
| G 7 | 7 | Fabert | | quai d'Orsay, 41 | de Grenelle, 144 | Invalides |
| I 15 | 12 | Fabre-d'Églantine | | av. Saint-Mandé, 1 | place de la Nation | Nation |

F

12

| Plan | Arr. | Nom | Rues | Commençant | Finissant | Métro |
|---|---|---|---|---|---|---|
| F 13 | 11 | Fabriques | (cour des) | J.-Pierre-Timbaud, 70 | | Parmentier |
| K 11 | 13 | Fagon | | place des Alpes, 4 | bd de l'Hôpital, 165 | Porte d'Italie |
| H 14 | 11 | Faidherbe | | fg Saint-Antoine, 235 | de Charonne, 94 | Faidherbe-Chaligny |
| F 3 | 16 | Faisanderie | (de la) | av. Foch, 83 | av. Victor-Hugo, 198 | Porte Dauphine |
| B 9 | 18 | Falaise | (cité) | Leibniz, 36 | Jean-Dolfus, 8 | Porte de Saint-Ouen |
| F 16 | 20 | Falaises | (villa des) | de la Py, 68 | en impasse | Porte de Bagnolet |
| C 10 | 18 | Falconet | | Chevalier-de la Barre | passage Cottin, 3 | Château-Rouge |
| J 7 | 15 | Falguière | (cité) | Falguière, 74 | | Pasteur |
| K 7 | 15 | Falguière | (place) | de la Procession, 70 | Castagnary, 3 | Volontaires |
| J 7 | 15 | Falguière | | Vaugirard, 131 | place Falguière | Pasteur |
| I 5 | 15 | Fallempin | | de Lourmel, 17 | Violet, 22 | Dupleix |
| J 2 | 16 | Fantin-Latour | | quai Louis-Blériot, 172 | bd Exelmans | Exelmans |
| D 5 | 17 | Faraday | | Lebon, 10 | Laugier, 49 | Ternes |
| F 13 | 10-11 | Faubourg-du-Temple | (du) | place République, 10 | bd de la Villette, 1 | République-Temple |
| E 10 | 9 | Faubourg-Montmartre | (du) | bd Montmartre, 2 | Lamartine, 43 | Rue Montmartre |
| | | nos 32-35 | | | | Le Peletier |
| E 11 | 10 | Faubourg-Poissonnière | (du) | bd Poissonnière, 2 | bd Magenta, 153 | Bonne-Nouvelle |
| | | nos 97-98 | | | | Poissonnière |
| | | nos 170-193 | | | | Barbès-Rochechouart |
| I 13 | 11 | Faubourg-Saint-Antoine | (du) | Roquette, 2 | place de la Nation | Bastille |
| | 12 | nos 60-85 | | | | Ledru-Rollin |
| | | nos 144-167 | | | | Faidherbe-Chaligny |
| | | nos 231-285 | | nos pairs, 12e | nos impairs, 11e | Nation |
| E 11 | 2 | Faubourg-Saint-Denis | (du) | bd Saint-Denis, 30 | bd de la Chapelle, 35 | Strasbourg-St-Denis |
| | 2 | nos 66-69 | | | | Château d'Eau |
| | 2-10 | nos 115-118 | | | | Gare de l'Est |
| | | nos 162-165 | | | | Gare du Nord |
| | | nos 198-fin | | | | Porte de la Chapelle |
| E 6 | 8 | Faubourg-Saint-Honoré | (du) | Royale, 21 | place des Ternes, 2 | Concorde |
| | | nos 81-96 | | | | Ch.-Élysées-Clemenceau |
| | | nos 146-149 | | | | St-Philippe du Roule |
| | | nos 241-fin | | | | Ternes |
| K 9 | 14 | Faubourg-Saint-Jacques | (du) | bd Port-Royal, 119 | bd St-Jacques, 48 | Saint-Jacques |
| D 12 | 10 | Faubourg-Saint-Martin | (du) | bd Saint-Denis, 2 | bd de la Villette, 145 | Strasbourg-Saint-Denis |
| | | nos 131-162 | | | | Gare de l'Est |
| | | no 191 | | | | Château-Landon |
| | | no 250 | | | | Louis-Blanc |
| E 14 | 20 | Faucheur | (villa) | d'Envierges, 11 | | Pyrénées |
| H 12 | 4 | Fauconnier | (du) | quai des Célestins, 3 | Charlemagne, 17 | Pont-Marie |
| G 3 | 16 | Faustin-Hélie | | place Possoz, 2 | de la Pompe, 10 | La Muette |
| C 8 | 18 | Fauvet | | Ganneron, 51 | av. de St-Ouen, 36 | La Fourche |
| F 10 | 2 | Favart | | Grétry, 1 | bd des Italiens, 9 | Richelieu-Drouot |
| K 6 | 15 | Favorites | (des) | Vaugirard, 271 | place d'Alleray | Vaugirard |
| K 16 | 12 | Fécamp | (de) | des Meuniers, 20 | av. Daumesnil, 252 | Porte de Charenton |
| | | nos 15-16 | | | | Michel-Bizot |
| H 5 | 15 | Fédération | (de la) | quai Branly, 141 | av. de Suffren, 70 | Bir-Hakeim |
| G 10 | 1 | Federico-Garcia-Lorca | (allée) | St-John-Perse | Baltard | Les Halles |
| H 9 | 6 | Félibien | | Clément, 1 | Lobineau, 2 | Odéon |
| I 3 | 16 | Félicien-David | | Gros, 21 | Rémusat | Mirabeau |
| M11 | 13 | Félicien-Rops | (avenue) | Poterne-d.-Peupliers | Sainte-Hélène | Porte d'Italie |
| C 7 | 17 | Félicité | (de la) | de Tocqueville, 90 | Saussure, 107 | Malesherbes |
| K 1 | 16 | Félix-d'Hérelle | (avenue) | av. du Gal-Lafont | Point-du Jour | Porte de Saint-Cloud |
| J 15 | 12 | Félix-Éboué | (place) | bd Reuilly, 51 | de Reuilly, 121 | Daumesnil |
| J 4 | 15 | Félix-Faure | (avenue) | place Félix-Faure | place Balard | Lourmel |
| J 4 | 15 | Félix-Faure | | av. Félix-Faure, 85 | Frédéric-Mistral | Lourmel |
| D 15 | 19 | Félix-Faure | (villa) | de Mouzaïa, 44 | de Bellevue, 27 | Crimée |
| I 16 | 20 | Félix-Huguenet | | cours de Vincennes, 61 | Lagny, 60 | Porte de Vincennes |
| H 17 | 20 | Félix-Terrier | | Eugène-Reisz | Harpignies | Porte de Montreuil |
| H 14 | 11 | Félix-Voisin | | Gerbier, 14 | de la Folie-Regnault | Philippe-Auguste |
| C 9 | 18 | Félix-Ziem | | Damrémont, 35 | Eugène-Carrière, 24 | Lamarck-Caulaincourt |
| E 11 | 10 | Fénelon | | La Fayette, 109 | Belzunce, 5 | Poissonnière |
| E 10 | 9 | Fénelon | (cité) | Milton, 34 | | Anvers |
| J 5 | 15 | Fenoux | | Gerbert, 6 | Abbé-Groult, 67 | Vaugirard |
| J 11 | 5 | Fer-à-Moulin | (du) | Geof.-St-Hilaire, 17 | av. des Gobelins, 1 | Censier-Daubenton |
| K 8 | 14 | Ferdinand-Brunot | (place) | av. du Maine | Boulard | Mouton-Duvernet |
| K 1 | 16 | Ferdinand-Buisson | (avenue) | av. du Moulin | av. Pte de St-Cloud | Porte de Saint-Cloud |
| K 16 | 12 | Ferdinand-de-Béhagle | | av. Porte de Charenton | bd Poniatowski | Porte de Charenton |
| H 12 | 4 | Ferdinand-Duval | | de Rivoli, 18 | des Rosiers, 9 | Saint-Paul |
| J 5 | 15 | Ferdinand-Fabre | | Blomet, 135 | Vaugirard, 304 | Convention |
| C 10 | 18 | Ferdinand-Flocon | | Ramey, 56 | Ordener, 99 | Jules-Joffrin |
| H 16 | 20 | Ferdinand-Gambon | | d'Avron, 117 | Croix-St-Simon, 4 | Maraîchers |
| D 7 | 8 | Ferdousi | (avenue) | av. Ruysdaël | bd de Courcelles | Monceau |
| E 5 | 17 | Férembach | (cité) | Saint-Ferdiand, 22 | | Argentine |
| K 8 | 14 | Fermat | | Froidevaux, 59 | Daguerre, 84 | Denfert-Rochereau |
| K 8 | 14 | Fermat | (passage) | Fermat | | Denfert-Rochereau |
| F 14 | 20 | Ferme-de-Savy | (de la) | Jouye-Rouve, 27 | passage de Pékin, 19 | |
| E 11 | 10 | Ferme-Saint-Lazare | (cour de la) | bd Magenta, 79 | | Gare de l'Est |
| E 11 | 10 | Ferme-Saint-Lazare | (passage de la) | C.-Ferme-St-Lazare, 4 | Chabrol, 7 | Gare de l'Est |
| G 10 | 1 | Fermes | (cour des) | du Louvre, 15 | du Bouloi, 22 | Louvre-Rivoli |
| C 7 | 17 | Fermiers | (des) | Jouffroy | Saussure, 93 | Malesherbes |
| K 13 | 13 | Fernand-Braudel | | bd V.-Auriol | R.-R.-Aron | Quai de la Gare |
| C 6 | 17 | Fernand-Cormon | | Sisley | de Saint-Marceaux | Péreire |
| D 7 | 17 | Fernand-de-la-Tombelle | (square) | square G.-Fauré | quai Claude-Debussy | Villiers |
| I 4 | 15 | Fernand-Forest | (place) | quai de Grenelle | quai André-Citroën | Javel-André-Citroën |
| I 17 | 12 | Fernand-Foureau | | bd Soult | av. Lamoricière | Porte de Vincennes |
| K 7 | 14 | Fernand-Holweck | | Vercingétorix | du Cange | Plaisance |
| B 10 | 18 | Fernand-Labori | | bd Ney | en impasse | Porte de Clignancourt |
| G 15 | 20 | Fernand-Léger | | des Amandiers | rue-des Mûriers | Père-Lachaise |
| B 8 | 17 | Fernand-Pelloutier | | de Pont-à-Mousson | Louis-Loucheur | Porte de Saint-Ouen |
| F 15 | 20 | Fernand-Raynaud | | de l'Ermitage, 47 | des Cascades, 42 | Ménilmontant |
| M12 | 13 | Fernand-Widal | | bd Masséna | av. Léon-Bollée | Porte d'Italie |
| I 9 | 6 | Férou | | pl. Saint-Sulpice, 7 | Vaugirard, 50 | Saint-Sulpice |
| G 10 | 1 | Ferronnerie | (de la) | Saint-Denis, 43 | Lingerie, 2*bis* | Châtelet |
| L 10 | 14 | Ferrus | | bd Saint-Jacques, 5 | Cabanis, 8 | Glacière |
| E 14 | 19 | Fessart | | de Palestine, 1 | Botzaris, 26 | Buttes-Chaumont |
| E 15 | 19 | Fêtes | (des) | de Belleville, 169 | place-des-Fêtes | Place des Fêtes |
| E 15 | 19 | Fêtes | (place des) | des Fêtes, 23 | Compans, 46 | Place des Fêtes |
| J 10 | 5 | Feuillantines | (des) | Claude-Bernard, 70 | Pierre-Nicole, 10 | Port-Royal |
| C 10 | 18 | Feutrier | | André-del-Sarte, 8 | Muller, 32 | Château-Rouge |
| F 10 | 2 | Feydeau | (galerie) | Saint-Marc, 10 | Galerie-Variété, 8 | Richelieu-Drouot |
| F 10 | 2 | Feydeau | | Saint-Marc, 1 | Richelieu, 82 | Bourse |
| E 11 | 10 | Fidélité | (de la) | bd Strasbourg, 77 | fg Saint-Denis, 96 | Gare de l'Est |
| H 12 | 4 | Figuier | (du) | de l'Hôtel-de-Ville | Charlemagne, 25 | Pont-Marie |
| G 12 | 3 | Filles-du-Calvaire | (des) | de Turenne, 96 | bd du Temple, 1 | Filles du Calvaire |
| G 12 | 3 | Filles-du-Calvaire | (bd des) | Saint-Sébastien, 1 | Oberkampf, 2 | St-Sébastien-Froissart |
| | 11 | nos 7-22 | | nos impairs, 3e | nos pairs, 11e | Filles du Calvaire |
| F 10 | 2 | Filles-Saint-Thomas | (des) | Vivienne, 23 | Richelieu, 68 | Bourse |
| A 12 | 18 | Fillettes | (des) | Boucry | Tristan-Tzara | Porte de la Chapelle |
| B 12 | 18 | Fillettes | (impasse des) | Charles-Hermite | | Porte de la Chapelle |
| G 7 | 7 | Finlande | (place de) | quai d'Orsay | Fabert | Invalides |
| B 9 | 18 | Firmin-Gémier | | Vauvenarques, 53 | Championnet | Porte de Saint-Ouen |
| K 5 | 15 | Firmin-Gillot | | Vaugirard, 399 | bd Lefebvre, 55 | Porte de Versailles |
| L 6 | 15 | Fizeau | | Brancion, 85 | Castagnary, 122 | Porte de Vanves |
| C 13 | 19 | Flandre | (passage de) | av. de Flandre, 48 | quai de Seine, 49 | Riquet |
| C 14 | 19 | Flandre | (avenue de) | bd de la Villette, 208 | av. Corentin-Cariou | Stalingrad |
| | | nos 60-67 | | | | Riquet |
| | | nos 92-109 | | | | Crimée |
| E 3 | 16 | Flandrin | (boulevard) | Henri-Martin, 82 | av. Foch, 83 | Rue de la Pompe |
| J 10 | 5 | Flatters | | bd Port-Royal, 50 | Berthollet, 27 | Censier-Daubenton |
| E 10 | 9 | Fléchier | | Châteaudun, 18 | fg Montmartre, 67 | Notre-Dame-de-Lorette |

12





| Plan | Arr. | Nom | Rues | Commençant | Finissant | Mét |
|---|---|---|---|---|---|---|
| B 8 | 17 | Fleurs | (cité des) | av. de Clichy, 154 | Jonquière, 59 | Broch |
| H 11 | 4 | Fleurs | (quai aux) | Cloître-Notre-Dame, 2 | d'Arcole, 1 | Cité |
| I 9 | 6 | Fleurus | (de) | Guynemer, 22 | N.-D.-des-Champs | Saint |
| D 11 | 18 | Fleury | | bd de la Chapelle, 76 | Charbonnière, 7 | Barbe |
| M10 | 13 | Florale | (cité) | Brillat-Savarin | Boussingault | Cité U |
| I 2 | 16 | Flore | (villa) | av. Mozart, 120*bis* | en impasse | Rane |
| A 8 | 17 | Floréal | | Arago | bd Bois-le-Prêtre | Porte |
| D 8 | 8 | Florence | (de) | de St-Petersbourg, 35 | Turin, 32 | Place |
| L 13 | 13 | Florence-Blumenthal | (square) | Baptiste-Renard, 1 | | Église |
| I 3 | 16 | Florence-Blumenthal | | Félicien-David | av. de Versailles | Église |
| E 15 | 19 | Florentine | (cité) | de la Villette, 84 | en impasse | Place |
| I 2 | 16 | Florentine-Estrade | (cité) | Verderet, 8*bis* | en impasse | Église |
| G 16 | 20 | Florian | | Vitruve, 39 | Bagnolet, 106 | Maraî |
| K 7 | 14 | Florimont | (impasse) | d'Alésia, 150 | | Plaisa |
| B 8 | 17 | Flourens | (passage) | Jean-Leclaire | bd Bessières | Porte |
| E 5 | 16 | Foch | (avenue) | pl. Ch.-de-Gaulle-Étoile | pl. M.-de Lattre-de-Tas. | Porte |
| H 12 | 3 | Foin | (du) | de Béarn, 5 | Turenne, 32 | Chemi |
| G 13 | 11 | Folie-Méricourt | (de la) | bd Voltaire, 71 | bd Jules-Ferry, 28 | Oberka |
| | | nos 111-114 | | | | Gonco |
| H 15 | 11 | Folie-Regnault | (square de la) | Folie-Regnault | passage Courtois | Philipp |
| G 14 | 11 | Folie-Regnault | (de la) | Léon-Frot | Chemin-Vert, 134 | Père-L |
| G 14 | 11 | Folie-Regnault | (passage de la) | Folie-Regnault, 60 | bd Ménilmontant, 45 | Père-La |
| I 6 | 15 | Fondary | (villa) | Fondary, 81 | en impasse | Émile- |
| I 5 | 15 | Fondary | | de Lourmel, 27 | Croix-Nivert, 44 | Émile- |
| F 13 | 11 | Fonderie | (passage de la) | J.-P.-Timbaud, 72 | Saint-Maur, 119 | Parmen |
| K 15 | 12 | Fonds-Verts | (des) | Proudhon, 44 | Charenton, 266 | Dugomm |
| D 9 | 9 | Fontaine | | Pigalle, 51 | place Blanche, 3 | Blanch |
| M11 | 13 | Fontaine-à-Mulard | (de la) | Colonie, 72 | place de Rungis, 5 | Tolbiac |
| F 13 | 11 | Fontaine-au-Roi | (de la) | fg du Temple, 34 | bd Belleville, 55 | Goncou |
| C 15 | 19 | Fontaine-aux-Lions | (place de la) | av. Jean-Jaurès | | Porte de |
| C 10 | 18 | Fontaine-du-But | (de la) | Caulaincourt, 10 | Francoeur, 33 | Lamarck |
| D 15 | 19 | Fontainebleau | (allée de) | Petit, 98 | Petit, 118 | Porte d |
| F 12 | 3 | Fontaines-du-Temple | (des) | du Temple, 185 | Turbigo, 60 | Temple |
| H 16 | 20 | Fontarabie | (de) | de la Réunion, 98 | Pyrénées, 135 | Alexand |
| D 15 | 19 | Fontenay | (villa de) | Liberté, 7 | Gal-Brunet, 34 | Botzaris |
| I 6 | 7 | Fontenoy | (place de) | av. Lowendal, 121 | av. de Saxe, 2 | Ségur |
| A 15 | 19 | Forceval | | Pantin | en impasse | Porte de |
| D 9 | 18 | Forest | | bd de Clichy, 126 | Capron, 8 | Place de |
| G 12 | 3 | Forez | (du) | Charlot, 59 | Picardie, 22 | Filles du |
| I 14 | 11 | Forge-Royale | (de la) | fg Saint-Antoine, 167 | Saint-Bernard, 25 | Ledru-R |
| F 11 | 2 | Forges | (des) | de Damiette, 2 | du Caire, 51 | Sentier |
| C 6 | 17 | Fort-de-Vaux | (boulevard du) | bd Douaumont | av. de la Pte d'Asnières | Porte de |
| L 16 | 12 | Fortifications | (route des) | av. Porte de Charenton | Porte de Reuilly | Porte de |
| G 2 | 16 | Fortifications | (allée des) | av. de St-Cloud | pl. Pte d'Auteuil | Porte d'A |
| E 6 | 8 | Fortin | (impasse) | d'Artois, 9 | | Saint-Ph |
| D 6 | 17 | Fortuny | | de Prony, 40 | av. de Villiers, 39 | Maleshe |
| I 11 | 5 | Fossés-Saint-Bernard | (des) | bd Saint-Germain, 1 | de Jussieu, 45 | Cardinal- |
| I 10 | 5 | Fossés-Saint-Jacques | (des) | Saint-Jacques, 163 | l'Estrapade, 29 | Luxembo |
| J 11 | 5 | Fossés-Saint-Marcel | (des) | Fer-à-Moulin, 1 | bd Saint-Marcel, 60 | Saint-Ma |
| H 10 | 5 | Fouarre | (du) | Lagrange, 8 | Galande, 40 | Maubert- |
| L 11 | 13 | Foubert | (passage) | Peupliers | Tolbiac, 175 | Tolbiac |
| G 5 | 16 | Foucault | | av. de New-York, 32 | Fresnel, 17 | Iéna |
| E 17 | 20 | Fougères | (des) | av. Pte Ménilmontant | de Guébriant | Saint-Farg |
| H 9 | 6 | Four | (du) | bd Saint-Germain, 133 | car.-Croix-Rouge | Mabillon |
| | | nos 57-62 | | | | Saint-Sul |
| K 5 | 15 | Fourcade | | Vaugirard, 333 | Olivier-de-Serres, 6 | Conventio |
| D 5 | 17 | Fourcroy | | av. Niel, 16 | Rennequin, 17 | Ternes |
| H 12 | 4 | Fourcy | (de) | de Jouy, 2 | Saint-Antoine, 139 | Saint-Pau |
| C 8 | 17 | Fourneyron | | des Moines,43 | Brochant, 28 | Brochant |
| D 13 | 19 | Fours-à-Chaux | (passage des) | de Meaux, 34 | av. Simon-Bolivar, 119 | Bolivar |
| D 10 | 18 | Foyatier | (de la) | place Saint-Pierre | Saint-Éleuthère, 3 | Anvers |
| B 7 | 17 | Fragonard | | av. de Clichy, 194 | de la Jonquière | Porte de C |
| I 13 | 12 | Fraisier | (ruelle) | av. Daumesnil | en impasse | Gare de Ly |
| G 10 | 1-2 | Française | | de Turbigo, 5 | Tiquetonne, 27 | Étienne-M |
| M13 | 13 | Franc-Nohain | | av. Boutroux | bd périphérique | Porte d'Ivr |
| K 13 | 13 | France | (avenue de) | Watt | bd Vincent-Auriol | Quai de la |
| G 12 | 3 | Franche-Comté | (de) | de Picardie, 32 | Charlot, 79 | Filles du C |
| H 14 | 11 | Franchemont | (impasse) | Jean-Macé, 16 | | Charonne |
| C 11 | 18 | Francis-Carco | | Doudeauville, 26 | Stephenson, 60 | Marx-Dorm |
| B 10 | 18 | Francis-de-Croisset | | Ginette-Neveu | av. Pte de Clignancourt | Porte de Cl |
| M11 | 13 | Francis-de-Miomandre | | av. Caffiéri | Louis-Pergaud | Porte d'Ital |
| B 8 | 17 | Francis-Garnier | | bd Bessières, 24 | de Noyon | Porte de Sa |
| E 13 | 10 | Francis-Jammes | | G.-F.-Haendel | Louis-Blanc | Colonel-Fa |
| F 14 | 20 | Francis-Picabia | | des Couronnes | de Pali-Kao | Couronnes |
| D 15 | 19 | Francis-Ponge | | pl. Rhin-et-Danube, 7 | bd Sérurier, 123 | Danube |
| J 9 | 6 | Francis-Poulec | (square) | de Condé | de Vaugirard | Odéon |
| D 14 | 19 | Francis-Poulenc | (place) | Éric-Satie | Darius-Milhaud | Odéon |
| K 7 | 14 | Francis de-Pressensé | | de l'Ouest, 101 | R.-Losserand, 84 | Pernéty |
| H 10 | 6 | Francisque-Gay | | bd Saint-Michel | Danton | Saint-Mich |
| G 4 | 16 | Francisque-Sarcey | | de la Tour, 25 | Eugène-Manuel | Passy |
| C 10 | 18 | Francœur | | Caulaincourt, 129 | Marcadet, 141 | Lamarck-Ca |
| I 10 | 5 | François-Auguste-Mariette | (square) | Saint-Jacques | | Cluny-La So |
| I 6 | 15 | François-Bonvin | | Miollis, 15 | Lecourbe, 64 | Sèvres-Leco |
| J 4 | 15 | François-Coppée | | av. Félix-Faure, 47 | en impasse | Boucicaut |
| H 14 | 11 | François-de-Neufchâteau | | Richard-Lenoir, 34 | bd Voltaire, 152 | Voltaire |
| I 3 | 16 | François-Gérard | | Théophile-Gautier | de Rémusat | Église d'Aut |
| F 6 | 8 | François-Ier | (place) | François-1er | Jean-Goujon | Franklin-D.- |
| F 6 | 8 | François-Ier | | av. Franklin-Roosevelt | av. George-V, 40 | Franklin-D.- |
| | | nos 60-61 | | | | George V |
| K 13 | 13 | François-Mauriac | (quai) | pont de Tolbiac | Raymond-Aron, 1 | Quai de la G |
| I 3 | 16 | François-Millet | | la Fontaine, 31 | av. Th.-Gauthier, 20 | Jasmin |
| H 12 | 4 | François-Miron | | place Saint-Gervais | de Rivoli, 1 | Saint-Paul |
| J 5 | 15 | François-Mouthon | | Lecourbe, 245 | Jacques-Mawas | Boucicaut |
| D 15 | 19 | François-Pinton | | David-d'Angers, 10 | villa Claude-Monet | Danube |
| G 3 | 16 | François-Ponsard | | ch. de la Muette, 4 | Gustave-Nadaud, 5 | La Muette |
| K 14 | 12 | François-Truffaut | | quai de Bercy, 126 | Baron-Le-Roy, 26 | Porte de Berc |
| K 6 | 15 | François-Villon | | d'Alleray, 4 | Victor-Duruy, 7 | Convention |
| G 6 | 7 | Franco-Russe | (avenue) | av. Rapp, 12 | Université, 195 | Alma-Marcea |
| H 12 | 3-4 | Francs-Bourgeois | (des) | place des Vosges, 21 | des Archives, 56 | St-Paul-Le-M |
| | | nos 60-61 | | | | Rambuteau |
| F 7 | 8 | Franklin-Roosevelt | (avenue) | place du Canada | la Boétie | Franklin-D.-R |
| K 6 | 15 | Franquet | | Santos-Dumont, 27 | Labrouste, 62 | Plaisance |
| G 3 | 16 | Franqueville | (de) | Verdi, 4 | av. Henri-Martin | La Muette |
| L 14 | 13 | Franz-Kafka | | quai Panhard Levassor | Olivier-Messiaen | Quai de la Ga |
| E 11 | 10 | Franz-Liszt | (place) | la Fayette, 111 | Abbeville | Poissonnière |
| D 15 | 19 | Fraternité | (de la) | de l'Égalité, 3 | David-d'Angers | Danube |
| E 6 | 8 | Frédéric-Bastiat | | Paul-Baudry, 7 | d'Artois, 13 | Saint-Philippe |
| B 8 | 17 | Frédéric-Brunet | | bd Bessières | Francis-Garnier | Porte de Saint |
| H 6 | 7 | Frédéric-le-Play | (avenue) | Savorgnan-de-Brazza | place Joffre | École Militaire |
| F 12 | 10 | Frédéric-Lemaître | (square) | quai de Valmy, 31 | quai de Jemmapes, 34 | République |
| I 16 | 20 | Frédéric-Loliée | | Pyrénées | Mounet-Sully | Maraîchers |
| J 5 | 15 | Frédéric-Magisson | | de Javel, 144 | passage Lourmel | Félix-Faure |
| J 4 | 15 | Frédéric-Mistral | | Jean-Maridor, 14 | passage Lourmel | Lourmel |
| J 4 | 15 | Frédéric-Mistral | (villa) | Jean-Maridor, 14 | Félix-Faure, 11 | Lourmel |
| D 16 | 19 | Frédéric-Mourlon | | bd Sérurier | bd de l'Algérie | Pré-Saint-Gerv |
| I 11 | 5 | Frédéric-Sauton | | de la Bûcherie | Lagrange, 18 | Maubert-Mutu |
| B 10 | 18 | Frédéric-Schneider | | bd Ney | allée du Métro | Porte de Clign |
| K 6 | 15 | Frédéric-Vallois | (square) | de Vouillé, 3 | en impasse | Convention |
| E 15 | 20 | Frédérick-Lemaître | | quai de Valmy, 31 | quai de Jemmapes | République |
| E 14 | 19 | Fréhel | (place) | de Belleville | Julien-Lacroix | Pyrénées |

| Arr. | Nom | Rues | Commençant | Finissant | Métro |
|---|---|---|---|---|---|
| | …icourt | | du Commerce, 37 | place Cambronne, 2 | Commerce |
| | …iet | (avenue) | av. du Pdt-Kennedy | Charles-Dickens, 7 | Passy |
| | …uel | (passage) | Vitruve, 9 | de Fontarabie, 26 | Alexandre-Dumas |
| | …es-d'Astier-de-la-Vigerie | (des) | av. de Choisy | av. d'Ivry | Porte d'Ivry |
| | …es-Flavien | (des) | Léon-Frapié | av. Porte des Lilas | Porte des Lilas |
| | …es-Morane | (des) | Croix-Nivert, 153 | place Félix-Faure | Félix-Faure |
| | …es-Périer | (des) | av. de New-York, 4 | av. du Pdt-Wilson | Alma-Marceau |
| | …res-Voisin | (allée des) | du Colon-P.-Avia | Issy-les-Moulineaux | Corentin-Celton |
| | …res-Voisin | (bd des) | Limite Issy-les-Moulin. | | Corentin-Celton |
| | …snel | | la Manutention | av. Albert-de Mun, 6 | Iéna |
| | …ycinet | | av. du Pdt-Wilson | av. d'Iéna, 48 | Alma-Marceau |
| | …ant | | av. Jean-Moulin, 15 | bd Brune, 177 | Alésia |
| | …edland | (avenue de) | fg Saint-Honoré, 177 | Ch.-de-Gaulle-Étoile | Ch.-de-Gaulle-Étoile |
| | …chot | (avenue) | Victor-Massé, 5 | place Pigalle, 3 | Pigalle |
| | …chot | | Victor-Massé, 30 | place Pigalle, 7 | Pigalle |
| | …idevaux | | pl. Denfert-Rochereau, 6 | av. du Maine, 91 | Denfert-Rochereau |
| | …issart | | bd F.-du Calvaire, 5 | de Turenne, 94 | St-Sébastien-Froissart |
| | …ment | | Sedaine, 25 | Chemin-Vert, 20 | Bréguet-Sabin |
| | …mentin | | Duperré, 32 | bd de Clichy, 39 | Blanche |
| | …ctidor | | limite Paris | | Porte de Saint-Ouen |
| | …ton | | quai d'Austerlitz | Sauvage, 16 | Quai de la Gare |
| | …rstenberg | (de) | Jacob, 5 | de l'Abbaye, 6 | St-Germain-des-Prés |
| | …rtado-Heine | | d'Alésia, 155 | Jacquier, 8 | Alésia |
| | …stel-de-Coulanges | | Saint-Jacques, 348 | Pierre-Nicole, 41 | Port-Royal |
| | …bon | (du) | av. de Saint-Mandé, 101 | la Voûte, 52 | Porte de Vincennes |
| | …briel | (villa) | Falguière, 9 | en impasse | Falguière |
| | …briel | (avenue) | place de la Concorde | av. Matignon, 2 | Ch.-Élysées-Clemenceau |
| | …briel-Fauré | (square) | Legendre, 27 | en impasse | Malesherbes |
| | …briel-Lamé | | Joseph-Kessel | des Pir.-de Bercy, 51 | Dugommier |
| | …briel-Laumain | | d'Hauteville, 29 | fg Poissonnière | Bonne-Nouvelle |
| | …briel-Péri | (place) | Rome | de la Pépinière | Saint-Lazare |
| | …briel-Pierné | (square) | Mazarine | de Seine | Odéon |
| | …briel-Vicaire | | Perrée, 12 | Dupetit-Thouars, 11 | Temple |
| | …abrielle | | Foyatier | de Ravignan, 24 | Abbesses |
| | …abrielle-d'Estrées | (allée) | Rampal, 3 | en impasse | Belleville |
| | …aby-Sylvia | | bd Richard-Lenoir | Nicolas-Appert | Richard-Lenoir |
| | …ager-Gabillot | | la Procession, 36 | des Favorites, 45 | Vaugirard |
| | …agliardini | (villa) | Haxo, 104 | Durry-Vassel | Porte des Lilas |
| | …aillon | (place) | Gaillon | Michodière | Quatre-Septembre |
| | …aillon | | av. de l'Opéra, 28 | Saint-Augustin, 37 | Opéra |
| | …aîté | (de la) | bd Edgar-Quinet, 13 | av. du Maine, 75 | Edgar-Quinet |
| | …aîté | (impasse de la) | de la Gaîté, 11 | Edgar-Quinet | Edgar-Quinet |
| | …alande | | des Anglais, 2 | Saint-Jacques, 1 | Maubert-Mutualité |
| | …alilée | | av. Kléber, 55 | av.des Ch.-Elysées, 115 | Boissière |
| | …nos 63-68 | | | | George V |
| | Galleron | | Florian, 10 | Saint-Blaise, 22 | Porte de Montreuil |
| | Gallieni | (boulevard) | limite Issy-les-Moulin. | | Balard |
| | Galliéra | | av. Pdt-Wilson, 14 | Pierre-1er-de Serbie, 12 | Alma-Marceau |
| | Galvani | | Laugier, 65 | bd Gouvion-St-Cyr, 19 | Porte de Champerret |
| | Gambetta | (passage) | Saint-Fargeau, 31 | du Borrégo, 38 | Saint-Fargeau |
| | Gambetta | (place) | des Pyrénées, 206 | Belgrand | Gambetta |
| | Gambetta | (avenue) | pl. Auguste-Métivier | de Belleville, 324 | Père-Lachaise |
| | nos 59-60 | | | | Gambetta |
| | nos 100-101 | | | | Pelleport |
| | nos 215-261 | | | | Saint-Fargeau |
| | Gambey | | Oberkampf, 55 | av. de la République | Parmentier |
| | Gandon | | Caillaux, 15 | bd Masséna, 148 | Maison-Blanche |
| | nos 27-30 | | | | Porte d'Italie |
| | Ganneron | (des) | av. de Clichy, 40 | Étex, 1 | La Fourche |
| | Garancière | | Saint-Sulpice, 31 | Vaugirard, 36 | Saint-Sulpice-Odéon |
| | Gardes | | Goutte-d'Or, 28 | Myrrha, 45 | Barbès-Rochechouart |
| | Gare | (port de la) | pont de Tolbiac | pont de Bercy | Quai de la Gare |
| | Gare | (quai de la) | Vincent-Auriol, 1 | Raymond-Aron, 1 | Quai de la Gare |
| | Gare | (de la) | limite d'Aubervilliers | Haie-Coq, 107 | Crimée |
| | Gare-de-Charonne | (jardin de la) | du Volga | bd Davout | Porte de Montreuil |
| | Gare-de-Reuilly | (de la) | de Reuilly, 119 | Picpus, 64 | Daumesnil |
| | Garenne | (place de la) | Moulin-des-Lapins, 15 | imp. Ste-Léonie, 7 | Pernéty |
| | Garibaldi | (boulevard) | place Cambronne, 7 | av. de Breteuil, 88 | Sèvres-Lecourbe |
| | Garigliano | (pont du) | bd Victor | bd Exelmans | Exelmans |
| | Garnier | (villa) | de Vaugirard, 131 | | Falguière |
| | Garonne | (quai de la) | quai de la Marne | Deleseux | Ourcq |
| | Garreau | | de Ravignan, 11 | Durantin, 20 | Abbesses |
| | Gascogne | (square de la) | bd Davout | Docteurs-Déjerine | Porte de Montreuil |
| | Gasnier-Guy | | des Partants, 30 | Martin-Nadaud | Gambetta |
| | Gassendi | | Froidevaux, 41 | av. du Maine, 165 | Denfert-Rochereau |
| | Gaston-Bachelard | (allée) | bd Brune, 97 | bd Brune, 91 | Porte de Vanves |
| | Gaston-Baty | (square) | du Maine | Jolivet | Edgar-Quinet |
| | Gaston-Bertandeau | (square) | Labie, 11 | en impasse | Porte Maillot |
| | Gaston-Boissier | | av. Pte de la Plaine, 12 | av. A.-Bartholomé, 13 | Porte de Versailles |
| | Gaston-Couté | | Lamarck, 45 | Paul-Féval | Lamarck-Caulaincourt |
| | Gaston-Darboux | | av. Pte d'Aubervilliers | Charles-Lauth | Porte de la Chapelle |
| | Gaston-de-Caillavet | | quai de Grenelle | Émériau | Charles-Michels |
| | Gaston-de-Saint-Paul | | av. de New-York, 12 | av. Pdt-Wilson | Alma-Marceau |
| | Gaston-Pinot | | David-d'Angers, 15 | Alsace-Lorraine | Danube |
| | Gaston-Rébuffat | | av. de Flandre, 3 | de Tanger, 12 | Stalingrad |
| | Gaston-Tessier | | de Crimée, 254 | Curial, 89 | Corentin-Cariou |
| | Gaston-Tissandier | | bd Ney, 32 | Charles-Hermite | Porte de la Chapelle |
| | Gatbois | (passage) | de Chalon, 14 | av. Daumesnil, 68 | Gare de Lyon |
| | Gatines | (des) | av. Gambetta, 77 | av. Gambetta, 95 | Gambetta |
| | Gaudelet | (villa) | Oberkampf, 114 | | Ménilmontant |
| | Gauguet | | des Artistes, 36 | en impasse | Alésia |
| | Gauguin | | Jean-Louis-Forain | de Saint-Marceaux | Péreire |
| | Gauthey | | av. de Clichy, 144 | Jonquière, 55 | Brochant |
| | Gauthier | (passage) | Rébeval, 65 | av. Simon-Bolivar, 37 | Buttes-Chaumont |
| | Gavarni | | de Passy, 12 | de la Tour, 11 | Passy |
| | Gay-Lussac | | bd Saint-Michel, 69 | Feuillantines, 2 | Luxembourg |
| | nos 39-50 | | | | Censier-Daubenton |
| 4 | Gazan | | av. Reille, 23 | Liard | Cité Universitaire |
| 7 | Geffroy-Didelot | (passage) | bd des Batignolles, 90 | des Dames, 119 | Villiers |
| 6 | Général-Anselin | (jardin du) | bd Lannes | av. Mal-Fayolle | Porte Dauphine |
| 6 | Général-Anselin | (du) | bd Amiral-Bruix | allée de Lonchamp | Porte Dauphine |
| 16 | Général-Appert | (du) | Spontini, 46 | bd Flandrin, 72 | Porte Dauphine |
| 12 | Général-Archinard | (du) | av. Gal-Messimy | bd Carnot | Porte Dorée |
| 16 | Général-Aubé | (du) | de la Muette | av. Mozart, 21 | La Muette |
| 16 | Général-Balfourier | (avenue du) | Erlanger, 40 | bd Exelmans, 108 | Michel-Ange-Molitor |
| 15 | Général-Baratier | (du) | av. Champaubert, 3 | av. la Motte-Picquet-Grenelle, 52 | La M.-Picquet-Grenelle |
| 7 | Général-Bertrand | (du) | Éblé, 17 | de Sèvres, 98 | Duroc |
| 15 | Général-Beuret | (du) | Blomet, 77 | Vaugirard, 252 | Vaugirard |
| 15 | Général-Beuret | (place du) | Blomet, 74 | Lecourbe, 109 | Vaugirard |
| 11 | Général-Blaise | (du) | Rochebrune, 7 | Lacharrière, 20 | Saint-Ambroise |
| 8 | Général-Brocard | (place du) | av. Hoche | de Courcelles | Courcelles |
| 19 | Général-Brunet (du) | | de Crimée, 44 | bd Sérurier, 123 | Botzaris |
| | nos 40-45 | | | | Danube |
| 7 | Général-Camou | (du) | av. Rapp, 24 | av. la Bourdonnais, 33 | École Militaire |
| 17 | Général-Catroux | (place du) | av. de Villiers, 44 | bd Malesherbes, 110 | Malesherbes |
| 16 | Général-Clavery | (avenue du) | av. de la Petite-Arche | av. Marcel-Doret | Porte de Saint-Cloud |
| 16 | Général-Clergerie | (du) | av. Bugeaud, 11 | Amiral-Courbet | Victor-Hugo |
| 19 | Général-Cochet | (place du) | Petit | Manin | Porte de Pantin |
| 15 | Général-de-Castelnau | (du) | av. de la Motte-Picquet | de Laos, 10 | La M.-Picquet-Grenelle |

| Plan | Arr. | Nom | Rues | Commençant | Finissant | Métro |
|---|---|---|---|---|---|---|
| L 15 | 12 | Général-de-Langle-de-Cary | (du) | Escoffier | bd Poniatowski | Porte de Charenton |
| I 6 | 15 | Général-de-Larminat | (du) | av. de la Motte-Picquet | d'Ouessant | La M.-Picquet-Grenelle |
| L 7 | 14 | Général-de-Maud'huy | (du) | av. Gal-Maistre, 2 | bd Brune, 92 | Porte d'Orléans |
| J 2 | 16 | Général-Delestraint | (du) | bd Exelmans | bd Murat, 99 | Exelmans |
| H 5 | 15 | Général-Denain | (allée du) | Desaix, 25 | pl. Dupleix, 18 | Dupleix |
| H 6 | 7 | Général-Détrie | (avenue du) | Thomy-Thierry | av. de Suffren, 53 | Dupleix |
| K 16 | 12 | Général-Dodds | (avenue du) | bd Poniatowski, 94 | av. Ch.-de-Foucault, 6 | Porte Dorée |
| H 3 | 16 | Général-Dubail | (avenue du) | de l'Assomption | place Rodin | Jasmin |
| F 7 | 8 | Général-Eisenhower | (avenue du) | av. Franklin-Roosevelt | place Clémenceau | Ch.-Élysées-Clemenceau |
| J 4 | 15 | Général-Estienne | (du) | Saint-Charles, 123 | Lacordaire, 6 | Charles-Michels |
| H 5 | 7 | Général-Ferrié | (avenue du) | av. Dr-Brouardel | av. Émile-Pouvillon | École Militaire |
| E 8 | 8 | Général-Foy | (du) | Bienfaisance, 18 | Monceau, 88 | Villiers |
| H 6 | 7 | Général-Gouraud | (place du) | av. la Bourdon,45 | Rapp, 36-45 | École Militaire |
| K 2 | 16 | Général-Grossetti | (du) | Gal-Malleterre | bd Murat, 144 | Porte de Saint-Cloud |
| G 14 | 11 | Général-Guilhem | (du) | du Chemin-Vert, 97 | Saint-Ambroise, 26 | Saint-Maur |
| L 5 | 15 | Général-Guillaumat | (du) | av. A.-Bartholomé, 11 | av. Pte de la Plaine | Porte de Versailles |
| B 8 | 17 | Général-Henrys | (du) | av. de St-Ouen, 133 | bd Bessières, 29 | Porte de Saint-Ouen |
| L 6 | 14 | Général-Humbert | (du) | Wilfrid-Laurier | Prevost-Paradol | Porte de Vanves |
| E 13 | 19 | Général-Ingold | (place du) | bd de la Villette | de Belleville | Belleville |
| D 4 | 17 | Général-Kœnig | (allée du) | av. du Salonique | av. d'Aurelle-de-Pal | Porte Maillot |
| D 4 | 17 | Général-Kœnig | (place du) | bd Pershing | av. Pte des Ternes | Porte Maillot |
| H 5 | 7 | Général-Lambert | (du) | Thomy-Thierry | av. de Suffren, 23 | Dupleix |
| G 4 | 16 | Général-Langlois | (du) | Eugène-Delacroix | villa Scheffer | Rue de la Pompe |
| E 5 | 17 | Général-Lanrezac | (du) | av. Carnot, 14 | av. Mac-Mahon | Ch.-de-Gaulle-Étoile |
| K 16 | 12 | Général-Laperrine | (avenue du) | av. Gal-Dodds, 9 | place Ed.-Renard | Porte Dorée |
| I 2 | 16 | Général-Largeau | (du) | Perchamps, 35 | la Fontaine, 65 | Michel-Ange-Auteuil |
| E 14 | 19 | Général-Lasalle | (du) | passage Lauzin, 12 | de Rébeval, 72 | Pyrénées |
| L 9 | 14 | Général-Leclerc | (avenue du) | pl. Denfert-Rochereau, 32 | bd Brune, 137 | Denfert-Rochereau |
| | | nos 21-36 | | | | Mouton-Duvernet |
| | | nos 68-84 | | | | Alésia |
| | | nos 131-142 | | | | Porte d'Orléans |
| G 9 | 1 | Général-Lemonnier | (avenue du) | quai des Tuileries | de Rivoli, 100 | Tuileries |
| K 3 | 15 | Général-Lucotte | (du) | bd Victor | av. Pte de Sèvres | Balard |
| L 7 | 14 | Général-Maistre | (avenue du) | av. Gal-de-Maud'Huy, 2 | Henri-de-Bournazel | Porte d'Orléans |
| K 2 | 16 | Général-Malleterre | (du) | Gal-Grossetti | de la Petite-Arche | Porte de Saint-Cloud |
| H 4 | 16 | Général-Mangin | (avenue du) | Berton | Dr-Germain-Sée | Passy |
| H 6 | 7 | Général-Margueritte | (avenue du) | av. Gal-Tripier | av. B.-d'Aurevilly | École Militaire |
| J 3 | 15 | Général-Martial-Valin | (boulevard du) | pont du Garigliano | Balard | Balard |
| K 17 | 12 | Général-Messimy | (avenue du) | av. Ad.-Rousseau | Dr-Salmon | Porte Dorée |
| K 16 | 12 | Général-Michel-Bizot4 | (avenue du) | Charenton, 331 | Sahel | Porte de Charenton |
| | | nos 43-50 | | | | Michel-Bizot |
| | | nos 107-121 | | | | Bel-Air |
| | | nos 173-18 | | | | Picpus |
| K 7 | 15 | Général-Monclar | (place du) | de Vouillé | Saint-Amand | Plaisance |
| F 11 | 3 | Général-Morin | (square du) | Réaumur, 50 | Vaucauson, 1 | Arts-et-Métiers |
| I 17 | 20 | Général-Niessel | (du) | cours de Vincennes, 93 | Lagny, 90 | Porte de Vincennes |
| K 2 | 16 | Général-Niox | (du) | quai du Point-du-Jour | bd Murat | Porte de Saint-Cloud |
| E 4 | 16 | Général-Patton | (place du) | av. de la Gde-Armée | Duret | Argentine |
| G 14 | 11 | Général-Renault | (du) | av. Parmentier, 36 | Gal-Blaise, 5 | Saint-Ambroise |
| J 1 | 16 | Général-Roques | (du) | pl. Gal-Stéfanik | av. Parc-des-Princes | Porte de Saint-Cloud |
| E 14 | 19 | Général-Saint-Martin | (avenue du) | Fessart | av. Secrétan | Buttes-Chaumont |
| J 1 | 16 | Général-Sarrail | (avenue du) | pl. de la Porte d'Auteuil | Lecomte-du Nouy | Porte d'Auteuil |
| L 7 | 14 | Général-Séré-de-Rivière | (du) | av. Porte Didot | av. Georges-Lafenestre | Porte de Vanves |
| J 1 | 16 | Général-Stefanik | (place du) | bd Murat | Gal-Roques | Porte de Saint-Cloud |
| I 17 | 20 | Général-Tessier-de-Marguerittes | (place du) | pl. de la Tour-du-Pin | H.-Tomasi | Maraîchers |
| H 5 | 7 | Général-Tripier | (avenue du) | Thomy-Thierry | av. de Suffren, 39 | Dupleix |
| D 17 | 19 | Général-Zarapoff | (square du) | av. René-Fonck | en impasse | Porte des Lilas |
| E 3 | 16 | Généraux-de-Trentinian | (place des) | pl. Mal-de-L.-de-Tassigny | av. Foch | Porte Dauphine |
| F 14 | 20 | Gênes | (cité de) | Vilin, 7 | Bisson, 49 | Couronnes |
| I 15 | 12 | Génie | (passage du) | fg Saint-Antoine, 246 | bd Diderot, 95 | Reuilly-Diderot |
| F 16 | 20 | Géo-Chavez | (square) | Géo-Chavez | | Porte de Bagnolet |
| F 16 | 20 | Géo-Chavez | | bd Mortier | pl. Octave-Chanute | Porte de Bagnolet |
| G 11 | 4 | Geoffroy-l'Angevin | | du Temple, 61 | Beaubourg, 18 | Rambuteau |
| H 11 | 4 | Geoffroy-l'Asnier | | quai Hôtel-de-Ville, 52 | François-Miron, 50 | Saint-Paul |
| E 10 | 9 | Geoffroy-Marie | | fg Montmartre, 20 | Richier, 29 | Rue Montmartre |
| J 11 | 5 | Geoffroy-Saint-Hilaire | | bd Saint-Marcel, 42 | Cuvier, 59 | Saint-Marcel |
| | | nos 17-18 | | | | Censier-Daubenton |
| | | nos 35-38 | | | | Place Monge |
| E 12 | 10 | Georg-Friedrich-Haendel | | quai Jemmapes | pl. Robert-Desnos | Colonel-Fabien |
| H 17 | 20 | George-Amboise-(cité) Boisselat-et-Blanche | Avron, 131 | Rasselins, 7 | Porte de Vincennes | |
| K 13 | 13 | George-Balanchine | | quai de la Gare | av. de France | Quai de la Gare |
| H 12 | 3 | George-Cain | (square) | Payenne | | Chemin-Vert |
| L 12 | 13 | George-Eastman | | av. de Choisy | av. Edison | Place d'Italie |
| K 14 | 12 | George-Gershwin | | Paul-Belmondo | de Pommard | Bercy |
| I 3 | 16 | George-Sand | (villa) | George-Sand, 26 | | Jasmin |
| I 2 | 16 | George-Sand | | av. Théophile-Gautier | Mozart, 115 | Église d'Auteuil |
| F 6 | 8 | George-V | (avenue) | place de l'Alma | av. des Ch.-Élysées, 101 | George V |
| D 14 | 19 | Georges-Auric | | d'Hautpoul | Petit | Danube |
| D 7 | 17 | Georges-Berger | | bd de Courcelles, 48 | place Malesherbes, 1 | Monceau |
| J 9 | 5 | Georges-Bernanos | (avenue) | bd Saint-Michel | bd Port-Royal | Port-Royal |
| H 5 | 15 | Georges-Bernard-Shaw | | Desaix, 25 | Daneil-Stern, 18 | Dupleix |
| E 9 | 9 | Georges-Berry | (place) | Caumartin | Joubert | Havre-Caumartin |
| J 8 | 14 | Georges-Besse | (allée) | du Montparnasse | bd Raspail | Edgar-Quinet |
| F 5 | 16 | Georges-Bizet | | av. Marceau, 19 | av. d'Iéna, 56 | Alma-Marceau |
| M 9 | 14 | Georges-Braque | | Nansouty, 14 | en impasse | Cité Universitaire |
| K 6 | 15 | Georges-Brassens | (parc) | Dantzig | des Morillons | Porte de Vanves |
| I 5 | 15 | Georges-Citerne | | Théâtre, 51 | Rouelle, 50 | Dupleix |
| K 15 | 12 | Georges-Contenot | (square) | Claude-Decaen, 75 | de Gravelle, 7 | Daumesnil |
| M 8 | 14 | Georges-de-Porto-Riche | | Henri-Barboux | Monticelli | Porte d'Orléans |
| J 11 | 5 | Georges-Desplas | | pl. Puits-de-l'Ermite | Daubenton | Censier-Daubenton |
| H 5 | 15 | Georges-Dumézil | | Edgar-Faure, 16 | allée M.-Yourcenar, 13 | Dupleix |
| J 15 | 12 | Georges-et-Maï-Politzer | | Hénard | en impasse | Montgallet |
| E 6 | 8 | Georges-Guillaumin | (place) | av. Friedland | Balzac | Ch.-de-Gaulle-Étoile |
| M 7 | 14 | Georges-Lafenestre | (avenue) | bd Brune, 64 | bd Adolphe-Pinard | Porte de Vanves |
| K 1 | 16 | Georges-Lafont | (avenue) | pl. de la Porte Saint-Cloud | av. Ferdinand-Buisson | Porte de Saint-Cloud |
| E 13 | 19 | Georges-Lardennois | | av. M.-Moreau, 38 | Barrelet-de-Ricou | Colonel-Fabien |
| J 7 | 15 | Georges-Leclanché | | Aristide Maillol | André-Gide | Pasteur |
| I 13 | 12 | Georges-Lesage | (square) | av. Ledru-Rollin, 4 | en impasse | Quai de la Rapée |
| G 3 | 16 | Georges-Leygues | | Octave-Feuillet, 31 | Franqueville | La Muette |
| G 4 | 16 | Georges-Mandel | (avenue) | place du Trocadéro | de la Pompe | Trocadéro |
| J 17 | 12 | Georges-Méliès | (square) | bd Soult | av. Émile-Laurent | Bel-Air |
| I 7 | 15 | Georges-Mulot | (place) | Valentin-Hauy | Bouchut | Sèvres-Lecourbe |
| F 16 | 20 | Georges-Perec | | Jules-Siegfried, 13 | Paul-Strauss, 16 | Porte de Bagnolet |
| K 7 | 15 | Georges-Pitard | | Procession, 90 | de Vouillé, 59 | Plaisance |
| H 11 | 4 | Georges-Pompidou | (place) | St-Merri | St-Martin | Rambuteau |
| H 12 | 4 | Georges-Pompidou | (voie) | voie express | rive droite Seine | Châtelet |
| J 3 | 16 | | | | | Rambuteau |
| D 13 | 19 | Georges-Recipon | (allée) | de Meaux | de Meaux | Colonel-Fabien |
| J 2 | 16 | Georges-Risler | (avenue) | Claude Lorrain | villa Cheysson | Exelmans |
| F 14 | 20 | Georges-Rouault | (allée) | Julien-Lacroix, 41 | du Pressoir | Couronnes |
| K 8 | 14 | Georges-Saché | | de la Sablière, 10 | Sévero | Mouton-Duvernet |
| C 15 | 19 | Georges-Thill | | Petit | av. Jean-Jaurès | Ourcq |
| F 5 | 16 | Georges-Ville | | Paul-Valéry, 19 | av. Victor-Hugo, 63 | Victor-Hugo |
| B 9 | 18 | Georgette-Agutte | | Championnet, 192 | Belliard, 151 | Porte de Saint-Ouen |
| F 15 | 20 | Georgina | (villa) | Taclet, 13 | Duée, 34 | Pelleport |
| D 10 | 9 | Gérando | | av. Trudaine, 10 | bd Rochechouart, 21 | Anvers |
| L 11 | 13 | Gérard | | bd A.-Blanqui, 21 | Gérard, 22 | Place d'Italie |
| B 9 | 18 | Gérard-de-Nerval | | Henri-Huchard | bd périphérique | Porte de Saint-Ouen |

| Plan | Arr. | Nom | Rues | Commençant | Finissant | Métro |
|---|---|---|---|---|---|---|
| F 3 | 16 | Gérard-Philipe | | bd Lannes | av. Mal-Fayolle | Rue de la Pompe |
| J 5 | 15 | Gerber | (square) | Blomet | Gerber | Vaugirard |
| J 6 | 15 | Gerbert | | Blomet, 117 | Vaugirard, 282 | Vaugirard |
| H 14 | 11 | Gerbier | | Folie-Regnault, 17 | Roquette, 170 | Philippe-Auguste |
| K 7 | 14 | Gergovie | (de) | Procession | Alésia, 134 | Pernéty |
| K 7 | 14 | Gergovie | (passage de) | de Gergovie, 6 | Vercingétorix, 130 | Plaisance |
| I 2 | 16 | Géricault | | d'Auteuil, 52 | Poussin, 27 | Michel-Ange-Auteuil |
| D 9 | 18 | Germain-Pilon | (cité) | Germain-Pilon, 21 | | Pigalle |
| D 9 | 18 | Germain-Pilon | | | | Pigalle |
| C 6 | 17 | Gervex | | Senlis | Jules-Bourdais | Péreire |
| H 11 | 4 | Gesvres | (quai de) | pl. de l'Hôtel-de-Ville | place du Châtelet | Châtelet |
| K 13 | 13 | Giffard | | quai d'Austerlitz, 5 | bd de la Gare, 10 | Quai de la Gare |
| K 8 | 14 | Gilbert-Perroy | (place) | av. du Maine | Mouton-Duvernet | Mouton-Duvernet |
| A 10 | 18 | Ginette-Neveu | | av. Pte de Clignancourt, 16 | av. Pte de Clignancourt, 32 | Porte de Clignancourt |
| J 14 | 12 | Ginkgo | (cour de) | pl. Bataillon-du-Pacif. | bd de Bercy | Bercy |
| I 5 | 15 | Ginoux | | Héricart, 36 | Lourmel, 54 | Charles-Michels |
| L 7 | 14 | Giordano-Bruno | | des Plantes, 70 | Ledion, 28 | Alésia |
| C 10 | 18 | Girardon | (impasse) | Girardon, 5 | | Lamarck-Caulaincourt |
| C 9 | 18 | Girardon | | Lepic, 87 | Saint-Vincent, 49 | Lamarck-Caulaincourt |
| I 2 | 16 | Girodet | | d'Auteuil, 48 | Poussin, 13 | Michel-Ange-Auteuil |
| B 14 | 19 | Gironde | (quai de la) | quai de l'Oise, 41 | bd Macdonald | Corentin-Cariou |
| H 10 | 6 | Gît-le-Cœur | | quai Gds-Augustins, 25 | St-André-des Arts, 30 | Saint-Michel |
| K 10 | 13 | Glacière | (de la) | bd Port-Royal, 37 | Tolbiac, 242 | Les Gobelins |
| | | nos 67-129 | | | | Glacière |
| E 17 | 20 | Glaïeuls | (des) | Guébriant | av. Pte des Lilas | Porte des Lilas |
| E 9 | 9 | Gluck | | Halévy, 1 | bd Haussmann, 31 | Opéra |
| M10 | 13 | Glycines | (cité florale) | Orchidées | Auguste-Lançon, 37 | Cité Universitaire |
| K 11 | 13 | Gobelins | (avenue des) | Monge, 123 | place d'Italie, 2 | Place d'Italie |
| K 11 | 13 | Gobelins | (cité des) | Rubens, 4 | av. des Gobelins, 61 | Les Gobelins |
| K 11 | 13 | Gobelins | (des) | av. des Gobelins, 32 | Berbier-du-Mets | Les Gobelins |
| K 11 | 13 | Gobelins | (villa des) | av. des Gobelins, 54 | | Les Gobelins |
| K 11 | 5 | Gobelins | (avenue des) | Monge, 123 | place d'Italie, 2 | Les Gobelins |
| | | nos 62-69 | | de 1-25 et 2-22, 5 | | Place d'Italie |
| H 14 | 11 | Gobert | | Richard-Lenoir, 24 | bd Voltaire, 160 | Charonne |
| K 11 | 13 | Godefroy | | place des Alpes, 5 | place d'Italie, 7 | Place d'Italie |
| H 14 | 11 | Godefroy-Cavaignac | | de Charonne, 85 | Roquette, 128 | Voltaire |
| G 16 | 20 | Godin | (villa) | de Bagnolet, 85 | | Alexandre-Dumas |
| F 8 | 9 | Godot-de-Mauroy | | bd Madeleine, 10 | Mathurins, 15 | Madeleine |
| F 6 | 16 | Goethe | | Georges-Bizet, 3 | Galliéra, 6 | Alma-Marceau |
| D 12 | 19 | Goix | (passage) | Aubervilliers, 16 | Département, 13 | Stalingrad |
| G 10 | 2 | Goldoni | (place) | Greneta | Marie-Stuart | Étienne-Marcel |
| F 9 | 1 | Gomboust | (impasse) | pl. Marché-St-Honoré, 33 | | Pyramides |
| F 9 | 1 | Gomboust | | Saint-Roch, 59 | pl. Marché-St-Honoré, 40 | Pyramides |
| F 13 | 11 | Goncourt | (des) | Darboy, 5 | fg du Temple, 68 | Goncourt |
| I 15 | 11 | Gonnet | | fg Saint-Antoine, 283 | Montreuil, 60 | Boulets-Montreuil |
| I 1 | 16 | Gordon-Bennett | (avenue) | bd d'Auteuil | av. de la Pte d'Auteuil | Porte d'Auteuil |
| J 16 | 12 | Gossec | | av. Daumesnil, 233 | Picpus, 104 | Michel-Bizot |
| I 16 | 20 | Got | (square) | Mounet-Sully | cours de Vincennes | Porte de Vincennes |
| D 15 | 19 | Goubet | | Petit | Manin | Danube |
| D 6 | 17 | Gounod | | av. Wagram, 123 | Demours, 100 | Wagram |
| C 6 | 17 | Gourgaud | (avenue) | place Maréchal-Juin | bd Berthier, 57 | Péreire |
| M11 | 13 | Gouthière | | bd Kellermann | av. Caffiéri | Porte d'Italie |
| D 11 | 18 | Goutte-d'Or | (de la) | Polonceau, 1 | bd Barbès, 24 | Barbès-Rochechouart |
| D 4 | 17 | Gouvion-Saint-Cyr | (boulevard) | av. Villiers, 147 | av. de la Gde-Armée | Porte Maillot |
| D 4 | 17 | Gouvion-Saint-Cyr | (square) | Gouvion-Saint-Cyr | | Porte Maillot |
| H 9 | 6 | Gozlin | | des Ciseaux, 2 | de Rennes, 41 | St-Germain-des-Prés |
| E 13 | 10 | Grâce-de-Dieu | (cour de la) | fg du Temple, 129 | | Belleville |
| J 11 | 5 | Gracieuse | | l'Épée-de-Bois, 2 | Lacépède, 31 | Place Monge |
| D 4 | 17 | Graisivaudan | (square du) | av. Porte de Villiers | Alex.-Charpentier | Porte de Champerret |
| I 5 | 15 | Gramme | | du Commerce, 69 | Croix-Nivert, 68 | Commerce |
| F 9 | 2 | Gramont | (de) | Saint-Augustin, 14 | bd des Italiens, 17 | Quatre-Septembre |
| K 9 | 14 | Grancey | (de) | pl. D.-Rochereau, 20 | Daguerre, 10 | Denfert-Rochereau |
| G 10 | 1 | Grand-Balcon | | Forum des Halles Niv. 1 | voir détails p. 38 | Les Halles |
| G 11 | 2 | Grand-Cerf | (passage du) | Saint-Denis, 145 | Dussoubs, 10 | Etienne-Marcel |
| F 13 | 11 | Grand-Prieuré | (du) | de Crussol, 29 | av. de la République, 18 | Oberkampf |
| G 12 | 3 | Grand-Veneur | (du) | des Arquebusiers | | St-Sébastien-Froissart |
| E 5 | 17 | Grande-Armée | (villa de la) | Acacias, 8 | | Argentine |
| E 4 | 16 | Grande-Armée | (avenue de la) | Ch.-de-Gaulle-Étoile | bd Gouvion-St-Cyr | Ch.-de-Gaulle-Étoile |
| E 5 | 17 | nos 36-41 | | | | Argentine |
| | | nos 78-85 | | | | Porte Maillot |
| J 9 | 6 | Grande-Chaumière | (de la) | N.-D.-des-Champs, 72 | bd Montparnasse, 115 | Vavin |
| G 10 | 1 | Grande-Galerie | | Forum des Halles Niv. 3 | voir détails p. 38 | Les Halles |
| G 11 | 1 | Grande-Truanderie | (de la) | bd Sébastopol, 57 | Turbigo, 4 | Les Halles |
| H 10 | 6 | Grands-Augustins | (des) | qu. des Grands-Augustins | St-André-des Arts, 54 | Saint-Michel |
| H 10 | 6 | Grands-Augustins | (quai des) | pont Saint-Michel | Dauphine, 1 | Saint-Michel |
| I 16 | 20 | Grands-Champs | (des) | bd Charonne | Volga, 48 | Buzenval |
| I 11 | 5 | Grands-Degrés | (des) | Maître-Albert, 2 | Haut-Pavé, 3 | Maubert-Mutualité |
| K 10 | 13 | Grangé | (square) | Glacière, 22 | | Glacière |
| E 12 | 10 | Grange-aux-Belles | (de la) | quai de Jemmapes, 98 | bd de la Villette | Jacques-Bonsergent |
| E 10 | 9 | Grange-Batelière | (de la) | fg Montmartre, 21 | Drouot | Richelieu-Drouot |
| K 16 | 12 | Gravelle | (de) | Wattignies, 51 | Claude-Decaen, 57 | Daumesnil |
| G 11 | 3 | Gravilliers | (des) | du Temple, 127 | Saint-Martin, 248 | Arts-et-Métiers |
| G 11 | 3 | Gravilliers | (passage des) | Chapon, 10 | Gravilliers, 19 | Arts-et-Métiers |
| E 8 | 8 | Greffulhe | (de) | Castellane, 10 | Mathurins, 31 | Havre-Caumartin |
| H 10 | 6 | Grégoire-de-Tours | | Bucy, 7 | Quatre-Vents, 20 | Odéon |
| C 16 | 19 | Grenade | (de la) | Béranger | av. du Centenaire | Porte de Pantin |
| I 5 | 15 | Grenelle | (boulevard) | quai Branly, 141 | place Cambronne, 1 | Bir-Hakeim |
| H 8 | 15 | Grenelle | (pont de) | quai de Passy | quai de Grenelle | Charles-Michels |
| H 4 | 15 | Grenelle | (port de) | pont de Passy | pont de Grenelle | Bir-Hakeim |
| H 4 | 15 | Grenelle | (quai de) | bd de Grenelle | pont de Grenelle | Bir-Hakeim |
| I 5 | 15 | Grenelle | (villa de) | Violet, 16 | Villa Juge, 7 | Dupleix |
| H 8 | 7-6 | Grenelle | (de) | c. de la Croix-Rouge | av. la Bourdonnais, 83 | Sèvres-Babylone |
| | | nos 65-78 | | | | Rue du Bac |
| | | nos 177-19 | | | | La Tour-Maubourg |
| F 11 | 2 | Greneta | (cour) | Saint-Denis, 163 | Greneta, 32 | Réaumur-Sébastopol |
| F 11 | 2 | Greneta | | Saint-Martin, 241 | Montorgueil, 80 | Réaumur-Sébastopol |
| G 11 | 3 | Greneta | | Saint-Martin, 241 | Montorgueil, 80 | Réaumur-Sébastopol |
| G 11 | 3 | Grenier-Saint-Lazare | (du) | Beaubourg, 57 | Saint-Martin, 202 | É.-Marcel-Rambuteau |
| H 11 | 4 | Grenier-sur-l'Eau | | Geoffroy-l'Asnier, 23 | des Barres, 14 | Pont-Marie |
| G 16 | 20 | Grès | (square des) | Vitruve | | Alexandre-Dumas |
| G 16 | 20 | Grès | (place des) | Saint-Blaise, 31 | Vitruve, 42 | Porte de Montreuil |
| C 13 | 19 | Gresset | | Crimée, 176 | Joinville, 11 | Crimée |
| F 9 | 2 | Grétry | | Favart, 1 | de Grammont, 20 | Quatre-Septembre |
| G 4 | 16 | Greuze | | av. G.-Mandel, 9 | Décamps, 17 | Trocadéro |
| H 8 | 7 | Gribeauval | (de) | pl. St-Thomas-d'Aquin | du Bac, 45 | Rue du Bac |
| J 11 | 5 | Gril | (du) | Censier, 12 | Daubenton, 9 | Censier-Daubenton |
| D 15 | 19 | Grimaud | (impasse) | Hautpoul, 20 | | Botzaris |
| I 6 | 15 | Grisel | (impasse) | bd Garibaldi, 3 | | Cambronne |
| F 14 | 11 | Griset | (cité) | Oberkampf, 125 | | Ménilmontant |
| H 16 | 20 | Gros | (impasse) | passage Dieu, 3 | | Porte de Bagnolet |
| I 3 | 16 | Gros | | av. de Versailles, 2 | la Fontaine, 17 | Passy |
| | | nos 45-47 | | | | Mirabeau |
| H 6 | 20 | Gros-Caillou | (du) | Augereau, 11 | Grenelle, 210 | École Militaire |
| G 6 | 7 | Gros-Caillou | (port du) | pont des Invalides | port de l'Alma | Invalides |
| B 10 | 18 | Grosse-Bouteille | (impasse) | du Poteau, 67 | | Porte de Clignancourt |
| F 16 | 20 | Groupe-Manouchian | (du) | Surmelin, 31 | av. Gambetta, 100 | Pelleport |
| C 12 | 18 | Guadeloupe | (de la) | Pajol, 69 | de l'Olive, 8 | Marx-Dormoy |
| E 7 | 8 | Guatemala | (place du) | bd Malesherbes | de la Bienfaisance | Saint-Augustin |
| K 2 | 16 | Gudin | | bd Murat, 125 | av. de Versailles, 217 | Porte de Saint-Cloud |
| B 12 | 18 | Gué | (impasse du) | de la Chapelle | | Porte de la Chapelle |

| Plan | Arr. | Nom | Rues | Commençant | Finissant | Mé |
|---|---|---|---|---|---|---|
| E 17 | 20 | Guébriant | (de) | bd Mortier | Glaïeuls | Sain |
| D 9 | 18 | Guelma | (villa de) | bd de Clichy, 30 | | Piga |
| H 12 | 4 | Guéménée | (impasse) | Saint-Antoine, 28 | | Bast |
| H 10 | 6 | Guénégaud | | quai Conti, 9 | Mazarine, 15 | Odéo |
| I 15 | 11 | Guénot | (passage) | bd Voltaire, 233 | Guénot, 15 | Bou |
| H 15 | 11 | Guénot | | bd Voltaire, 245 | en impasse | Boul |
| F 11 | 2 | Guérin-Boisseau | | Palestro, 33 | Saint-Denis, 186 | Réau |
| D 5 | 17 | Guersant | | Pierre-Demours | bd Gouvion-St-Cyr, 35 | Porte |
| G 3 | 16 | Guibert | (villa) | de la Tour, 83 | | Rue |
| H 3 | 16 | Guichard | | de Passy, 72 | place Possoz, 1 | La M |
| F 15 | 20 | Guignier | (du) | des Pyrénées, 292 | des Rigoles, 23 | Jour |
| F 15 | 20 | Guignier | (place du) | des Pyrénées, 292 | Guignier | Jour |
| G 14 | 11 | Guilhem | (passage) | Gal-Guilhem | Saint-Maur | Saint |
| H 9 | 6 | Guillaume-Apollinaire | | Bonaparte, 42 | Saint-Benoît, 11 | St-Ge |
| G 14 | 11 | Guillaume-Bertrand | | Saint-Maur, 58 | av. République, 90 | Saint |
| D 5 | 17 | Guillaume-Tell | | Laugier, 62 | av. de Villiers, 112 | Pérei |
| I 14 | 12 | Guillaumot | | av. Daumesnil, 42 | Jean-Bouton, 7 | Gare |
| K 7 | 14 | Guilleminot | | de l'Ouest, 54 | Pernéty | Perné |
| H 11 | 4 | Guillemites | (des) | Ste-Croix-de-la-Bret. | Francs-Bourgeois | Hôtel |
| H 9 | 6 | Guisarde | | Mabillon, 14 | des Canettes, 21 | Mabil |
| E 5 | 17 | Guizot | (villa) | Acacias, 21 | | Argen |
| D 4 | 17 | Gustave-Charpentier | | bd d'A.-de-Paladines | place Verdun | Porte |
| F 4 | 16 | Gustave-Courbet | | Longchamp, 100 | de la Pompe, 130 | Victor |
| C 6 | 17 | Gustave-Doré | | av. Wagram, 155 | bd Péreire, 85 | Wagra |
| H 5 | 7 | Gustave-Eiffel | (avenue) | av. Silvestre-de-Sacy | av. Octave-Gréard | Bir-Ha |
| D 6 | 17 | Gustave-Flaubert | | Courcelles, 105 | Rennequin, 16 | Cource |
| K 11 | 13 | Gustave-Geffroy | | Gobelins, 5 | Berbier-du Mets | Les Go |
| F 11 | 10 | Gustave-Goublier | | bd de Strasbourg | fg Saint-Martin | Strasb |
| J 5 | 15 | Gustave-Larroumet | | Mademoiselle | Léon-Lhermite | Comme |
| M 8 | 14 | Gustave-le-Bon | | av. Ernest-Reyer | bd Brune | Porte d |
| H 14 | 11 | Gustave-Lepeu | (passage) | Léon-Frot | Émile-Lepeu, 10 | Charon |
| K 12 | 13 | Gustave-Mesureur | (square) | Jeanne-d'Arc | place Pinel | Nationa |
| G 3 | 16 | Gustave-Nadaud | | de la Pompe, 15 | bd Émile-Augier, 12 | La Mue |
| B 10 | 18 | Gustave-Rouanet | (place) | du Poteau | du Ruisseau | Porte d |
| D 9 | 9 | Gustave-Toudouze | (place) | Henri-Monnier | Clauzel | Saint-G |
| G 5 | 16 | Gustave-V-de-Suède | (avenue) | Jardins du Trocadéro | Palais de Chaillot | Trocad |
| H 3 | 16 | Gustave-Zédé | | des Bauches, 23 | Ranelagh, 74 | Ranelag |
| J 4 | 15 | Gutenberg | (de) | Javel, 54 | Balard | Javel-A |
| B 7 | 17 | Guttin | | Fragonard, 13 | bd Bessières, 113 | Porte de |
| I 11 | 5 | Guy-de-la-Brosse | | Jussieu, 13 | Linné, 16 | Jussieu |
| G 3 | 16 | Guy-de-Maupassant | | Mignard, 8 | bd Émile-Augier, 54 | Rue de |
| C 8 | 17 | Guy-Môquet | | av. de Clichy | av. de Saint-Ouen | Guy-Mô |
| D 11 | 10 | Guy-Patin | | bd Magenta, 154 | bd de la Chapelle, 45 | Barbès- |
| J 17 | 12 | Guyane | (bd de la) | bd Carnot | av. Daumesnil | Porte Do |
| H 17 | 20 | Guyenne | (square de la) | bd Davout | Mendelssohn | Porte de |
| I 9 | 6 | Guynemer | | de Vaugirard, 21 | d'Assas, 55 | N.-D.-de |
| L 11 | 13 | Guyton-de-Morveau | | Bobillot, 76 | Espérance, 43 | Corvisar |
| A 13 | 19 | Haie-Coq | (de la) | Aubervilliers | av. Pte d'Aubervilliers | Porte de |
| H 16 | 20 | Haies | (des) | Planchat, 6 | Maraîchers, 105 | Buzenva |
| H 16 | 20 | Haies | (passage des) | des Haies | des Vignobles | Buzenva |
| C 15 | 19 | Hainaut | (du) | Petit, 77 | Jean-Jaurès, 176 | Ourcq |
| F 9 | 9 | Halévy | | place de l'Opéra, 8 | bd Haussmann, 25 | Opéra |
| L 9 | 14 | Hallé | (villa) | Hallé, 36 | en impasse | Mouton-D |
| L 9 | 14 | Hallé | | Tombe-Issoire, 42 | Commandeur, 12 | Mouton-D |
| G 10 | 1 | Halles | (des) | Rivoli, 104 | pont-Neuf, 26 | Châtelet |
| K 5 | 15 | Hameau | (du) | Desnouettes, 33 | bd Victor, 51 | Porte de V |
| F 5 | 16 | Hamelin | | de Lubeck, 18 | av. Kléber, 43 | Boissière |
| F 9 | 2 | Hanovre | (de) | Choiseul, 19 | Louis-le-Grand | Quatre-Se |
| G 16 | 20 | Hardy | (villa) | Stendhal, 44 | en impasse | Gambetta |
| H 10 | 1 | Harlay | (de) | quai de l'Horloge, 19 | quai des Orfèvres, 42 | Châtelet |
| K 6 | 15 | Harmonie | (de l') | Labrouste, 63 | Castagnary, 74 | Plaisance |
| H 10 | 5 | Harpe | (de la) | la Huchette, 31 | bd Saint-Germain, 100 | Saint-Mic |
| G 17 | 20 | Harpignies | | bd Davout | en impasse | Porte de M |
| E 14 | 19 | Hassard | | Plateau, 26 | Botzaris, 54 | Buttes-Ch |
| G 11 | 3 | Haudriettes | (des) | Archives, 53 | Temple, 84 | Rambutea |
| E 8 | 8 | Haussmann | (boulevard) | bd des Italiens | fg Saint-Honoré, 206 | Richelieu- |
| | | nos 9-24 | | | | Chaussée |
| E 9 | 9 | nos 55-64 | | | | Havre-Cau |
| | | nos 71-76 | | de 1 à 53 | de 2 à 70, 9e | Saint-Laza |
| | | nos 157-188 | | de 55 et 72 | à la fin, 8e | St-Philippe |
| I 11 | 5 | Haut-Pavé | (du) | quai de Montebello | de la Bûcherie | Maubert-M |
| I 10 | 6 | Hautefeuille | (impasse) | Hautefeuille, 5 | | Saint-Micl |
| H 10 | 6 | Hautefeuille | | pl. St-André-des Arts | Ecole de Médecine, 8 | Saint-Mich |
| | | nos 5-8 | | | | Odéon |
| D 15 | 19 | Hauterive | (villa d') | Gal-Brunet, 29 | Miguel-Hidalgo | Danube |
| L 12 | 13 | Hautes-Formes | (des) | Baudricourt, 23 | Nationale, 81 | Tolbiac |
| E 11 | 10 | Hauteville | (cité d') | Hauteville, 84 | Chabrol, 53 | Poissonniè |
| E 11 | 10 | Hauteville | (d') | bd Bonne-Nouvelle, 32 | place la Fayette,112 | Bonne-Nou |
| | | nos 39-44 | | | | Poissonniè |
| D 15 | 19 | Hautpoul | (d') | Crimée, 58 | Jean-Jaurès, 142 | Ourcq |
| E 16 | 20 | Hauts-de-Belleville | (villa des) | rue-du Borrégo | en impasse | Saint-Farge |
| E 8 | 8 | Havre | (cour du) | Saint-Lazare, 108 | d'Amsterdam, 1 | Saint-Lazare |
| E 8 | 8 | Havre | (place du) | du Havre, 16 | Saint-Lazare, 109 | Saint-Lazare |
| E 8 | 9 | Havre | (passage du) | Caumartin, 69 | Saint-Lazare, 109 | Havre-Caum |
| E 8 | 8-9 | Havre | (du) | bd Haussmann, 72 | Saint-Lazare, 21 | Saint-Lazare |
| | 9 | nos pairs | | | | Havre-Caum |
| F 17 | 20 | Haxo | (impasse) | Alphonse-Penaud, 27 | | Saint-Fargea |
| E 16 | 19-20 | Haxo | | du Surmelin, 41 | bd Sérurier, 67 | Saint-Fargea |
| | | de 1 à 113 et 2 à 110 | | | | Porte des Lil |
| B 12 | 18 | Hébert | (place) | de l'Evangile, 23 | Boucry | Porte de la C |
| E 13 | 11 | Hébrard | (passage) | Saint-Maur, 204 | Chalet, 5 | Belleville |
| J 14 | 12 | Hébrard | (ruelle des) | Charolais, 62 | av. Daumesnil, 114 | Dugommier |
| E 13 | 19 | Hector-Guimard | | Jules-Romains | pl. J.-Rostand | Belleville |
| I 13 | 12 | Hector-Malot | | de Châlon, 48 | Charenton, 106 | Gare de Lyon |
| C 8 | 18 | Hégésippe-Moreau | | Ganneron, 15 | Ganneron, 31 | La Fourche |
| F 9 | 9 | Helder | (du) | bd des Italiens, 38 | bd Haussmann | Chaussée d'A |
| C 8 | 17 | Hélène | | av. de Clichy, 43 | Lemercier, 20 | La Fourche |
| M12 | 13 | Hélène-Boucher | (square) | Fernand-Widal | av. de la Pte d'Italie | Porte d'Italie |
| F 15 | 20 | Hélène-Jakubowicz | | imp. Villiers-Isle-Adam | de Ménilmontant, 144 | Saint-Fargeau |
| D 5 | 17 | Héliopolis | (d') | Guillaume-Tell, 25 | av. de Villiers, 133 | Péreire |
| L 13 | 13 | Héloïse-et-Abélard | (square) | Dunois | Vimoutiers | Chevaleret |
| J 15 | 12 | Hénard | | av. Daumesnil | de Reuilly | Reuilly-Didero |
| I 14 | 12 | Hennel | (passage) | Charenton, 140 | av. Daumesnil, 103 | Reuilly-Didero |
| D 9 | 9 | Henner | | la Bruyère, 44 | Chaptal, 15 | Blanche |
| M 8 | 14 | Henri-Barboux | | bd Jourdan | av. Paul-Appell | Porte d'Orléan |
| J 10 | 5-14 | Henri-Barbusse | | bd Saint-Michel | av. l'Observatoire | Luxembourg-F |
| L 10 | 13 | Henri-Becque | | Boussingault, 45 | Amiral-Mouchez, 13 | Glacière |
| E 8 | 8 | Henri-Bergson | (place) | du Rocher, 9 | bd Haussmann, 132 | Saint-Augustin |
| J 5 | 15 | Henri-Bocquillon | | Javel, 162 | de la Convention, 125 | Félix-Faure |
| B 9 | 18 | Henri-Brisson | | bd Ney | Arthur-Ranc | Porte de Saint |
| F 15 | 20 | Henri-Chevreau | | Ménilmontant, 79 | Couronnes, 98 | Ménilmontant |
| F 12 | 10 | Henri-Christiné | (square) | place de la République | bd Magenta | République |
| G 3 | 16 | Henri-de-Bornier | | Octave-Feuillet, 25 | Franqueville, 14 | La Muette |
| J 3 | 15 | Henri-de-France | (esplanade) | bd Gal-Martial-Valin | | Balard |
| K 9 | 14 | Henri-Delormel | (square) | Ernest-Cresson, 9*bis* | en impasse | Mouton-Duvern |
| J 14 | 12 | Henri-Desgrange | | de Bercy, 106 | bd de Bercy, 48 | Bercy |
| E 16 | 20 | Henri-Dubouillon | | Haxo, 60 | av. Gambetta, 203 | Saint-Fargeau |
| I 5 | 15 | Henri-Duchêne | | Fondary, 34 | av. Emile-Zola, 135 | Avenue Émile-Z |
| D 7 | 17 | Henri-Duparc | (square) | sq. F.-d.-I.-Tombelle | en impasse | Malesherbes |
| G 17 | 20 | Henri-Duvernois | | Louis-Lumière, 74 | Serpollet, 25 | Porte de Montre |

| Nom | Rues | Commençant | Finissant | Métro |
|---|---|---|---|---|
| -Feulard | | Sambre-et-Meuse, 27 | bd Villette, 47 | Colonel-Fabien |
| -Frenay | (place) | Hector-Malot, 10 | Jean-Bouton, 2 | Gare de Lyon |
| -Gaillard | (passage) | bd Lannes | bd Amiral-Bruix | Porte Dauphine |
| -Galli | (square) | bd Henri IV | quai Henri IV | Sully-Morland |
| -Heine | | av. Mozart | du Dr-Blanche | Jasmin |
| -Huchard | (square) | av. Porte Montmartre | av. Pte de Saint-Ouen | Porte de Saint-Ouen |
| -Huchard | | av. Porte Montmartre | av. Pte de Saint-Ouen | Porte de Saint-Ouen |
| -IV | (port) | pont d'Austerlitz | pont Sully | Sully-Morland |
| -IV | (quai) | bd Morland, 1 | bd Henri-IV, 2 | Quai de la Rapée |
| | | | | Sully-Morland |
| i-IV | (boulevard) | quai de Béthune, 14 | place de la Bastille | Sully-Morland |
| -49 | | | | Bastille |
| i-Karcher | (square) | des Pyrénées | | Alexandre-Dumas |
| ri-Langlois | (place) | Bobillot | av. d'Italie | Place d'Italie |
| ri-Martin | (avenue) | de la Pompe | place de Colombie | Rue de la Pompe |
| ri-Matisse | (place) | Elisa-Borey | du Soleillet | Gambetta |
| ri-Michaux | | Vandrezanne, 25 | du Moulinet, 32 | Tolbiac |
| ri-Moissan | | quai d'Orsay, 59 | av. d'Orsay | La Tour-Maubourg |
| ri-Mondor | (place) | bd St-Germain | | Odéon |
| ri-Monnier | | N.D.-de-Lorette, 38 | Victor-Massé, 27 | Saint-Georges |
| ri-Murger | | av. Mathurin-Moreau | Secrétan, 56 | Bolivar |
| ri-Pape | | Damesme, 18 | des Peupliers, 41 | Tolbiac |
| ri-Poincaré | | av. Gambetta, 141 | Saint-Fargeau, 12 | Pelleport |
| ri-Queuille | (place) | bd Pasteur | av. de Breteuil | Sèvres-Lecourbe |
| ri-Ranvier | | Gerbier | de la Folie-Regnault | Philippe-Auguste |
| ri-Regnault | | Tombe-Issoire, 132 | du Père-Corentin, 47 | Porte d'Orléans |
| ri-Ribière | | Compans | des Bois | Place des Fêtes |
| ri-Robert | | place Dauphine | place du pont-Neuf | Pont-Neuf |
| ri-Rochefort | | de Prony, 30 | av. de Villiers, 33 | Malesherbes |
| ri-Rollet | (place) | Vaugirard | Desnouettes | Convention |
| nri-Rousselle | (square) | place Paul-Verlaine | en impasse | Place d'Italie |
| nri-Tomasi | | bd Davout | Gal-T.-Marguerittes | Maraîchers |
| nri-Turot | | bd de la Villette, 92 | Simon-Bolivar, 93 | Colonel-Fabien |
| nry-Bataille | (square) | bd Suchet, 66 | Mal-Franchet-d'Espérey | Ranelagh |
| nry-de-Bournazel | | bd Brune | Maurice-d'Ocagne | Porte de Vanves |
| nry-de-Jouvenel | | place St-Sulpice | Férou | Odéon |
| nry-de-la-Vaulx | | quai Saint-Exupéry | av. Dode de la Brunerie | Porte de Saint-Cloud |
| nry-de-Montherlant | (place) | quai Anatole-France | | Solférino |
| nry-Dunant | (place) | av. George-V | François-Ier | George V |
| nry-Farman | | av. Pte de Sèvres, 22 | Issy-les-Moulineaux | Balard |
| nry-Paté | (square) | Félicien-David | François-Gérard | Église d'Auteuil |
| érault-de-Séchelles | | Floréal | R.-Morel (Clichy) | Porte de Saint-Ouen |
| éricart | | Emeriau, 1 | pl. Saint-Charles, 50 | Charles-Michels |
| ermann-Lachapelle | (cité) | Boinod, 35 | Amiraux, 17 | Simplon |
| ermel | (cité) | Hermel, 12 | en impasse | Jules-Joffrin |
| ermel | | Custine, 58 | bd Ornano, 43 | Simplon |
| érold | | Coquillière, 44 | Étienne-Marcel, 47 | Sentier |
| éron | (cité) | l'Hôpital-Saint-Louis, 5 | en impasse | Colonel-Fabien |
| erran | (villa) | de la Pompe, 85 | en impasse | Rue de la Pompe |
| erran | | Descamps, 6 | Longchamp, 101 | Rue de la Pompe |
| erschel | | bd Saint-Michel, 72 | av. de l'Observat., 9 | Port-Royal |
| ersent | (villa) | d'Alleray, 27 | en impasse | Vaugirard |
| esse | (de) | Villehardouin | | St-Sébastien-Froissart |
| Hippolyte-Lebas | | de Maubeuge, 9 | Martyrs, 12 | Notre-Dame-de-Lorette |
| Hippolyte-Maindron | | Maurice-Ripoche | Alésia, 130 | Pernéty-Plaisance |
| Hirondelle | (de l') | place Saint-Michel, 6 | Gît-le-Cœur, 11 | Saint-Michel |
| Hittorf | (cité) | cité Magenta | Hittorf, 2 | Château d'Eau |
| Hittorf | | cité Hittorf | fg Saint-Martin | Château d'Eau |
| Hiver | (cité) | av. Secrétan, 73 | en impasse | Simon-Bolivar |
| Hoche | (avenue) | Courcelles, 69 | Ch.-de Gaulle-Étoile | Ch.-de-Gaulle-Étoile |
| Honoré-Champion | (square) | quai Malaquai | de Seine | Saint-Germain des Prés |
| Honoré-Chevalier | | Bonaparte, 88 | Cassette, 21 | Saint-Sulpice |
| Hôpital | (bd de l') | place Valhubert, 1 | place d'Italie, 3 | Gare d'Austerlitz |
| nos 104-123 | | de 2 à 44, 5 | | Campo-Formio |
| nos 146-169 | | | | |
| Hôpital-Saint-Louis | (de l') | Grange-aux-Belles, 23 | qu. de Jemmapes, 124 | Colonel-Fabien |
| Horloge | (quai de l') | bd du Palais, 2 | place du pont-Neuf | Châtelet |
| Hortensias | (allée des) | Didot, 94*bis* | en impasse | Plaisance |
| Hospitalières-St-Gervais | (des) | des Rosiers, 46 | Francs-Bourgeois, 47 | Saint-Paul |
| Hôtel-Colbert | (de l') | quai Montebello, 17 | Lagrange, 9 | Maubert-Mutualité |
| Hôtel-d'Argenson | (impasse de l') | Vieille-du-Temple, 20 | | Saint-Paul |
| Hôtel-de-Ville | (de l') | Fauconnier, 3 | de Brosse, 4 | Pont-Marie |
| Hôtel-de-Ville | (place de l') | quai de Gesvres, 2 | Rivoli, 31 | Hôtel de Ville |
| Hôtel-de-Ville | (port de l') | pont Marie | pont d'Arcole | Pont-Marie |
| Hôtel-de-Ville | (quai de l') | Nonnains-d'Hyères, 1 | pont d'Arcole | Pont-Marie |
| Hôtel-Saint-Paul | (de l') | Neuve-Saint-Pierre | Saint-Antoine | Saint-Paul |
| Houdard | | pl. Auguste-Métivier | Tlemcen | Père-Lachaise |
| Houdard-de-Lamotte | | av. Félix-Faure, 43 | en impasse | Boucicaut |
| Houdon | (des) | bd de Clichy, 16 | des Abbesses, 7 | Pigalle |
| Hubert-Monmarché | (place) | Lecourbe | Peclet | Vaugirard |
| Huchette | (de la) | pl. du Petit-Pont, 21 | place Saint-Michel, 3 | Saint-Michel |
| Huit-Mai-1945 | | fg Saint-Martin, 133 | bd Magenta, 84 | Gare de l'Est |
| Huit-Novembre-1942 | (place du) | la Fayette | Chabrol | Poissonnière |
| Hulot | (passage) | Montpensier, 31 | Richelieu, 34 | Palais-Royal-Musée du Louvre |
| Humblot | | bd de Grenelle, 63 | Daniel-Stern, 3 | Dupleix |
| Huyghens | | bd Raspail, 208 | bd Edgar-Quinet, 20 | Vavin |
| Huysmans | | Duguay-Trouin, 7 | bd Raspail, 107 | Notre-Dame-des-Champs |
| Ibsen | (avenue) | av. de la Pte de Bagnolet | limite Bagnolet | Galliéni |
| Iéna | (pont d') | av. de New-York | quai Branly | Trocadéro |
| Iéna | (place d') | av. d'Iéna, 24 | Président-Wilson, 21 | Iéna |
| Iéna | (avenue d') | av. Albert-de Mun | Ch.-de-Gaulle-Étoile | Iéna |
| nos 67-98 | | | | Ch.-de-Gaulle-Étoile |
| Igor-Stravinsky | (place) | Brisemiche | St-Merri | Hôtel de Ville |
| Ile-de-France | (square de l') | quai de l'Archevêcher | | Cité |
| Île-de-la-Réunion | (place de l') | bd de Picpus | des Colonnes-du Trône | Nation |
| Île-de-Sein | (place de l') | bd Arago | du fg Saint-Jacques | Denfert-Rochereau |
| Immeubles-Industriels | (des) | fg Saint-Antoine, 309 | bd Voltaire, 264 | Nation |
| Indochine | (boulevard d') | av. Porte de Pantin | av. de la Pte Brunet | Porte de Pantin |
| Indre | (de l') | Prairies, 34 | Pelleport, 25 | Gambetta |
| Industrie | (passage de l') | bd de Strasbourg | fg Saint-Denis, 42 | Strasbourg-Saint-Denis |
| Industrie | (cité de l') | Saint-Maur, 90 | Oberkampf, 98 | Saint-Maur |
| Industrie | (cour de l') | Montreuil, 37*bis* | en impasse | Faidherbe-Chaligny |
| 3 Industrie | (de l') | Bourgon, 11 | Tage, 16 | Maison-Blanche |
| Industrielle | (cité) | de la Roquette, 115 | en impasse | Voltaire |
| Infante | (jardin de l') | quai du Louvre | | Louvre-Rivoli |
| 5 Ingénieur-Robert-Keller | (de l') | quai André-Citroën, 7 | pl. Charles-Michels | Charles-Michels |
| 6 Ingres | (avenue) | chaussée de la Muette | bd Suchet, 36 | Ranelagh |
| Innocents | (des) | Saint-Denis, 43 | Lingerie, 4 | Châtelet |
| 9 Inspecteur-Allès | (de l') | des Bois | de la Mouzaïa | Pré-Saint-Gervais |
| 6 Institut | (place de l') | quai de Conti, 23 | pont des Arts | Louvre-Rivoli |
| 5 Insurgés-de-Varsovie | (place des) | av. Pte de la Plaine | Vanves | Porte de Versailles |
| 8 Intérieure | | Cour-de Rome | Cour-du Havre | Saint-Lazare |
| 3 Interne-Loëb | (de l') | Dr-Leray | du Dr-Tuffier | Maison-Blanche |
| 7 Invalides | (esplanade des) | Hôtel-des Invalides | quai d'Orsay | Invalides |
| 7 Invalides | (place des) | de Grenelle, 142*bis* | av. Mal-Gallieni | Invalides |
| 7 Invalides | (port des) | place de la Concorde | pont des Invalides | Assemblée Nationale |
| -8 Invalides | (pont des) | quai d'Orsay | quai Conférence | Invalides |
| 7 Invalides | (bd des) | Grenelle, 127 | de Sèvres, 90 | Varenne |
| nos 56-63 | | | | Duroc |

| Plan | Arr. | Nom | Rues | Commençant | Finissant | Métro |
|---|---|---|---|---|---|---|
| F 17 | 20 | Irénée-Blanc | | Paul-Strauss, 4 | Jules-Siegfried | Porte de Bagnolet |
| M10 | 13 | Iris | (cité flor. des) | Brillat-Savarin, 50 | des Glycines | Cité Universitaire |
| E 16 | 19 | Iris | (villa des) | Pge-Mauxins | en impasse | Porte des Lilas |
| J 10 | 5 | Irlandais | (des) | Estrapade, 17 | Lhomond, 9 | Place Monge |
| I 2 | 16 | Isabey | | d'Auteuil, 50 | Poussin, 13 | Michel-Ange-Auteuil |
| D 11 | 18 | Islettes | | bd de la Chapelle, 112 | Goutte-d'Or, 57 | Barbès-Rochechouart |
| E 8 | 8 | Isly | (de l') | Havre, 9 | Rome, 12 | Saint-Lazare |
| D 5 | 17 | Israël | (place d') | Ampère | av. de Wagram, 149 | Wagram |
| K 2 | 15 | Issy-les-Moulineaux | (quai d') | bd Victor | limite Issy-les-Moulin. | Place Balard |
| M11 | 13 | Italie | (d') | Damesme, 24 | du Moulin-des Prés | Tolbiac |
| K 11 | 13 | Italie | (place d') | av. des Gobelins et Italie | av. de Choisy | Place d'Italie |
| L 11 | 13 | Italie | (avenue d') | place d'Italie, 1 | bd Massena, 108 | Place d'Italie |
| | | nos 23-42 | | | | Tolbiac |
| | | nos 87-122 | | | | Maison-Blanche |
| | | nos 143-192 | | | | Porte d'Italie |
| E 9 | 9 | Italiens | (des) | bd des Italiens | Taitbout, 9 | Quatre-Septembre |
| F 9 | 2 | Italiens | (bd des) | Richelieu, 105 | Chaussée-d'Antin | Richelieu-Drouot |
| F 10 | 9 | nos 13-18 | | nos pairs, 9 | nos impairs, 2 | Opéra |
| L 14 | 13 | Ivry | (quai d') | pont National | Ivry | Porte d'Ivry |
| M12 | 13 | Ivry | (avenue d') | bd Masséna, 76 | av. de Choisy, 116 | Porte d'Ivry |
| | | nos 61-66 | | | | Tolbiac |
| M12 | 13 | Ivry-Regnault | (square) | Regnault | | Porte d'Ivry |
| F 11 | 2 | J.-Bidault | (square) | de la Lune | | Bonne Nouvelle |
| H 9 | 6 | Jacob | | de Seine, 50 | Saint-Pères, 31 | St-Germain-des-Prés |
| G 13 | 11 | Jacquard | | Ternaux, 17 | Oberkampf, 52 | Parmentier |
| C 8 | 17 | Jacquemont | | av. de Clichy, 98 | Lemercier, 52 | La Fourche |
| C 8 | 17 | Jacquemont | (villa) | Jacquemont, 14 | en impasse | La Fourche |
| K 9 | 14 | Jacques-Antoine | (square) | pl. Denfert-Rochereau | bd Raspail | Denfert-Rochereau |
| D 4 | 17 | Jacques-Audiberti | (jardin) | Cino-Del-Lucas | av. Pte de Villiers | Porte de Champerret |
| G 8 | 7 | Jacques-Bainville | (place) | Saint-Dominique | bd Saint-Germain | Solférino |
| L 6 | 15 | Jacques-Baudry | | Chauvelot, 21 | Castagnary | Porte de Vanves |
| D 7 | 17 | Jacques-Bingen | | pl. Malesherbes, 20 | Legendre, 9 | Malesherbes |
| F 12 | 10 | Jacques-Bonsergent | (place) | bd Magenta | de Lancry | Jacques-Bonsergent |
| H 9 | 6 | Jacques-Callot | | Mazarine, 44 | Seine, 45 | Odéon |
| B 9 | 18 | Jacques-Cartier | (place) | Championnet, 230 | Lagile, 26 | Guy-Môquet |
| H 12 | 4 | Jacques-Cœur | | la Cerisaie, 6 | Saint-Antoine, 5 | Bastille |
| H 9 | 6 | Jacques-Copeau | (place) | bd St-Germain, 145 | | St-Germain-des-Prés |
| N 11 | 13 | Jacques-Destrée | | limite Gentilly | limite Gentilly | Porte d'Italie |
| J 7 | 15 | Jacques-et-Thér.-Tréfouel | (place) | bd Pasteur | | Pasteur |
| C 9 | 18 | Jacques-Froment | (place) | Carpeaux | Lamarck | Guy-Môquet |
| J 14 | 12 | Jacques-Hillairet | | Montgallet, 2 | de Reuilly, 70 | Bercy |
| C 5 | 17 | Jacques-Ibert | | limite Levallois | av. Pte de Champerret | Louise-Michel |
| C 12 | 18 | Jacques-Kablé | (place) | Département | Philippe-Girard, 56 | Porte de la Chapelle |
| B 8 | 17 | Jacques-Kellner | | av. de St-Ouen, 123 | bd Bessières | Porte de Saint-Ouen |
| F 13 | 10 | Jacques-Louvel-Tessier | | Bichet | Saint-Maur, 195 | Goncourt |
| K 6 | 15 | Jacques-Marette | (place) | de Cronstadt | des Morillons | Convention |
| J 5 | 15 | Jacques-Mawas | | Commandant-Léandri | François-Mouthon | Convention |
| H 3 | 16 | Jacques-Offenbach | | Gal-Aubé | Antoine-Arnauld | Ranelagh |
| G 15 | 20 | Jacques-Prévert | | des Amandiers | Tlemcen | Père-Lachaise |
| F 9 | 9 | Jacques-Rouche | (place) | Meyerber | Gluck | Opéra |
| H 5 | 7 | Jacques-Rueff | (place) | av. J.-Bouvard | | École Militaire |
| H 13 | 11 | Jacques-Viguès | (cour) | fg Saint-Antoine, 59 | | Ledru-Rollin |
| L 8 | 14 | Jacquier | | Delbet, 8 | Bardinet, 17 | Plaisance |
| D 6 | 17 | Jadin | | de Chazelles, 41 | Médéric, 37 | Monceau |
| J 11 | 5 | Jaillot | (passage) | Saint-Médard, 3 | Ortolan, 10 | Place Monge |
| K 13 | 13 | James-Joyce | (jardin) | Valérie-Larbaud, 1 | Abel-Gance, 8 | Quai de la Gare |
| L 7 | 14 | Jamot | (villa) | Didot, 105 | en impasse | Plaisance |
| E 14 | 19 | Jandelle | (cité) | Rébeval, 55 | en impasse | Belleville |
| D 15 | 19 | Janssen | | des Lilas, 20 | inspecteur-Allès | Pré-Saint-Gervais |
| F 16 | 20 | Japon | (du) | Belgrand | av. Gambetta, 48 | Gambetta |
| H 14 | 11 | Japy | | Gobert, 7 | F-de-Neufchâteau, 4 | Voltaire |
| H 10 | 6 | Jardinet | (du) | l'Eperon, 12 | cour Rohan, 3 | Odéon |
| H 15 | 11 | Jardiniers | (impasse des) | bd Voltaire, 215*bis* | | Boulets-Montreuil |
| K 15 | 12 | Jardiniers | (des) | de Charenton, 315 | Meuniers | Porte de Charenton |
| H 12 | 4 | Jardins-Saint-Paul | (des) | quai des Célestins, 28 | Charlemagne, 9 | Pont-Marie |
| H 12 | 4 | Jarente | (de) | Turenne, 15 | Sévigné, 14 | Saint-Paul |
| E 11 | 10 | Jarry | | bd de Strasbourg, 69 | fg Saint-Denis, 92 | Gare de l'Est |
| H 2 | 16 | Jasmin | (cour) | Jasmin, 16 | en impasse | Jasmin |
| H 2 | 16 | Jasmin | (square) | Jasmin, 10 | en impasse | Jasmin |
| H 2 | 16 | Jasmin | | Mozart, 78 | Raffet, 10 | Jasmin |
| I 15 | 12 | Jaucourt | | Picpus, 23 | place de la Nation, 10 | Nation |
| I 3 | 15 | Javel | (port de) | pont de Grenelle | pont de Garigliano | Javel-André-Citroën |
| J 4 | 15 | Javel | (de) | quai André-Citroën, 41 | Blomet, 152 | Javel-André-Citroën |
| | | nos 69-72 | | | | Charles-Michels |
| | | nos 170-197 | | | | Convention |
| L 12 | 13 | Javelot | (du) | de Tolbiac | de Baudricourt | Tolbiac |
| F 14 | 11 | Jean-Aicard | (avenue) | Oberkampf, 138 | pl. de Ménilmontant | Ménilmontant |
| K 14 | 13 | Jean-Anouilh | | Neuve-Tolbiac, 20 | Emile-Durkheim, 19 | Quai de la Gare |
| L 14 | 13 | Jean-Antoine-de-Baïf | | quai Panhard et Levassor | Croix-Jarry, 4 | Boulevard Masséna |
| K 13 | 13 | Jean-Arp | | George-Balanchine | bd Vincent-Auriol | Quai de la Gare |
| L 14 | 13 | Jean-Baptiste-Berlier | | place Masséna | quai d'Ivry | Porte d'Ivry |
| C 10 | 18 | Jean-Baptiste-Clément | (place) | Ravignan, 19 | Lepic, 93 | Abbesses |
| D 5 | 17 | Jean-Baptiste-Dumas | | Bayen, 46 | Laugier, 63 | Péreire |
| E 15 | 20 | Jean-Baptiste-Dumay | | des Pyrénées, 348 | de Belleville, 114 | Jourdain |
| I 5 | 15 | Jean-Baptiste-Luquet | (villa) | av. Emile-Zola | Entrepreneurs, 45 | Charles-Michels |
| D 9 | 9 | Jean-Baptiste-Pigalle | | Blanche, 18 | pl. Pigalle, 1 | Pigalle |
| D 16 | 19 | Jean-Baptiste-Sémanaz | | Pré-Saint-Gervais | Rabelais | Danube |
| I 9 | 6 | Jean-Bart | | de Vaugirard, 31 | de Fleurus, 14 | Saint-Placide |
| H 13 | 4 | Jean-Beausire | (impasse) | Jean-Beausire, 21 | | Bastille |
| H 12 | 4 | Jean-Beausire | (passage) | Jean-Beausire, 11 | Tournelles, 12 | Bastille |
| H 13 | 4 | Jean-Beausire | | de la Bastille, 9 | Beaumarchais, 13 | Bastille |
| H 4 | 16 | Jean-Bologne | | l'Annonciation, 12 | de Passy, 53 | Passy |
| I 13 | 12 | Jean-Bouton | | Hector-Malot, 16 | bd Diderot | Gare de Lyon |
| J 11 | 5 | Jean-Calvin | | Mouffetard | place Lucien-Herr | Censier-Daubenton |
| H 6 | 7 | Jean-Carriès | | Thomy-Thierry | av. de Suffren | Dupleix |
| J 4 | 15 | Jean-Cocteau | (square) | Modigliani, 56 | Lecourbe, 38 | Sèvres-Lecourbe |
| B 11 | 18 | Jean-Cocteau | | av. Pte des Poissonniers | Francis-de-Croisset | Porte de Clignancourt |
| L 13 | 13 | Jean-Colly | | Tolbiac, 48 | Ch.-des-Rentiers,108 | Nationale |
| B 12 | 18 | Jean-Cottin | | des Roses, 22 | en impasse | Marx-Dormoy |
| I 6 | 15 | Jean-Daudin | | bd Garibaldi, 56 | Lecourbe, 38 | Sèvres-Lecourbe |
| I 10 | 5 | Jean-de-Beauvais | | bd Saint-Germain, 51 | Lanneau, 18 | Maubert-Mutualité |
| K 10 | 14 | Jean-Dolent | | Santé, 42 | fg Saint-Jacques, 79 | Saint-Jacques |
| B 9 | 18 | Jean-Dollfus | | Liebniz, 42 | bd Ney | Porte de Saint-Ouen |
| H 11 | 4 | Jean-du-Bellay | | quai d'Orléans, 42 | quai Bourbon, 35 | Hôtel de Ville |
| M12 | 13 | Jean-Dunand | | de la Pointe-d'Ivry | Ch. Bertheau | Porte de Choisy |
| D 13 | 10 | Jean-Falck | (square) | la Villette, 117 | | Jean-Jaurès |
| L 13 | 13 | Jean-Fautrier | | Albert, 47 | du Ch.-des-Rentiers, 42 | Porte d'Ivry |
| I 8 | 6 | Jean-Ferrandi | | Cherche-Midi | Vaugirard | Saint-Placide |
| J 5 | 15 | Jean-Formigé | | Théoph.-Renaudot | du Dr-J-Clémenceau | Vaugirard |
| I 8 | 6 | Jean-François-Gerbillon | | l'Abbé-Grégoire, 26 | Bérite, 4 | Saint-Placide |
| C 11 | 18 | Jean-François-Lépine | | Marx-Dormoy, 25 | Stephenson, 12 | Porte de la Chapelle |
| K 13 | 13 | Jean-Giono | | Raymond-Aron | Abel-Gance | Quai de la Gare |
| F 5 | 16 | Jean-Giraudoux | | av. Marceau, 39 | la Pérouse, 38 | Kléber |
| K 16 | 12 | Jean-Godard | (villa) | av. Daumesnil, 276 | Ernest-Lacoste | Porte Dorée |
| F 7 | 8 | Jean-Goujon | | av. Fr.-Roosevelt | place Reine-Astrid. | Alma-Marceau |
| A 9 | 18 | Jean-Henri-Fabre | | av. Pte Clignancourt | av. Pte Montmartre | Porte de Clignancourt |
| F 3 | 16 | Jean-Hugues | | Longchamp, 160 | en impasse | Porte Dauphine |
| G 10 | 1 | Jean-Jacques- Rousseau | | Saint-Honoré, 158 | Montmartre, 21 | Les Halles |
| C 14 | 19 | Jean-Jaurès | (avenue) | bd de la Villette, 202 | bd Sérurier | Jaurès |
| | | nos 110-121 | | | | Laumière |
| | | nos 174-200 | | | | Porte de Pantin |

| Plan | Arr. | Nom | Rues | Commençant | Finissant | Métro |
|---|---|---|---|---|---|---|
| G 10 | 1 | Jean-Lantier | | Saint-Denis, 5 | Bertin-Poirée, 16 | Châtelet |
| B 8 | 17 | Jean-Leclaire | (square) | Lantiez | Jean-Leclaire | Porte de Saint-Ouen |
| B 8 | 17 | Jean-Leclaire | | la Jonquière, 22 | bd Bessières | Guy-Môquet |
| I 2 | 16 | Jean-Lorrain | (place) | la Fontaine | Michel-Ange | Michel-Ange-Auteuil |
| C 6 | 17 | Jean-Louis-Forain | | de l'Abbé-Rousselot | av. Brunetière | Péreire |
| H 14 | 11 | Jean-Macé | | de Chanzy, 21 | Faidherbe, 40 | Charonne |
| J 4 | 15 | Jean-Maridor | | av. Félix-Faure, 79 | Lecourbe, 292 | Lourmel |
| L 11 | 13 | Jean-Marie-Jégo | | Buttes-aux-Cailles, 1 | Samson | Corvisart |
| D 14 | 19 | Jean-Menans | | Manin, 47 | Edouard-Pailleron, 42 | Bolivar |
| F 7 | 8 | Jean-Mermoz | | rd-pt des Ch.-Élysées, 2 | fg Saint-Honoré, 95 | Franklin-D.-Roosevelt |
| E 13 | 10 | Jean-Moinon | | Saint-Maur, 218 | Sambre-et-Meuse, 34 | Belleville |
| F 4 | 16 | Jean-Monnet | (place) | av. Victor-Hugo | de la Pompe | Victor-Hugo |
| C 5 | 17 | Jean-Moréas | | av. Steph.-Mallarmé | bd Somme, 15 | Porte de Champerret |
| J 15 | 12 | Jean-Morin | (square) | de Bercy | bd de Reuilly | Dugommier |
| L 8 | 14 | Jean-Moulin | (avenue) | Gal-Leclerc, 90 | bd Brune, 145 | Alésia |
| M 8 | 14 | Jean-Moulin | (square) | av. de la Pte Châtillon | Nicolas-Taunay | Porte d'Orléans |
| G 7 | 7 | Jean-Nicot | (passage) | Saint-Dominique, 89 | Grenelle, 170*bis* | La Tour-Maubourg |
| G 6 | 7 | Jean-Nicot | | quai d'Orsay, 69 | Saint-Dominique, 74 | La Tour-Maubourg |
| D 13 | 19 | Jean-Nohain | | Clovis, 2 | en impasse | Stalingrad |
| C 5 | 17 | Jean-Oestreicher | | av. Pte de Champerret | du Cap.-Peugot | Louise-Michel |
| H 3 | 16 | Jean-Paul-Laure | (square) | av. Th.-Rousseau | en impasse | Ranelagh |
| G 5 | 7 | Jean-Paulhan | (allée) | av. G-Eiffel | quai Branly | Bir-Hakeim |
| F 13 | 11 | Jean-Pierre-Timbaud | (square) | Jean-Pierre-Timbaud | des Trois-Couronnes | Couronne |
| F 14 | 11 | Jean-Pierre-Timbaud | | bd du Temple, 2 | bd de Belleville | Filles du Calvaire |
| | | nos 13-14 | | | | Oberkampf |
| | | nos 45-54 | | | | Parmentier |
| | | nos 103-120 | | | | Couronnes |
| E 12 | 10 | Jean-Poulmarch | | de Marseille, 17 | quai de Valmy | Jacques-Bonsergent |
| E 15 | 19 | Jean-Quarré | | H-Ribière, 12 | Dr-Potain, 12 | Télégraphe |
| K 14 | 12 | Jean-Renoir | | Paul-Belmondo, 48 | de Pommard, 43 | Bercy |
| H 5 | 15 | Jean-Rey | | Fédération | av. de Suffren | Bir-Hakeim |
| G 3 | 16 | Jean-Richepin | | Pompe, 39 | bd Emile-Augier | Rue de la Pompe |
| C 12 | 18 | Jean-Robert | | Doudeauville, 12 | Ordener, 11 | Marx-Dormoy |
| E 13 | 19 | Jean-Rostand | (place) | bd de la Villette | Hector-Guimard | Belleville |
| K 12 | 13 | Jean-Sébastien-Bach | | Nationale | Clisson | Nationale |
| L 6 | 15 | Jean-Sicard | | bd Lefebvre | av. Albert-Bartholomé | Porte de Vanves |
| I 6 | 15 | Jean-Thébaud | (square) | Paul-Chautard | Paul-Chautard | Cambronne |
| G 10 | 1 | Jean-Tison | | de Rivoli, 154 | Bailleul, 11 | Louvre-Rivoli |
| B 9 | 18 | Jean-Varenne | (de) | bd Ney | av. Pte Montmartre | Porte de Saint-Ouen |
| G 17 | 20 | Jean-Veber | | bd Davout | en impasse | Porte de Bagnolet |
| K 13 | 13 | Jean-Vilar | (place) | Abel-Gance | George-Balanchine | Quai de la Gare |
| H 11 | 4 | Jean-XXIII | (square) | du Cloître Notre-Dame | | Cité |
| J 8 | 14 | Jean-Zay | | av. du Maine | Jules-Guesde | Gaîté |
| K 12 | 13 | Jeanne-d'Arc | (place) | Jeanne-d'Arc, 38 | Lahire, 1 | Nationale |
| K 12 | 13 | Jeanne-d'Arc | | Domrémy, 54 | bd Saint-Marcel, 41 | Nat.-Campo-Formio |
| J 6 | 15 | Jeanne-Hachette | | Lecourbe, 167 | Blomet, 114 | Vaugirard |
| J 17 | 12 | Jeanne-Jugan | | av. Courteline, 29 | av. Pte de Vincennes | Saint-Mandé-Tourelle |
| F 12 | 10 | Jemmapes | (quai de) | fg du Temple, 29 | bd de la Villette, 131 | République |
| | | no 98 | | | | Jacques-Bonsergent |
| | | nos 148 | | | | Château-Landon |
| | | nos 205 | | | | Jaurès |
| K 12 | 13 | Jenner | | bd Vincent-Auriol, 82 | bd de l'Hôpital, 109 | Campo-Formio |
| C 5 | 17 | Jérôme-Bellat | (square) | bd Berthier, 170 | pl. Saint-Merril | Porte de Champerret |
| D 11 | 18 | Jessaint | (de) | pl. de la Chapelle, 28 | Charbonnière, 1 | Porte de la Chapelle |
| D 11 | 18 | Jessaint | (square) | pl. de la Chapelle | en impasse | Pte de la Chapelle |
| F 12 | 11 | Jeu-de-Boules | (passage du) | Amelot, 144 | de Malte, 45 | Oberkampf |
| F 10 | 2 | Jeûneurs | (des) | Poissonnière, 7 | Montmartre, 158 | Sentier |
| | | nos 23-32 | | | | Rue Montmartre |
| G 10 | 1 | Joachim-du-Bellay | (place) | Forum des Halles Niv. 1 | voir détails p. 38 | Les Halles |
| L 7 | 14 | Joanès | (passage) | Didot, 93 | Joanès, 12 | Plaisance |
| L 7 | 14 | Joanès | | de l'Abbé-Carton, 56 | Boulitte, 17 | Plaisance |
| K 6 | 15 | Jobbé-Duval | | Dombasle, 40 | Morillons, 21 | Convention |
| G 3 | 16 | Jocelyn | (villa) | square Lamartine, 3 | en impasse | Rue de la Pompe |
| H 6 | 7 | Joffre | (place) | av. La M.-Picquet-Grenelle | av. de Suffren | École Militaire |
| F 12 | 10 | Johann-Strauss | (place) | bd Saint-Martin | René-Boulanger | République |
| C 14 | 19 | Joinville | (de) | quai de l'Oise | av. de Flandre, 104 | Crimée |
| C 14 | 19 | Joinville | (impasse de) | de Flandre, 106 | | Crimée |
| C 14 | 19 | Joinville | (place de) | quai de l'Oise | de Joinville | Crimée |
| J 8 | 14 | Jolivet | | du Maine, 2 | bd Edgar-Quinet | Edgar-Quinet |
| G 14 | 11 | Joly | (cité) | Chemin-Vert, 123 | en impasse | Père-Lachaise |
| C 14 | 19 | Jomard | | de Crimée, 160 | de Joinville, 1 | Crimée |
| L 11 | 13 | Jonas | | cour des Artistes | Samson, 28 | Corvisart |
| J 4 | 15 | Jongkind | | Saint-Charles | en impasse | Lourmel |
| L 7 | 14 | Jonquilles | (des) | R.-Losserand, 182 | Vercingétorix, 211 | Porte de Vanves |
| L 7 | 14 | Jonquoy | | des Suisses, 11 | Didot, 78 | Plaisance |
| H 7 | 7 | José-Maria-de-Heredia | (de) | av. Ségur, 63 | Pérignon, 18 | Ségur |
| G 4 | 16 | José-Marti | (place) | av. Paul-Doumer | des Réservoirs | Trocadéro |
| J 9 | 6 | Joseph-Bara | | d'Assas, 110 | N.-D.-des-Champs, 97 | Vavin |
| M13 | 13 | Joseph-Bédier | (avenue) | av. Maryse-Bastié | Dr-Yersin, 4 | Porte d'Ivry |
| H 5 | 7 | Joseph-Bouvard | (avenue) | pl. du Ch.-de Mars | av. de Suffren, 41 | École Militaire |
| K 16 | 12 | Joseph-Chailley | | Poniatowski, 92 | Charles-de-Foucault | Porte Dorée |
| C 9 | 18 | Joseph-de-Maistre | | Lepic, 31 | Champion, 217 | Blanche |
| | | nos 37-8 | | | | Guy-Môquet |
| B 10 | 18 | Joseph-Dijon | (place) | Beaudelieu, 27 | Mont-Cenis, 88 | Simplon |
| E 4 | 16 | Joseph-et-Marie-Hackin | | av. de Neuilly | bd Maillot | Porte Maillot |
| H 7 | 7 | Joseph-Granier | | av. Tourville, 10 | Louis-Codet | École Militaire |
| B 9 | 18 | Joséphine | | Damrémont, 117 | en impasse | Porte de Clignancourt |
| K 14 | 12 | Joseph-Kessel | | quai de Bercy | de Pommard | Dugommier |
| J 6 | 15 | Joseph-Liouville | | Mademoiselle | Croix-Nivert | Commerce |
| G 17 | 20 | Joseph-Python | | Louis-Lumière | en impasse | Galliéni |
| E 8 | 8 | Joseph-Sansbœuf | | de la Pépinière | du Rocher | Gare-Saint-Lazare |
| H 16 | 20 | Josseaume | (passage) | des Haies, 69 | des Vignoles, 22 | Buzenval |
| H 13 | 11 | Josset | (passage) | des Charonne, 40 | av. Ledru-Rollin, 101 | Ledru-Rollin |
| E 9 | 9 | Joubert | | Chaussée-d'Antin, 37 | Caumartin, 58 | Chaussée d'Antin |
| H 15 | 11 | Joudrier | (impasse) | bd Charonne, 85 | | Alexandre-Dumas |
| E 10 | 9 | Jouffroy | (passage) | bd Montmartre, 12 | Grange-Batelière, 9 | Richelieu-Drouot |
| D 7 | 17 | Jouffroy-d'Abbans | | bd Péreire, 1 | av. Wagram, 82 | Wagram |
| G 10 | 1 | Jour | (du) | Coquillière, 2 | Montmartre, 11 | Les Halles |
| G 10 | 1 | Jour | (porte du) | Forum des Halles Niv. 2 | voir détails p. 38 | Les Halles |
| E 15 | 20 | Jourdain | (du) | Pyrénées, 336 | Belleville, 136 | Jourdain |
| M 9 | 14 | Jourdan | (boulevard) | Amiral-Mouchez, 100 | av. Gal-Leclerc, 131 | Porte d'Orléans |
| J 2 | 16 | Jouvenet | (square) | Jouvenet, 16 | | Chardon-Lagache |
| J 2 | 16 | Jouvenet | | av. de Versailles, 152 | Boileau, 53 | Chardon-Lagache |
| H 12 | 4 | Jouy | (de) | Nonnains-d'Hyères, 37 | François-Miron, 58 | Saint-Paul |
| E 14 | 20 | Jouye-Rouve | | Belleville, 60 | Julien-Lacroix, 68 | Pyrénées |
| B 8 | 17 | Joyeux | (cité) | des Epinettes, 53 | en impasse | Porte de Saint-Ouen |
| M12 | 13 | Juan-Miro | (jardin) | Gandon | allée Marc-Chagall | Porte d'Italie |
| I 5 | 15 | Juge | (villa) | Juge, 22 | Villa de Grenelle | Dupleix |
| I 5 | 15 | Juge | | Viala, 15 | Violet, 8 | Dupleix |
| H 11 | 4 | Juges-Consuls | (des) | Verrerie, 70 | Cloître-St-Merry, 3 | Hôtel de Ville |
| F 15 | 20 | Juillet | | Bidassoa, 44 | Bidassoa, 54 | Gambetta |
| C 6 | 17 | Jules-Bourdais | | av. Brunetière | bd Berthier | Porte de Champerret |
| J 12 | 13 | Jules-Breton | | Jeanne-d'Arc, 172 | bd St-Marcel, 37 | Saint-Marcel |
| I 13 | 12 | Jules-César | | bd Bastille, 26 | de Lyon, 43 | Quai de la Rapée |
| J 9 | 6 | Jules-Chaplain | | N.-D.-des Champs | Bréa, 21 | Vavin |
| H 17 | 20 | Jules-Chéret | (square) | Mendelssohn, 11 | Drs-Déjerine, 9 | Porte de Montreuil |
| G 3 | 16 | Jules-Claretie | | bd Emile-Augier, 40 | en impasse | La Muette |
| B 9 | 18 | Jules-Cloquet | | p. Charles-Albert, 20 | bd Ney, 131 | Porte de Saint-Ouen |
| H 12 | 4 | Jules-Cousin | | bd Henri-IV, 11 | Petit-Musc, 10 | Sully-Morland |
| E 17 | 20 | Jules-David | | Paul-Meurice | Bruyères | Porte des Lilas |

| Plan | Arr. | Nom | Rues | Commençant | Finissant | Mé |
|---|---|---|---|---|---|---|
| F 16 | 20 | Jules-Dumien | | Pelleport, 108 | Henri-Poincaré | Pell |
| L 5 | 15 | Jules-Dupré | | A.-Périchaux | bd Lefèbvre, 95 | Port |
| F 12 | 11 | Jules-Ferry | (boulevard) | av. République, 13 | fg du Temple, 28 | Père |
| K 8 | 14 | Jules-Guesde | | Vercingétorix, 19 | Ray.-Losserand, 18 | Gaît |
| M 9 | 14 | Jules-Hénaffe | (place) | av. Reille | | Port |
| G 3 | 16 | Jules-Janin | (avenue) | de la Pompe, 32 | de la Pompe, 12 | La M |
| C 10 | 18 | Jules-Joffrin | (place) | Ordener | Mairie, 18e | Jules |
| C 10 | 18 | Jules-Jouy | (avenue) | Francoeur, 16 | Cyr.-de Bergerac, 5 | Lama |
| D 15 | 19 | Jules-Laforgue | (villa) | Miguel-Hidalgo | en impasse | Botz |
| D 9 | 9 | Jules-Lefebvre | | de Clichy, 49 | Amsterdam, 68 | Liège |
| J 17 | 12 | Jules-Lemaître | | bd Soult | Maurice-Ravel | Porte |
| K 15 | 12 | Jules-Pichard | | des Jardiniers | des Meuniers | Porte |
| D 5 | 17 | Jules-Renard | (place) | bd Gouvion-St-Cyr | Alexand.-Charpentier | Porte |
| E 13 | 19 | Jules-Romains | | de Belleville, 17 | Rébeval, 30 | Belle |
| G 3 | 16 | Jules-Sandeau | (boulevard) | Octave-Feuillet, 2 | av. H.-Martin, 101 | Rue d |
| E 16 | 19 | Jules-Senard | (place) | av. Pte des Lilas | | Porte |
| F 16 | 20 | Jules-Siegfried | | Irénée-Blanc | Pierre-Mouillard | Porte |
| J 5 | 15 | Jules-Simon | | Croix-Nivert, 141 | Cournot | Félix- |
| G 10 | 1 | Jules-Supervielle | (allée) | Forum des Halles Niv. 1 | voir détails p. 38 | Les H |
| H 14 | 11 | Jules-Vallès | | Chanzy, 25 | de Charonne, 104 | Charo |
| F 13 | 11 | Jules-Verne | | de l'Orillon, 21 | fg du Temple, 98 | Bellev |
| L 6 | 14 | Julia-Bartet | | place Pte de Vanves | bd Adolphe-Pinard | Porte |
| F 14 | 20 | Julien-Lacroix | | Ménilmontant, 49 | de Belleville, 56 | Couro |
| K 10 | 13 | Julienne | (de) | Pascal, 52 | bd Arago, 45 | Les Ge |
| E 13 | 10 | Juliette-Dodu | | Claude Vellefaux, 3 | Grange-aux-Belles, 20 | Colone |
| C 6 | 17 | Juliette-Lamber | | bd Péreire, 36 | bd Malesherbes, 190 | Péreire |
| C 9 | 18 | Junot | (avenue) | Girardon | Caulaincourt, 64 | Lamare |
| K 11 | 13 | Jura | (du) | Oudry, 14 | bd Saint-Marcel, 49 | Campo |
| F 10 | 2 | Jussienne | (de la) | Etienne-Marcel, 42 | Montmartre, 41*bis* | Les Ha |
| I 11 | 5 | Jussieu | (place) | Linné, 24 | Jussieu, 19 | Jussie |
| I 11 | 5 | Jussieu | | Cuvier, 10 | Cardinal-Lemoine, 35 | Jussier |
| C 9 | 18 | Juste-Métivier | | av. Junot | Caulaincourt, 56 | Lamarc |
| F 17 | 20 | Justice | (de la) | du Surmelin, 72 | bd Mortier | Pellepo |
| F 17 | 20 | Justice | (passage de la) | de la Justice | | Pellepo |
| K D 12 | 19 | Kabylie | (de) | bd de la Villette, 216 | de Tanger, 12 | Porte d |
| H 13 | 11 | Keller | | de Charonne, 43 | de la Roquette, 74 | Ledru-F |
| M11 | 13 | Kellermann | (boulevard) | av. d'Italie, 192 | Amiral-Mouchez | Porte d |
| F 5 | 16 | Kepler | | de Bassano, 21 | Galilée, 42 | Kléber |
| M11 | 13 | Keufer | | bd Kellermann | av. Caffieri | Porte d' |
| F 5 | 16 | Kléber | (impasse) | av. Kléber, 60 | | Kléber |
| F 5 | 16 | Kléber | (avenue) | Ch.-de-Gaulle-Étoile | pl. du Trocadéro, 4 | Kléber |
| | | nos 57-120 | | | | Trocadé |
| E 10 | 9 | Kossuth | (place) | Chateaudun, 12 | du fg Montmartre, 58 | Notre-D |
| B 11 | 18 | Kracher | (passage) | Clignancourt, 137 | Nve-de la Chardonnière | Simplon |
| M11 | 13 | Küss | | Peupliers | Brillat-Savarin | Maison |
| L H 12 | 3 | L.-Achille | (square) | du Parc-Royal | | Chemin |
| E 7 | 8 | La Baume | (de) | de Courcelles, 22 | av. Percier, 13 | Saint-Ph |
| E 7 | 8 | La Boétie | | bd Haussmann, 9 | av. des Ch.-Élysées, 62 | Saint-Au |
| | | nos 100-110 | | | | St-Philip |
| H 6 | 7 | La Bourdonnais | (avenue de) | quai Branly | av. de la M.-Picquet | École Mi |
| G 6 | 7 | La Bourdonnais | (port de) | pont de l'Alma | pont d'Iéna | Alma-Ma |
| D 9 | 9 | La Bruyère | (square) | Pigalle, 21 | | Trinité |
| D 9 | 9 | La Bruyère | | N.-D.-de Lorette, 33 | Blanche, 50 | Saint-Ge |
| C 15 | 19 | La Champmeslé | (square) | av. Jean-Jaurès, 182 | en impasse | Ourcq |
| C 8 | 17 | La Condamine | | av. de Clichy, 75 | Dulong, 14 | Rome |
| E 10 | 9 | La Fayette | | Chaussée-d'Antin, 58 | bd de la Villette, 137 | Chaussée |
| | | nos 21-24 | | | | Le Peletie |
| D 12 | 10 | nos 83-84 | | | | Poissonn. |
| | | nos 141-148 | | | | Gare du N |
| | | nos 202-243 | | | | Louis-Bla |
| F 10 | 1 | La Feuillade | | pl.de la Victoire, 4*bis* | Petits-Pères | Bourse |
| | 2 | nos pairs, 2e | | nos impairs, 1er | | |
| H 3 | 16 | La Fontaine | (hameau) | la Fontaine, 8 | en impasse | Ranelagh |
| I 3 | 16 | La Fontaine | (square) | la Fontaine, 33 | | Jasmin |
| I 3 | 16 | La Fontaine | | de l'Assomption, 1 | d'Auteuil, 48 | Michel-Ar |
| J 2 | 16 | La Frillière | (avenue de) | Claude Lorrain | Parc-de Rosan, 7 | Exelmans |
| B 7 | 17 | La Jonquière | (impasse de) | la Jonquière, 101 | en impasse | Porte de C |
| B 8 | 17 | La Jonquière | (de) | av. de Saint-Ouen, 81 | bd Bessières, 107 | Guy-Môqu |
| | | nos 93-114 | | | | Porte de C |
| F 9 | 2 | La Michodière | (de) | Saint-Augustin, 28 | bd des Italiens | Quatre-Se |
| I 5 | 15 | La Motte-Picquet | (square) | pl. Card.-Amette | Ouessant, 5 | La M.-Picq |
| H 6 | 7 | La Motte-Picquet | (avenue de) | av. la Tour-Maubourg | bd de Grenelle, 111 | La Tour-Ma |
| | | nos 23-43 | | | | École-Mili |
| I 5 | 15 | nos 67-68 | | | | La M.-Picq |
| F 5 | 16 | La Pérouse | | Belloy, 1 | av. d'Iéna, 65 | Kléber |
| H 8 | 7 | La Planche | (de) | de Varenne, 15 | en impasse | Sèvres-Bab |
| K 6 | 15 | La Quintinie | | Bargue, 18 | d'Alleray, 29 | Volontaires |
| G 11 | 1 | La Reynie | (de) | Saint-Martin, 93 | Saint-Denis, 34 | Châtelet |
| H 8 | 7 | La Rochefoucauld | (square de) | Bac, 108 | | Sèvres-Bab |
| E 9 | 9 | La Rochefoucauld | (de) | Saint-Lazare, 52 | Pigalle, 54 | Saint-Georg |
| F 9 | 1 | La Sourdière | (de) | Saint-Honoré, 306 | Gomboust, 1 | Tuileries |
| G 7 | 7 | La Tour-Maubourg | (boulevard de) | quai d'Orsay,41 | av. Lowendal, 2 | La Tour-Mau |
| D 10 | 9 | La Tour d'Auvergne | (de) | Maubeuge, 37 | des Martyrs, 54 | Anvers |
| D 10 | 9 | La Tour d'Auvergne | (impasse de) | la Tour-d'Auv., 34 | | Anvers |
| F 6 | 8 | La Trémoille | (de) | av. George-V | François-Ier, 29 | Alma-Marce |
| H 14 | 11 | La Vacquerie | | Folie-Regnault, 3 | Roquette, 166 | Voltaire |
| D 10 | 18 | La Vieuville | | place des Abbesses | Trois-Frères, 31 | Abbesses |
| F 10 | 1 | La Vrillière | | Croix des P.-Champs | la Feuillade, 7 | Palais-Royal |
| | | | | | | Louvre |
| C 11 | 18 | Labat | | Poissonnière, 61 | Bachelet, 14 | Marcadet-P |
| D 5 | 17 | Labie | | av. des Ternes, 81 | Brunel, 46 | Argentine |
| D 5 | 17 | Labie | | av. des Ternes, 81 | Brunel, 46 | Argentine |
| B 13 | 19 | Labois-Rouillon | | Curial, 29 | Aubervilliers, 164 | Crimée |
| E 8 | 8 | Laborde | (de) | du Rocher, 9 | bd Haussmann, 132 | Saint-August |
| L 6 | 15 | Labrador | (impasse du) | Camulogène, 5 | | Porte de Van |
| K 7 | 15 | Labrouste | | place Falguière, 4 | Morillons, 107 | Plaisance |
| | | nos 65-77 | | | | Convention |
| F 14 | 20 | Labyrinthe | (cité du) | Ménilmontant, 24 | des Panoyaux, 35 | Ménilmontan |
| C 8 | 17 | Lacaille | | Guy-Môquet, 53 | la Jonquière, 19 | Guy-Môquet |
| L 9 | 14 | Lacaze | | Tombe-Issoire, 128 | Père-Corentin, 35 | Alésia |
| J 11 | 5 | Lacépède | | Linné, 1 | Mouffetard, 19 | Place Monge |
| K 15 | 12 | Lachambeaudie | (place) | de Bercy, 44 | Proudhon | Dugommier |
| G 13 | 11 | Lacharrière | | bd Voltaire, 73 | Saint-Maur, 63 | Saint-Ambrois |
| M12 | 13 | Lachelier | | bd Masséna | passage Galot | Porte de Chois |
| J 4 | 15 | Lacordaire | | de Javel, 82 | Saint-Charles, 177 | Charles-Mich |
| K 5 | 15 | Lacretelle | | de Vaugirard, 395 | Olivier-de-Serres, 102 | Convention |
| C 8 | 17 | Lacroix | | av. de Clichy, 114 | Davy, 31 | Brochant |
| I 13 | 12 | Lacuée | | bd de la Bastille, 34 | de Lyon, 45 | Bastille |
| D 9 | 9 | Laferrière | | N.-D.-de-Lorette, 2 | Henri-Mont, 4 | Saint-Georges |
| E 10 | 9 | Laffitte | | bd des Italiens, 20 | Châteaudun, 21 | Richelieu-Drou |
| | | nos 36-29 | | | | Le Peletier |
| | | nos 51 | | | | N.-Dame-de-L |
| J 10 | 5 | Lagarde | (square de la) | Lagarde, 7 | | Censier-Daube |
| J 11 | 5 | Lagarde | | de l'Arbalète, 16 | Vauquelin, 16*bis* | Censier-Daube |
| C 11 | 18 | Laghouat | (de) | Stéphenson, 41 | Léon, 22 | Château-Rouge |
| B 9 | 18 | Lagille | | av. de Saint-Ouen, 118 | en impasse | Guy-Môquet |
| I 17 | 20 | Lagny | (passage de) | de Lagny, 89 | Philidor, 20 | Porte de Vincer |
| I 17 | 20 | Lagny | (de) | bd de Charonne, 10 | à Vincennes | Nation |
| | | nos 85-90 | | | | Porte de Vincer |
| I 11 | 5 | Lagrange | | quai Montebello, 21 | place Maubert | Maubert-Mutua |

| | Rues | Commençant | Finissant | Métro |
|---|---|---|---|---|
| e | | Jeanne-d'Arc, 41 | Clisson, 79 | Nationale |
| al | | du Commerce, 87 | Croix-Nivert, 88 | Commerce |
| de | | Froidevaux, 19 | Liancourt, 12 | Denfert-Rochereau |
| r | | av. Trudaine, 26 | bd Rochechouart, 52 | Anvers |
| Tollendal | | de Meaux, 73 | Jean-Jaurès, 40 | Jaurès |
| | | Pergolèse, 64 | bd Amiral-Bruix | Porte Dauphine |
| ndé | | Bridaine, 6 | Legendre, 70 | Rome |
| rck | (square) | Lamarck, 104 | en impasse | Lamarck-Caulaincourt |
| rck | | Muller | av. de Saint-Ouen, 64 | Abbesses |
| rtine | | Rochechouart, 5 | fg Montmartre | Cadet |
| rtine | (square) | av. Victor-Hugo, 193 | av. Henri-Martin | Rue de la Pompe |
| alle | (avenue de) | av. du Pdt-Kennedy | Dr-Germain-Sée | Passy |
| ert | | Nicolet, 10 | Bachelet, 26 | Château-Rouge |
| lardie | | pl. Félix-Eboué, 7 | de Picpus, 18 | Daumesnil |
| er | (impasse) | Mont-Louis, 8 | | Philippe-Auguste |
| nenais | | Washington, 31 | av. Friedland, 19 | George V |
| ricière | (avenue) | av. Courteline | av. Pte de Vincennes | Porte de Vincennes |
| ette | (de la) | Taine, 4 | Nicolaï, 29 | Daumesnil |
| cret | | av. de Versailles, 142 | Jouvenet, 16 | Chardon-Lagache |
| ry | (de) | Bondy, 52 | quai de Valmy, 85 | Jacques-Bonsergent |
| rieu | (passage) | Université, 171 | Saint-Dominique, 102 | École Militaire |
| geac | (de) | Desnouettes, 7 | Vaugirard, 356 | Convention |
| neau | (de) | Valette, 2 | Jean-de-Beauvais, 31 | Maubert-Mutualité |
| nes | (boulevard) | av. Foch | av. Henri-Martin, 98 | Porte Dauphine |
| | | | | Rue de la Pompe |
| iez | | de la Jonquière, 52 | Navier, 43 | Guy-Môquet |
| tiez | (villa) | Lantiez | | Guy-Môquet |
| s | (du) | av. de Suffren, 90 | Al.-Cabanel, 62 | Cambronne |
| eyrère | | Marcadet, 112 | Ordener, 115*ter* | Jules Joffrin |
| lace | | M.-Ste-Geneviève, 60 | Valette, 13 | Cardinal-Lemoine |
| pe | (de) | de la Roquette, 34 | de Charonne, 13 | Bastille |
| gillière | | Mozart, 14 | bd Beauséjour, 1 | La Muette |
| ochelle | | de la Gaîté, 31*bis* | en impasse | Gaîté |
| omiguière | | de l'Estrapade, 7 | Amyot, 10 | Place Monge |
| rey | | Daubenton, 18 | Monge, 75*bis* | Place Monge |
| ribe | | Constantin, 31 | du Rocher, 86 | Villiers |
| Cases | | Bellechasse, 40 | Bourgogne, 15 | Solférino |
| sson | | Gal-Michel-Bizot, 170 | Marguettes, 25 | Picpus |
| ssus | | Belleville, 137 | Fessart, 3 | Jourdain |
| steyrie | (de) | av. Raymond-Poincaré | de la Pompe | Victor-Hugo |
| huille | (passage) | av. de Clichy, 11 | passage Clichy, 11 | Clichy |
| tran | (de) | Jean-de-Beauvais, 10 | Thénard, 7 | Maubert-Mutualité |
| ugier | | Poncelet, 25 | Gouvion-St-Cyr, 7 | Ternes |
| ugier | (villa) | Laugier, 38 | | Péreire |
| umière | (avenue de) | place Armand-Carrel | Jean-Jaurès, 96 | Laumière |
| ure-Surville | | av. Émile-Zola, 2 | Convention, 3 | Javel-André-Citroën |
| urence-Savart | | Boyer, 18 | du Retrait, 21 | Gambetta |
| urent-Pichat | | av. Foch | Pergolèse, 49 | Victor-Hugo |
| urent-Prache | (square) | de l'Abbaye | pl. St-Germain-des-Prés | Saint-Germain des Prés |
| uriston | | Presbourg, 11 | Longchamp, 76 | Ch.-de-Gaulle-Étoile |
| 40-109 | | | | Boissière |
| 112-fin | | | | Trocadéro |
| utréamont | (terrasse) | Forum des Halles Niv. 1 | voir détails p. 38 | Les Halles |
| uzin | | Rébeval, 41 | Simon-Bolivar, 61 | Belleville |
| avandières-Ste-Opportune | (des) | av. Victoria, 24 | des Halles, 7 | Châtelet |
| avoir | (villa du) | R.-Boulanger | en impasse | Ledru-Rollin |
| avoisier | | d'Anjou, 59 | d'Astorg, 22 | Saint-Augustin |
| e-Brix-et-Mesmin | | bd Jourdan | de Porto-Riche | Porte d'Orléans |
| e Brun | | Saint-Marcel, 55 | av. des Gobelins, 45 | Les Gobelins |
| e Bua | | Pelleport, 60 | Capitaine-Marchal | Pelleport |
| e Châtelier | | av. Villiers, 120 | Courcelles, 183 | Péreire |
| e Corbusier | (place) | de Sèvres | bd Raspail | Sèvres-Babylone |
| e Dantec | | bd Auguste-Blanqui | Barrault | Corvisart |
| e Goff | | Soufflot, 17 | Gay-Lussac, 9 | Luxembourg |
| e Gramat | (allée) | André-Lefebvre, 5 | Gutenberg, 56 | Javel-André-Citroën |
| e Marois | | av. de Versailles, 197 | bd Murat, 119 | Porte de Saint-Cloud |
| e Nôtre | | av. de New-York, 64 | bd Delessert, 1 | Passy |
| e Sueur | | av. Foch, 32 | av. de la Gde-Armée | Argentine |
| e Tasse | | bd Delessert | Franklin, 20 | Trocadéro |
| Léandre | (villa) | av. Junot, 25 | | Lamarck-Caulaincourt |
| Leblanc | | quai André-Citroën, 171 | Lecourbe, 364 | Place Balard |
| Lebon | | Demours, 13 | bd Péreire, 195 | Porte Maillot |
| Lebouis | (impasse) | Lebouis | en impasse | Gaîté |
| Lebouis | | de l'Ouest, 23 | Ray.-Losserand, 12 | Gaîté |
| Lebouteux | | de Saussure, 15 | de Lévis, 34 | Villiers |
| Lechapelais | | av. de Clichy, 37 | Lemercier, 8 | La Fourche |
| Léchevin | | av. Parmentier, 64*bis* | passage St-Ambroise | Parmentier |
| Leclaire | (cité) | des Riblettes, 19 | | Porte de Bagnolet |
| Leclerc | | fg Saint-Jacques, 72 | bd Saint-Jacques, 50 | Saint-Jacques |
| Lécluse | | bd Batignolles, 14 | des Dames, 15 | Place de Clichy |
| Lecomte | | Legendre, 99 | Clairaut, 19 | Brochant |
| Lecomte-du-Nouy | | bd Murat | av. Parc des Princes | Exelmans |
| Leconte-de-Lisle | (villa) | Leconte-de-Lisle | | Église d'Auteuil |
| Leconte-de-Lisle | | Théophile-Gautier, 62 | Pierre-Guérin, 10 | Église d'Auteuil |
| Lecourbe | (villa) | Lecourbe, 295 | | Boucicaut |
| Lecourbe | | bd Garibaldi, 98 | bd Victor | Sèvres-Babylone |
| nos 135-148 | | | | Vaugirard |
| nos 241-261 | | | | Convention |
| nos 361-364 | | | | Balard |
| Lecuirot | | d'Alésia, 143 | Louis-Morard, 20 | Alésia |
| Lécuyer | | Ramey, 43 | Custine, 50 | Château-Rouge |
| Ledion | | Giordano-Bruno, 20 | Didot, 117 | Porte d'Orléans |
| Ledru-Rollin | (avenue) | quai de la Rapée, 97 | place Léon-Blum | Gare de Lyon |
| nos 84 à la fin | | | | Ledru-Rollin |
| Lefebvre | (boulevard) | Vaugirard, 407 | Raymond-Losserand | Porte de Versailles |
| Lefebvre | | Olivier-de-Serres, 108 | Firmin-Gillot | Porte de Versailles |
| Legendre | (passage) | av. de Saint-Ouen, 59 | Legendre, 186 | Guy-Môquet |
| Legendre | | place Malesherbes | av. de St-Ouen, 79 | Villiers |
| nos 71-76 | | | | Rome |
| nos 111-142 | | | | La Fourche |
| nos 190-192 | | | | Guy-Môquet |
| Léger | (impasse) | Tocqueville | en impasse | Villiers |
| Légion-Étrangère | (de la) | place du 25-Août-1944 | à Montrouge | Porte d'Orléans |
| Legouvé | | de Lancry, 57 | Lucien-Sampaix, 24 | Jacques-Bonsergent |
| Legrand | | Monjol | av. Simon-Bolivar, 83 | Colonel-Fabien |
| Legraverend | | Diderot, 25 | av. Daumesnil, 28 | Gare de Lyon |
| Leibniz | (square) | Liebnitz, 64 | | Porte de Saint-Ouen |
| Leibniz | | du Poteau, 91 | av. de St-Ouen, 130 | Porte de Saint-Ouen |
| Lekain | | l'Annonciation, 31 | place Chopin | La Muette |
| Lemaignan | | l'Amiral-Mouchez, 28 | av. Reille, 23 | Cité Universitaire |
| Léman | (du) | de Belleville, 353 | bd Serrurier, 11 | Porte des Lilas |
| Lemercier | (cité) | Lemercier, 28 | en impasse | La Fourche |
| Lemercier | | des Dames, 14 | Cardinet, 170 | La Fourche |
| nos 88-102 | | | | Brochant |
| Lemoine | (passage) | bd de Sébastopol, 135 | Saint-Denis, 232 | Strasbourg-Saint-Denis |
| Lemon | | bd de Belleville, 122 | Denoyer, 11 | Belleville |
| Leneveux | | Marguerin, 12 | Alphonse-Daudet, 16 | Alésia |
| Lentonnet | | Condorcet, 18 | Pétrelle, 21 | Anvers |
| Léo-Delibes | | av. Kléber, 88*bis* | Lauriston, 99 | Boissière |
| Léon | (passage) | Saint-Luc, 1 | Cavé, 23 | Château-Rouge |

| Plan | Arr. | Nom | Rues | Commençant | Finissant | Métro |
|---|---|---|---|---|---|---|
| C 11 | 18 | Léon | | Cavé, 34 | Ordener, 39 | Château-Rouge |
| H 14 | 11 | Léon-Blum | (place) | bd Voltaire, 130 | av. Parmentier | Voltaire |
| M12 | 13 | Léon-Bollée | (avenue) | av. Pte d'Italie | av. Pte de Choisy | Porte d'Italie |
| I 3 | 16 | Léon-Bonnat | | Ribéra, 14 | en impasse | Jasmin |
| H 5 | 7 | Léon-Bourgeois | (allée) | quai Branly | av. Octave-Gréard, 2 | Bir-Hakeim |
| F 10 | 2 | Léon-Cladel | | Montmartre, 115 | Réaumur, 134 | Bourse |
| D 6 | 17 | Léon-Cogniet | | Médéric, 19 | Cardinet, 16 | Courcelles |
| D 7 | 17 | Léon-Cosnard | | Legendre, 19b | Tocqueville, 42 | Villiers |
| K 4 | 15 | Léon-Delagrange | | bd Victor, 39 | en impasse | Porte de Versailles |
| K 6 | 15 | Léon-Delhomme | | François-Villon, 3 | Yvart, 6 | Vaugirard |
| J 2 | 16 | Léon-Deubel | (place) | Gudin | Le Marois | Porte de Saint-Cloud |
| L 6 | 15 | Léon-Dierx | | bd Lefebvre | av. Albert-Bartholomé | Porte de Vanves |
| D 8 | 17 | Léon-Droux | | bd des Batignolles, 78 | de Chéroy, 2 | Rome |
| E 17 | 20 | Léon-Frapié | | Les Lilas | Les Fougères | Saint-Fargeau |
| H 14 | 11 | Léon-Frot | | bd Voltaire | de la Roquette | Charonne |
| H 17 | 20 | Léon-Gaumont | (avenue) | de Lagny, 89 | av. Pte de Montreuil | Porte de Montreuil |
| C 14 | 19 | Léon-Giraud | | Crimée, 144 | de l'Ourcq, 21 | Ourcq |
| K 6 | 15 | Léon-Guillot | (square) | de Dantzig | en impasse | Convention |
| I 3 | 16 | Léon-Heuzey | (avenue) | de Rémusat, 21 | en impasse | Mirabeau |
| D 6 | 17 | Léon-Jost | | Cardinet | bd de Courcelles | Courcelles |
| F 12 | 10 | Léon-Jouhaux | | pl. République, 12 | quai de Valmy,41 | République |
| J 5 | 15 | Léon-Lhermitte | | Théoph.-Renaudot | Pétel | Commerce |
| K 10 | 13 | Léon-Maurice-Nordmann | | bd Arago | de la Santé | Glacière |
| I 7 | 7 | Léon-Paul-Fargue | (place) | bd des Invalides | de Sèvres | Duroc |
| | 15 | | | bd du Montparnasse | de Sèvres | |
| J 6 | 15 | Léon-Séché | | Doct.-J.-Clémenceau | Pétel | Vaugirard |
| C 10 | 18 | Léon-Serpollet | (square) | impasse des Cloÿs | | Jules-Joffrin |
| I 7 | 7 | Léon-Vaudoyer | | av. de Saxe | Pérignon, 12 | Ségur |
| K 14 | 12 | Léonard-Bernstein | (place) | de Bercy, 51 | | Bercy |
| F 4 | 16 | Léonard-de-Vinci | | Paul-Valéry, 39 | place Victor-Hugo, 2 | Victor-Hugo |
| F 6 | 16 | Léonce-Reynaud | | av. Marceau | Freycinet, 12 | Alma-Marceau |
| L 7 | 14 | Léone | (villa) | Bardinet | en impasse | Plaisance |
| K 8 | 14 | Léonidas | | des Plantes, 32 | H.-Maidron, 33 | Alésia |
| J 4 | 15 | Léontine | | Sébastien-Mercier, 40 | Cévennes, 25 | Javel-André-Citroën |
| F 10 | 2 | Léopold-Bellan | | Petits-Carreaux | Montmartre | Sentier |
| H 3 | 16 | Léopold-II | (avenue) | la Fontaine, 38 | place Rodin | Jasmin |
| J 9 | 14 | Léopold-Robert | | bd Montparnasse, 124 | bd Raspail, 215 | Vavin |
| E 10 | 9 | Le-Peletier | | bd des Italiens, 16 | de Châteaudun | Richelieu-Drouot |
| | | nos 18-27 | | | | Le Peletier |
| H 11 | 4 | Le-Regrattier | | quai d'Orléans, 24 | quai de Bourbon | Pont-Marie |
| F 17 | 20 | Le-Vau | | av. de la Pte Ménilm. | av. Ibsen | Saint-Fargeau |
| J 9 | 6 | Le-Verrier | | d'Assas, 116 | N.-D.-des-Champs, 101 | Vavin |
| D 13 | 19 | Lepage | (cité) | de Meaux, 33 | bd de la Villette | Jaurès |
| D 9 | 18 | Lepic | (passage) | Lepic, 16 | Rob.-Planquette, 10 | Blanche |
| C 9 | 18 | Lepic | | bd de Clichy, 82 | J.-Baptiste-Clément | Blanche |
| L 13 | 13 | Leredde | | de Tolbiac, 17 | Dessous-des Berges | Porte d'Ivry |
| K 5 | 15 | Leriche | | Vaugirard, 377 | Olivier-de-Serres, 54 | Convention |
| H 5 | 15 | Leroi-Gourhan | | allée Gal-Denain, 12 | G.-B.-Shaw, 13 | Dupleix |
| F 4 | 16 | Leroux | | av. Victor-Hugo, 59 | av. Foch | Victor-Hugo |
| F 15 | 20 | Leroy | (cité) | des Pyrénées, 315 | | Jourdain |
| H 3 | 16 | Leroy-Beaulieu | (square) | av. Adrien-Hébrard | | Jasmin |
| J 16 | 12 | Leroy-Dupré | | bd de Picpus, 42 | Sibuet, 27 | Bel-Air |
| K 9 | 14 | Les Portiques d'Orléans | | av. du Général-Leclerc, 28 | square Henri-Dufornel | Mouton-Duvernet |
| E 14 | 20 | Lesage | (cour) | Lesage, 15 | de Belleville, 48 | Belleville |
| E 14 | 20 | Lesage | | de Tourtille, 30 | Jouy-Rouve, 18 | Belleville |
| G 10 | 1 | Lescot | (porte) | Forum des Halles Niv. 1 | voir détails p. 38 | Les Halles |
| | | | | Forum des Halles Niv. 2 | | |
| | | | | Forum des Halles Niv. 3 | | |
| H 12 | 4 | Lesdiguières | (de) | de la Cerisaie, 10 | Saint-Antoine, 13 | Bastille |
| H 15 | 20 | Lespagnol | | du Repos, 6 | en impasse | Philippe-Auguste |
| G 16 | 20 | Lesseps | (de) | de Bagnolet, 81 | cim. du Père-Lachaise | Alexandre-Dumas |
| I 5 | 15 | Letellier | (villa) | Letellier, 20 | | Émile-Zola |
| I 6 | 15 | Letellier | | Violet, 23 | Croix-Nivert, 26 | Émile-Zola |
| B 10 | 18 | Letort | (du) | Duhesme, 69 | bd Ornano, 77 | Porte de Clignancourt |
| B 10 | 18 | Letort | (impasse) | Letort, 32 | | Simplon |
| G 16 | 20 | Leuck-Mathieu | | des Prairies, 42 | cour de Noues, 7 | Galliéni |
| K 15 | 12 | Levant | (cour du) | quai de Bercy | Baron-Le-Roy | Dugommier |
| E 15 | 20 | Levert | | de la Mare, 84 | de Belleville, 172 | Place des Fêtes |
| D 7 | 17 | Lévis | (impasse de) | Lévis, 20 | | Villiers |
| D 7 | 17 | Lévis | (place de) | Lévis, 57 | Legendre, 24 | Villiers |
| D 7 | 17 | Lévis | (de) | av. de Villiers, 2 | Cardinet, 100 | Villiers |
| | | nos 114-121 | | | | Malesherbes |
| K 15 | 12 | Lheureux | | des Pirogues de Bercy | av. Terroirs de France | Dugommier |
| H 13 | 11 | Lhomme | (passage) | pl. de l'Estrapade | | Ledru-Rollin |
| I 10 | 5 | Lhomond | | fg Saint-Jacques, 26 | de l'Arbalète, 8 | Luxembourg |
| | | nos 36-39 | | | | Censier-Daubenton |
| K 5 | 15 | Lhuillier | | Olivier-de-Serres, 33 | en impasse | Convention |
| K 8 | 14 | Liancourt | | Boulard, 34 | av. du Maine, 131 | Denfert-Rochereau |
| M10 | 14 | Liard | | Amiral-Mouchez, 78 | Gazan, 47 | Cité Universitaire |
| F 14 | 20 | Liban | (du) | Julien-Lacroix, 7 | des Maronites, 48 | Ménilmontant |
| D 15 | 19 | Liberté | (de la) | de Mouzaïa, 13 | de la Fraternité | Danube |
| K 14 | 12 | Libourne | (de) | des Pirogues-de Bercy | av. Terroirs-de France | Dugommier |
| L 13 | 13 | Liégat | (cour du) | du Chevaleret, 113 | en impasse | Chevaleret |
| D 9 | 8 | Liège | (de) | de Clichy, 37 | place de l'Europe, 40 | Europe |
| | 9 | de 1 à 19 et de 2 à 18 | | | | |
| J 17 | 12 | Lieutenance | (sentier de la) | bd Soult | Villa du Bel-Air | Porte de Vincennes |
| F 16 | 20 | Lieutenant-Chauré | (du) | Etienne-Marey | Capitaine-Ferber | Pelleport |
| A 10 | 18 | Lieutenant-Colonel-Dax | (du) | René-Binet, 36 | bd périphérique | Porte de Clignancourt |
| J 1 | 16 | Lieutenant-Colonel-Deport | (du) | pl. Dr-P-Michaux | bd Murat | Porte de Saint-Cloud |
| L 7 | 14 | Lieutenant-Lapeyre | (du) | bd Brune, 50 | Séré-de Rivières | Porte de Vanves |
| K 7 | 14 | Lt-Stéphane-Piobetta | (place du) | av. Villemain | d'Alésia | Plaisance |
| L 6 | 15 | Lieuvin | (du) | Fizeau, 13 | Morillons, 82 | Porte de Vanves |
| H 16 | 20 | Ligner | | de Bagnolet, 39 | de Bagnolet, 55 | Alexandre-Dumas |
| D 15 | 19 | Lilas | (des) | Pré-St-Gervais, 27 | bd Sérurier, 115 | Place des Fêtes |
| D 15 | 19 | Lilas | (villa des) | de Mouzaïa | de Bellevue, 21 | Place des Fêtes |
| D 9 | 9 | Lili-Boulanger | (place) | Ballu | Vintimille | Clichy |
| H 9 | 7 | Lille | (de) | des Saints-Pères, 4 | de Bourgogne, 3 | Rue du Bac |
| | | nos 88-109 | | | | Assemblée Nationale |
| M13 | 13 | Limagne | (square de la) | bd Masséna | av. Boutroux | Porte d'Ivry |
| M13 | 13 | Limousin | (square du) | av. de la Pte d'ivry | Darmesteter | Porte d'Ivry |
| F 6 | 8 | Lincoln | | François-Ier, 58 | av. Ch.-Élysées, 75 | George V |
| G 10 | 1 | Lingères | (passage des) | Forum-des-Halles, niveau 1 | | Les Halles |
| G 10 | 1 | Lingerie | (de la) | des Halles, 22 | Berger, 17 | Les Halles |
| J 11 | 5 | Linné | | Lacépède, 2 | place de Jussieu, 7 | Jussieu |
| I 4 | 15 | Linois | | pl. Ferdinand-Forest | pl. Charles-Michels | Charles-Michels |
| H 12 | 4 | Lions-Saint-Paul | (des) | du Petit-Musc, 9 | Saint-Paul, 8 | Sully-Morland |
| I 17 | 20 | Lippmann | | bd Davout | Louis-Delaporte | Porte de Vincennes |
| H 13 | 11 | Lisa | (passage) | Popincourt, 26 | Popincourt | Voltaire |
| E 7 | 8 | Lisbonne | (de) | du Gal-Foy, 15 | Courcelles, 66 | Villiers |
| | | nos 48-49 | | | | Courcelles |
| M10 | 13 | Liserons | (des) | Brillat-Savarin | Glycines | Cité Universitaire |
| G 16 | 20 | Lisfranc | | Stendhal, 20 | des Prairies, 23 | Gambetta |
| I 8 | 6 | Littré | | de Rennes, 148 | Vaugirard, 110 | Montparnasse-Bienvenüe |
| D 10 | 18 | Livingstone | (de la) | d'Orsel, 8 | place Saint-Pierre, 1 | Anvers |
| H 11 | 4 | Lobau | (de) | quai Hôtel-de Ville | Rivoli, 25 | Hôtel de Ville |
| H 9 | 6 | Lobineau | | de Seine, 78 | Mabillon, 7 | Mabillon |
| D 7 | 17 | Logelbach | (de) | bd de Courcelles, 50 | Henri-Rochefort, 18 | Monceau |
| L 9 | 14 | Loing | (du) | d'Alésia, 69 | Sarrette, 20 | Alésia |
| C 14 | 19 | Loire | (quai de la) | Jean-Jaurès, 1 | Crimée, 157 | Riquet |
| | | no 90 | | | | Jaurès |

| Plan | Arr. | Nom | Rues | Commençant | Finissant | Métro |
|---|---|---|---|---|---|---|
| L 14 | 13 | Loiret | (du) | Regnault, 6 | Chevaleret, 14 | Porte d'Ivry |
| G 11 | 1 | Lombards | (des) | Saint-Martin, 57 | Sainte-Opportune, 2 | Châtelet |
| E 9 | 9 | Londres | (cité de) | Saint-Lazare, 86 | de Londres, 13 | Trinité |
| E 9 | 9 | Londres(de) | | de Clichy | place de l'Europe | Trinité |
| | 8 | nos 39-42 | | | | Europe |
| G 5 | 16 | Longchamp | (de) | place d'Iéna, 8 | bd Lannes, 11 | Iéna |
| G 5 | 16 | Longchamp | (villa de) | de Longchamp, 38 | | Trocadéro |
| M10 | 13 | Longues-Raies | (des) | Cacheux | en impasse | Cité Universitaire |
| E 6 | 8 | Lord-Byron | | Chateaubriand, 11 | Arsène-Houssaye, 6 | George V |
| D 14 | 19 | Lorraine | (de) | de Crimée, 106 | de Crimée, 136 | Ourcq |
| D 15 | 19 | Lorraine | (villa de) | de la Liberté, 22 | en impasse | Danube |
| L 7 | 14 | Losserand-Suisses | (square) | des Suisses | | Plaisance |
| B 14 | 19 | Lot | (quai du) | bd Macdonald | hors Paris | Porte de la Villette |
| F 3 | 16 | Lota | (de) | de Longchamp, 137 | Benjamin-Godard | Porte Dauphine |
| G 10 | 1 | Louis-Aragon | (allée) | J. des Halles | Al. Bl. Cendrars | Châtelet-Les Halles |
| I 13 | 12 | Louis-Armand | (place) | Parvis Gare de Lyon | | Gare de Lyon |
| K 4 | 15 | Louis-Armand | | de la Pte de Passy | bd périphérique | Balard |
| K 12 | 13 | Louis-Armstrong | (place) | Jeanne-d'Arc | Esquirol | Campo-Formio |
| G 3 | 16 | Louis-Barthou | (avenue) | place de la Colombie | av. du Mal-Fayolle | Rue de la Pompe |
| D 12 | 10 | Louis-Blanc | | place Colonel-Fabien | bd de la Chapelle | Colonel-Fabien |
| | | nos 32-35 | | | | Louis-Blanc |
| | | nos 72-75 | | | | La Chapelle |
| I 3 | 16 | Louis-Blériot | (quai) | av. de Versailles, 9 | bd Murat, 191 | Mirabeau |
| G 3 | 16 | Louis-Boilly | | av. Raphaël, 24 | bd Suchet, 19 | La Muette |
| F 13 | 11 | Louis-Bonnet | | de l'Orillon, 37 | bd de Belleville, 79 | Belleville |
| J 16 | 12 | Louis-Braille | | bd Picpus, 2 | Gal-Michel-Bizot | Bel-Air |
| H 7 | 7 | Louis-Codet | | bd la T.-Maubourg | Chevert, 19 | École Militaire |
| G 4 | 16 | Louis-David | | Scheffer, 43 | de la Tour, 74 | Passy |
| I 17 | 20 | Louis-Delaporte | | Noël-Ballay, 7 | de Lagny, 112 | Porte de Vincennes |
| F 14 | 20 | Louis-Delgrès | | des Cendriers, 19 | des Panoyaux, 16 | Ménilmontant |
| G 17 | 20 | Louis-Ganne | | bd Davout | en impasse | Porte de Bagnolet |
| K 16 | 12 | Louis-Gentil | (square) | Joseph-Chailley | av. du Gal-Dodds | Porte Dorée |
| F 9 | 2 | Louis-le-Grand | | Danielle-Casanova | bd des Italiens, 33 | Opéra |
| H 10 | 4 | Louis-Lépine | (place) | de la Cité | Lutèce | Cité |
| B 8 | 17 | Louis-Loucheur | | bd Bessières | Fernand-Pelloutier | Porte de Saint-Ouen |
| G 17 | 20 | Louis-Lumière | | av. de la Pte de Bagnolet | Lucien-Lambeau | Porte de Montreuil |
| J 10 | 5 | Louis-Marin | (place) | bd Saint-Michel | Henri-Barbusse | Port-Royal |
| L 8 | 14 | Louis-Morard | | des Plantes, 56 | Jacquier, 1 | Alésia |
| E 7 | 8 | Louis-Murat | | Dr-Lanceraux | de Monceau | Courcelles |
| G 17 | 20 | Louis-Nicolas-Clérambault | | Duris, 24 | des Amandiers, 75 | Père-Lachaise |
| A 9 | 18 | L.-Pasteur-Vallery-Radot | | G.-de-Nerval | av. Pte St-Ouen | Porte de Saint-Ouen |
| M10 | 13 | Louis-Pergaud | | Gentilly | Porte de Gentilly | Cité Universitaire |
| H 11 | 4 | Louis-Philippe | (pont) | quai Hôtel-de Ville | quai de Bourbon | Hôtel de Ville |
| H 13 | 11 | Louis-Philippe | (passage) | de Lappe, 21 | passage Thiéré, 27 | Bastille |
| F 15 | 20 | Louis-Robert | (impasse) | de l'Ermitage, 10*bis* | | Ménilmontant |
| J 10 | 5 | Louis-Thuillier | | d'Ulm, 44 | Gay-Lussac, 43 | Luxembourg |
| E 8 | 8 | Louis-VI | (square) | bd Haussmann | | Saint-Lazare |
| L 5 | 15 | Louis-Vicat | | Julia-Bartet | Gal-Guillaumat | Porte de Vanves |
| C 5 | 17 | Louis-Vierne | | Jean-Ibert | | Louise-Michel |
| H 12 | 4 | Louis-XIII | (square) | place des Vosges | | Bastille |
| D 12 | 18 | Louise-de-Marillac | (square) | pl. de la Chapelle, 2 | pl. de la Chapelle, 20 | La Chapelle |
| L 9 | 14 | Louise-et-Tony | (square) | du Loing | | Alésia |
| E 13 | 19 | Louise-Labé | (allée) | Rébeval | av. Simon-Bolivar | Belleville |
| E 15 | 19 | Louise-Thuliez | | Compans, 48 | des Bois | Place des Fêtes |
| K 13 | 13 | Louise-Weiss | | du Chevaleret, 108 | bd V.-Auriol | Chevaleret |
| C 12 | 18 | Louisiane | (de la) | de la Guadeloupe, 2 | de Torcy, 23 | Marx-Dormoy |
| K 10 | 14 | Lourcine | (villa de) | Cabants, 20 | Dareau, 7 | Saint-Jacques |
| I 5 | 15 | Lourmel | (de) | bd de Grenelle, 60 | Leblanc, 103 | Dupleix |
| | | nos 73-76 | | | | Charles-Michels |
| | | nos 120-121 | | | | Lourmel |
| K 9 | 14 | Louvat | (villa) | Boulard, 38*bis* | | Mouton-Duvernet |
| K 8 | 14 | Louvat | (villa) | Boulard, 38*bis* | | Denfert-Rochereau |
| F 9 | 2 | Louvois | (de) | de Richelieu, 71 | Sainte-Anne, 62 | Quatre-Septembre |
| F 10 | 2 | Louvois | (square) | de Richelieu, 60 | de Louvois, 2 | Quatre-Septembre |
| G 10 | 1 | Louvre | (place du) | Amiral-de-Coligny | | Louvre-Rivoli |
| G 9 | 1 | Louvre | (port du) | pont des Arts | pont Royal | Palais-Royal-Musée du Louvre |
| G 10 | 1 | Louvre | (porte du) | Forum des Halles Niv. 1 | voir détails p. 38 | Les Halles |
| G 10 | 1 | Louvre | (quai du) | pont-Neuf | pont du Carrousel | Pont-Neuf |
| F 10 | 2 | Louvre | (du) | quai du Louvre | Mail, 36 | Louvre-Rivoli |
| | 1 | de 2 à 52 et 1 à 25 | | | | |
| I 6 | 15 | Lowendal | (square) | Alexandre-Cabanel | | Cambronne |
| I 6 | 7 | Lowendal | (avenue de) | av. Tourville, 7 | place Cambronne | École Militaire |
| | | de 1 à 23 et de 2 à 14 | | | | |
| F 5 | 16 | Lubeck | (de) | av. d'Iéna, 23 | Président-Wilson, 34 | Iéna |
| K 3 | 15 | Lucien-Bossoutrot | | bd Victor | | Balard |
| M 9 | 14 | Lucien-Descaves | (avenue) | av. P.-V.-Couturier | av. André-Rivoire | Cité Universitaire |
| I 16 | 20 | Lucien-et-Sacha-Guitry | | cours de Vincennes, 47 | Lagny, 48 | Porte de Vincennes |
| D 4 | 17 | Lucien-Fontanarosa | (jardin) | bd A. de Paladines | Cino-Del-Lucas | Porte de Champerret |
| C 10 | 18 | Lucien-Gaulard | | Caulaincourt, 58 | cim. Saint-Vincent | Lamarck-Caulaincourt |
| J 10 | 5 | Lucien-Herr | (place) | Lhomond | Vauquelin | Censier-Daubenton |
| H 17 | 20 | Lucien-Lambeau | | av. Girardot | Eugène-Reisz | Porte de Montreuil |
| G 16 | 20 | Lucien-Leuwen | | Stendhal, 3*ter* | | Gambetta |
| F 12 | 10 | Lucien-Sampaix | | Château-d'Eau, 34 | quai de Valmy, 103 | Jacques-Bonsergent |
| F 9 | 2 | Lulli | | Rameau, 2 | de Louvois, 1 | Quatre-Septembre |
| L 9 | 14 | Lunain | (du) | d'Alésia, 71 | Sarrette, 26 | Alésia |
| F 11 | 2 | Lune | (de la) | bd B.-Nouvelle, 7 | Poissonnière, 40 | Bonne-Nouvelle |
| C 14 | 19 | Lunéville | (de) | Petit, 67 | Jean-Jaurès, 150 | Ourcq |
| H 10 | 4 | Lutèce | (de) | de la Cité | bd du Palais, 3 | Cité |
| I 9 | 6 | Luxembourg | (jardin du) | bd Saint-Michel | de Vaugirard | Odéon |
| H 8 | 7 | Luynes | (de) | St-Germain, 201*bis* | bd Raspail, 9 | Rue du Bac |
| H 8 | 7 | Luynes | (square de) | de Luynes | | Rue du Bac |
| G 16 | 20 | Lyanes | (des) | de Bagnolet, 149 | Pelleport, 34 | Porte de Bagnolet |
| G 16 | 20 | Lyanes | (villa des) | des Lyannes, 16 | | Porte de Bagnolet |
| H 4 | 16 | Lyautey | | Raynouard, 30 | Abbé-Gillet | Passy |
| I 13 | 12 | Lyon | (de) | bd Diderot, 21 | place de la Bastille | Gare de Lyon |
| | | nos 75-164 | | | | Bastille |
| J 10 | 5 | Lyonnais | (des) | Broca, 42 | Berthollet, 13 | Censier-Daubenton |
| H 9 | 6 | Mabillon | | du Four, 8 | Saint-Sulpice, 32 | Mabillon |
| E 5 | 17 | Mac-Mahon | (avenue) | Ch.-de-Gaulle-Étoile | av. des Ternes, 35 | Ch.-de-Gaulle-Étoile |
| B 15 | 19 | Macdonald | (boulevard) | canal de l'Ourcq | Porte d'Aubervilliers | Porte de la Villette |
| K 15 | 12 | Mâconnais | (des) | Lheureux, 8 | Baron-Le-Roy, 62 | Bercy |
| K 15 | 12 | Madagascar | (de) | des Meuniers, 32 | de Wattignies, 58 | Porte de Charenton |
| I 9 | 6 | Madame | | de Rennes, 57 | d'Assas, 51 | Saint-Sulpice |
| F 8 | 8 | Madeleine | (galerie de la) | place Madeleine, 11 | Boissy-d'Anglas, 30 | Madeleine |
| F 8 | 8 | Madeleine | (passage de la) | place Madeleine, 21 | de l'Arcade, 6 | Madeleine |
| F 8 | 8 | Madeleine | (place de la) | Royale, 24 | Tronchet, 2 | Madeleine |
| F 8 | 1-8-9 | Madeleine | (bd de la) | Cambon, 53 | place Madeleine, 10 | Madeleine |
| J 6 | 15 | Mademoiselle | | Entrepreneurs, 107 | Cambronne, 80 | Commerce |
| | | nos 82-107 | | | | Vaugirard |
| C 12 | 18 | Madone | (de la) | Marc-Séguin, 30 | des Roses, 23 | Max-Dormoy |
| C 12 | 18 | Madone | (square de la) | de la Madone | | Marx-Dormoy |
| E 8 | 8 | Madrid | (de) | place de l'Europe | Gal-Foy | Europe |
| G 5 | 16 | Magdebourg | (de) | de Lubeck, 38 | av. Kléber, 81 | Trocadéro |
| F 6 | 8 | Magellan | | Quentin-Bauchart | de Bassano, 50 | George V |
| K 10 | 13 | Magendie | | Corvisart, 10 | des Tanneries, 9 | Glacière |
| F 12 | 10 | Magenta | (cité de) | bd de Magenta, 33 | cité Hittorf | Jacques-Bonsergent |
| A 15 | 19 | Magenta | | av. de la Pte Villette | Pantin | Porte de la Villette |

M







| Plan | Arr. | Nom | Rues | Commençant | Finissant | Mé |
|---|---|---|---|---|---|---|
| D 11 | 9-10 | Magenta | (boulevard de) | pl. de la République | bd Rochechouart, 1 | Jac |
| | | nos 67-70 | | | | Gar |
| | | nos 101-114 | | | | Gar |
| | | nos 151-170 | | | | Bar |
| | | nos de 155 à la fin des impairs, 9e | | les autres nos, 10e | | |
| I 16 | 20 | Maigrot-Delaunay | (passage) | de la Plaine, 15 | des Ormeaux, 36 | Buz |
| F 10 | 2 | Mail | (du) | pl. Petits-Pères, 6 | Montmartre, 83 | Sen |
| H 14 | 11 | Maillard | | la Vacquerie, 6 | Gerbier, 3 | Volt |
| H 14 | 11 | Main-d'Or | (de la) | Trousseau, 11 | passage Main-d'Or, 6 | Ledr |
| H 14 | 11 | Main-d'Or | (passage de la) | fg Saint-Antoine, 133 | de Charonne, 60 | Ledr |
| J 8 | 14 | Maine | (du) | de la Gaîté, 10 | av. du Maine, 47 | Edga |
| K 8 | 15 | Maine | (avenue du) | bd Montparnasse, 40 | av. du Gal-Leclerc, 88 | Mon |
| | | nos 74-68 | | | | Edga |
| | | nos 137-144 | | | | Gaîté |
| K 8 | 15 | nos 200-232 | | | | Alési |
| | | de 1 à 31 et 2 à 36, 15e | | | | Mont |
| I 8 | 6 | Maintenon | (allée) | Vaugirard,114-116 | en impasse | Mont |
| G 11 | 3 | Maire | (au) | Vertus, 15 | Turbigo, 44 | Arts- |
| D 10 | 18 | Mairie | (cité de la) | la Vieuville, 20 | | Abbe |
| L 12 | 13 | Maison-Blanche | (de la) | av. d'Italie, 65 | Tolbiac | Tolbi |
| H 13 | 11 | Maison-Brûlée | (cour de la) | fg.-Saint-Antoine, 89 | | Ledru |
| K 8 | 14 | Maison-Dieu | | Ray.-Losserand, 21 | av. du Maine, 130 | Gaîté |
| I 11 | 5 | Maître-Albert | | Grands-Degrés | place Maubert, 54 | Maub |
| E 4 | 16 | Malakoff | (impasse de) | av. de Malakoff, 161 | | Porte |
| F 4 | 16 | Malakoff | (villa) | av. Raymond-Poincaré | | Troca |
| E 4 | 16 | Malakoff | (avenue de) | av. Foch | av. de la Gde-Armée, 89 | Victor |
| | | nos 86-89 | | | | Victor |
| | | nos 161-162 | | | | Porte |
| H 9 | 6 | Malaquais | (quai) | pont des Arts | pont du Carrousel | St-Ge |
| G 6 | 7 | Malar | | quai d'Orsay, 77 | Saint-Dominique, 90 | La Tou |
| K 5 | 15 | Malassis | | Vaugelas, 23 | Olivier-de-Serres, 78 | Conve |
| I 10 | 5 | Malebranche | | Saint-Jacques, 186 | Le-Goff, 1 | Luxem |
| D 10 | 9 | Malesherbes | (cité) | des Martyrs, 61 | Victor-Massé, 20 | Pigall |
| D 7 | 17 | Malesherbes | (villa) | bd Malesherbes, 112 | | Males |
| D 7 | 8 | Malesherbes nos 45-52 | (boulevard) | place Madeleine, 13 | bd Berthier, 13 | Madel |
| E 8 | 17 | nos 108-137 | | | | Saint- |
| | | nos 170-181 | | | | Males |
| | | de 1 à 21 et 2 à 92, 8e | | | | Wagra |
| E 7 | 8 | Maleville | | Corvetto, 1 | Mollien, 2 | Villiers |
| H 12 | 4 | Malher | | de Rivoli, 6 | Pavée, 20 | Saint-P |
| I 2 | 16 | Malherbe | (square) | bd Suchet | av. du Mal-Lyautey | Porte d |
| L 7 | 14 | Mallebay | (villa) | Didot, 86 | en impasse | Plaisar |
| H 2 | 16 | Mallet-Stevens | | Dr-Blanche, 9 | | Jasmin |
| M12 | 13 | Malmaisons | (des) | av. de Choisy, 33 | Gandon, 21 | Maison |
| G 13 | 11 | Malte | (de) | Oberkampf, 23 | fg du Temple, 14 | Républi |
| G 15 | 20 | Malte-Brun | | Émile-Landrin, 21 | av. Gambetta, 30 | Gambet |
| J 11 | 5 | Malus | | de la Clef, 47 | Monge, 75 | Place M |
| F 10 | 2 | Mandar | | Montorgueil, 59 | Montmartre, 68 | Sentier |
| D 15 | 19 | Manin | (villa) | Carrières-d'Amérique | Solidarité, 25 | Danube |
| D 15 | 19 | Manin | | Simon-Bolivar, 42 | bd Sérurier, 153 | Bolivar |
| | | nos 42-109 | | | | Danube |
| D 9 | 9 | Mansart | | de Douai, 25 | Blanche, 82 | Blanche |
| E 10 | 9 | Manuel | | Milton, 13 | des Martyrs, 28 | Notre-D |
| G 5 | 16 | Manutention | (de la) | av. de New-York, 24 | av. du Pdt-Wilson, 15 | Iéna |
| E 17 | 19-20 | Maquis-du-Vercors | (place du) | av. Porte des Lilas | | Porte de |
| H 16 | 20 | Maraîchers | (des) | c. de Vincennes, 87 | Pyrénées, 114 | Maraîch |
| F 12 | 10 | Marais | (passage des) | bd de Magenta | Legouvé | Jacques |
| E 4 | 16 | Marbeau | (boulevard) | Marbeau, 21 | | Porte Da |
| E 4 | 16 | Marbeau | | Pergolèse, 54 | bd de l'Amiral-Bruix | Porte Da |
| F 6 | 8 | Marbeuf | | George-V, 20 | av. des Ch.-Élysées | Franklin |
| L 13 | 13 | Marc-Antoine-Charpentier | | Patay | E.-Oudiné | Porte d'Iv |
| H 16 | 20 | Marc-Bloch | (place) | de la Réunion | | Maraîche |
| M12 | 13 | Marc-Chagall | (allée) | Gandon, 40 | av. d'Italie, 153 | Porte d'It |
| L 6 | 14 | Marc-Sangnier | (avenue) | pl. de la Pte de Vanves | av. Georges-Lafenestre | Porte de |
| C 12 | 18 | Marc-Séguin | | Cugnot | la Chapelle, 24 | Marx-Do |
| C 9 | 18 | Marcadet | | Ordener, 25 | av. de Saint-Ouen, 88 | Marcade |
| | | nos 134-133 | | | | Lamarck- |
| | | nos 265-274 | | | | Guy-Môq |
| D 15 | 19 | Marceau | (villa) | du Gal-Brunet | de la Liberté, 5 | Belleville |
| F 6 | 8 | Marceau | (avenue) | av. Pdt-Wilson, 8 | pl. Ch.-de-Gaulle-Étoile | Alma-Ma |
| | | nos 80-81 | | | | Ch.-de-Ga |
| E 13 | 19 | Marcel-Achard | (place) | Rébeval, 30 | | Belleville |
| C 10 | 18 | Marcel-Aymé | (place) | Norvins | Girardon | Lamarck- |
| K 2 | 16 | Marcel-Doret | (avenue) | bd Murat | av. du Gal-Clavery | Porte de S |
| K 16 | 12 | Marcel-Dubois | | bd Poniatowski, 98 | Gal-Laperrine, 5 | Porte Dor |
| L 13 | 13 | Marcel-Duchamp | | du Chât.-des-Rentiers, 49 | Nationale, 40 | Porte d'Iv |
| G 13 | 11 | Marcel-Gromaire | | bd Beaumarchais | Amelot | St-Sébast |
| M10 | 13 | Marcel-Jambenoire | (allée) | bd Kellermann, 88 | | Cité Unive |
| E 8 | 8 | Marcel-Pagnol | (square) | pl. Henry-Bergson | | Saint-Aug |
| F 7 | 8 | Marcel-Proust | (allée) | place de la Concorde | av. Marigny | Concorde |
| H 4 | 16 | Marcel-Proust | (avenue) | Berton | en impasse | Passy |
| G 14 | 11 | Marcel-Rajman | (square) | Merlin, 15 | | Père-Lach |
| D 5 | 17 | Marcel-Renault | | Villebois-Mareuil, 5 | Pierre-Demours, 14 | Ternes |
| B 10 | 18 | Marcel-Sembat | (square) | Marcel-Sembat | Frédéric-Schneider | Porte de Cl |
| B 10 | 18 | Marcel-Sembat | | bd Ney | allée du Métro | Porte de Cl |
| K 6 | 15 | Marcel-Toussaint | (square) | de Dantzig, 7 | en impasse | Convention |
| I 10 | 5 | Marcelin-Berthelot | (place) | rue-des Écoles | Saint-Jacques | Maubert-M |
| G 13 | 11 | Marcès | (villa) | Popincourt, 39 | | Saint-Amb |
| D 16 | 19 | Marchais | (des) | bd d'Indochine | en impasse | Danube |
| F 11 | 10 | Marché | (passage du) | Bouchardon, 25 | fg Saint-Martin, 62 | Château d' |
| J 11 | 5 | Marché-aux-Chevaux | (impasse du) | Geoffroy-Saint-Hilaire, 5 | | Saint-Marc |
| H 12 | 4 | M.-des-Blancs-Manteaux | (du) | Hospice-Saint-Gervais, 3 | Vieille-du Temple, 50 | Hôtel de Vil |
| J 11 | 5 | Marché-des-Patriarches | (du) | de Mirbel, 11 | Daubenton, 38 | Censier-Da |
| H 10 | 4 | Marché-Neuf | (quai du) | Petit-Pont | pont Saint-Michel | La Cité |
| B 9 | 18 | Marché-Ordener | (du) | Ordener, 174 | Championnet, 175*bis* | Guy-Môque |
| G 13 | 11 | Marché-Popincourt | (du) | Ternaux, 12 | Ternaux, 16 | Parmentier |
| F 9 | 1 | Marché-Saint-Honoré | (du) | Saint-Honoré | Danielle-Casanova | Pyramides |
| F 9 | 1 | Marché-Saint-Honoré | (place du) | Gomboust | | Pyramides |
| H 12 | 4 | Marché-Ste-Catherine | (place du) | d'Ormesson, 6 | Caron, 8 | Saint-Paul |
| J 9 | 6 | Marco-Polo | (jardin) | av. de l'Observatoire | | Port-Royal |
| F 15 | 20 | Mare | (de la) | Ménilmontant, 71 | des Pyrénées, 383 | Ménilmonta |
| F 15 | 20 | Mare | (impasse de la) | de la Mare, 14 | | Ménilmonta |
| F 3 | 16 | Mal-de-L.-de-Tassigny | (place du) | bd Lannes | bd de l'Amiral-Bruix | Porte Dauph |
| F 3 | 16 | Maréchal-Fayolle | (avenue du) | av. Louis-Barthou | Porte Dauphine | Porte Dauph |
| H 2 | 16 | Mal-Franchet-d'Espérey | (avenue du) | pl. de la Pte de Passy | Mal-Lyautey, 95 | Ranelagh |
| G 7 | 7 | Maréchal-Gallieni | (avenue du) | quai d'Orsay | place des Invalides | Invalides |
| H 6 | 7 | Maréchal-Harispe | (du) | av. Bourdon, 28 | Adrienne-Lecouvreur | École Militai |
| D 5 | 17 | Maréchal-Juin | (place du) | av. de Villiers, 112 | | Péreire |
| I 2 | 16 | Maréchal-Lyautey | (avenue du) | M.-F.-d'Espérey, 95 | pl. de la Pte d'Auteuil | Porte d'Auteu |
| G 2 | 16 | Maréchal-Maunoury | (avenue du) | pl. de la Pte Muette | pl. de la Pte de Passy | La Muette |
| G 10 | 1 | Marengo | (de) | de Rivoli, 164 | Saint-Honoré, 151 | Louvre-Rivoli |
| L 9 | 14 | Marguerin | | d'Alésia, 73 | Leneveux | Alésia |
| G 10 | 1 | Marguerite-de-Navarre | (place) | Forum-des-Halles | voir détails p. 38 | Les Halles |
| H 5 | 15 | Marguerite-Yourcenar | (allée) | Desaix, 21 | Edgar-Faure | Dupleix |
| D 6 | 17 | Margueritte | | bd de Courcelles, 106 | av. de Wagram, 76 | Courcelles |
| J 17 | 12 | Marguettes | (des) | Lasson | av. de St-Mandé, 102 | Porte de Vinc |
| B 8 | 17 | Maria-Deraismes | | Colette, 4 | Arthur-Brière, 1 | Guy-Môquet |
| H 11 | 4 | Marie | (pont) | quai des Célestins | quai d'Anjou | Pont-Marie |
| B 8 | 17 | Marie | (cité) | Dr-P.-Brousse, 14 | | Guy-Môquet |

| | Rues | Commençant | Finissant | Métro |
|---|---|---|---|---|
| -Benoist | | Dorian | en impasse | Nation |
| -Blanche | (impasse) | Constance, 9 | | Blanche |
| -Curie | (square) | boulevard de l'Hôpital | | Gare d'Austerlitz |
| -Davy | | du Père-Corentin, 42 | Sarrette, 33 | Alésia |
| -de-Miribel | (place) | des Orteaux | bd Davout | Porte de Montreuil |
| -et-Louise | | Bichat, 33 | av. Richerand, 10 | Goncourt |
| -Laurencin | | du Sahel, 46 | André Derain | Bel-Air |
| -Laurent | (allée) | Buzenval | Mounet-Sully, 15 | Buzenval |
| -Madeleine-Fourcade | (place) | place Dupleix | | Dupleix |
| -Pape-Carpantier | | Madame, 20 | Cassette, 1 | Saint-Sulpice |
| -Rose | | du Père-Corentin | Sarrette, 25 | Alésia |
| -Stuart | | Dussoubs, 7 | Montorgueil, 62 | Étienne-Marcel |
| etta-Martin | | des Vignes, 67 | des Bauches, 18 | La Muette |
| gnan | (de) | François-1er, 24 | av. des Ch.-Élysées, 35 | Frankin-D.-Roosevelt |
| gnan | (passage) | Marignan | av. des Ch.-Élysées | Frankin-D.-Roosevelt |
| gny | (avenue de) | av. Gabriel, 34 | fg Saint-Honoré, 59 | Ch.-Élysées-Clemenceau |
| iniers | (des) | passage Noirot, 1 | Didot, 108 | Porte de Vanves |
| inoni | | av. la Bourdonnais | Adrienne-Lecouvreur | École Militaire |
| io-Nikis | | av. de Suffren, 112 | Chasseloup-Laubat | Cambronne |
| iotte | | des Dames, 56 | des Batignolles, 27 | Rome |
| ius-Barroux | (allée) | bd Sérurier, 18 | en impasse | Porte de Pantin |
| ivaux | (de) | Grétry, 6 | bd des Italiens, 13 | Quatre-Septembre |
| montel | | Yvart, 4 | Convention, 209 | Convention |
| mousets | (des) | des Gobelins, 24 | bd Arago, 17 | Les Gobelins |
| ne | (de la) | de l'Ourcq, 22 | quai de la Marne | Ourcq |
| ne | (quai de la) | de Crimée, 154 | quai de Metz | Crimée |
| roc | (du) | de Flandre, 27 | d'Aubervilliers, 56 | Stalingrad |
| roc | (impasse du) | place du Maroc, 4 | | Stalingrad |
| roc | (place du) | du Maroc, 18 | Tanger, 18 | Stalingrad |
| ronites | (des) | bd de Belleville, 20 | Julien-Lacroix, 11 | Ménilmontant |
| rronniers | (des) | Raynouard, 78 | Boulainvilliers, 40 | La Muette |
| rseillaise | (de la) | des Sept-Arpents | av.de la Pte Chaumont | Porte de Pantin |
| rseillaise | (square de la) | de la Marseillaise | | Porte de Pantin |
| rseille | (de) | Yves-Toudic, 36 | quai de Valmy | Jacques-Bonsergent |
| rsollier | | Méhul, 1 | Monsigny, 1 | Quatre-Septembre |
| rsoulan | | bd de Picpus, 66 | c. de Vincennes, 50 | Picpus |
| rteau | (impasse) | av. de la Pte Chapelle | en impasse | Porte de la Chapelle |
| rtel | | Petites-Écuries, 16 | de Paradis, 17 | Château d'Eau |
| artignac | (cité) | de Grenelle, 111 | | Solférino |
| artignac | (de) | Saint-Dominique, 33 | de Grenelle, 132 | Varenne |
| artin-Bernard | | Bobillot, 40 | de Tolbiac, 198 | Corvisart |
| artin-Garat | | de la Py, 10 | Géo-Chavez, 5 | Porte de Bagnolet |
| artin-Nadaud | (place) | av. Gambetta | Sorbier | Gambetta |
| artini | (impasse) | fg Saint-Martin, 25 | | Strasbourg-Saint-Denis |
| artinique | (de la) | Guadeloupe, 6 | de Torcy, 25 | Marx-Dormoy |
| arty | (impasse) | Jacques-Kellner | | Porte de Saint-Ouen |
| artyrs | (des) | N.-D.-de-Lorette, 2 | la Vieuville, 14 | Notre-Dame-de-Lorette |
| 69-72 | | de 67*bis* à 74 à la fin, 18e | | Pigalle |
| artyrs-Juifs-du-Vélodrome-d'Hiver | (place des) | quai de Grenelle | bd de Grenelle | Bir-Hakeim |
| arx-Dormoy | | place de la Chapelle | Ordener | Porte de la Chapelle |
| aryse-Bastié | | Joseph-Bédier, 1 | Franc-Nohain, 5 | Porte d'Ivry |
| aryse-Hilsz | | pl. Porte de Montreuil | de Lagny | Porte de Montreuil |
| aspéro | | Franqueville, 2 | Gal-d'Andigné, 10 | La Muette |
| asséna | (square) | bd Masséna, 42 | | Porte d'Ivry |
| asséna | (boulevard) | quai de la Gare, 1 | av. d'Italie, 169 | Quai de la Gare |
| 14 | | | | Porte d'Ivry |
| 94 | | | | Porte de Choisy |
| 148 | | | | Porte d'Italie |
| Massenet | | Passy, 44 | Vital, 33 | La Muette |
| Masseran | | Éblé | Duroc | Duroc |
| Massif-Central | (square du) | bd Poniatowski | des Meuniers | Porte de Charenton |
| Massillon | | Chanoinesse, 9 | Cloître-N.-Dame, 8 | Cité |
| Massonnet | (impasse) | Championnet | | Porte de Clignancourt |
| Mathieu | (impasse) | Falguière, 58 | | Pasteur |
| Mathis | | de Flandre, 107 | Curial, 30 | Crimée |
| Mathurin-Moreau | (avenue) | pl. du Colonel-Fabien | Manin, 29 | Colonel-Fabien |
| Mathurin-Régnier | | Vaugirard, 235 | Bargue, 47 | Volontaires |
| Mathurins | (des) | Scribe, 15 | bd Malesherbes, 32 | Havre-Caumartin |
| Matignon | (avenue) | rd-pt des Ch.-Élysées, 2 | Penthièvre, 21 | Franklin-D.-Roosevelt |
| Maubert | (impasse) | Frédéric-Sauton, 3 | en impasse | Maubert-Mutualité |
| Maubert | (place) | bd Saint-Germain, 60 | | Maubert-Mutualité |
| Maubeuge | (square de) | de Maubeuge, 56 | | Poissonnière |
| Maubeuge | (de) | Châteaudun, 12 | bd la Chapelle, 39 | Cadet |
| nos 89-100 | | | | Gare du Nord |
| Maublanc | | Blomet, 103 | de Vaugirard, 266 | Vaugirard |
| Mauconseil | | Française, 5 | Montorgueil, 38 | Les Halles |
| Maure | (passage du) | Beaubourg, 33 | Brantôme | Rambuteau |
| Maurel | (passage) | bd de l'Hôpital, 8 | de Buffon, 7 | Gare d'Austerlitz |
| Maurice-Barrès | (place) | Cambon | Saint-Honoré | Madeleine |
| Maurice-Beaumont | (allée) | av. Gal-Ferrié | av. Gustave-Eiffel | Champ-de-Mars |
| Maurice-Berteaux | | bd Mortier | en impasse | Pelleport |
| Maurice-Bouchor | | av. de la Porte Didot | Prévost-Paradol | Porte de Vanves |
| Maurice-Bourdet | | pont de Grenelle | av. Président-Kennedy | Mirabeau |
| Maurice-Chevalier | (place) | Étienne-Dolet | Julien-Lacroix | Ménilmontant |
| Maurice-de-Fontenay | (place) | de Reuilly | Colonel-Rozanoff | Reuilly-Diderot |
| Maurice-de-la-Sizeranne | | Duroc | Sèvres | Duroc |
| Maurice-Denis | | Raguinot | pge Gatbois | Gare de Lyon |
| Maurice-d'Ocagne | (avenue) | av. G.-Lafenestre | av. Porte de Châtillon | Porte de Vanves |
| Maurice-et-Louis-Broglie | | Louise-Weiss | Chevaleret, 108 | Chevaleret |
| Maurice-Gardette | (square) | Général Blaise, 1 | Lacharrière | Saint-Ambroise |
| Maurice-Genevoix | | Boucry, 17 | de la Chapelle, 56 | Porte de la Chapelle |
| Maurice-Lœwy | | de l'Aude, 16 | en impasse | Alésia |
| Maurice-Maignen | | Aristide Maillol | | Pasteur |
| Maurice-Noguès | (square) | Maurice-Noguès | | Porte de Vanves |
| Maurice-Noguès | | av. Marc-Sangnier, 8 | bd Ad.-Pinard | Porte de Vanves |
| Maurice-Quentin | (place) | du pont-Neuf | des Halles | Les Halles |
| Maurice-Ravel | (avenue) | Jules-Lemaître | av. Émile-Laurent | Porte de Vincennes |
| Maurice-Ripoche | | av. du Maine | Didot | Pernéty |
| Maurice-Rollinat | (villa) | Miguel-Hidalgo | en impasse | Danube |
| Maurice-Rouvier | | Ray-Losserand, 166 | Vercingétorix, 189 | Plaisance |
| Maurice-Utrillo | | Paul-Albert | Lamarck | Anvers |
| Mauvais-des-Garçons | (des) | de Rivoli, 46 | de la Verrerie, 5 | Hôtel de Ville |
| Mauves | (allée des) | Saint-Blaise | | Porte de Montreuil |
| Mauxins | (passage des) | Romainville, 61 | bd Sérurier, 15 | Porte des Lilas |
| Max-Ernst | | Duris | des Amandiers | Ménilmontant |
| Max-Hymans | (square) | bd Vaugirard, 31 | bd Pasteur, 87 | Montparnasse-Bienvenüe |
| Max-Jacob | | Poterne-des-Peupliers | Keufer | Porte d'Italie |
| Mayenne | (square de la) | av. Brunetière | | Porte de Champerret |
| Mayet | | de Sèvres, 133 | Cherche-Midi, 124 | Falguière |
| Mayran | | de Montholon, 26 | Rochechouart, 16 | Cadet |
| Mazagran | (de) | bd Bon.-Nouvelle, 18 | de l'Échiquier, 11 | Strasbourg-Saint-Denis |
| Mazagran | (avenue de) | av. Porte Gentilly | av. P.-Vail.-Couturier | Cité Universitaire |
| Mazarine | | de Seine, 7 | Dauphine, 52 | Odéon |
| Mazas | (place) | quai de la Rapée, 100 | | Quai de la Rapée |
| Mazas | (voie) | quai Henri-IV | quai de la Rapée | Quai de la Rapée |
| Meaux | (de) | bd de la Villette, 130 | Jean-Jaurès, 110 | Colonel-Fabien |
| nos 46-93 | | | | Bolivar |
| nos 95-139 | | | | Laumière |
| Méchain | | de la Santé, 36 | fg Saint-Jacques, 57 | Saint-Jacques |

| Plan | Arr. | Nom | Rues | Commençant | Finissant | Métro |
|---|---|---|---|---|---|---|
| D 6 | 17 | Médéric | | de Prony | de Courcelles | Courcelles |
| I 10 | 6 | Médicis | (de) | de Vaugirard, 15 | pl. Edmond-Rostand | Odéon-Luxembourg |
| H 10 | 1 | Mégisserie | (quai de la) | place du Châtelet | du pont-Neuf, 2 | Pont-Neuf |
| F 9 | 2 | Méhul | | Petits-Champs, 46 | Marsollier | Quatre-Septembre |
| I 6 | 15 | Meilhac | | Croix-Nivert, 61 | Neuve-du-Théâtre | Commerce |
| D 6 | 17 | Meissonier | | de Prony, 50 | Jouffroy, 79 | Wagram |
| E 14 | 19 | Mélingue | | de Belleville, 103 | Fessart, 31 | Pyrénées |
| D 13 | 19 | Melun | (passage de) | Jean-Jaurès, 62 | de Meaux, 97 | Laumière |
| F 9 | 2 | Ménars | | de Richelieu, 81 | Quatre-Septembre, 12 | Quatre-Septembre |
| H 17 | 20 | Mendelsshon | | bd Davout, 88 | Drs-Déjérine, 3 | Porte de Montreuil |
| G 11 | 3 | Ménétriers | (passage des) | Beaubourg | Brantôme | Rambuteau |
| G 14 | 11 | Ménilmontant | (passage de) | av. Jean-Aicard | bd Ménilmontant, 113 | Ménilmontant |
| F 15 | 20 | Ménilmontant | (place de) | Ménilmontant | Mare | Saint-Fargeau |
| F 15 | 20 | Ménilmontant | (de) | bd de Belleville, 2 | Pelleport, 105 | Ménilmontant |
| | | nos 130-131 | | | | Pelleport |
| G 14 | 11 | Ménilmontant | (boulevard de) | de Montlouis, 15 | Ménilmontant, 2 | Philippe-Auguste |
| G 15 | 20 | nos 30-39 | | | | Père-Lachaise |
| | | nos 143-150 | | | | Ménilmontant |
| | | | | nos pairs, 20e | nos impairs, 11e | Ménilmontant |
| H 14 | 11 | Mercœur | | bd Voltaire, 129 | la Vacquerie | Voltaire |
| F 4 | 16 | Mérimée | | Belles-Feuilles, 61 | Émile-Ménier | Victor-Hugo |
| J 17 | 12 | Merisiers | (sentier des) | bd Soult, 101 | du Niger, 9 | Porte de Vincennes |
| G 14 | 11 | Merlin | | la Roquette, 151 | Chemin-Vert, 128 | Père-Lachaise |
| J 1 | 16 | Meryon | | bd Murat | av. du Gal-Sarrail | Porte d'Auteuil |
| F 12 | 3 | Meslay | (passage) | Meslay, 32 | bd Saint-Martin, 25 | République |
| F 12 | 3 | Meslay | | du Temple, 207 | Saint-Martin, 330 | Strasbourg-St-Denis |
| | | nos 28-35 | | | | République |
| F 4 | 16 | Mesnil | | place Victor-Hugo, 9 | Saint-Didier, 56 | Victor-Hugo |
| E 11 | 10 | Messageries | (des) | d'Hauteville, 75 | fg Poissonnière, 80 | Poissonnière |
| J 16 | 12 | Messidor | | de Toul, 36 | Gal-Michel-Bizot, 117 | Bel-Air |
| K 10 | 14 | Messier | | bd Arago, 77 | Jean-Dolent, 4 | Saint-Jacques |
| E 7 | 8 | Messine | (avenue de) | bd Haussmann, 134 | Monceau, 42 | Miromesnil |
| E 7 | 8 | Messine | (de) | Dr-Lanceraux | av. Messine, 25 | Monceau |
| E 14 | 20 | Métairie | (cour de la) | Belleville, 94 | | Pyrénées |
| F 11 | 10 | Metz | (de) | bd Strasbourg, 19 | fg Saint-Denis, 32 | Strasbourg-Saint-Denis |
| C 14 | 19 | Metz | (quai de) | de Thionville, 29 | quai de la Marne | Ourcq |
| K 15 | 12 | Meuniers | (des) | bd Poniatwoski, 33 | Brèche-aux-Loups | Porte de Charenton |
| | | nos 57-64 | | | | Dugommier |
| C 14 | 19 | Meurthe | (de la) | de Thionville, 11 | quai de la Marne | Ourcq |
| G 4 | 16 | Mexico | (place de) | de Longchamp, 72 | des Sablons | Trocadéro |
| F 9 | 9 | Meyerbeer | | Chaussée d'Antin, 5 | Halévy, 12 | Opéra |
| D 14 | 19 | Meynadier | | pl. Armand-Carrel, 14 | de Crimée, 97 | Laumière |
| I 9 | 6 | Mézières | (de) | Bonaparte, 80 | de Rennes, 81 | Saint-Sulpice |
| L 11 | 13 | Michal | | Barrault, 41 | Martin-Bernard, 18 | Corvisart |
| J 2 | 16 | Michel-Ange | (hameau) | Parent-de Rozan, 23 | | Exelmans |
| J 2 | 16 | Michel-Ange | (villa) | Bastien-Lepage, 5 | | Michel-Ange-Auteuil |
| J 2 | 16 | Michel-Ange | | d'Auteuil, 55 | av. de Versailles, 226 | Michel-Ange-Molitor |
| L 9 | 14 | Michel-Audiard | (place) | Hallé | du Couédic | Mouton-Duvernet |
| M13 | 13 | Michel-Bréal | | bd Masséna, 63 | Dupuy-de Lôme | Porte d'Ivry |
| I 13 | 12 | Michel-Chasles | | bd Diderot, 25 | av. Daumesnil,2 | Gare de Lyon |
| H 16 | 20 | Michel-de-Bourges | | des Vignoles, 42 | des Vignoles, 50 | Buzenval |
| G 11 | 3 | Michel-le-Comte | | du Temple, 89 | Beaubourg, 54 | Rambuteau |
| K 11 | 13 | Michel-Peter | | bd Saint-Marcel, 79 | Reine-Blanche, 24 | Les Gobelins |
| E 13 | 19 | Michel-Tagrine | | Georges-Lardennois, 64 | G.-Lardennois, 2*bis* | Colonel-Fabien |
| J 9 | 6 | Michelet | | bd Saint-Michel, 84 | d'Assas, 81 | Port-Royal |
| K 15 | 12 | Midi | (cour du) | Bercy-Expo. | | Dugommier |
| D 4 | 17 | Midi | (du) | pl. de Verdun | de Dreux | Porte Maillot |
| D 9 | 18 | Midi | (cité du) | bd de Clichy, 50 | | Pigalle |
| G 3 | 16 | Mignard | | av. Henri-Martin, 85 | de Siam, 18 | Rue de la Pompe |
| I 3 | 16 | Mignet | | George-Sand, 11 | Lecomte-de Lisle, 12 | Michel-Ange-Auteuil |
| H 10 | 6 | Mignon | | Danton, 7 | Saint-Germain, 112 | Odéon |
| G 4 | 16 | Mignot | (square) | Pétrarque, 22*bis* | en impasse | Trocadéro |
| D 15 | 19 | Mignottes | (des) | Compans | de Mouzaïa, 16 | Botzaris |
| D 15 | 19 | Miguel-Hidalgo | | place du Danube, 2 | Compans, 118 | Danube |
| E 9 | 9 | Milan | (de) | de Clichy, 33 | d'Amsterdam, 48 | Liège |
| H 3 | 16 | Milleret-de-Brou | (avenue) | Assomption | Recteur-Poincaré | Jasmin |
| D 5 | 17 | Milne-Edwards | | bd Péreire, 164 | J.-B.-Dumas, 10 | Péreire |
| B 9 | 18 | Milord | (impasse) | av. de St-Ouen, 140 | | Porte de Saint-Ouen |
| E 10 | 9 | Milton | | Lamartine, 48 | la Tour-d'Auv., 29 | Notre-Dame-de-Lorette |
| M10 | 13 | Mimosas | (square des) | des Liserons, 2 | | Corvisart |
| K 14 | 12 | Minervois | (cour du) | de Libourne, 8 | pl. des Vins-de-France, 11 | Bercy |
| H 12 | 3 | Minimes | (des) | des Tournelles, 37 | du Turenne, 38 | Chemin-Vert |
| I 6 | 15 | Miollis | | bd Garibaldi, 50 | Cambronne, 37 | Combronne |
| I 3 | 15-16 | Mirabeau | (pont) | quai Louis-Blériot | quai André-Citroën | Mirabeau |
| I 3 | 16 | Mirabeau | | av. de Versailles, 64 | Chardon-Lagache, 7 | Mirabeau |
| J 11 | 5 | Mirbel | (de) | de la Clef, 17 | Patriarches, 5 | Censier-Daubenton |
| C 10 | 18 | Mire | (de la) | de Ravignan, 19 | Lepic, 112 | Abbesses |
| 7 | 8 | Miromesnil | (de) | fg Saint-Honoré, 98 | bd de Courcelles, 15 | Mirosmesnil |
| | | nos 107-108 | | | | Villiers |
| I 2 | 16 | Mission-Marchand | (de la) | Pierre-Guérin, 30 | de la Source, 29 | Michel-Ange-Auteuil |
| H 8 | 7 | Missions-Étrangères | (square des) | de Commaille | de Babylone | Sèvres-Babylone |
| J 7 | 15 | Mizon | | Brown-Séquard, 10 | bd Pasteur, 63 | Pasteur |
| L 8 | 14 | Moderne | (villa) | des Plantes, 15 | | Alésia |
| D 14 | 19 | Moderne | (avenue) | du Rhin, 21 | | Laumière |
| J 8 | 14 | Modigliani | (terrasse) | Mouchotte, 26 | | Montparnasse-Bienvenüe |
| J 4 | 15 | Modigliani | | Balard | en impasse | Balard |
| E 9 | 9 | Mogador | (de) | bd Haussmann, 46 | Saint-Lazare, 75*bis* | Trinité |
| C 8 | 17 | Moines | (des) | pl. Charles-Fillion | la Jonquière, 45 | Brochant |
| G 9 | 1 | Molière | | av. de l'Opéra, 8 | de Richelieu, 37 | Pyramides |
| G 11 | 3 | Molière | (passage) | Saint-Martin, 159 | Quincampoix, 82 | Rambuteau |
| J 2 | 16 | Molière | (avenue) | av. Despréaux | impasse Racine | Pyramides |
| C 12 | 18 | Molin | (impasse) | Buzelin, 10 | en impasse | Marx-Dormoy |
| J 2 | 16 | Molitor | (villa) | Molitor, 9 | Chardon-Lagache, 52 | Chardon-Lagache |
| I 2 | 16 | Molitor | | Chardon-Lagache, 16 | bd Murat, 27 | Michel-Ange-Molitor |
| E 7 | 8 | Mollien | | Treilhard, 8 | de Lisbonne, 29 | Villiers |
| C 7 | 17 | Monbel | (de) | Tocqueville, 110 | bd Péreire, 47 | Wagram |
| D 7 | 8 | Monceau | (parc de) | bd de Courcelles | av. Ruysdaël | Monceau |
| D 8 | 17 | Monceau | (square) | bd Batignolles, 84 | | Rome |
| D 6 | 17 | Monceau | (villa) | de Courcelles, 158 | | Péreire |
| D 7 | 8 | Monceau | (de) | bd Haussmann, 188 | du Rocher, 89 | Courcelles |
| | | nos 96-97 | | | | Villiers |
| D 9 | 9 | Moncey | (square) | Moncey, 12 | | Place de Clichy |
| D 9 | 9 | Moncey | | Blanche, 39 | de Clichy, 46*bis* | Place de Clichy |
| C 8 | 17 | Moncey | (passage) | av. de Saint-Ouen, 37 | Dautancourt, 32 | La Fourche |
| G 10 | 1 | Mondétour | (passage) | Forum de Halles | voir détails p. 38 | Les Halles |
| G 10 | 1 | Mondétour | | Rambuteau, 104 | Turbigo, 10 | Étienne-Marcel |
| F 16 | 20 | Mondonville | | Irénée-Blanc, 2 | Paul-Strauss, 2 | Les Halles |
| F 8 | 1 | Mondovi | (de) | de Rivoli, 254 | Mont-Thador, 29 | Concorde |
| J 11 | 5 | Monge | (place) | Monge, 72 | Gracieuse | Place Monge |
| J 11 | 5 | Monge | | bd Saint-Germain, 47 | av. des Gobelins, 1 | Maubert-Mutualité |
| | | nos 11-24 | | | | Cardinal-Lemoine |
| | | nos 48-56 | | | | Place Monge |
| | | nos 87-88 | | | | Censier-Daubenton |
| J 17 | 12 | Mongenot | | Cailletet | Saint-Mandé | Porte de Vincennes |
| E 13 | 19 | Monjol | | Henri-Turot, 11 | Legrand | Colonel-Fabien |
| G 10 | 1 | Monnaie | (de la) | quai du Louvre, 2 | de Rivoli, 75 | Pont-Neuf |
| G 14 | 20 | Monplaisir | (passage) | bd Ménilmontant, 104 | | Ménilmontant |
| D 6 | 17 | Monseigneur-Loutil | (place) | av. de Villiers | Jouffroy | Wagram |
| E 15 | 19 | Monseigneur-Maillot | (square) | de Crimée | Compans | Place des fêtes |
| E 12 | 10 | Monseigneur-Rodhain | | quai de Valmy | du Terrage | Place des Fêtes |

| Plan | Arr. | Nom | Rues | Commençant | Finissant | Métro |
|---|---|---|---|---|---|---|
| I 7 | 7 | Monsieur | | de Babylone, 59 | Oudinot, 16 | Saint-François-Xavier |
| I 10 | 6 | Monsieur-le-Prince | | carrefour-Odéon, 18 | bd Saint-Michel, 58 | Odéon |
| | | nos 30-47 | | | | Luxembourg |
| F 9 | 2 | Monsigny | | Dalayrac, 50 | Quatre-Septembre, 23 | Quatre-Septembre |
| H 16 | 20 | Monsoreau | (square de) | Monte-Cristo | Alexandre-Dumas | Alexandre-Dumas |
| J 3 | 15 | Mont-Aigoual | (du) | Cauchy | de la Mont-Espérou | Lourmel |
| I 3 | 16 | Mont-Blanc | (square du) | av. Perrichon, 25 | en impasse | Mirabeau |
| B 10 | 18 | Mont-Cenis | (passage du) | Mont-Cenis, 135 | bd Ornano, 82 | Porte de Clignancourt |
| B 10 | 18 | Mont-Cenis | (du) | de Norvins, 2 | Belliard, 41 | Jules-Joffrin |
| | | nos 104-149 | | | | Porte de Clignancourt |
| D 8 | 17 | Mont-Doré | (du) | bd Batignolles, 40 | Batignolles, 9 | Rome |
| H 15 | 11 | Mont-Louis | (de) | Folie-Regnault, 3 | bd Ménilmontant, 1 | Philippe-Auguste |
| H 15 | 11 | Mont-Louis | (impasse de) | de Mont-Louis, 6 | | Philippe-Auguste |
| F 8 | 1 | Mont-Thabor | (du) | d'Alger, 9 | de Mondovi, 7 | Tuileries |
| | | nos 45-56 | | | | Concorde |
| J 8 | 15 | Mont-Tonnerre | (impasse du) | de Vaugirard, 12 | | Falguière |
| J 4 | 15 | Montagne-d'Aulas | (de la) | Balard | Saint-Charles | Lourmel |
| J 3 | 15 | Montagne-de-la-Fage | (de la) | Balard | Balard | Lourmel |
| J 3 | 15 | Montagne-d'Esperou | (de la) | Cauchy | Balard | Lourmel |
| J 3 | 15 | Montagne-du-Goulet | (place de la) | Balard | Clément-Myonnet | Javel-André-Citroën |
| I 11 | 5 | Montagne-Ste-Geneviève | (de la) | Monge, 2 | pl. Sainte-Geneviève | Maubert-Mutualité |
| | | nos 33-50 | | | | Cardinal-Lemoine |
| F 6 | 8 | Montaigne | (avenue) | place de l'Alma, 7 | rd-pt des Ch.-Élysées | Franklin-D.-Roosevelt |
| H 8 | 7 | Montalembert | | Sébastien-Bottin | du Bac, 43 | Rue du Bac |
| F 8 | 8 | Montalivet | | d'Aguesseau, 15 | des Saussaies, 12 | Ch.-Élysées-Clemenceau |
| K 5 | 15 | Montauban | | Robert-Lindet, 20 | | Convention |
| L 9 | 14 | Montbrun | (passage) | Montbrun, 2 | | Alésia |
| L 9 | 14 | Montbrun | | Rémy-Dumoncel | d'Alésia, 30 | Alésia |
| B 10 | 18 | Montcalm | (villa) | Montcalm, 17 | des Cloys, 57 | Lamarck-Caulaincourt |
| C 9 | 18 | Montcalm | | Damrémont, 78 | Ruisseau, 65 | Jules-Joffrin |
| H 16 | 20 | Monte-Cristo | | de Bagnolet, 30 | Alexandre-Dumas | Alexandre-Dumas |
| H 11 | 5 | Montebello | (port de) | pont Archevêché | Petit-Pont | Maubert-Mutualité |
| J 11 | 5 | Montebello | (quai de) | pont Archevêché | Petit-Pont | Maubert-Mutualité |
| L 6 | 15 | Montebello | (de) | Chauvelot, 7 | Camulogène | Porte de Vanves |
| J 16 | 12 | Montempoivre | (de) | Gal-Michel-Bizot, 120 | bd Soult, 69 | Bel-Air |
| J 16 | 12 | Montempoivre | (sentier de) | de Toul | bd de Picpus | Bel-Air |
| E 16 | 19 | Montenegro | (passage du) | de Romainville, 28 | Haxo, 127 | Télégraphe |
| E 5 | 17 | Montenotte | (de) | av. des Ternes, 23 | av. Mac-Mahon | Ch.-de-Gaulle-Étoile |
| I 17 | 12 | Montéra | | av. Saint-Mandé, 83 | bd Soult, 145 | Porte de Vincennes |
| F 3 | 16 | Montespan | (avenue de) | av. Victor-Hugo, 177 | Pompe, 101 | Rue de la Pompe |
| G 10 | 1 | Montesquieu | | Croix des P.-Champs, 13 | Bons-Enfants, 18 | Palais-Royal-Musée du Louvre |
| K 17 | 12 | Montesquiou-Fezensac | | Armand-Rousseau | | Porte Dorée |
| F 3 | 16 | Montevideo | (de) | Longchamp, 147 | Dufrénoy, 18 | Porte Dauphine |
| H 9 | 6 | Montfaucon | (de) | bd Saint-Germain, 131 | Clément, 10 | Mabillon |
| J 15 | 12 | Montgallet | (passage) | Montgallet, 25 | Erard, 26 | Montgallet |
| J 15 | 12 | Montgallet | | de Charenton, 189 | de Reuilly, 68 | Montgallet |
| F 11 | 3 | Montgolfier | | de Turbigo, 59 | Vertbois, 21 | Arts-et-Métiers |
| D 8 | 9 | Monthiers | (cité) | de Clichy, 55 | d'Amsterdam, 72 | Porte de Clichy |
| E 10 | 9 | Montholon | (de) | fg Poissonnière, 85 | Rochechouart, 2 | Cadet |
| E 10 | 9 | Montholon | (square de) | La Fayette,79 | Pierre-Sémard,6 | Cadet |
| F 16 | 20 | Montibœufs | (des) | Capitaine-Ferber | Le-Bua, 24 | Pelleport |
| M 9 | 14 | Monticelli | | bd Jourdan | av. Paul-Appell | Porte d'Orléans |
| F 10 | 2 | Montmartre | (cité) | Montmartre, 55 | en impasse | Sentier |
| F 10 | 2 | Montmartre | (galerie) | Montmartre, 151 | pass. Panoramas, 25 | Rue Montmartre |
| F 10 | 2 | Montmartre | (boulevard) | Montmartre, 169 | Richelieu, 112 | Rue Montmartre |
| | 9 | nos 14-17 | | nos pairs, 9e | nos impairs, 2e | Richelieu-Drouot |
| G 10 | 1 | Montmartre | | Montorgueil, 1 | bd Montmartre, 1 | Les Halles |
| F 10 | 2 | nos 83-108 | | | | Sentier |
| | | nos 135-156 | | de 1 à 21 | de 2 à 36, 1er | Rue Montmartre |
| G 11 | 3 | Montmorency | (de) | du Temple, 105 | Saint-Martin, 214 | Arts-et-Métiers |
| I 2 | 16 | Montmorency | (avenue de) | Poussin, 12 | av. du Square, 5 | Michel-Ange-Auteuil |
| H 2 | 16 | Montmorency | (boulevard de) | de l'Assomption, 93 | d'Auteuil, 76 | Michel-Ange-Auteuil |
| I 2 | 16 | Montmorency | (villa de) | Poussin, 12 | Montmorency, 93 | Michel-Ange-Auteuil |
| G 10 | 2 | Montorgueil | | Montmartre, 2 | Saint-Sauveur, 59 | Les Halles |
| | | nos 78-102 | | | | Sentier |
| J 9 | 14 | Montparnasse | (du) | N.-D.-d.-Champs, 30 | Odessa, 23 | Edgar-Quinet |
| J 8 | 14 | Montparnasse | (passage) | du Départ | d'Odessa | Montparnasse-Bienvenüe |
| J 8 | 6 | Montparnasse | (du) | N.-D.-d.-Champs, 30 | Odessa, 23 | Notre-Dame-des-Champs |
| | | de 37 à 42 à la fin | | | | Edgar-Quinet |
| J 8 | 15 | Montparnasse | (boulevard du) | de Sèvres, 145 | av. Observatoire, 22 | Falguière |
| J 9 | 14 | nos 63-66 | | | | Montparnasse-Bienvenüe |
| | | nos 99-100 | | | | Vavin |
| G 9 | 1 | Montpensier | (de) | de Richelieu, 8 | de Beaujolais, 21 | Palais-Royal-Musée du Louvre |
| G 9 | 1 | Montpensier | (galerie de) | périst.-Montpensier | pér.-Joinville | Palais-Royal-Musée du Louvre |
| G 9 | 1 | Montpensier | (passage) | Galerie de Chartres | Galerie Montpensier | Palais-Royal-Musée du Louvre |
| I 15 | 11 | Montreuil | (de) | fg Saint-Antoine, 225 | bd de Charonne, 33 | Faidherbe-Chaligny |
| | | nos 62-69 | | | | Nation |
| | | nos 135-118 | | | | Avron |
| M 9 | 14 | Montsouris | (square de) | Nansouty, 6 | av. Reille | Porte d'Orléans |
| G 6 | 7 | Monttessuy | | av. Rapp, 18 | av. la Bourdonnais | Alma-Marceau |
| E 10 | 9 | Montyon | (de) | de Trévise, 9 | fg Montmartre, 18 | Rue Montmartre |
| F 3 | 16 | Mony | | Spontini, 76 | Benjamin-Godard, 8 | Rue de la Pompe |
| F 13 | 11 | Morand | | J.-P.-Timbaud, 79 | de l'Orillon, 18 | Couronnes |
| I 13 | 12 | Moreau | | av. Daumesnil, 7 | de Charenton, 40 | Ledru-Rollin |
| L 8 | 14 | Morère | | Friant, 42 | av. Châtillon, 47 | Porte d'Orléans |
| F 14 | 11 | Moret | | Oberkampf, 135 | J.-P.-Timbaud, 10 | Couronnes |
| H 5 | 15 | Morieux | (cité) | Fédération | en impasse | Bir-Hakeim |
| K 6 | 15 | Morillons | (des) | Olivier-de-Serres, 45 | Castagnary, 88 | Convention |
| I 12 | 4 | Morland | (pont) | bd de la Bastille | bd Bourdon | Quai de la Rapée |
| H 6 | 7 | Morland | (square) | av. de Lowendal | av. de La Motte-Picquet | École Militaire |
| I 12 | 4 | Morland | (boulevard) | quai Henri-IV | bd Henri-IV, 8 | Quai de la Rapée |
| | | nos 15-20 | | | | Sully-Morland |
| H 15 | 11 | Morlet | (impasse) | de Montreuil, 113 | | Avron |
| E 9 | 9 | Morlot | | square de la Trinité | de la Trinité, 5 | Trinité |
| I 12 | 4 | Mornay | | bd Bourdon, 19 | de Sully, 2 | Sully-Morland |
| K 8 | 14 | Moro-Giafferi | (place de) | Didot | Château | Pernety |
| F 17 | 20 | Mortier | (boulevard) | Porte de Bagnolet | Porte des Lilas | Porte des Lilas |
| G 14 | 11 | Morvan | (du) | Pétion, 26 | Saint-Maur, 25 | Voltaire |
| D 8 | 8 | Moscou | (de) | d'Amsterdam, 47 | bd des Batignolles, 43 | Rome |
| D 13 | 19 | Moselle | (de la) | Jean-Jaurès, 70 | quai de la Loire, 52 | Laumière |
| D 13 | 19 | Moselle | (passage de la) | Jean-Jaurès, 65 | de Meau, 103 | Laumière |
| B 9 | 18 | Moskova | (de la) | Leibniz, 24 | Jean-Dolfus | Saint-Ouen |
| J 11 | 5 | Mouffetard | | Thouin, 5 | Censier, 5 | Place Monge |
| | | nos 81-8 | | | | Censier-Daubenton |
| G 13 | 11 | Moufle | | Chemin-Vert, 33 | bd Richard-Lenoir, 64 | Richard-Lenoir |
| M11 | 13 | Moulin-de-la-Pointe | (jardin du) | av. d'Italie | Maison-Blanche | Porte d'Italie |
| M11 | 13 | Moulin-de-la-Pointe | (du) | av. d'Italie, 104 | bd Kellermann, 24 | Tolbiac |
| | | nos 21-22 | | | | Maison Blanche |
| K 7 | 14 | Moulin-de-la-Vierge | (du) | Ray.-Losserand, 12 | Vercingétorix, 133 | Plaisance |
| K 7 | 14 | Moulin-de-la-Vierge | (jardin du) | Vercingétorix | | Pernety |
| K 8 | 14 | Moulin-des-Lapins | (du) | du Château, 138 | pl. de la Garenne, 1 | Pernety |
| L 11 | 13 | Moulin-des-Prés | (passage du) | Moulin-des Prés, 21 | Bobillot, 24 | Place d'Italie |
| L 11 | 13 | Moulin-des-Prés | | bd A.-Blanqui, 27 | Damesme, 30 | Corvisart |
| | | nos 38-43 | (du) | | | Tolbiac |
| F 14 | 11 | Moulin-Joly | (du) | J.-P-Timbaud, 95 | de l'Orillon, 36-40 | Couronnes |
| L 8 | 14 | Moulin-Vert | (du) | av. du Maine, 220 | de Gergovie, 67 | Alésia |







| Plan | Arr. | Nom | Rues | Commençant | Finissant | Mé |
|---|---|---|---|---|---|---|
| L 8 | 14 | Moulin-Vert | (impasse du) | des Plantes, 29 | | Alés |
| L 11 | 13 | Moulinet | (du) | av. d'Italie, 60 | Bobillot, 51 | Tolb |
| L 11 | 13 | Moulinet | (passage du) | du Moulinet, 49 | de Tolbiac, 160 | Tolb |
| F 9 | 1 | Moulins | (des) | Thérèse, 20 | des Petits-Champs, 51 | Pyra |
| I 16 | 20 | Mounet-Sully | | Pyrénées, 3 | Plaine, 50 | Porte |
| H 17 | 20 | Mouraud | | Croix-St-Simon, 21 | Saint-Blaise, 78 | Porte |
| I 15 | 12 | Mousset | (impasse) | de Reuilly | en impasse | Mon |
| J 16 | 12 | Mousset-Robert | | Sibuet, 30 | Gal-Michel-Bizot, 153 | Picp |
| B 12 | 18 | Moussorgsky | | de l'Évangile, 43 | en impasse | Porte |
| H 11 | 4 | Moussy | (de) | de la Verrerie, 10 | Ste-C.-Bretonnière | Hôte |
| K 8 | 14 | Mouton-Duvernet | | av. du Gal-Leclerc, 38 | av. du Maine | Mout |
| D 15 | 19 | Mouzaïa | (de) | Gal-Brunet, 8 | bd Sérurier | Danu |
| J 14 | 12 | Moynet | (cité) | de Charenton, 181 | Ste-Cl.-Deville | Mont |
| H 3 | 16 | Mozart | (villa) | Mozart, 73 | en impasse | Jasm |
| H 3 | 16 | Mozart | (avenue) | ch. de la Muette, 1 | la Fontaine, 110 | La M |
| | | nos 79-83 | | | | Jasm |
| H 3 | 16 | Muette | (chaussée de la) | Boullainvillliers, 67 | av. Ingres | La Mu |
| F 10 | 2 | Mulhouse | (de) | de Cléry, 29 | des Jeûneurs, 9 | Senti |
| J 2 | 16 | Mulhouse | (villa de) | Cl. Lorrain | Parent-de-R. | Exelm |
| C 10 | 18 | Muller | | Clignancourt, 49 | Lamarck, 2 | Châte |
| J 2 | 16 | Murat | (villa) | Claude-Terrasse, 37 | bd Murat, 155 | Porte |
| I 2 | 16 | Murat | (boulevard) | d'Auteuil, 83 | quai Louis-Blériot | Porte |
| | | nos 99-187 | | | | Porte |
| G 15 | 20 | Mûriers | (des) | des Partants, 16 | av. Gambetta, 27 | Père- |
| G 15 | 20 | Mûriers | (jardin des) | des Pruniers | | Gamb |
| E 7 | 8 | Murillo | | av. Ruysdaël, 5 | de Courcelles, 66 | Courc |
| J 2 | 16 | Musset | (de) | Jouvenet, 9 | Boileau, 69 | Chard |
| I 11 | 5 | Mutualité | (square de la) | Saint-Victor | en impasse | Maub |
| C 11 | 18 | Myrha | | Stephenson, 31 | Christiani, 16 | Châtea |
| E 7 | 8 | Myron-Herrick | (avenue) | fg Saint-Honoré | Courcelles, 13 | St-Phi |
| B 8 | 17 | Naboulet | (impasse) | de la Jonquière, 70 | | Guy-M |
| E 12 | 10 | Nancy | (de) | bd Magenta, 35 | fg Saint-Martin, 86 | Jacqu |
| G 14 | 11 | Nanettes | (des) | bd Ménilmontant, 101 | av. République, 9 | Ménil |
| M 9 | 14 | Nansouty | (impasse) | Émile-D.-Meurthe, 16 | | Cité U |
| M 9 | 14 | Nansouty | | av. Reille, 25 | av. René-Coty | Cité U |
| C 14 | 19 | Nantes | (de) | quai de l'Oise, 19 | de Flandre, 132 | Corent |
| K 6 | 15 | Nanteuil | | Brancion, 17 | Saint-Amand, 16 | Conver |
| D 8 | 8 | Naples | (de) | de Rome, 63 | bd Malesherbes, 7 | Europe |
| D 11 | 10 | Napoléon-III | (place) | de Dunkerque | | Gare d |
| H 8 | 7 | Narbonne | (de) | de la Planche, 4 | en impasse | Sèvres |
| I 3 | 16 | Narcisse-Diaz | | av. de Versailles, 86 | Mirabeau, 17 | Mirabe |
| E 7 | 8 | Narvik | (place de) | av. Messine | de la Bienfaisance | Mirome |
| I 15 | 11-12 | Nation | (place de la) | bd Voltaire | bd Diderot, 145 | Nation |
| L 14 | 12 | National | (pont) | quai de Bercy | quai de la Gare | Porte d' |
| M13 | 13 | National | (passage) | Ch.-des-Rentiers, 27 | Nationale, 22 | Porte d |
| L 13 | 13 | Nationale | (impasse) | Nationale, 56 | | Porte d' |
| L 12 | 13 | Nationale | (place) | Nationale | Château-des-Rentiers | Nationa |
| L 12 | 13 | Nationale | | bd Masséna | bd Vincent-Auriol, 143 | Porte d' |
| | | nos 107-88 | | | | Nationa |
| G 5 | 16 | Nations-Unies | (avenue des) | av. Albert-de Mun | bd Delessert | Trocadé |
| K 14 | 12 | Nativité | (de la) | de Dijon, 10 | de l'Aubrac, 19 | Bercy |
| C 9 | 18 | Nattier | (place) | Eugène-Carrière | Félix-Ziem | Lamarck |
| D 10 | 9 | Navarin | (de) | des Martyrs, 39 | Henri-Monnier, 18 | Pigalle |
| J 11 | 5 | Navarre | (de) | Lacépède, 12 | Monge, 59 | Place M |
| B 8 | 17 | Navier | | av. de Saint-Ouen, 121 | des Épinettes, 34 | Porte de |
| H 12 | 4 | Necker | | d'Ormesson, 2 | de Jarente, 3 | Saint-Pa |
| J 6 | 15 | Necker | (square) | Tessier | Bargue | Volontai |
| H 6 | 7 | Négrier | (cité) | de Grenelle, 151*bis* | Ernest-Psichari | La Tour- |
| H 5 | 15 | Nélaton | | bd de Grenelle, 4 | Dr-Finlay | Bir-Hake |
| F 13 | 11 | Nemours | (de) | Oberkampf, 63 | Jean-Pierre-Timbaud | Parment |
| H 10 | 6 | Nesle | (de) | Dauphine, 24 | de Nevers, 17 | Saint-Mi |
| H 10 | 1-6 | Neuf | (pont) | place pont-Neuf | quai du Louvre | Pont-Ne |
| E 4 | 16 | Neuilly | (avenue de) | place Maillot | Neuilly-sur-Seine | Porte Ma |
| B 11 | 18 | Neuve-de-la-Chardonnière | | du Simplon, 50 | Championnet, 41*bis* | Simplon |
| H 15 | 11 | Neuve-des-Boulets | | des Boulets, 60 | de Nice, 1 | Charonn |
| I 6 | 15 | Neuve-du-Théâtre | | de l'Amiral-Roussin | Meilhac | Commerc |
| G 13 | 11 | Neuve-Popincourt | | Oberkampf, 60 | passage Beslay, 19 | Parmenti |
| H 12 | 4 | Neuve-Saint-Pierre | | Beautreillis, 23 | Saint-Paul, 34 | Saint-Pau |
| L 13 | 13 | Neuve-Tolbiac | | quai François-Mauriac, 1 | qu. Panhard et Levassor, 1 | Tolbiac |
| E 6 | 8 | Néva | (de la) | fg Saint-Honoré, 260 | bd de Courcelles, 77 | Ternes |
| H 10 | 6 | Nevers | (de) | quai de Conti, 5 | de Nesle, 12 | Saint-Mic |
| H 10 | 6 | Nevers | (impasse de) | de Nesle, 13 | | Saint-Mi |
| G 5 | 16 | New-York | (avenue de) | place de l'Alma, 1 | Beethoven, 2 | Bercy |
| F 5 | 16 | Newton | | av. Marceau, 75 | av. d'Iéna, 84 | Ch.-de-Ga |
| B 13 | 18 | Ney | (boulevard) | d'Aubervilliers, 224 | av. de Saint-Ouen, 159 | Porte de l |
| | | no 105 | | | | Porte de C |
| | | no 144 | | | | Porte de S |
| D 6 | 17 | Nicaragua | (place du) | bd Malesherbes | Jouffroy | Malesher |
| H 15 | 11 | Nice | (de) | Neuve-des-Boulets | de Charonne, 154 | Charonne |
| K 15 | 12 | Nicolaï | | Coriolis, 1 | en impasse | Dugommi |
| H 17 | 20 | Nicolas | | bd Davout, 139 | en impasse | Porte de M |
| G 13 | 11 | Nicolas-Appert | | Pelée | pge Ste-Anne-Popine | Richard-L |
| J 7 | 15 | Nicolas-Charlet | | Vaugirard, 177 | Falguière, 50 | Pasteur |
| C 6 | 17 | Nicolas-Chuquet | | bd Malesherbes, 201 | Philibert-Delorme, 12 | Péreire |
| H 13 | 11 | Nicolas-de-Blégny | (villa) | Popincourt, 11 | en impasse | Voltaire |
| G 11 | 4 | Nicolas-Flamel | | de Rivoli, 90 | des Lombards, 9 | Châtelet |
| L 12 | 13 | Nicolas-Fortin | | Gentilly, 69 | av. de Choisy, 168 | Porte d'Ita |
| J 12 | 5 | Nicolas-Houël | | bd de l'hôpital, 18 | en impasse | Gare d'Aus |
| J 9 | 14 | Nicolas-Poussin | (cité) | bd Raspail, 240 | | Raspail |
| K 11 | 13 | Nicolas-Roret | | la Reine-Blanche | Le-Brun, 34 | Les Gobelin |
| M 8 | 14 | Nicolas-Taunay | | av. Reyer | bd Brune | Porte d'Orl |
| C 8 | 17 | Nicolaÿ | (square) | Moines, 16 | Legendre, 77*bis* | Brochant |
| C 14 | 19 | Nicole-Chouraqui | | Tandou | en impasse | Laumière |
| C 10 | 18 | Nicolet | | Ramey, 23 | Bachelet | Château-R |
| G 4 | 16 | Nicolo | (hameau) | Nicolo | en impasse | La Muette |
| G 4 | 16 | Nicolo | | de Passy, 38 | de la Pompe, 42 | La Muette |
| D 5 | 17 | Niel | (villa) | av. Niel, 30*bis* | en impasse | Ternes |
| D 5 | 17 | Niel | (avenue) | av. des Ternes, 3 | pl. du Maréchal-Juin | Ternes |
| | | nos 95-101 | | | | Péreire |
| K 8 | 14 | Niepce | | de l'Ouest, 81 | Ray-Losserand, 5 | Pernéty |
| L 13 | 13 | Nieuport | (villa) | Terres-au-Curé, 39 | en impasse | Porte d'Ivry |
| J 17 | 12 | Niger | (du) | bd Soult, 113 | av. de St-Mandé, 94 | Porte de Vi |
| F 11 | 2 | Nil | (du) | de Damiette, 3 | Petit-Carreaux, 34 | Sentier |
| C 10 | 18 | Nobel | | Caulaincourt, 119 | Francœur, 9 | Lamarck-Ca |
| H 5 | 15 | Nocard | | quai de Grenelle, 15 | Nélaton, 8 | Grenelle |
| G 11 | 3 | Noël | (cité) | de Rambuteau, 22 | en impasse | Rambuteau |
| I 17 | 20 | Noël-Ballay | | Louis-Delaporte | bd Davout | Porte de Vin |
| F 4 | 16 | Noisiel | (de) | Émile-Meunier, 28 | Spontini, 19 | Porte Dauph |
| F 17 | 20 | Noisy-le-Sec | (de) | av. Pte Ménilmontant | Les Lilas - Bagnolet | Saint-Fargea |
| C 7 | 17 | Nollet | (square) | Nollet, 103 | en impasse | Brochant |
| C 8 | 17 | Nollet | | des Dames, 22 | Cardinet, 166 | Place de Cli |
| | | nos 97-108 | | | | Brochant |
| B 10 | 18 | Nollez | (cité) | Ordener, 144 | en impasse | Lamarck-Cau |
| H 13 | 11 | Nom-de-Jésus | (cours du) | fg Saint-Antoine, 47 | | Bastille |
| H 11 | 4 | Nonnains-d'Hyères | (des) | quai des Célestins, 58 | Charlemagne, 25 | Pont-Marie |
| C 11 | 18 | Nord | (du) | Poissonniers, 99 | Clignancourt, 116 | Poisssonnier |
| D 14 | 19 | Nord | (passage du) | Petit, 25 | Petit, 33 | Laumière |
| G 12 | 3 | Normandie | (de) | Debelleyme, 41 | Charlot, 64 | Filles du Calv |
| C 10 | 18 | Norvins | | du Mont-Cenis, 1 | Girardon, 4 | Abbesses |
| H 11 | 4 | Notre-Dame | (pont) | quai de la Cité | quai de Gesvres | Cité |

| Arr. | Nom | Rues | Commençant | Finissant | Métro |
|---|---|---|---|---|---|
| | -D.de-Bonne-Nouvelle | | Beauregard, 21*bis* | Bonne-Nouvelle, 2 | Bonne-Nouvelle |
| | -Dame-de-Lorette | | Saint-Lazare, 2 | Pigalle, 50 | Notre-Dame-de-Lorette |
| | -Dame-de-Nazareth | | du Temple, 201 | bd Sébastopol, 106 | Temple |
| | e-D.-de-Recouvrance | | Beauregard, 3 | Bonne-Nouvelle, 39 | Bonne-Nouvelle |
| | e-Dame-des-Champs | | de Rennes, 127 | av. Observatoire, 20 | Saint-Placide |
| | -52 | | | | Notre-Dame-des-Champs |
| | e-Dame-des-Victoires | | pl. des Petits-Pères, 9 | Montmartre, 141 | Bourse |
| | veau-Belleville | (square du) | bd de Belleville, 30 | | Couronnes |
| | veau-Conservatoire | (avenue du) | av. J.-Jaurès | Ed.-Varèse | Porte de Pantin |
| | velle | (villa) | av. Wagram, 28-30 | | Ch.-de-Gaulle-Étoile |
| | velle-Calédonie | (de la) | Gal-Archinard | bd Soult | Porte Dorée |
| | er-Durand | (du) | av. Porte Chaumont | lim. Pré-St-Gervais | Porte de Pantin |
| | gesser-Et-Coli | | bd d'Auteuil, 40 | Claude Farrère | Michel-Ange-Molitor |
| | nphéas | (villa des) | du Surmelin, 74 | de la Justice, 13 | Saint-Fargeau |
| | rkampf | | bd Filles-du-Calvaire, 26 | bd Ménilmontant, 143 | Filles-du-Calvaire |
| | 26-27 | | | | Oberkampf |
| | 66-67 | | | | Parmentier |
| | 157-160 | | | | Ménilmontant |
| | servatoire | (avenue de l') | Auguste-Comte | Observatoire | Port-Royal |
| | ave Chanute | (place) | Capitaine-Ferber | Étienne-Marey | Porte de Bagnolet |
| | ave Feuillet | | bd Jules-Sandeau | av. Henri-Martin | La Muette |
| | ave Gréard | (avenue) | Thomy-Thierry | av. de Suffren | Bir-Hakeim |
| | ulus | (de l') | Forum des Halles Niv. 3 | voir détails p. 38 | Les Halles |
| | eon | (carrefour de l') | bd Saint-Germain, 105 | Monsieur-le-Prince | Odéon |
| | éon | (de l') | M.-le-Prince, 2 | place de l'Odéon, 2 | Odéon |
| | éon | (place de l') | de l'Odéon, 22 | Racine | Odéon |
| | essa | (d') | du Départ, 5 | bd Edgar-Quinet, 60 | Montparnasse-Bienvenüe |
| | iot | (cité) | Washington, 26 | Washington, 34 | George V |
| | se | (de l') | quai de l'Oise, 11 | de l'Ourcq, 49 | Corentin-Cariou |
| | se | (quai de l') | de Crimée | quai de la Gironde, 1 | Crimée |
| | seaux | (des) | de Beauce, 18 | de Bretagne | Arts-et-Métiers |
| | ier | | Desnouettes, 25 | de Vaugirard, 362 | Porte de Versailles |
| | ive | (l') | Riquet, 90 | Torcy, 39 | Marx-Dormoy |
| | ivet | (d') | Vaneau, 66 | Pierre-Leroux, 13 | Vaneau |
| | ivier-de-Serres | (passage) | de Vaugirard, 365 | Olivier-de Serres, 30 | Convention |
| | ivier-de-Serres | | Victor-Duruy, 14 | bd Lefebvre, 61 | Porte de Versailles |
| | ivier-Métra | (villa) | Olivier-Métra, 28 | en impasse | Place des Fêtes |
| | livier-Métra | | Pixérécourt, 25 | Belleville, 168 | Place des Fêtes |
| | livier-Noyer | | imp. des Plantes, 10 | Didot, 43 | Alésia |
| | mer-Talon | | Servan, 32 | Merlin, 5 | Père-Lachaise |
| | nfroy | (impasse) | Damesme, 13 | | Tolbiac |
| | nze-Novembre-1918 | (place du) | devant Gare de l'Est | | Gare de l'Est |
| | péra | (place de l') | av. de l'Opéra | bd des Capucines | Opéra |
| | péra | (avenue de l') | pl. Théâtre-Français, 5 | place de l'Opéra, 2 | Palais-Royal-Musée du Louvre |
| | nos 15-20 | | | | Pyramides |
| | nos 36-47 | | | | Opéra |
| | Opéra-Louis-Jouvet | (square de l') | Boudreau, 9 | Caumartin, 22 | Opéra |
| | Oradour-sur-Glane | (d') | de la Porte d'Issy | av. Ernest-Renan | Porte de Versailles |
| | Oran | (d') | Ernestine, 5 | des Poissonniers, 48 | Marcadet-Poissonniers |
| | Oratoire | (de l') | de Rivoli, 160 | Saint-Honoré, 143 | Louvre-Rivoli |
| | Orchampt | (d') | Ravignan, 15 | Lepic, 100 | Abbesses |
| | Orchidées | (des) | Brillat-Savarin | Auguste-Lançon, 27 | Cité Universitaire |
| | Ordener | | de la Chapelle, 75 | Championnet, 187 | Marx-Dormoy |
| | nos 26-53 | | | | Poissonniers |
| | nos 78-fin | | | | Jules-Joffrin |
| | Orfèvres | (des) | St-Germain-l'Aux., 8 | Jean-Lantier, 17 | Châtelet |
| | Orfèvres | (quai des) | pont Saint-Michel | pont-Neuf | Châtelet |
| | Orfila | (impasse) | Orfila, 28 | | Gambetta |
| | Orfila | | place Martin-Nadaud | Pelleport, 69 | Gambetta |
| | nos 57-63 | | | | Pelleport |
| | Orgues | (passage des) | Meslay, 36 | bd Saint-Martin, 29 | République |
| | Orgues-de-Flandre | (allée des) | Riquet, 26 | Mathis, 21 | Riquet |
| | Orient-Express | (de l') | Forum des Halles Niv. 4 | voir détails p. 38 | Les Halles |
| | Orillon | (de l') | Saint-Maur, 160 | bd de Belleville, 73 | Belleville |
| | Orléans | (quai d') | pont de la Tournelle | pont Saint-Louis | Pont-Marie |
| | Orléans | (square d') | Taitbout, 80 | | Trinité |
| | Orléans | (villa d') | av. Gal-Leclerc, 67 | passage Montbrun | Alésia |
| | Orme | (de l') | Romainville, 27 | bd Sérurier, 85 | Pré-Saint-Gervais |
| | Ormeaux | (des) | bd de Charonne, 34 | d'Avron, 24 | Avron |
| | Ormeaux | (square des) | des Ormeaux | | Buzenval |
| | Ormeaux-Grands-Champs | (passage) | des Grands-Champs | des Ormeaux | Avron |
| | Ormesson | (d') | de Turenne, 5 | de Sévigné, 8 | Saint-Paul |
| | Ornano | (square) | bd Ornano, 12 | | Marcadet-Poissonniers |
| | Ornano | (villa) | bd Ornano, 61 | en impasse | Porte de Clignancourt |
| | Ornano | (boulevard) | Ordener, 44 | bd Ney, 33 | Simplon |
| | nos 77-80 | | | | Porte de Clignancourt |
| | Orsay | (quai d') | pont de la Concorde | pont de l'Alma | Alma-Marceau |
| | Orsel | (d') | Clignancourt, 5 | des Martyrs, 90 | Anvers |
| | Orteaux | (impasse des) | imp. Ile-de France | des Orteaux, 16 | Alexandre-Dumas |
| | Orteaux | (des) | de Bagnolet, 44 | bd Davout | Alexandre-Dumas |
| | nos 71-72 | | | | Porte de Montreuil |
| | Ortolan | (square) | Ortolan | Saint-Médard | Place Monge |
| | Ortolan | | Gracieuse, 23 | Mouffetard, 57 | Place Monge |
| | Oscar-Roty | | de Lourmel, 107 | av. Félix-Faure | Boucicaut |
| | Oslo | (d') | Lamarck, 156 | Marcadet, 243 | Guy-Môquet |
| | Oswaldo-Cruz | | bd Beauséjour, 31 | Ranelagh, 88 | Ranelagh |
| | Otages | (villa des) | Haxo, 85 | | Saint-Fargeau |
| | Oudinot | (impasse) | Vaneau, 55 | | Vaneau |
| | Oudinot | | Vaneau, 56 | bd des Invalides, 49 | Duroc |
| | Oudry | | Pirandello, 10 | Lebrun, 5 | Campo-Formio |
| | Ouessant | (d') | Pondichéry, 9 | la M.-P.-Grenelle, 66 | La M.-Picquet-Grenelle |
| | Ouest | (de l') | av. du Maine, 94 | d'Alésia, 184 | Gaîté |
| | Ourcq | (de l') | Jean-Jaurès, 145 | d'Aubervilliers, 168 | Ourcq |
| | nos 28-fin | | | | Crimée |
| | Ours | (aux) | Saint-Martin, 189 | bd Sébastopol, 60 | Étienne-Marcel |
| | Ours | (cour de l') | fg Saint-Antoine, 95 | | Ledru-Rollin |
| | Ozanam | (place) | Stanislas | de Cicé | Notre-Dame-des-Champs |
| 5 | Pablo-Casals | (square) | Émeriau | Ginoux | Charles-Michels |
| | Pablo-Picasso | (place) | bd Raspail | bd Montparnasse | Vavin |
| | Pache | | de la Roquette, 121 | Saint-Maur, 11*bis* | Voltaire |
| 6 | Padirac | (square) | bd Suchet | av. Maréchal-Lyautey | Porte d'Auteuil |
| 0 | Paganini | | bd Davout, 46 | en impasse | Porte de Montreuil |
| | Paillet | | Soufflot, 11 | Malebranche, 6 | Luxembourg |
| 2 | Paix | (de la) | place Vendôme | place de l'Opéra, 3 | Opéra |
| 8 | Pajol | (de) | pl. de la Chapelle, 10 | place Hébert | La Chapelle |
| | nos 38-41 | | | | Marx Dormoy |
| 4 | Palais | (boulevard du) | quai de l'Horloge | quai des Orfèvres, 2 | Cité |
| 7 | Palais-Bourbon | (place du) | de l'Université, 87 | de Bourgogne | Assemblée Nationale |
| 1 | Palais-Royal | (jardin du) | Palais-Royal | | Palais Royal-Musée du Louvre |
| 1 | Palais-Royal | (place du) | de Rivoli, 166 | Saint-Honoré, 155 | Palais-Royal-Musée du Louvre |
| 19 | Palais-Royal-de-Belleville | (cour du) | des Solitaires, 38 | en impasse | Place des Fêtes |
| 6 | Palatine | | Garancière, 4 | pl. Saint-Sulpice, 1 | Saint-Sulpice |
| 19 | Palestine | (de) | de Belleville, 141 | des Solitaires, 28 | Jourdain |
| 2 | Palestro | (de) | Turbigo, 31 | du Caire, 9 | Réaumur-Sébastopol |
| 20 | Pali-Kao | (de) | bd de Belleville, 76 | Julien-Lacroix, 75 | Couronnes |
| 18 | Panama | (de) | Léon, 15 | Poissonniers, 34 | Château-Rouge |
| 13 | Panhard-et-Levassor | (quai) | bd Masséna, 4 | Neuve-Tolbiac, 1 | Quai de la Gare |

| Plan | Arr. | Nom | Rues | Commençant | Finissant | Métro |
|---|---|---|---|---|---|---|
| H 13 | 11 | Panier-Fleuri | (cour du) | de Charonne, 17 | | Bourse |
| F 10 | 2 | Panoramas | (des) | Feydeau, 16 | Saint-Marc, 11 | Bourse |
| F 10 | 2 | Panoramas | (passage des) | Saint-Marc, 10 | bd Montmartre, 11 | Rue Montmartre |
| F 15 | 20 | Panoyaux | (des) | bd Ménilmontant, 132 | Plâtrières | Ménilmontant |
| F 14 | 20 | Panoyaux | (impasse des) | Panoyaux, 6 | | Ménilmontant |
| I 10 | 5 | Panthéon | (place du) | Soufflot, 2 | Clovis | Luxembourg |
| K 13 | 13 | Pao-Casals | | Neuve-Tolbiac | Émile-Durkheim, 27 | Quai de la Gare |
| E 10 | 9 | Papillon | | Bleue, 2 | Montholon, 17 | Cadet |
| F 11 | 3 | Papin | | Saint-Martin, 259 | bd Sébastopol, 98 | Réaumur-Sébastopol |
| E 11 | 10 | Paradis | (cité) | Paradis, 43 | d'Hauteville, 55 | Poissonnière |
| E 11 | 10 | Paradis | (de) | fg Saint-Denis, 97 | fg Poissonnière, 66 | Château d-Eau |
| E 11 | 10 | nos 59-60 | | | | Poissonnière |
| F 3 | 16 | Paraguay | (place du) | av. Bugeaud | bd Flandrin | Porte Dauphine |
| B 15 | 19 | Parc | (terrasse du) | bd Macdonald, 83 | | Porte de la Villette |
| E 14 | 19 | Parc | (villa du) | Pradier, 21 | Botzaris, 10 | Buttes-Chaumont |
| G 16 | 20 | Parc-de-Charonne | (chemin du) | des Prairies, 5 | Stendhal, 2 | Gambetta |
| L 12 | 13 | Parc-de-Choisy | (allée du) | av. de Choisy | | Tolbiac |
| M 9 | 14 | Parc-de-Montsouris | (du) | E.-Deutsch-M., 4 | Nansouty, 18 | Cité Universitaire |
| M 9 | 14 | Parc-de-Montsouris | (villa du) | E.-Deutsch-M., 10 | en impasse | Cité Universitaire |
| H 4 | 16 | Parc-de-Passy | (avenue du) | quai de Passy | Raynouard | Passy |
| H 3 | 16 | Parc-des-Princes | (avenue du) | Lecomte-du Nouy | av. Pte de Saint-Cloud | Porte de Saint-Cloud |
| G 12 | 3 | Parc-Royal | (du) | de Turenne, 51 | place Thorigny, 4 | Chemin-Vert |
| H 13 | 11 | Parchappe | (cité) | du Fg-Saint-Antoine, 21 | pass. du Cheval-Blanc | Bastille |
| H 10 | 5 | Parcheminerie | (de la) | Saint-Jacques, 26 | de la Harpe, 43 | Cluny |
| J 2 | 16 | Parent-de-Rosan | | Boileau, 98 | Michel-Ange, 85 | Exelmans |
| D 8 | 9 | Parme | (de) | de Clichy, 61 | d'Amsterdam, 80 | Place de Clichy |
| F 13 | 10 | Parmentier | (de) | fg Saint-Denis, 97 | fg Poissonnière, 66 | Château d'Eau |
| G 14 | 11 | nos 152-161 | | | | Goncourt |
| I 13 | 12 | Parrot | | de Lyon, 4*bis* | av. Daumesnil, 26 | Gare de Lyon |
| G 15 | 20 | Partants | (des) | Amandiers, 56 | Sorbier, 42 | Gambetta |
| H 10 | 4 | Parvis-Notre-Dame | (place du) | pont au Double | de la Cité, 6 | Cité |
| H 12 | 3 | Pas-de-la-Mule | (du) | bd Beaumarchais, 33 | pl. des Vosges, 22 | Chemin-Vert |
| K 11 | 5 | Pascal | | Mouffetard, 148 | Corvisart, 27 | Censier-Daubenton |
| | 13 | nos 25-30 | | de 10 à 25, de 2 à 30, 5 | le reste, 13 | Les Gobelins |
| G 12 | 11 | Pasdeloup | (place) | bd du Temple, 2 | bd Filles-du-Calvaire | Filles du Calvaire |
| E 8 | 8 | Pasquier | | bd Malesherbes, 8 | du Rocher, 1 | Saint-Lazare |
| H 4 | 16 | Passy | (de) | Raynouard, 2 | Boulainvilliers, 60 | La Muette |
| H 3 | 16 | Passy | (place de) | Passy, 69 | Bois-le-Vent | La Muette |
| H 5 | 16 | Passy | (port de) | pont d'Iéna | pont de Grenelle | Passy |
| G 13 | 11 | Pasteur | | Folie-Méricourt, 10 | en impasse | Saint-Ambroise |
| J 7 | 15 | Pasteur | (boulevard) | de Sèvres, 167 | pl. Mart.-du L.-Buffon | Pasteur |
| J 7 | 15 | Pasteur | (square) | Lecourbe, 3 | | Sèvres-Lecourbe |
| G 4 | 16 | Pasteur-Marc-Boegner | (du) | av. Georges-Mendel, 43 | Scheffer, 46 | Trocadéro |
| H 13 | 11 | Pasteur-Wagner | (du) | bd Beaumarchais, 26 | bd Richard-Lenoir, 9 | Bréguet-Sabin |
| G 12 | 3 | Pastourelle | | Charlot, 19 | du Temple, 126 | St-Sébastien-Froissart |
| L 13 | 13 | Patay | (de) | bd Masséna | Domrémy, 51 | Porte d'Ivry |
| I 16 | 20 | Patenne | (square) | Frédéric-Loliée, 3 | de la Plaine, 68 | Porte de Vincennes |
| J 11 | 5 | Patriarches | (des) | de l'Épée-de-Bois, 11 | Daubenton, 44 | Censier-Daubenton |
| J 11 | 5 | Patriarches | (passage des) | des Patriarches, 8 | Mouffetard, 99 | Censier-Daubenton |
| I 3 | 16 | Patrice-Boudart | (villa) | la Fontaine, 25 | en impasse | Jasmin |
| I 17 | 20 | Patrice-de-la-Tour-du-Pin | | bd Davout | pl. du Gal-Marguerritte | Maraîchers |
| I 3 | 16 | Pâtures | (des) | av. de Versailles, 42 | Félicien-David, 19 | Mirabeau |
| L 6 | 14 | Paturle | | Ray.-Losserand, 198 | Vercingétorix, 235 | Porte de Vanves |
| C 5 | 17 | Paul-Adam | (avenue) | bd Berthier, 148 | av. Émile-Massart | Porte de Champerret |
| C 10 | 18 | Paul-Albert | | André-del-Sarte, 22 | Ch. de la Barre, 25 | Château-Rouge |
| M 8 | 14 | Paul-Appell | (avenue) | Émile-Faguet, 12 | pl. du 25-Août-1944 | Porte d'Orléans |
| J 6 | 15 | Paul-Barruel | | de Vaugirard, 249 | place d'Alleray | Vaugirard |
| F 6 | 8 | Paul-Baudry | | de Ponthieu, 56 | d'Artois, 11 | Saint-Philippe du Roule |
| I 3 | 16 | Paul-Beauregard | (place) | George-Sand | de Rémusat | Église d'Auteuil |
| K 14 | 12 | Paul-Belmondo | | Joseph-Kessel, 29 | pl. Léonard-Bernstein | Bercy |
| I 14 | 11 | Paul-Bert | | Faidherbe, 12 | Chanzy, 24 | Faidherbe-Chaligny |
| K 16 | 12 | Paul-Blanchet | (square) | av. Gal-Dodds | Marcel-Dubois | Porte Dorée |
| C 8 | 17 | Paul-Bodin | | av. de Clichy | Ernest-Gouin | Porte de Clichy |
| D 7 | 17 | Paul-Borel | | Malesherbes, 126 | Daubigny, 9 | Malesherbes |
| N 11 | 13 | Paul-Bourget | | Dr-Bourneville, 5 | bd périphérique | Porte d'Italie |
| E 7 | 8 | Paul-Cézanne | | fg Saint-Honoré, 168 | de Courcelles, 27 | Saint-Philippe du Roule |
| I 6 | 15 | Paul-Chautard | | Cambronne, 26 | en impasse | Cambronne |
| I 10 | 6 | Paul-Claudel | (place) | Rotrou | Médicis | Odéon |
| J 16 | 12 | Paul-Crampel | | du Sahel, 43 | Rambervillliers, 3 | Bel-Air |
| E 16 | 19 | Paul-de-Kock | (de) | Émile-Desvaux, 4 | des Bois | Télégraphe |
| G 4 | 16 | Paul-Delaroche | | Vital, 42 | place Possoz, 3 | La Muette |
| K 5 | 15 | Paul-Delmet | | Vaugelas, 13 | Olivier-de-Serres, 64 | Convention |
| I 6 | 15 | Paul-Deroulède | (avenue) | Champaubert | La M.-Picq.-Grenelle | La M.-Picquet-Grenelle |
| G 5 | 7 | Paul-Deschanel | (allée) | quai Branly | av. Silvestre-de Sacy | Bir-Hakeim |
| G 4 | 16 | Paul-Doumer | (avenue) | place du Trocadéro | de Passy, 84 | La Muette |
| F 12 | 3 | Paul-Dubois | | Perrée, 12 | Dupetit-Thouars, 15 | Temple |
| J 15 | 12 | Paul-Dukas | | av. Daumesnil, 177 | allée Vivaldi, 15 | Daumesnil |
| I 3 | 16 | Paul-Dupuy | | Félicien-David, 20 | en impasse | Église d'Auteuil |
| C 12 | 18 | Paul-Éluard | (place) | Ordener | Marx-Dormoy | Marx-Dormoy |
| D 9 | 9 | Paul-Escudier | | Blanche, 58 | Henner, 11 | Blanche |
| G 7 | 7 | Paul-et-Jean-Lerolle | | Fabert | Fabert | Maraîchers |
| C 10 | 18 | Paul-Féval | | Mont-Cenis, 39 | Gaston-Couté | Lamarck-Caulaincourt |
| M 9 | 14 | Paul-Fort | | Tombe-Issoire, 142 | Père-Corentin | Porte d'Orléans |
| K 10 | 13 | Paul-Gervais | | Corvisart, 44 | bd A.-Blanqui, 74 | Corvisart |
| J 4 | 15 | Paul-Gilot | (square) | Sébastien-Mercier | Convention | Javel-André-Citroën |
| I 14 | 12 | Paul-Henri-Grauwin | | pl. Rutebeuf | Guillaumot | Gare de Lyon |
| I 4 | 15 | Paul-Hervieu | | av. Émile-Zola, 16 | du Capitaine-Ménard | Javel-André-Citroën |
| H 16 | 20 | Paul-Jean-Toulet | | quare Salamandre | du Clos | Maraîchers |
| I 11 | 5 | Paul-Langerin | (square) | des Ecoles | Monge | Cardinal Lemoine |
| C 6 | 17 | Paul-Léautaud | (place) | bd Berthier | av. Gourgaud | Péreire |
| F 10 | 2 | Paul-Lelong | | Montmartre, 89 | de la Banque, 16 | Bourse |
| H 8 | 7 | Paul-Louis-Courier | (impasse) | Paul-Louis-Courier, 9 | | Rue du Bac |
| H 8 | 7 | Paul-Louis-Courier | | bd Saint-Germain, 207 | Saint-Simon, 5 | Rue du Bac |
| E 17 | 20 | Paul-Meurice | | av. Dr-Gley, 18 | des Villegranges | Porte des Lilas |
| I 10 | 5 | Paul-Painlevé | (place) | de la Sorbonne | des Écoles | Cluny-La Sorbonne |
| I 10 | 5 | Paul-Painlevé | (square) | du Sommerard | des Écoles | Cluny-La Sorbonne |
| C 7 | 17 | Paul-Paray | (square) | de Saussure | | Porte de Clichy |
| J 2 | 16 | Paul-Reynaud | (place) | av. de Versailles | Le-Marois | Porte de Saint-Cloud |
| G 4 | 16 | Paul-Saunière | | Eugène-Manuel, 13 | Nicolo, 22 | Passy |
| J 9 | 6 | Paul-Séjourné | | N.-D.-des-Champs, 84 | bd Montparnasse, 129 | Vavin |
| F 16 | 20 | Paul-Signac | (place) | av. Gambetta | Pelleport | Pelleport |
| F 16 | 20 | Paul-Strauss | | Irénée-Blanc | Pierre-Mouillard | Porte de Bagnolet |
| N 9 | 14 | Paul-Vaillant-Couturier | (avenue) | av. Lucien-Descaves | Gentilly | Cité Universitaire |
| F 5 | 16 | Paul-Valéry | | av. Kléber, 52 | av. Foch, 29 | Victor-Hugo |
| L 11 | 13 | Paul-Verlaine | (place) | Bobillot, 32 | Moulin-des Prés, 39 | Place d'Italie |
| D 15 | 19 | Paul-Verlaine | (villa) | Miguel-Hidalgo | | Danube |
| E 16 | 19 | Paul de Kock | | Émile-Desvaux | des Bois | Télégraphe |
| B 12 | 18 | Paul Robin | (square) | place Hébert, 8 | Boucry, 8 | Marx-Dormoy |
| M12 | 13 | Paulin-Enfert | | bd Masséna | av. Léon-Bollée | Porte d'Italie |
| L 11 | 13 | Paulin-Méry | | Bobillot, 8 | Moulin-des Prés, 7 | Porte d'Italie |
| H 16 | 20 | Pauline-Kergomard | | des Orteaux | | Porte de Montreuil |
| L 7 | 14 | Pauly | | Ray.-Losserand, 157 | des Suisses, 10 | Plaisance |
| H 12 | 4 | Pavée | | de Rivoli, 12 | Francs-Bourgeois, 27 | Saint-Paul |
| D 4 | 17 | Pavillons | (avenue des) | av. Verzy | av. de Peterhof | Porte Maillot |
| B 9 | 18 | Pavillons | (impasse des) | Liebniz, 4 | | Porte de Saint-Ouen |
| E 15 | 20 | Pavillons | (des) | Pixérécourt, 42 | Pelleport, 129 | Télégraphe |
| H 12 | 3 | Payenne | | Francs-Bourgeois, 18 | Parc-Royal | Saint-Paul |
| M13 | 13 | Pean | | bd Masséna | av. Boutroux | Porte d'Ivry |
| J 6 | 15 | Péclet | | Mademoiselle, 42 | Blomet, 100 | Vaugirard |
| G 11 | 4 | Pecquay | | Blancs-Manteaux, 36 | Rambuteau, 7 | Hôtel de Ville |

| Plan | Arr. | Nom | Rues | Commençant | Finissant | Métro |
|---|---|---|---|---|---|---|
| K 2 | 15 | Pégoud | | quai d'Issy | Issy-les-Moulineaux | Place Balard |
| J 9 | 6 | Péguy | | Stanislas, 13 | bd Montparnasse, 15 | Vavin |
| G 11 | 2 | Peintres | (impasse des) | Saint-Denis, 112 | | Étienne-Marcel |
| F 14 | 20 | Pékin | (passage de) | Julien-Lacroix, 58 | Julien-Lacroix, 62 | Couronnes |
| G 13 | 11 | Pelée | | Saint-Sabin, 64 | bd Richard-Lenoir, 65 | Bréguet-Sabin |
| B 7 | 17 | Pèlerin | (impasse du) | de la Jonquière, 97 | | Guy-Môquet |
| G 10 | 1 | Pélican | (du) | Jean-J.-Rousseau, 13 | Croix des Pts-Champs | Palais-Royal-Musée du Louvre |
| E 15 | 20 | Pelleport | (villa) | Pelleport, 155 | en impasse | Télégraphe |
| E 16 | 20 | Pelleport | | de Bagnolet, 145 | de Belleville, 236 | Pelleport-Télégraphe |
| D 8 | 8 | Pelouze | | Andrieux, 11 | Constantin, 36 | Villiers |
| B 10 | 18 | Penel | (passage) | Championnet, 84 | du Ruisseau, 92 | Porte de Clignancourt |
| I 15 | 12 | Pensionnat | (du) | av. Bel-Air, 18 | Colonnes-du-Trône | Nation |
| E 7 | 8 | Penthièvre | (de) | Cambacérès, 23 | fg Saint-Honoré, 126 | Miromesnil |
| E 8 | 8 | Pépinière | (de la) | de Rome, 13 | bd Haussmann, 114 | Saint-Lazare |
| K 8 | 14 | Perceval | (de) | pl. C.-Brancusi, 10 | en impasse | Gaîté |
| I 2 | 16 | Perchamps | (des) | d'Auteuil, 18 | la Fontaine, 63 | Michel-Ange-Auteuil |
| G 12 | 3 | Perche | (du) | Vieille-du-Temple, 109 | Charlot, 8 | St-Sébastien-Froissart |
| E 7 | 8 | Percier | (avenue) | la Boétie, 40 | bd Haussmann, 121 | Mirosmesnil |
| D 12 | 10 | Perdonnet | | fg Saint-Denis, 214 | bd de la Chapelle, 21 | Porte de la Chapelle |
| I 3 | 16 | Père-Brottier | (du) | la Fontaine | Théophile-Gautier | Jasmin |
| H 14 | 11 | Père-Chaillet | (place du) | bd Voltaire | Roquette | Votaire |
| L 9 | 14 | Père-Corentin | (du) | Tombe-Issoire | bd Jourdan | Alésia |
| L 11 | 13 | Père-Guérin | (du) | Bobillot | Moulin-des Prés | Place d'Italie |
| D 5 | 17 | Péreire | (boulevard) | Saussure, 111 | av. Grande-Armée, 80 | Péreire |
| | | nos 229-277 | | | | Porte Maillot |
| | | nos 1 à 50 | | | | Malesherbes |
| E 14 | 20 | Père-Julien-Dhuit | (allée du) | Père-J.-Dhuit | Envierges | Pyrénées |
| F 14 | 20 | Père-Julien-Dhuit | (du) | Piat, 36 | | Pyrénées |
| G 15 | 20 | Père-Lachaise | (avenue du) | des Rondeaux, 52 | place Gambetta, 3 | Gambetta |
| H 4 | 16 | P.-Marcelin-Champagnat | (place du) | de l'Annonciation | | Passy |
| G 16 | 20 | Père-Prosper-Enfantin | (du) | Géo-Chavez | Irénée-Blanc, 22 | Porte de Bagnolet |
| I 12 | 4 | P.-Teilhard-de-Chardin | (place) | bd Henri-IV | bd Morland | Sully-Morland |
| J 11 | 5 | P.-Teilhard-de-Chardin | (du) | des Patriarches | de l'Épée-de Bois | Censier-Daubenton |
| E 4 | 16 | Pergolèse | | av. Grande-Armée, 63 | av. Foch, 66 | Argentine |
| | | nos 54-66 | | | | Porte Dauphine |
| L 5 | 15 | Périchaux | (des) | de Dantzig, 43 | bd Lefebvre, 161 | Porte de Vanves |
| L 6 | 15 | Périchaux | (square des) | des Périchaux | bd Lefebvre | Porte de Vanves |
| I 7 | 7-15 | Pérignon | | av. de Saxe, 48 | bd Garibaldi, 37 | Ségur |
| H 17 | 20 | Périgord | (square du) | quai de la Gascogne | square de la Guyenne | Porte de Montreuil |
| D 15 | 19 | Périgueux | (de) | bd Sérurier, 108 | d'Indochine | Danube |
| G 12 | 3 | Perle | (de la) | de Thorigny, 1 | Vieille-du Temple, 80 | St-Sébastien-Froissart |
| G 11 | 4 | Pernelle | | Saint-Bon, 2 | bd Sébastopol, 4 | Châtelet |
| E 13 | 19 | Pernette-du-Guillet | (allée) | de l'Atlas | allée Louise-Labbé | Belleville |
| K 7 | 14 | Pernéty | | Didot, 26 | Vercingétorix, 73 | Pernéty |
| E 6 | 8 | Pérou | (place du) | de Courcelles, 47 | de Monceau | Courcelles |
| G 10 | 1 | Perrault | | Amiral-de-Coligny | de Rivoli, 83 | Louvre-Rivoli |
| G 12 | 3 | Perrée | | de Picardie, 21 | du Temple, 160 | Temple |
| F 16 | 20 | Perreur | (passage) | Capitaine-Marchal, 42 | Dhuys, 23 | Pelleport |
| F 16 | 20 | Perreur | (villa) | de la Dhuys | en impasse | Pelleport |
| I 3 | 16 | Perrichont | (avenue) | av. Théophile-Gautier | Félicien-David | Église d'Auteuil |
| H 9 | 7 | Perronet | | des Saints-Pères, 34 | Saint-Guillaume, 7 | St-Germain-des-Prés |
| C 10 | 18 | Pers | (impasse) | Ramey, 49 | | Marcadet-Poissonniers |
| D 4 | 17 | Pershing | (boulevard) | pl. Gal-Kœing | place de Verdun | Porte Maillot |
| J 11 | 5 | Pestalozzi | | Monge, 80 | l'Épée-de Bois, 8 | Place Monge |
| J 6 | 15 | Petel | | Péclet, 5 | Blomet, 108 | Vaugirard |
| D 5 | 17 | Péterhof | (avenue de) | av. des Pavillons | Guersant, 45 | Porte Maillot |
| B 8 | 17 | Petiet | | av. de Saint-Ouen, 99 | Maria-Deraismes, 10 | Guy-Môquet |
| E 16 | 19 | Petin | (impasse) | des Bois, 26 | | Pré-Saint-Gervais |
| G 14 | 11 | Pétion | | de la Roquette, 119 | Chemin-Vert, 86 | Voltaire |
| C 15 | 19 | Petit | | de Meaux, 92 | bd Sérurier, 49 | Laumière |
| | | nos 98-112 | | | | Porte de Pantin |
| B 7 | 17 | Petit-Cerf | (passage) | av. de Clichy, 186 | Boulay, 19 | Porte de Clichy |
| K 12 | 13 | Petit-Modèle | (impasse du) | av. Stephen-Pichon | | Place d'Italie |
| K 11 | 5 | Petit-Moine | (du) | la Collégiale, 23 | av. des Gobelins, 9 | Censier-Daubenton |
| H 12 | 4 | Petit-Musc | (du) | quai des Célestins, 2 | Saint-Antoine, 23 | Sully-Morland |
| H 10 | 5 | Petit-Pont | (du) | la Huchette, 1 | Saint-Séverin, 2 | Saint-Michel |
| H 10 | 5 | Petit-Pont | (place) | quai de Saint-Michel, 1 | la Huchette, 2 | Saint-Michel |
| H 10 | 4-5 | Petit-Pont | | quai du Marché Neuf | quai de Montebello | Bastille |
| K 2 | 16 | Petite-Arche | (de la) | quai du Point-du-Jour | Abel-Ferry | Porte-Saint-Cloud |
| H 9 | 6 | Petite-Boucherie | (passage de la) | de l'Abbaye, 3 | Saint-Germain, 168 | St-Germain-des-Prés |
| H 15 | 11 | Petite-Pierre | (de la) | Neuv.-des-Boulets, 1 | Charonne, 152 | Charonne |
| G 11 | 1 | Petite-Truanderie | (de la) | Mondétour, 18 | Pierre-Lescot, 11 | Étienne-Marcel |
| G 13 | 11 | Petite-Voirie | (passage de la) | Marché-Popincourt, 20 | Neuve-Popincourt, 4 | Parmentier |
| E 11 | 10 | Petites-Écuries | (cour des) | fg Saint-Denis, 63 | pl. des Petites-Écuries, 13 | Château d'Eau |
| F 11 | 10 | Petites-Écuries | (des) | fg Saint-Denis, 73 | fg Poissonnière, 44 | Château d'Eau |
| E 11 | 10 | Petites-Écuries | (passage des) | d'Enghein, 20 | Petites-Écuries, 17 | Château d'Eau |
| E 15 | 19 | Petitot | | Pré-St-Gervais, 15 | des Fêtes, 14 | Place des Fêtes |
| F 10 | 2 | Petits-Carreaux | (des) | Saint-Sauveur, 38 | Cléry, 46 | Sentier |
| F 9 | 1 | Petits-Champs | (des) | Banque | av. de l'Opéra | Bourse |
| | 2 | nos 42-57 | | | | Pyramides |
| E 11 | 10 | Petits-Hôtels | (des) | bd Magenta, 87 | place La Fayette, 116 | Poissonnière |
| F 10 | 2 | Petits-Pères | (des) | de la Banque, 2 | pl. des Petits-Pères | Bourse |
| F 10 | 2 | Petits-Pères | (passage des) | pl. des Petits-Pères | de la Banque, 6 | Bourse |
| F 10 | 2 | Petits-Pères | (place des) | Petits-Pères, 5 | N.-D.-des-Victoires | Bourse |
| B 16 | 19 | Petits-Ponts | (route des) | av. Porte de Pantin | hors Paris | Porte de Pantin |
| G 4 | 16 | Pétrarque | (square) | Scheffer, 29 | | Trocadéro |
| G 4 | 16 | Pétrarque | | av. Paul-Doumer | Scheffer, 32 | Trocadéro |
| D 11 | 9 | Pétrelle | (square) | Scheffer, 29 | | Barbès-Rochechouart |
| D 11 | 9 | Pétrelle | | fg Poissonnière, 155 | Rochechouart, 62 | Barbès-Rochechouart |
| L 11 | 13 | Peupliers | (des) | Moulin-des-Prés | bd Kellermann, 48 | Tolbiac |
| L 11 | 13 | Peupliers | (square des) | Moulin-des-Prés | | Corvisart |
| I 2 | 16 | Peupliers | (avenue des) | Poussin, 12 | en impasse | Porte d'Auteuil |
| H 14 | 11 | Phalsbourg | (cité de) | bd Voltaire, 151 | | Charonne |
| D 7 | 17 | Phalsbourg | (de) | de Logelbach, 2 | place Malesherbes | Monceau |
| C 6 | 17 | Philibert-Delorme | | bd Péreire, 76 | bd Malesherbes, 203 | Péreire |
| M12 | 13 | Philibert-Lucot | | av. de Choisy, 49 | Gandon, 9 | Maison-Blanche |
| I 17 | 20 | Philidor | (impasse) | Philidor, 16 | | Maraîchers |
| I 17 | 20 | Philidor | | Maraîchers, 36 | passage de Lagny, 17 | Maraîchers |
| I 15 | 11 | Philippe-Auguste | (passage) | passage Turquet, 10 | av. Ph.-Auguste, 47 | Boulets |
| H 15 | 11 | Philippe-Auguste | (avenue) | place de la Nation, 7 | bd Charonne, 212 | Nation |
| | | nos 115-116 | | | | Alexandre-Dumas |
| K 11 | 13 | Philippe-de-Champagne | | bd de l'Hôpital, 146 | av. des Gobelins | Place d'Italie |
| D 12 | 10-18 | Philippe-de-Girard | | La Fayette, 193 | Marx-Dormoy | Porte de la Chapelle |
| E 13 | 19 | Philippe-Hecht | | Manin, 19 | Georges-Lardennois | Bolivar |
| E 14 | 20 | Piat | | Botha, 2 | de Belleville, 66 | Pyrénées |
| J 3 | 15 | Pic-de-Barette | (du) | Balard | de la Mont-Espérou | Javel-André-Citroën |
| G 12 | 3 | Picardie | (de) | de Bretagne, 50 | Franche-Comté | Filles du Calvaire |
| E 4 | 16 | Piccini | | av. Foch, 36 | av. de Malakoff, 134 | Porte Maillot |
| F 4 | 16 | Picot | | av. Bugeaud, 26 | av. Foch, 51 | Victor-Hugo |
| J 15 | 12 | Picpus | (de) | fg Saint-Antoine, 254 | bd Poniatowski, 97 | Nation |
| | | nos 65-87 | | | | Bel-Air |
| | | nos 101-115 | | | | Michel-Bizot |
| | | nos 147-fin | | | | Porte Dorée |
| J 16 | 12 | Picpus | (boulevard de) | de Picpus, 93 | cours-de Vincennes, 2 | Bel-Air |
| | | nos 89-106 | | | | Nation |
| D 10 | 18 | Piémontési | | Houdon, 17 | André-Antoine, 10 | Pigalle |
| F 6 | 8 | Pierre-1er-de-Serbie | (avenue) | place d'Iéna | av. George-V, 27 | Iéna |
| G 11 | 4 | Pierre-au-Lard | | du Renard | Saint-Merri | Hôtel-de-Ville |

| Plan | Arr. | Nom | Rues | Commençant | Finissant | Métro |
|---|---|---|---|---|---|---|
| G 15 | 20 | Pierre-Bayle | | bd de Charonne, 212 | Repos, 13 | Phili |
| G 16 | 20 | Pierre-Bonnard | | Galleron, 13 | Florian, 28 | Gam |
| I 15 | 12 | Pierre-Bourdan | | bd Diderot | Dorian | Natio |
| F 6 | 16 | Pierre-Brisson | (place) | av. Marceau | Goethe | Alma |
| J 10 | 5 | Pierre-Brossolette | | Lhomond, 44 | Rataud | Place |
| C 11 | 18 | Pierre-Budin | | Poissonniers, 54 | Léon, 51 | Poiss |
| F 12 | 10 | Pierre-Bullet | | Château d'Eau, 52 | Hittorf | Châte |
| F 6 | 8 | Pierre-Charron | | George-V, 30 | av. des Ch.-Élysées, 55 | Frank |
| F 12 | 10 | Pierre-Chausson | | Château-d'Eau, 26 | bd Magenta, 21 | Jacqu |
| C 10 | 18 | Pierre-Dac | | Caulaincourt, 95 | Lamarck, 53*bis* | Lama |
| M10 | 13-14 | Pierre-de-Coubertin | (avenue) | bd Kellermann-et-Jourdan | av. P.-Vaillant-Couturier | Cité U |
| D 5 | 17 | Pierre-Demours | | av. des Ternes, 64 | av. de Villiers, 93 | Wagra |
| E 12 | 10 | Pierre-Dupont | | Eugène-Varlin | Alexandre-Parodi, 11 | Louis |
| G 10 | 1 | Pierre-Emmanuel | (place) | Forum des Halles Niv. 1 | voir détails p. 38 | Les H |
| I 10 | 5 | Pierre-et-Marie-Curie | | d'Ulm, 14 | Saint-Jacques, 191 | Luxem |
| F 17 | 20 | Pierre-Foncin | | bd Morier | Fougères | Saint- |
| C 8 | 18 | Pierre-Ginier | (villa) | Pierre-Ginier | Étienne-Jodelle | La Fou |
| C 8 | 18 | Pierre-Ginier | | av. de Clichy, 52 | Hegesippe-Moreau | La Fou |
| D 14 | 19 | Pierre-Girard | | Jean-Jaurès, 95 | Tandou, 8*bis* | Laumi |
| K 13 | 13 | Pierre-Gourdault | | du Chevaleret, 143 | Dunois, 24 | Cheval |
| I 2 | 16 | Pierre-Guérin | | d'Auteuil, 34 | en impasse | Miche |
| D 9 | 9 | Pierre-Haret | | de Douai, 56 | bd de Clichy, 75*bis* | Blanc |
| C 14 | 19 | Pierre-Jean-Jouve | | des Ardennes | | Ourcq |
| M14 | 13 | Pierre-Joseph-Desault | | av. Porte de Vitry | Mirabeau | Mirabe |
| I 9 | 6 | Pierre-Lafue | (place) | bd Raspail | Stanislas | Notre-D |
| J 10 | 5 | Pierre-Lampué | (place) | Claude Bernard | Feuillantines | Censier |
| L 7 | 14 | Pierre-Larousse | | Didot, 90 | Ray.-Losserand, 161 | Plaisar |
| F 11 | 2 | Pierre-Lazareff | (allée) | des Petits-Carreaux | Saint-Denis | Sentier |
| F 11 | 2 | Pierre-Lazareff | (place) | Réaumur | | Sentier |
| E 6 | 8 | Pierre-le-Grand | | Daro, 11 | bd de Courcelles, 73 | Ternes |
| D 11 | 18 | Pierre-l'Ermite | | Polonceau, 2 | Saint-Bruno, 11 | Barbès |
| L 7 | 14 | Pierre-Le-Roy | | bd Brune | Maurice-Bouchor | Porte d |
| I 8 | 7 | Pierre-Leroux | | Oudinot, 9 | de Sèvres, 62 | Vaneau |
| G 11 | 1 | Pierre-Lescot | | Innocents, 2 | Étienne-Marcel, 19 | Étienne |
| F 13 | 11 | Pierre-Levée | (de la) | Trois-Bornes, 7 | Fontaine-au-Roi, 14 | Parmen |
| H 6 | 7 | Pierre-Loti | (avenue) | av. Édouard-Branly | place Joffre | École M |
| I 3 | 16 | Pierre-Louys | | Félicien-David | av. de Versailles | Église d |
| B 12 | 18 | Pierre-Mac-Orland | (place) | rue-Jean-Cottin | | Porte de |
| M 9 | 14 | Pierre-Masse | (avenue) | av. P.-Vail.-Couturier | Lucien-Descaves | Cité Uni |
| K 5 | 15 | Pierre-Mille | | Vaugelas | Olivier-de Serres | Porte de |
| F 17 | 20 | Pierre-Mouillard | | Capitaine-Ferber | bd Mortier | Porte de |
| J 10 | 5 | Pierre-Nicole | | Feuillantines | bd Port-Royal, 90 | Port-Roy |
| K 16 | 12 | Pierre-Pasquier | (square) | bd Soult | av.Armand-Rousseau | Porte Do |
| D 10 | 18 | Pierre-Picard | | Clignancourt, 15 | Charles-Nodier | Anvers |
| F 17 | 20 | Pierre-Quillard | | Dulaure | Victor-Dejeante | Porte de |
| B 8 | 17 | Pierre-Rebière | | bd Bois-le-Prêtre | Saint-Just | Porte de |
| D 13 | 19 | Pierre-Reverdy | | de la Moselle | Euryale-Dehaynin | Laumière |
| I 10 | 6 | Pierre-Sarrazin | | bd Saint-Michel, 26 | Hautefeuille | Odéon |
| F 16 | 20 | Pierre-Seghers | (square) | Jakubowicz | | Pelleport |
| E 10 | 9 | Pierre-Semard | | La Fayette | Maubeuge | Poissonn |
| F 17 | 20 | Pierre-Soulié | | Bagnolet | de Noisy-le-Sec | Saint-Far |
| G 16 | 20 | Pierre-Vaudrey | (place) | des Balkans, 19 | cité Leclaire, 20 | Porte de |
| G 6 | 7 | Pierre-Villey | | Saint-Dominique | villa Bosquet | École Mi |
| J 4 | 15 | Piet-Mondrian | | Balard | S.-Mercey | Javel-An |
| D 9 | 9 | Pigalle | (cité) | Pigalle, 45 | en impasse | Pigalle |
| D 9 | 9 | Pigalle | (place) | bd de Clichy, 17 | Pigalle, 1 | Pigalle |
| G 13 | 11 | Pihet | | passage Beslay | Marché-Popincourt, 8 | Parmentie |
| G 3 | 16 | Pilâtre-de-Rozier | (allée) | chaussée de la Muette | bd Suchet | La Muette |
| G 10 | 1 | Piliers | (des) | Forum des Halles Niv. 3 | voir détails p. 38 | Les Halles |
| E 9 | 9 | Pillet-Will | | Laffitte, 15 | La Fayette, 20 | Chaussée |
| C 8 | 18 | Pilleux | (cité) | av. de Saint-Ouen, 30 | Ganneron, 43 | La Fourche |
| K 12 | 13 | Pinel | (place) | bd Vincent-Auriol, 130 | Esquirol | Nationale |
| K 12 | 13 | Pinel | | place Pinel, 7 | bd de l'Hôpital, 137 | Nationale |
| K 11 | 13 | Pirandello | | Duméril | Le-Brun | Campo-Fo |
| K 14 | 12 | Pirogues-de-Bercy | (des) | quai de Bercy, 112 | Baron-Le-Roy, 48 | Bercy |
| G 10 | 1 | Pirouette | | Forum des Halles Niv. 2 | voir détails p. 38 | Les Halles |
| C 6 | 17 | Pissaro | | de Saint-Marceaux | Jean-Louis-Forain | Péreire |
| F 13 | 11 | Piver | (impasse) | passage Piver, 5 | | Belleville |
| F 13 | 11 | Piver | (passage) | de l'Orillon, 17 | fg du Temple, 92 | Belleville |
| E 15 | 20 | Pixérécourt | (impasse) | Charles-Friedel | | Place des |
| F 15 | 20 | Pixérécourt | | Ménilmontant, 135 | de Belleville, 210 | Place des |
| I 16 | 20 | Plaine | (de la) | bd de Charonne, 20 | des Maraîchers, 31 | Buzenval |
| | | nos 29-87 | | | | Maraîchers |
| K 8 | 14 | Plaisance | (de) | Didot, 28 | Ray.-Losserand, 85 | Pernéty |
| H 16 | 20 | Planchard | (passage) | Saint-Fargeau | H.-Poincaré | Pelleport |
| H 16 | 20 | Planchat | | d'Avron, 15 | de Bagnolet, 16 | Alexandre- |
| F 11 | 3 | Planchette | (impasse de la) | Saint-Martin, 326 | | Strasbourg- |
| J 15 | 12 | Planchette | (ruelle de la) | du Charolais, 2 | de Charenton, 236 | Dugommier |
| J 12 | 5 | Plantes | (jardin des) | quai Saint-Bernard | Geoffroy-Saint-Hilaire | Gare d'Aust |
| L 8 | 14 | Plantes | (des) | av. du Maine, 178 | bd de Brune, 85 | Alésia |
| L 8 | 14 | Plantes | (villa des) | des Plantes, 32 | en impasse | Alésia |
| F 15 | 20 | Plantin | (passage) | du Transvaal, 16 | Couronnes, 83 | Jourdain |
| G 10 | 1 | Plat-d'Étain | (du) | Lav. Ste-Opportune | des Déchargeurs, 6 | Châtelet |
| E 14 | 19 | Plateau | (du) | des Alouettes, 33 | Botzaris, 36 | Buttes-Chau |
| E 14 | 19 | Plateau | (passage du) | du Plateau, 12 | du Tunnel, 13 | Buttes-Chau |
| K 7 | 15 | Platon | | Falguière | Bargue, 49 | Volontaires |
| G 11 | 4 | Plâtre | (du) | des Archives, 23 | du Temple, 32 | Hôtel de Vill |
| F 15 | 20 | Plâtrières | (des) | des Amandiers, 106 | Champlain, 17 | Ménilmontar |
| J 5 | 15 | Plélo | (de) | de la Convention, 114 | Duranton, 11 | Boucicaut |
| J 15 | 12 | Pleyel | | Dubrunfaut, 12 | Dugommier, 17 | Dugommier |
| G 14 | 11 | Plichon | | Chemin-Vert, 141 | av. de la République, 116 | Père-Lachais |
| J 7 | 15 | Plumet | | des Volontaires, 52 | de la Procession, 21 | Volontaires |
| J 8 | 14 | Poinsot | | bd Edgar-Quinet, 25 | du Maine, 10 | Edgar-Quinet |
| H 16 | 20 | Pointe | (sentier de la) | des Vignoles, 71 | pl. de la Réunion, 68 | Buzenval |
| M12 | 13 | Pointe-d'Ivry | (de la) | av. d'Ivry, 51 | av. de Choisy, 32 | Porte de Choi |
| J 6 | 15 | Poirier | (villa) | Lecourbe, 90 | en impasse | Volontaires |
| L 8 | 14 | Poirier-de-Narçay | | av. Gal-Leclerc | Friant, 25*bis* | Porte d'Orléa |
| H 12 | 4 | Poissonnerie | (impasse de la) | de Jarente, 4 | | Saint-Paul |
| F 10 | 2 | Poissonnière | | de Cléry, 31 | bd Bonne-Nouvelle, 39 | Sentier |
| D 11 | 18 | Poissonnière | (villa) | Goutte-d'Or, 42 | Polonceau, 41 | Barbès-Roche |
| F 10 | 2 | Poissonnière | (boulevard) | Poissonnière, 37 | Montmartre, 178 | Bonne-Nouve |
| | 9 | nos 9-14 | | nos impairs, 2e | nos pairs, 9e | Rue Montmart |
| B 11 | 18 | Poissonniers | (des) | bd Barbès, 24 | bd Ney | Château-Roug |
| | | nos 105-113 | | | | Marcadet-Poi |
| I 11 | 5 | Poissy | (de) | quai de la Tournelle, 31 | Saint-Victor, 2 | Cardinal-Lem |
| H 10 | 6 | Poitevins | (des) | Hautefeuille, 8 | Danton, 3 | Saint-Michel |
| G 8 | 7 | Poitiers | (de) | de Lille, 67 | de l'Université, 66 | Solférino |
| G 12 | 3 | Poitou | (de) | de Turenne, 97 | Charlot, 16 | Filles du Calva |
| B 10 | 18 | Pôle-Nord | (du) | Montcalm, 39 | Vincent-Compoint, 1 | Jules-Joffrin |
| J 12 | 5 | Poliveau | | bd de l'Hôpital, 40 | Geof.-St-Hilaire, 18 | Saint-Marcel |
| F 3 | 16 | Pologne | (avenue de) | bd Lannes | av. Maréchal-Fayolle | Porte Dauphine |
| D 11 | 18 | Polonceau | | de la Goutte-d'Or, 2 | des Poissonniers, 12 | Barbès-Roche |
| F 4 | 16 | Pomereu | (de) | de Longchamp, 134 | Émile-Mercier, 2 | Rue de la Pomp |
| K 14 | 12 | Pommard | (de) | de Dijon, 1 | de Bercy, 41 | Bercy |
| F 4 | 16 | Pompe | (de la) | chaussée de la Muette | av. Foch | La Muette |
| | | no 119 | | | | Rue de la Pomp |
| | | nos 126-fin | | | | Victor-Hugo |
| F 11 | 2 | Ponceau | (du) | de Palestro, 37 | Saint-Denis, 190 | Réaumur-Sébas |
| F 11 | 2 | Ponceau | (passage du) | bd Sébastopol, 119 | Saint-Denis, 212 | Réaumur-Sébas |
| D 6 | 17 | Poncelet | | av. des Ternes, 12 | av. de Wagram, 83 | Ternes |

| Arr. | Nom | Rues | Commençant | Finissant | Métro |
|---|---|---|---|---|---|
| | elet | (passage) | Poncelet, 27 | Laugier, 14 | Ternes |
| | ichéry | (de) | Dupleix, 39 | av. de la M.-Picquet, 68 | La M.-Picquet-Grenelle |
| | atowski | (boulevard) | quai de Bercy | av. Daumesnil, 282 | Porte de Charenton |
| | -fin | | | | Porte Dorée |
| | scarme | | Ch.-des-Rentiers, 83 | Nationale | Porte d'Ivry |
| | -à-Mousson | (de) | bd Bessières | pl. Édouard-Bourdet | Porte de Saint-Ouen |
| | -aux-Biches | (passage du) | N.-D.-de-Nazareth, 32 | Meslay, 39 | République |
| | -aux-Choux | (du) | bd Beaumarchais, 113 | de Turenne, 88 | St-Sébastien-Froissart |
| | -de-Lodi | (du) | Gds-Augustins, 8 | Dauphine, 17 | Odéon |
| | -Louis-Philippe | (du) | de l'Hôtel-de-Ville, 64 | de Rivoli, 23 | Pont-Marie |
| | t-Mirabeau | (rond-point du) | quai André-Citroën | de la Convention, 1 | Javel-André-Citroën |
| | t-Neuf | (place du) | quai de l'Horloge, 41 | quai des Orfèvres, 76 | Châtelet |
| | t-Neuf | (porte du) | Forum-des Halles | | Châtelet |
| | t-Neuf | (du) | quai de la Mégisserie, 22 | des Halles, 23 | Pont-Neuf |
| | 24-33 | | | | Louvre |
| | thieu | (de) | av. Matignon, 9 | de Berri, 12 | Franklin-D.-Roosevelt |
| | toise | (de) | quai de la Tournelle, 43 | Saint-Victor, 20 | Maubert-Mutualité |
| | oincourt | (cité) | Folie-Méricourt, 14 | | Saint-Ambroise |
| | oincourt | (du) | de la Roquette, 81 | bd Voltaire, 90 | Voltaire |
| | oincourt | (impasse) | Popincourt, 36 | | Saint-Ambroise |
| | quelin | | Forum niveau -1 | | Les Halles |
| | rt-au-Prince | (place de) | av. Porte de Choisy | | Porte de Choisy |
| | t-Mahon | (du) | Saint-Augustin, 30 | du Quatre-Septembre, 31 | Quatre-Septembre |
| | t-Royal | (cité de) | Censier-Daubenton | | Port-Royal |
| | rt-Royal | (square du) | de la Santé, 15 | | Port-Royal |
| | rt-Royal | (boulevard de) | av. des Gobelins, 22 | av. de l'Observatoire, 49 | Les Gobelins |
| | 84-113 | | | | Port-Royal |
| | rtalis | | de la Bienfaisance, 16 | du Rocher, 53 | Saint-Augustin |
| | rte-Brancion | (avenue de la) | Vanves | bd Lefebvre, 94 | Porte de Vanves |
| | rte-Brunet | (avenue de la) | bd Sérurier | av. du Belvédère | Danube |
| | rte-Chaumont | (avenue de la) | bd Sérurier, 126 | Pré-Saint-Gervais | Porte de Pantin |
| | rte-d'Asnières | (avenue de la) | bd Berthier, 94 | Levallois-Perret | Porte de Clichy |
| | rte-d'Aubervilliers | (avenue de la) | bd Ney-Macdonald | d'Aubervilliers | Porte de la Chapelle |
| | rte-d'Auteuil | (place de la) | bd Murat | bd Suchet | Porte d'Auteuil |
| | rte-de-Bagnolet | (avenue de la) | pl. de la Pte de Bagnolet | Bagnolet | Porte de Bagnolet |
| | rte-de-Bagnolet | (place de la) | bd Mortier-Davout | av. Porte de Bagnolet | Porte de Bagnolet |
| | orte-de-Champerret | (avenue de la) | bd de l'Yser, 2 | Levallois-Perret | Porte de Champerret |
| | orte-de-Champerret | (place de la) | Gouvion-Saint-Cyr | av. de Villiers | Porte de Champerret |
| | orte-de-Charenton | (avenue de la) | bd Poniatowski | de Charenton | Porte de Charenton |
| | orte-de-Châtillon | (avenue de la) | pl. Porte de Châtillon | Châtillon | Porte d'Orléans |
| | orte-de-Châtillon | (place de la) | bd Brune | av. Porte de Châtillon | Porte d'Orléans |
| | orte-de-Choisy | (avenue de la) | bd Masséna, 113 | Charles-Leroy | Porte de Choisy |
| | orte-de-Clichy | (avenue de la) | bd Berthier-Bessière | Clichy | Porte de Clichy |
| | orte-de-Clignancourt | (avenue de la) | bd Ney | Saint-Ouen | Porte de Clignancourt |
| | orte-de-la-Chapelle | (avenue de la) | bd Ney | Saint-Denis | Porte de la Chapelle |
| | orte-de-la-Plaine | (avenue de la) | Vanves | bd Lefebvre | Porte de Versailles |
| | Porte-de-la-Villette | (avenue de la) | bd Macdonald | Aubervilliers-Pantin | Porte de la Villette |
| | Porte-de-Ménilmontant | (avenue de la) | bd Mortier | Noisy-le-Sec | Saint-Fargeau |
| | Porte-de-Montmartre | (avenue de la) | bd Ney | Saint-Ouen | Porte de Clignancourt |
| | Porte-de-Montreuil | (avenue de la) | bd Davout | Montreuil | Porte de Montreuil |
| | Porte-de-Montreuil | (place de la) | av. Girardot | d'Orgemont | Porte de Montreuil |
| | Porte-de-Montrouge | (avenue de la) | bd Brune | Montrouge | Porte d'Orléans |
| | Porte-de-Pantin | (avenue de la) | pl. de la Porte de Pantin | Pantin | Porte de Pantin |
| | Porte-de-Pantin | (place de la) | av. Porte de Pantin | bd Sérurier | Danube |
| | Porte-de-Passy | (place de la) | bd Suchet | av. Mal-Maunoury | Ranelagh |
| | Porte-de-Plaisance | (avenue de la) | Vanves | bd Lefebvre | Porte de Versailles |
| | Porte-de-Saint-Cloud | (avenue de la) | pl. Pte de Saint-Cloud | Boulogne | Porte de Saint-Cloud |
| | Porte-de-Saint-Cloud | (place de la) | boulevart-Murat | av. Pte de St-Cloud | Porte de Saint-Cloud |
| | Porte-de-Saint-Ouen | (avenue de la) | bd Bessières-Ney | Saint-Ouen | Porte de Saint-Ouen |
| | Porte-de-Sèvres | (avenue de la) | bd Victor | bd périphérique | Balard |
| | Porte-de-Vanves | (avenue de la) | pl. Porte de Vanves | bd Adolphe-Pinard | Porte de Vanves |
| | Porte-de-Vanves | (place de la) | bd Brune | av. Frédéric-Passy | Porte de Vanves |
| | Porte-de-Vanves | (square de la) | av. Pte de Vanves | en impasse | Porte de Vanves |
| | Porte-de-Versailles | (place de la) | bd Victor | bd Lefebvre | Porte de Versailles |
| | Porte-de-Villiers | (avenue de la) | Gouvion-Saint-Cyr | Neuilly-sur-S.-Levallois | Porte de Champerret |
| | Porte-de-Vincennes | (avenue de la) | bd Davout | Saint-Mandé | Porte de Vincennes |
| | Porte-de-Vitry | (avenue de la) | bd Masséna | Ivry | Porte d'Ivry |
| | Porte-des-Lilas | (avenue de la) | bd Sérurier-Mortier | Les Lilas | Porte des Lilas |
| | Porte-des-Poissonniers | (avenue de la) | bd Ney | Saint-Ouen | Porte de la Chapelle |
| | Porte-des-Ternes | (avenue de la) | pl. Gal-Kœing | Neuilly-sur-Seine | Porte Maillot |
| | Porte-Didot | (avenue de la) | bd Brune | av. Marc-Sangnier | Porte de Vanves |
| | Porte-d'Issy | (de la) | bd Victor | Issy-les-Moulineaux | Porte de Versailles |
| | Porte-d'Italie | (avenue de la) | bd Kellermann | Kremlin-Bicêtre | Porte d'Italie |
| | Porte-d'Ivry | (avenue de la) | bd Masséna, 75 | Ivry | Porte d'Ivry |
| | Porte-d'Orléans | (avenue de la) | pl. du 25-Août-1944 | Saint-Albin | Porte d'Orléans |
| | Pte-du-Pré-Saint-Gervais | (avenue de la) | pl. Pte de Pantin | Pré-Saint-Gervais | Pré-Saint-Gervais |
| | Porte-Maillot | (place de la) | Pershing | Gouvion-Saint-Cyr | Porte Maillot |
| | Porte-Molitor | (avenue de la) | pl. Porte Molitor | limite de Boulogne | Porte Maillot |
| | Porte-Molitor | (place de la) | bd Murat | av. Gal-Sarrail | Porte d'Auteuil |
| | Porte-Pouchet | (avenue de la) | bd Bessières | bd Bois-le-Prêtre | Porte de Saint-Ouen |
| | Portefoin | | des Archives, 83 | du Temple, 148 | Temple |
| | Portes-Blanches | (des) | des Poissonniers, 73 | bd d'Ornano, 4 | Marcadet-Poissonniers |
| | Portugais | (avenue des) | la Pérouse, 23 | av. Kléber, 17 | Kléber |
| | Possoz | (place) | Cortambert, 72 | av. Paul-Doumer | La Muette |
| | Postes | (passage des) | Mouffetard, 104 | Lhomond, 57 | Censier-Daubenton |
| | Pot-de-Fer | (du) | Mouffetard, 58 | Lhomond, 35 | Place Monge |
| | Poteau | (du) | Ordener, 82 | bd Ney, 87 | Jules-Joffrin |
| | Poteau | (passage du) | du Poteau, 97 | bd Ney, 107 | Porte de Clignancourt |
| | Poterne-des-Peupliers | (de la) | bd Kellermann | de Gentilly | Porte d'Italie |
| | Potier | (passage) | Montpensier, 23 | Richelieu, 26 | Palais-Royal-Musée du Louvre |
| | Pottier | (cité) | Curial, 46 | | Crimée |
| | Pouchet | | av. de Clichy, 162 | bd Bessières, 49 | Porte de Saint-Ouen |
| | Pouchet | (passage) | Épinettes, 41 | | Porte de Saint-Ouen |
| | Poulbot | | Norvins, 9 | pl. du Calvaire | Abbesses |
| | Poule | (impasse) | des Vignoles, 24 | | Avron |
| | Poulet | | Clignancourt, 36 | Doudeauville, 65 | Château-Rouge |
| | Poulletier | | quai de Béthune, 24 | quai d'Anjou, 21 | Pont-Marie |
| 6 | Poussin | | la Fontaine | Montmorency, 101 | Michel-Ange-Auteuil |
| 3 | Pouy | (de) | Buttes-aux-Cailles, 9 | Martin-Bernard, 6 | Corvisart |
| 9 | Pradier | | Rébeval, 69 | Fessart, 64 | Buttes-Chaumont |
| 0 | Prado | (passage du) | bd Saint-Denis, 16 | fg Saint-Denis, 12 | Strasbourg-Saint-Denis |
| 2 | Prague | (de) | de Charenton, 89 | Traversière, 64 | Ledru-Rollin |
| 0 | Prairies | (des) | de Bagnolet, 123 | pl. Édouard-Landrin | Gambetta |
| 8 | Pré | (du) | de la Chapelle, 170 | en impasse | Porte de la Chapelle |
| 6 | Pré-aux-Chevaux | (du) | Gros, 8 | de Boulainvilliers, 5 | Boulainvilliers |
| 6 | Pré-aux-Chevaux | (square du) | Gros | | Jasmin |
| 7 | Pré-aux-Clercs | (du) | de l'Université, 9 | Perronet, 12 | Rue du Bac |
| 9 | Pré-Saint-Gervais | (du) | de Belleville, 171 | bd Sérurier, 89 | Place des Fêtes |
| 9 | Préault | | Fessart, 54 | du Plateau, 33 | Buttes-Chaumont |
| 1 | Prêcheurs | (des) | Saint-Denis, 85 | Pierre-Lescot, 16 | Les Halles |
| 16 | Presbourg | (de) | av. des Ch.-Élysées, 133 | av. d.-la Gde-Armée, 1 | Ch.-de-Gaulle-Étoile |
| 11 | Présentation | (de la) | Orillon, 43 | fg du Temple, 114 | Belleville |
| 7 | Président-Edouard-Herriot | (place) | de l'Université | Aristide Briand | Assemblée Nationale |
| 16 | Président-Kennedy | (avenue du) | Beethoven, 1 | Boulainvilliers, 2 | Passy |
| 7 | Président-Mithouard | (place du) | bd des Invalides | av. de Breteuil | Saint-François-Xavier |
| -16 | Président-Wilson | (avenue du) | place de l'Alma | place du Trocadéro | Iéna |
| 15 | Presles | (de) | av. de Suffren, 62 | place Dupleix, 6 | Dupleix |
| 15 | Presles | (impasse de) | de Presles, 20 | | Dupleix |
| 20 | Pressoir | (du) | Maronites, 19 | des Couronnes, 26 | Couronnes |

| Plan | Arr. | Nom | Rues | Commençant | Finissant | Métro |
|---|---|---|---|---|---|---|
| G 4 | 16 | Prêtres | (impasse des) | av. d'Eylau, 35 | | Trocadéro |
| G 10 | 1 | Prêtres-St-G.-l'Auxerrois | (des) | place de l'École | Amiral-Coligny | Pont-Neuf |
| H 10 | 5 | Prêtres-Saint-Séverin | (des) | Saint-Séverin, 7 | Parcheminerie, 18 | Cluny |
| L 7 | 14 | Prévost-Paradol | | bd Brune | en impasse | Porte de Vanves |
| H 12 | 4 | Prévôt | (du) | Charlemagne, 18 | Saint-Antoine, 129 | Saint-Paul |
| D 15 | 19 | Prévoyance | (de la) | David-d'Angers, 25 | bd Sérurier, 127 | Danube |
| K 11 | 13 | Primatice | | Rubens, 12 | Ph.-de-Champagne, 6 | Place d'Italie |
| G 13 | 11 | Primevères | (impasse des) | Saint-Sabin, 50 | | Chemin-Vert |
| F 10 | 2 | Princes | (passage des) | bd des Italiens, 5 | Richelieu, 97 | Richelieu-Drouot |
| H 9 | 6 | Princesse | | du Four, 23 | Guisarde, 8 | Mabillon |
| C 7 | 17 | Printemps | (du) | Tocqueville, 100 | bd Péreire, 27 | Malesherbes |
| L 9 | 14 | Prisse-d'Avennes | | Père-Corentin, 52 | Sarrette, 43 | Alésia |
| K 7 | 15 | Procession | (de la) | Vaugirard, 245 | en impasse | Volontaires |
| H 17 | 20 | Professeur-André-Lemierre | (avenue du) | av. Pte de Montreuil | av. Gallieni | Porte de Montreuil |
| J 3 | 15 | Professeur-Florian-Delbarre | (du) | Leblanc, 6 | Ernest-Hemingway, 2 | Boulevard-Victor |
| A 10 | 18 | Professeur-Gosset | (du) | av. Pte Poissonniers | av. Pte Clignancourt | Porte de Clignancourt |
| M 9 | 14 | Professeur-Hyacinte-Vincent | (du) | av. Paul-Appell | bd Romain-Rolland | Porte d'Orléans |
| M11 | 13 | Professeur-Louis-Renault | (du) | bd Kellermann, 35 | av. Caffiéri | Porte d'Italie |
| D 15 | 19 | Progrès | (villa du) | Mouzaïa, 37 | de l'Égalité, 2 | Danube |
| D 6 | 17 | Prony | (de) | bd de Courcelles, 60 | av. de Villiers, 105 | Monceau |
| D 7 | 8-17 | Prosper-Goubaux | (place) | av. de Villiers, 2 | bd des Batignolles | Villiers |
| H 14 | 11 | Prost | (cité) | Chanzy, 28 | | Charonne |
| K 15 | 12 | Proudhon | | place Lachambeaudie | de Charenton, 260 | Dugommier |
| G 10 | 1 | Prouvaires | (des) | Saint-Honoré, 52 | Berger, 31 | Louvre-Rivoli |
| E 9 | 9 | Provence | (avenue de) | de Provence, 56 | | Chaussée d'Antin |
| E 8 | 8 | Provence | (de) | fg Montmartre, 35 | de Rome, 2 | Le Peletier |
| E 10 | 9 | nos 47-68 | | | | Chaussée d'Antin |
| | | nos 116-fin | | | | Havre-Caumartin |
| L 11 | 13 | Providence | (de la) | Bobillot, 70 | Barrault, 49 | Corvisart |
| H 16 | 20 | Providence | (passage de la) | des Haies, 70 | | Buzenval |
| G 3 | 16 | Prudhon | (avenue) | av. du Ranelagh | av. Raphaël | La Muette |
| G 15 | 20 | Pruniers | (des) | av. Gambetta, 21 | passage des Mûriers, 10 | Père-Lachaise |
| D 9 | 18 | Puget | | bd de Clichy, 80 | Coustou, 11 | Blanche |
| J 11 | 5 | Puits-de-l'Ermite | (du) | Larrey, 9 | Monge, 87 | Place Monge |
| J 11 | 5 | Puits-de-l'Ermite | (place du) | Quatrefages, 1 | Geoffroy-St-Hilaire | Place Monge |
| C 7 | 17 | Pusy | (cité de) | bd Péreire, 23 | | Malesherbes |
| E 8 | 8 | Puteaux | (passage) | de l'Arcade, 33 | Pasquier, 28 | Saint-Lazare |
| D 8 | 17 | Puteaux | | bd des Batignolles, 2 | des Dames, 59 | Rome |
| D 6 | 17 | Puvis-de-Chavannes | | Ampère, 38 | bd Péreire, 101 | Wagram |
| G 16 | 20 | Py | (de la) | de Bagnolet, 173 | Le-Bua, 8 | Porte de Bagnolet |
| G 9 | 1 | Pyramides | (des) | place des Pyramides | av. de l'Opéra, 21 | Porte de Vincennes |
| G 9 | 1 | Pyramides | (place des) | de Rivoli, 194 | des Pyramides | Tuileries |
| H 16 | 20 | Pyrénées | (villa des) | des Pyrénées | | Maraîchers |
| I 16 | 20 | Pyrénées | (des) | cours de Vincennes, 71 | de Belleville, 92 | Porte de Vincennes |
| | | nos 50-85 | | | | Maraîchers |
| | | nos 148-155 | | | | Alexandre-Dumas |
| | | nos 158-280 | | | | Gambetta |
| | | nos 320-fin | | | | Pyrénées |
| **Q** | | | | | | |
| F 11 | 10 | Quarante-Neuf-Fg-St-Martin | (impasse du) | du fg St-Martin | | Gare de l'Est |
| G 12 | 3 | Quatre-Fils | (des) | Vieille-du Temple, 89 | des Archives, 60 | Rambuteau |
| I 4 | 15 | Quatre-Frères-Peignot | (des) | Linois | Javel | Charles-Michels |
| F 9 | 2 | Quatre-Septembre | (du) | Vivienne, 27 | place de l'Opéra, 4 | Quatre-Septembre |
| H 9 | 6 | Quatre-Vents | (des) | de Condé, 2 | de Seine, 97 | Odéon |
| J 11 | 5 | Quatrefages | (de) | Georges-Desplas | Lacépède, 3 | Place Monge |
| H 9 | 6 | Québec | (place du) | pl. St-Germain-des Prés | | St-Germain-des-Prés |
| H 13 | 11 | Quellard | (cour) | passage Thiéré, 9 | de Lappe, 41 | Ledru-Rollin |
| F 6 | 8 | Quentin-Bauchart | | av. Marceau, 44 | av. Champs-Élysées | George V |
| H 17 | 20 | Quercy | (square du) | Charles-et-Robert | av. Pte de Montreuil | Porte de Montreuil |
| F 14 | 11 | Questre | (impasse) | bd de Belleville, 21 | | Couronnes |
| I 6 | 15 | Quinault | | Auguste-Dorchin | Mademoiselle, 55 | Cambronne |
| G 11 | 3 | Quincampoix | | des Lombards, 8 | aux-Ours,17 | Rambuteau |
| **R** | | | | | | |
| F 7 | 8 | Rabelais | | av. Matignon, 17 | Jean-Mermoz, 26 | Franklin-D.-Roosevelt |
| D 9 | 18 | Rachel | (avenue) | bd de Clichy, 166 | Cimetière-du Nord | Blanche |
| B 12 | 18 | Rachmaninov | (jardin) | Tristan-Tzara | Tchaikovski | Porte de la Chapelle |
| I 10 | 6 | Racine | | bd Saint-Michel, 30 | place de l'Odéon, 5 | Odéon |
| J 2 | 16 | Racine | (impasse) | av. Molière | | Michel-Ange-Molitor |
| G 10 | 1 | Radziwill | | des Petits-Champs, 1 | | Bourse |
| J 1 | 16 | Raffaëlli | | bd Murat | av. Gal-Sarrail | Exelmans |
| I 2 | 16 | Raffet | (impasse) | Raffet, 13 | | Jasmin |
| I 2 | 16 | Raffet | | de la Source, 36 | bd Montmorency,45 | Jasmin |
| J 14 | 12 | Raguinot | (passage) | de Chalon, 22 | av. Daumesnil, 58 | Gare de Lyon |
| J 16 | 12 | Rambervilliers | (de) | du Sahel | Gal-Michel-Bizot, 138 | Bel-Air |
| J 14 | 12 | Rambouillet | (de) | de Bercy, 146 | de Charenton, 162*bis* | Reuilly-Diderot |
| G 11 | 1 | Rambuteau | | des Archives, 41 | Vauvilliers, 49 | Rambuteau |
| | 1-3 | nos 88-124 | | | | Les Halles |
| | 4 | nos 1 à 71, 4e, de 2 à 66 | | 3e de 77 et 72 | à la fin, 1er | |
| F 9 | 2 | Rameau | | de Richelieu, 69 | Sainte-Anne, 58 | Quatre-Septembre |
| C 10 | 18 | Ramey | (passage) | Ramey, 40 | Marcadet, 73 | Marcadet-Poissonnière |
| C 10 | 18 | Ramey | | Clignancourt, 51 | Hermel, 20 | Jules-Joffrin |
| E 14 | 19 | Rampal | | de Belleville, 37 | Rébeval, 50 | Belleville |
| F 13 | 11 | Rampon | | bd Voltaire, 11 | Folie-Méricourt, 33 | République |
| F 14 | 20 | Ramponeau | | bd de Belleville, 10 | Julien-Lacroix | Belleville |
| G 16 | 20 | Ramus | | Charles-Renouvier | av. Père-Lachaise | Gambetta |
| H 16 | 20 | Rançon | (impasse) | des Vignoles, 84 | en impasse | Maraîchers |
| H 3 | 16 | Ranelagh | (avenue du) | av. Ingres | av. Raphël | La Muette |
| H 4 | 16 | Ranelagh | (du) | av. Pdt-Kennedy, 106 | bd Beauséjour | Ranelagh |
| H 3 | 16 | Ranelagh | (square du) | du Ranelagh, 117 | | Ranelagh |
| J 15 | 12 | Raoul | | Claude Decaen, 94 | av. Daumesnil, 178 | Daumesnil |
| J 8 | 15 | Raoul-Dautry | (place) | bd Vaugirard, 1 | av. du Maine, 24 | Montparnasse-Bienvenüe |
| F 15 | 20 | Raoul-Dufy | | des Partants, 15 | pl. H.-Matisse | Gambetta |
| E 12 | 10 | Raoul-Follereau | (place) | quai de Valmy | | Gare de l'Est |
| H 14 | 11 | Raoul-Nording | (square) | Saint-Bernard | Église Ste-Catherine | Faidherbe-Chaligny |
| J 13 | 12 | Rapée | (port de la) | place d'Austerlitz | pont de Bercy | Bercy |
| J 13 | 12 | Rapée | (quai de la) | quai de Bercy, 1 | bd de la Bastille | Bercy |
| | | nos 96 | | | | Quai de la Rapée |
| G 3 | 16 | Raphaël | (avenue) | bd Suchet, 1 | av. Ingres, 2 | La Muette |
| G 6 | 7 | Rapp | (avenue) | quai d'Orsay, 95 | av. de la Bourdonnais, 45 | Alma-Marceau |
| G 6 | 7 | Rapp | (square) | av. Rapp, 35 | | École Militaire |
| I 8 | 6 | Raspail | (boulevard) | bd Saint-Germain, 207 | Denf.-Rochereau, 110 | Sèvres-Babylone |
| | | nos 38-52 | | | | Sèvres-Babylone |
| I 8 | 6-7 | nos 77-208 | | | | Rennes |
| I 8 | 6 | nos 195-212 | | | | N.-Dame-des-Champs |
| I 8 | 6-14 | nos 225-248 | | | | Raspail |
| I 8 | 14 | nos 284-297 | | | | Denfert-Rochereau |
| H 17 | 20 | Rasselins | (des) | d'Avron, 139 | des Orteaux, 84 | Porte de Montreuil |
| J 10 | 5 | Rataud | | Lhomond, 30 | Claude Bernard, 80 | Censier-Daubenton |
| H 14 | 11 | Rauch | (passage) | Charles-Dallery, 10 | Basfroi, 11 | Voltaire |
| C 10 | 18 | Ravignan | | des Abbesses, 28 | pl. Jean-B.-Clément | Abbesses |
| K 13 | 13 | Raymond-Aron | | qu. François-Mauriac, 83 | av. de France | Quai de la Gare |
| K 7 | 14 | Raymond-Losserand | | av. du Maine, 108 | bd Brune, 9 | Pernéty |
| C 5 | 17 | Raymond-Pitet | | bd de Reims | Curnonsky | Porte de Champerret |
| F 4 | 16 | Raymond-Poincaré | (avenue) | place du Trocadéro | av. Foch | Victor-Hugo |
| B 12 | 18 | Raymond-Queneau | (impasse) | Raymond-Queneau | | Porte de la Chapelle |
| B 12 | 18 | Raymond-Queneau | | rd-pt de la Chapelle | | Porte de la Chapelle |
| C 13 | 19 | Raymond-Radiguet | | Curial, 17 | d'Auberviliers | Riquet |
| C 9 | 18 | Raymond-Souplex | (square) | Marcadet | Montcalm | Lamarck-Caulaincourt |
| H 4 | 16 | Raynouard | (square) | Raynouard, 16 | | Passy |
| H 4 | 16 | Raynouard | | de Passy, 1 | Boulainvilliers, 10 | Passy |
| G 10 | 1 | Réale | (passage de la) | Forum des Halles Niv. 2 | voir détails p. 38 | Les Halles |

| Plan | Arr. | Nom | Rues | Commençant | Finissant | Métro |
|---|---|---|---|---|---|---|
| F10-11 | 2-3 | Réaumur | | du Temple, 165 | N.-D.-Victoires, 36 | Arts-et-Métiers |
| | | nos 58-77 | | | | Réaumur-Sébastopol |
| | | nos 117-132 | | | | Sentier |
| E 13 | 19 | Rébeval | (square de) | Hector-Guimard | bd de la Villette | Belleville |
| E 14 | 19 | Rébeval | | bd de la Villette, 44 | de Belleville, 71 | Belleville |
| H 9 | 7 | Récamier | | de Sèvres, 14 | en impasse | Sèvres-Babylone |
| E 12 | 10 | Récollets | (des) | quai Valmy, 99 | fg Saint-Martin, 148 | Gare de l'Est |
| E 12 | 10 | Récollets | (passage des) | fg Saint-Martin, 12 | des Récollets, 19 | Gare de l'Est |
| E 12 | 10 | Récollets | (square des) | Grange aux B. | quai Jemmapes et V | Gare de l'Est |
| H 3 | 16 | Recteur-Poincaré | (avenue du) | la Fontaine, 22 | place Rodin | Jasmin |
| K 11 | 13 | Reculettes | (des) | Abel-Hovelacq, 22 | Croulebarbe, 47 | Place d'Italie |
| C 6 | 17 | Redon | | Sisley, 7 | Saint-Marceau, 10 | Porte de Champerret |
| H 5 | 7 | Refuzniks | (allée des) | av. G.-Eiffel | quai Branly | Bir-Hakeim |
| I 8 | 6 | Regard | (du) | Cherche-Midi, 39 | de Rennes,118 | Saint-Placide |
| E 15 | 19 | Regard-de-la-Lanterne | (jardin du) | Compans | Augustin-Thierry | Place des Fêtes |
| I 8 | 6 | Régis | | Abbé-Grégoire, 24 | Bérite, 3 | Saint-Placide |
| H 17 | 20 | Réglises | (des) | bd Davout, 89 | Cr. Saint-Simon, 36 | Porte de Montreuil |
| I 9 | 6 | Regnard | | place de l'Odéon, 4 | de Condé, 25 | Odéon |
| L 14 | 13 | Regnault | | du Loiret | av. d'Ivry | Porte d'Ivry |
| F 11 | 10 | Reilhac | (passage) | fg Saint-Denis, 54 | bd Strasbourg, 39 | Château d'Eau |
| L 10 | 14 | Reille | (avenue) | d'Alésia, 1 | Tombe-Issoire, 115 | Glacière |
| L 10 | 14 | Reille | (impasse) | av. Reille, 6 | | Glacière |
| L 13 | 13 | Reims | (de) | Dessus-d.-Berges, 105 | de Patay, 114 | Nationale |
| C 6 | 17 | Reims | (boulevard de) | av. Porte d'Asnières | de Courcelles | Porte de Champerret |
| G 7 | 8 | Reine | (cours de la) | pl. de la Concorde | av. Fr.-D-Roosevelt | Ch.-Élysées-Clemenceau |
| G 6 | 8 | Reine-Astrid | (place de la) | av. Montaigne | cours-Albert-1er | Alma-Marceau |
| K 11 | 13 | Reine-Blanche | (de la) | Le Brun, 6 | av. des Gobelins, 33 | Les Gobelins |
| G 10 | 1 | Reine-de-Hongrie | (passage de la) | Montorgueil, 17 | Montmartre, 16 | Les Halles |
| I 16 | 20 | Réjane | (square) | Félix-Hugenet | Sacha-Guitry | Porte de Vincennes |
| E 7 | 8 | Rembrandt | | de Courcelles, 48 | parc Monceau | Monceau |
| D 13 | 19 | Rémi-Belleau | (villa) | av. Jean-Jaurès, 69 | | Laumière |
| I 3 | 16 | Rémusat | (de) | av. de Versailles, 62 | Théophile-Gautier, 55 | Mirabeau |
| E 13 | 19 | Rémy-de-Gourmont | | Barret-de Ricou | Georges-Lardennois | Buttes-Chaumont |
| L 9 | 14 | Rémy-Dumoncel | | av. Gal-Leclerc, 53 | av. Président-Coty | Alésia |
| F 6 | 8 | Renaissance | (de la) | Tremoille, 9 | Marbeuf, 10 | Alma-Marceau |
| D 15 | 19 | Renaissance | (villa de la) | de Mouzaïa, 45 | de l'Égalité, 8 | Danube |
| G 11 | 4 | Renard | (du) | de Rivoli, 74 | Simon-le-Franc, 17 | Hôtel de Ville |
| D 6 | 17 | Renaudes | (des) | bd de Courcelles | P.-Demours | Ternes |
| I 16 | 12 | Rendez-Vous | (cité du) | du Rendez-Vous, 22 | | Picpus |
| I 16 | 12 | Rendez-Vous | (du) | av. Saint-Mandé, 6 | bd Picpus, 100 | Picpus |
| H 2 | 16 | René-Bazin | | Henri-Heine | Yvette | Jasmin |
| A 9 | 18 | René-Binet | | av. Pte Montmartre, 14 | av. Pte de Clign., 15 | Porte de Clignancourt |
| F 12 | 10 | René-Boulanger | | pl. de la République | Porte Saint-Martin | République |
| H 4 | 16 | René-Boylesve | (avenue) | av. Pdt-Kennedy | en impasse | Passy |
| G 10 | 1 | René-Cassin | (place) | Forum-des-Halles | | Les Halles |
| L 9 | 14 | René-Coty | (avenue) | pl. Denfert-Rochereau | av. Reille, 58 | Denfert-Rochereau |
| D 17 | 19 | René-Fonck | (avenue) | av. Porte des Lilas | av. des Bouleaux | Porte des Lilas |
| K 11 | 13 | René-le-Gall | (square) | Corvisart | Berbier du Mets | Corvisart |
| J 12 | 13 | René-Panhard | | bd Saint-Marcel, 15 | des Wallons, 14 | Saint-Marcel |
| G 14 | 11 | René-Villermé | | Folie-Regnault, 70 | Chemin-Vert,140 | Père-Lachaise |
| A 9 | 18 | René Binet | (jardin) | R. Binet | | Porte de Clignancourt |
| D 6 | 17 | Rennequin | | Poncelet, 55 | Guillaume-Tell, 24 | Ternes |
| H 9 | 6 | Rennes | (de) | de l'Abbaye, 17 | pl. du 18-Juin-1940, 2 | St-Germain-des-Prés |
| | | nos 108-121 | | | | Saint-Placide |
| H 9 | 6 | nos 152-171 | | | | Montparnasse-Bienvenüe |
| G 15 | 20 | Repos | (du) | bd de Charonne, 194 | bd Ménilmontant, 28 | Philippe-Auguste |
| F 12 | 3 | République | (place de la) | bd du Temple, 54 | bd Saint-Martin, 1 | République |
| F 12 | 10 | République | | de 1 à 23, 3e | de 2 à 10, 11e | |
| | 11 | | | 12 à 16, 10e | | |
| G 14 | 11 | République | (avenue de la) | pl. de la République | bd Ménilmontant, 69 | République |
| | | nos 58-62 | | | | Saint-Maur |
| | | nos 109-142 | | | | Père-Lachaise |
| D 6 | 8-17 | République-de-l'Équateur | (place de la) | bd de Courcelles | Chazelle | Courcelles |
| D 7 | 8-17 | République-Dominicaine | (place de la) | bd de Courcelles | de Prony | Monceau |
| L 13 | 13 | Résal | | Cantagrel, 19 | Des.-des Berges, 44 | Porte d'Ivry |
| G 6 | 7 | Résistance | (place de la) | quai Branly | quai d'Orsay | Invalides |
| F 8 | 8 | Retiro | (cité du) | fg Saint-Honoré, 30 | Boissy-d'Anglas, 35 | Madeleine |
| F 15 | 20 | Retrait | (du) | des Pyrénées, 271 | Ménilmontant, 108 | Gambetta |
| F 15 | 20 | Retrait | (passage du) | Retrait, 34 | des Pyrénées, 293 | Gambetta |
| K 15 | 12 | Reuilly | (jardin de) | Jacques-Hilaire | av. Daumesnil | Dugommier |
| J 15 | 12 | Reuilly | (boulevard de) | de Charenton, 213 | de Picpus, 94 | Dugommier |
| | | nos 48-51 | | | | Daumesnil |
| J 15 | 12 | Reuilly | (de) | fg Saint-Antoine, 202 | pl. Félix-Eboué, 1 | Faidherbe-Chaligny |
| | | nos 7-18 | | | | Reuilly-Diderot |
| | | no 77 | | | | Montgallet |
| | | nos 96-107 | | | | Daumesnil |
| H 16 | 20 | Réunion | (de la) | d'Avron, 75 | Cim. du Père-Lachaise | Maraîchers |
| H 16 | 20 | Réunion | (place de la) | de la Réunion, 62 | Vitruve | Alexandre-Dumas |
| I 17 | 20 | Reynaldo-Hahn | | de Lagny, 111 | Paganini | Porte de Montreuil |
| D 14 | 19 | Rhin | (du) | de Meaux, 104 | Meynadier, 1 | Laumière |
| D 15 | 19 | Rhin-et-Danube | (place de) | David-d'Angers, 37 | Gal-Brunet, 45 | Danube |
| C 6 | 17 | Rhône | (square du) | bd Berthier, 120 | | Porte de Champerret |
| I 3 | 16 | Ribera | | la Fontaine, 68 | Mozart, 85 | Jasmin |
| H 15 | 20 | Riberolle | (villa) | de Bagnolet, 35 | | Porte de Bagnolet |
| I 6 | 15 | Ribet | (impasse) | Croix-Nivert, 31 | | Cambronne |
| G 16 | 20 | Riblette | | Saint-Blaise, 15 | des Balkans, 3 | Porte de Bagnolet |
| E 10 | 9 | Riboutté | | Bleue, 12 | La Fayette, 82 | Cadet |
| L 12 | 13 | Ricaut | | Château-des-Rentiers, 169 | Gentilly, 50 | Place d'Italie |
| K 6 | 15 | Richard | (impasse) | de Vouillé, 40 | | Convention |
| D 8 | 17 | Richard-Baret | (place) | des Batignolles | des Dames | Rome |
| F 5 | 16 | Richard-de-Coudenhove-Kalergi | (place) | av. d'Iéna | Jean-Giraudoux | Kléber |
| G 13 | 11 | Richard-Lenoir | (square) | bd Richard-Lenoir | | Richard-Lenoir |
| H 14 | 11 | Richard-Lenoir | | de Charonne, 93 | bd Voltaire, 134 | Voltaire |
| G 13 | 11 | Richard-Lenoir | (boulevard) | pl. de la Bastille, 14 | av. de la République, 22 | Bastille |
| | | nos 17-32 | | | | Bréguet-Sabin |
| | | nos 64-66 | | | | Richard-Lenoir |
| G 9 | 1 | Richelieu | (passage) | de Montpensier, 15 | de Richelieu, 18 | Palais-Royal-Musée du Louvre |
| F 10 | 2 | Richelieu | (de) | pl. Th.-Français, 2 | bd Montmartre, 21 | Palais-Royal-Musée du Louvre |
| F 9 | 1 | Richelieu | (de) | pl. Th.-Français, 2 | bd Montmartre, 21 | Palais-Royal-Musée du Louvre |
| | | nos 70-79 | | | | Bourse |
| | | nos 87-90 | | | | Richelieu-Drouot |
| L 13 | 13 | Richemont | (de) | de Domrémy, 55 | de Tolbiac, 56 | Porte d'Ivry |
| F 8 | 1-8 | Richepance | | Saint-Honoré, 408 | Duphot, 23 | Concorde |
| E 10 | 9 | Richer | | fg Poissonnière, 45 | fg Montmartre, 21 | Cadet |
| F 12 | 10 | Richerand | (avenue) | quai Jemmapes, 76 | pl. Alain-Fournier | Goncourt |
| C 11 | 18 | Richomme | | des Gardes, 27 | des Poissonniers, 20 | Barbès-Rochechouart |
| D 10 | 18 | Rictus | (square) | pl. des Abbesses | | Abbesses |
| K 7 | 14 | Ridder | (de) | Ray.-Losserand, 15 | Vercingétorix, 16 | Plaisance |
| J 15 | 12 | Riesener | | Hénard | J.-Hillairet | Reuilly-Diderot |
| E 16 | 19 | Rigaunes | (impasse des) | Dr.-Potain | | Télégraphe |
| E 8 | 8 | Rigny | (de) | bd Malesherbes, 53 | Roy, 8 | Saint-Lazare |
| F 15 | 20 | Rigoles | (des) | Pixérécourt, 25 | Jourdain, 2 | Jourdain |
| D 15 | 19 | Rimbaud | (villa) | Miguel-Hidalgo | | Danube |
| L 8 | 14 | Rimbaut | (passage) | av. Gal-Leclerc, 74 | av. du Maine, 19 | Alésia |
| B 12 | 18 | Rimski-Korsakov | (allée) | Tristan-Tzara, 10 | en impasse | Porte de la Chapelle |
| E 7 | 8 | Rio-de-Janeiro | (place de) | de Monceau | de Lisbonne | Monceau |







| Plan | Arr. | Nom | Rues | Commençant | Finissant | Mét |
|---|---|---|---|---|---|---|
| C 13 | 19 | Riquet | | 1 à 63, 2 à 64, 19e | le reste 18e | Riqu |
| C 12 | 18 | Riquet | | quai de la Seine, 69 | de la Chapelle, 79 | Riqu |
| | | nos 81-10 | | | | Marx |
| F 12 | 10 | Riverin | (cité) | René-Boulanger, 72 | Château-d'Eau, 29*bis* | Stras |
| H 12 | 4 | Rivoli | (de) | de Sévigné, 1 | Saint-Florentin, 2 | Saint |
| | | nos 25-54 | | | | Hôtel |
| | | nos 53-110 | | | | Châte |
| F 8 | 1 | nos 89-148 | | | | Louvr |
| | | no 166 | | | | Palais |
| | | no 200 | | | | Tuiler |
| | | no 262 | | | | Conco |
| B 10 | 18 | Robert | (impasse) | Championnet, 115 | | Porte |
| M12 | 13 | Robert-Bajac | (square) | bd Kellermann | av. Porte d'Italie | Porte |
| E 12 | 10 | Robert-Blache | | Terrage, 4 | Eugène-Varlin, 5 | Châte |
| J 9 | 6 | Robert-Cavalier-de-la-Salle | (jardin) | Michelet | pl. André-Honnorat | Luxem |
| I 4 | 15 | Robert-de-Flers | | Rouelle | Linois | Charle |
| E 13 | 10 | Robert-Desnos | (place) | Boy-Zelensky | | Colone |
| G 7 | 7 | Robert-Esnault-Pelterie | | quai d'Orsay, 37 | de l'Université, 128 | Invalid |
| F 6 | 8 | Robert-Estienne | | Marbeuf, 26 | en impasse | Frankl |
| H 15 | 11 | Robert-Et-Sonia-Delaunay | | de Charonne, 117 | bd de Charonne, 95 | Alexar |
| L 15 | 12 | Robert-Etlin | | quai de Bercy | bd Poniatowski | Porte |
| J 6 | 15 | Robert-Fleury | | de Cambronne, 6 | Mademoiselle, 97 | Cambr |
| F 13 | 11 | Robert-Houdin | | de l'Orillon, 31 | fg du Temple, 106 | Bellev |
| H 3 | 16 | Robert-Le-Coin | | du Ranelagh, 62 | en impasse | Ranela |
| K 5 | 15 | Robert-Lindet | (villa) | des Morillons | Robert-Lindet, 13 | Conver |
| K 5 | 15 | Robert-Lindet | | de Dantzig, 50 | Olivier-de-Serres, 55 | Conven |
| J 11 | 5 | Robert-Montagne | (square) | place du Puit de l'Ermite | | Place |
| D 9 | 18 | Robert-Planquette | | Lepic, 24 | en impasse | Blanch |
| G 6 | 7 | Robert-Schuman | (avenue) | Surcouf | Jean-Nicot | La Tour |
| F 3 | 16 | Robert-Schuman | (square) | av. Mal Fayolle | boulevard Lannes | Porte D |
| H 2 | 16 | Robert-Turquan | | de l'Yvette, 11 | en impasse | Jasmin |
| B 8 | 17 | Roberval | | des Épinettes | Baron | Guy-Mô |
| H 6 | 7 | Robiac | (square de) | de Grenelle, 192 | | La Tour- |
| G 15 | 20 | Robineau | | Désirée, 4 | pl. Martin-Nadaud, 3 | Gambet |
| J 8 | 6 | Robiquet | (impasse) | bd Montparnasse, 81 | | Montpar |
| E 10 | 9 | Rochambeau | | Pierre-Sémard, 1 | Mayran, 2 | Cadet |
| F 5 | 16 | Rochambeau | (place) | av. Pierre-1er-de-Serbie | Freycinet | Iéna |
| G 14 | 11 | Rochebrune | (passage) | Rochebrune, 11 | en impasse | Saint-Ar |
| G 14 | 11 | Rochebrune | | av. Parmentier, 30 | Saint-Maur, 41 | Saint-Ar |
| D 10 | 9 | Rochechouart | (boulevard de) | bd Magenta, 155 | des Martyrs, 72 | Barbès- |
| | | nos 41-70 | | | | Anvers |
| | | nos 65-114 | | | | Pigalle |
| D 10 | 9 | Rochechouart | (de) | Lamartine, 2 | bd Rochechouart, 19 | Cadet |
| | | nos 70-81 | | | | Anvers |
| E 8 | 8 | Rocher | (du) | de Rome, 15 | de Courcelles, 1 | Saint-La |
| | | nos 93-109 | | | | Villiers |
| M10 | 14 | Rockefeller | (avenue) | Cité Universitaire | | Cité Univ |
| D 11 | 10 | Rocroy | (de) | d'Abbeville, 6 | bd Magenta, 135 | Poissonn |
| K 10 | 14 | Rodenbach | (allée) | Jean-Dolent, 23 | | Saint-Jac |
| D 10 | 9 | Rodier | | de Maubeuge, 9 | av. Trudaine, 19 | Anvers |
| G 3 | 16 | Rodin | (avenue) | Mignard | de la Tour | Rue de la |
| H 3 | 16 | Rodin | (place) | av. Recteur-Poincaré | av. Léopold-II | Jasmin |
| K 8 | 14 | Roger | | Froidevaux, 47 | Daguerre, 66 | Denfert-R |
| D 5 | 17 | Roger-Bacon | | Guersant, 38 | Bayen, 65 | Porte Ma |
| G 16 | 20 | Roger-Bissière | | square Salamandre, 7 | Vitruve, 52 | Maraîche |
| H 12 | 3 | Roger-Verlomme | | des Tournelles, 33 | impasse du Béarn, 4 | Chemin-V |
| G 9 | 1 | Rohan | (de) | de Rivoli, 174 | Saint-Honoré, 159 | Palais-Ro Louvre |
| H 10 | 6 | Rohan | (cour de) | du Jardinet, 4 | pass. du Commerce, 2 | Odéon |
| B 11 | 18 | Roi-d'Alger | (du) | bd d'Ornano, 54 | Neuve-Chardonnière | Porte de C |
| B 11 | 18 | Roi-d'Alger | (passage du) | du Roi-d'Alger, 17 | Championnet, 3 | Porte de C |
| H 12 | 4 | Roi-de-Sicile | (du) | Malher, 3 | Bourg-Tibourg | Saint-Pau |
| G 12 | 3 | Roi-Doré | (du) | de Turenne, 79 | de Thorigny, 20 | St-Sébasti |
| F 11 | 2 | Roi-François | (cour du) | Saint-Denis, 194 | | Réaumur-S |
| J 14 | 12 | Roland-Barthes | | de Rambouillet | pl. Henri-Frenay | Gare de Ly |
| F 17 | 20 | Roland-Garros | (square) | Capitaine-Ferber | en impasse | Pelleport |
| M10 | 14 | Roli | | d'Arcueil, 16 | de la Cité Universitaire | Cité Univer |
| H 16 | 20 | Rolleboise | (impasse) | des Vignoles, 20 | | Avron |
| J 11 | 5 | Rollin | | Monge, 58 | Card.-Lemoine, 81 | Place Mon |
| M 8 | 14 | Romain-Rolland | (boulevard) | Émile-Faguet | av. Porte Châtillon | Porte d'Orl |
| E 16 | 19 | Romainville | (de) | de Belleville, 265 | de Belleville, 339 | Télégraphe |
| G 11 | 3 | Rome | (cour de) | des Gravillons, 24 | des Vertus, 9 | Arts-et-Mé |
| E 8 | 8 | Rome | (cour de) | gare Saint-Lazare | | Saint-Lazar |
| E 8 | 8 | Rome | (de) | bd Haussmann, 80 | Cardinet, 144 | Saint-Lazar |
| | 8-17 | nos 48-57 | | | | Europe |
| | | nos 82-79 | | | | Rome |
| G 16 | 20 | Rondeaux | (des) | Charles-Renouvier | av. Gambetta, 24 | Gambetta |
| G 15 | 20 | Rondeaux | (passage des) | des Rondeaux, 90 | | Gambetta |
| I 14 | 12 | Rondelet | | Érard, 23 | bd Diderot, 100 | Reuilly-Dide |
| G 16 | 20 | Rondonneaux | (des) | des Pyrénées, 22 | Malte-Brun | Gambetta |
| D 10 | 18 | Ronsard | | place Saint-Pierre | Charles-Nodier | Anvers |
| J 7 | 15 | Ronsin | (impasse) | de Vaugirard, 152 | | Pasteur |
| E 8 | 8 | Roquépine | | bd Malesherbes, 41 | Cambacérès, 20 | Saint-Augus |
| H 13 | 11 | Roquette | (cité de la) | de la Roquette, 60 | | Bastille |
| G 14 | 11 | Roquette | (square de la) | Servan | Merlin | Père-Lachai |
| G 14 | 11 | Roquette | (de la) | pl. de la Bastille, 8 | bd Ménilmontant, 21 | Bastille |
| | | nos 117-200 | | | | Philippe-Aug |
| I 7 | 15 | Rosa-Bonheur | | av. de Breteuil, 78 | av. de Suffren, 151 | Sèvres-Leco |
| K 6 | 15 | Rosenwald | | de Vouillé, 36 | des Morillons, 101 | Plaisance |
| B 12 | 18 | Roses | (des) | pl. Hébert, 5 | de la Chapelle, 42 | Marx-Dormo |
| B 12 | 18 | Roses | (villa des) | de la Chapelle | | Porte de la C |
| J 5 | 15 | Rosière | (de la) | des Entrepreneurs, 70 | de l'Église, 53 | Charles-Mich |
| H 12 | 4 | Rosiers | (des) | Malher, 13 | Vieille-du Temple, 48 | Saint-Paul |
| N 11 | 13 | Rosny-Ainé | (square) | du Dr-Bourneville, 1 | en impasse | Porte d'Italie |
| E 10 | 9 | Rossini | | de la Grande Batelière | Laffite, 30 | Richelieu-Dro |
| I 3 | 16 | Rossini | | de la Grande Batelière | Laffite, 30 | Richelieu-Dro |
| C 8 | 18 | Rothschild | (impasse) | av. de Saint-Ouen, 16 | | La Fourche |
| I 10 | 6 | Rotrou | | place de l'Odéon, 8 | Vaugirard, 20 | Odéon |
| J 15 | 12 | Rottembourg | | Gal-Michel-Bizot, 96 | bd Soult, 49 | Michel-Bizot |
| D 11 | 10 | Roubaix | (place de) | de Dunkerque | de Maubeuge | Gare du Nord |
| I 15 | 11 | Roubo | | fg Saint-Antoine, 263 | de Montreuil | Faidherbe-Ch |
| I 5 | 15 | Rouelle | | quai de Grenelle, 45 | de Lourmel, 28 | Dupleix |
| C 13 | 19 | Rouen | (de) | quai de Seine, 53 | de Flandre, 56 | Riquet |
| L 8 | 14 | Rouet | (impasse du) | av. Jean-Moulin, 4*bis* | | Alésia |
| F 10 | 9 | Rougemont | (cité) | Rougemont, 5 | Bergère, 19 | Rue Montmart |
| F 10 | 9 | Rougemont | | bd Poissonnière, 18 | Bergère, 15 | Rue Montmart |
| F 8 | 1 | Rouget-de-Lisle | | de Rivoli, 240 | Mont-Thador, 21 | Concorde |
| G 10 | 1 | Roule | (du) | de Rivoli, 138 | Saint-Honoré, 77 | Louvre-Rivoli |
| E 6 | 8 | Roule | (square du) | fg St-Honoré, 223 | en impasse | Ternes |
| I 8 | 7 | Rousselet | | Oudinot, 19 | de Sèvres, 70 | Vaneau |
| B 14 | 19 | Rouvet | | quai de la Gironde, 7 | av. Corentin-Cariou | Corentin-Cario |
| I 2 | 16 | Rouvray | (avenue de) | Boileau, 20 | | Michel-Ange- |
| D 6 | 17 | Roux | (passage) | Rennequin, 21 | | Ternes |
| E 8 | 8 | Roy | | la Boétie, 6 | de Laborde, 41 | Saint-Augustin |
| G 9 | 1-7 | Royal | (pont) | quai des Tuileries | quai Voltaire | Rue du Bac |
| F 8 | 8 | Royale | | pl. de la Concorde, 4 | pl. de la Madeleine, 2 | Concorde |
| | | nos 24-27 | | | | Madeleine |
| I 10 | 5 | Royer-Collard | (impasse) | Gay-Lussac, 8 | Royer-Collard, 15 | Luxembourg |
| I 10 | 5 | Royer-Collard | | St-Jacques, 204*bis* | bd Saint-Michel, 73 | Luxembourg |
| K 11 | 13 | Rubens | | du Banquier, 33*bis* | bd de l'Hôpital, 140 | Place d'Italie |

| Nom | Rues | Commençant | Finissant | Métro |
|---|---|---|---|---|
| e | | av. Foch, 12 | av. Grande Armée, 1 | Ch.-de-Gaulle-Étoile |
| le | (passage) | Marx-Dormoy, 29 | impasse de Jessaint | Porte de la Chapelle |
| nkorff | | bd Gouvion-St-Cyr, 74 | bd Gouvion-St-Cyr, 57 | Porte Maillot |
| seau | (du) | Marcadet, 134 | bd Ney, 41 | Lamarck-Caulaincourt |
| 01-110 | | | | Porte de Clignancourt |
| gis | (de) | place de Rungis | Amiral-Mouchez | Cité Universitaire |
| gis | (place de) | Brillat-Savarin | de Rungis | Cité Universitaire |
| ebeuf | (place) | passage Raguinot | passage Gatbois | Gare de Lyon |
| sdaël | (avenue) | de Monceau, 41 | parc-Monceau | Monceau |
| lière | (de la) | av. du Maine, 186 | Didot, 35 | Mouton-Duvernet |
| lons | (des) | Saint-Didier, 39 | av. G.-Mandel, 36 | Trocadéro |
| lonville | (de) | G.-Charpentier, 16 | de Sablonville | Porte Maillot |
| ot | (du) | Bernard-Palissy, 13 | de Rennes, 64 | Saint-Sulpice |
| cré-Cœur | (cité du) | ch. de la Barre, 40 | en impasse | Lamarck-Caulaincourt |
| cré-Cœur | (parvis du) | ch. de la barre, 40 | en impasse | Lamarck-Caulaincourt |
| di-Carnot | (villa) | de Mouzaïa, 40 | Bellevue, 25 | Danube |
| di-Lecointe | | de Meaux, 42 | av. S.-Bolivar, 121 | Bolivar |
| nel | (du) | bd Picpus, 28 | bd Soult | Bel-Air |
| hel | (villa du) | bd Picpus | bd Soult | Bel-Air |
| d | (villa) | Pergolèse, 70 | ch.-de Fer-Auteuil | Porte Dauphine |
| ida | (de la) | Olivier-de Serres, 77 | Dantzig, 62 | Porte de Versailles |
| ïgon | (de) | Rude, 3 | d'Argentine, 16 | Argentine |
| illard | | Charles-Divry | Brézin, 30 | Mouton-Duvernet |
| int-Aignan | (jardin) | imp. Berthaud | | Rambuteau |
| int-Alphonse | (impasse) | du Père-Corentin | en impasse | Porte d'Orléans |
| int-Amand | | place d'Alleray, 10 | Castagnary, 32 | Plaisance |
| int-Ambroise | (passage) | Saint-Ambroisie, 29 | en impasse | Saint-Ambroise |
| int-Ambroise | | Folie-Méricourt, 2 | Saint-Maur, 69 | Saint-Ambroise |
| int-André-des-Arts | (place) | St-André-des Arts, 21 | Suger, 2 | Saint-Michel |
| int-André-des-Arts | | pl. St-André-des Arts | Dauphine, 61 | Saint-Michel |
| 65-70 | | | | Odéon |
| int-Ange | (passage) | imp. Saint-Ange | | Porte de Saint-Ouen |
| int-Ange | (villa) | passage Saint-Ange | | Porte de Saint-Ouen |
| int-Antoine | (passage) | passage Josset, 8 | de Charonne, 36 | Ledru-Rollin |
| int-Antoine | | place de la Bastille, 3 | de Fourcy, 3 | Bastille |
| 112-129 | | | | St-Paul-le-Marais |
| aint-Augustin | | de Richelieu, 77 | av. de l'Opéra, 34 | Quatre-Septembre |
| aint-Augustin | (place) | bd Haussmann, 116 | de Laborde | Saint-Augustin |
| aint-Benoît | | Jacob, 33 | bd St-Germain, 172 | St-Germain-des-Prés |
| aint-Bernard | (passage) | fg St-Antoine, 159 | Charles-Delescluze | Ledru-Rollin |
| aint-Bernard | | fg St-Antoine, 185 | de Charonne, 80 | Faidherbe-Chaligny |
| aint-Bernard | (square) | Saint Mathieu | Saint Bruno | La Chapelle |
| aint-Bernard | (port) | pont d'Austerlitz | pont de Sully | Gare d'Austerlitz |
| n | | | | Cardinal-Lemoine |
| aint-Bernard | (quai) | pont d'Austerlitz | pont de Sully | Gare d'Austerlitz |
| in | | | | Jussieu |
| aint-Blaise | (place) | de Bagnolet, 121 | | Porte de Bagnolet |
| Saint-Blaise | | de Bagnolet, 122 | bd Davout, 109 | Porte de Montreuil |
| Saint-Bon | | de Rivoli, 82 | de la Verrerie, 93 | Hôtel de Ville |
| Saint-Bruno | | Stephenson, 13 | Saint-Luc, 6 | Porte de la Chapelle |
| Saint-Charles | (square) | de Reuilly, 55 | | Picpus |
| Saint-Charles | (place) | Saint-Charles, 47 | du Théâtre, 41 | Charles-Michels |
| Saint-Charles | (rond-point) | Saint-Charles, 159 | des Cévennes, 60 | Charles-Michels |
| Saint-Charles | (villa) | Saint-Charles, 100 | | Charles-Michels |
| Saint-Charles | | bd de Grenelle, 34 | Leblanc, 77 | Grenelle |
| nos 75-104 | | | | Charles-Michels |
| nos 135-fin | | | | Javel |
| Saint-Chaumont | (cité) | de la Villette, 50 | Simon-Bolivar, 71 | Belleville |
| Saint-Christophe | | Sébastien-Mercier, 31 | Convention, 28 | Javel-André-Citroën |
| Saint-Claude | (impasse) | Saint-Claude, 16 | | St-Sébastien-Froissart |
| Saint-Claude | | bd Beaumarchais, 101 | de Turenne, 70 | St-Sébastien-Froissart |
| Saint-Denis | | av. Victoria, 12 | bd Bonne-Nouvelle, 1 | Châtelet |
| Saint-Denis | (impasse) | Saint-Denis, 117 | | Réaumur-Sébastopol |
| Saint-Denis | (boulevard) | Saint-Martin, 361 | fg Saint-Denis, 2 | Strasbourg-Saint-Denis |
| de 1 à 9, 3e | | de 11 à la fin, 2e | | |
| nos pairs,10e | | | | |
| Saint-Denis | | av. Victoria, 12 | bd Bonne-Nouvelle, 1 | Châtelet |
| nos 80-93 | | | | Les Halles |
| nos 198-131 | | | | Étienne-Marcel |
| nos 180-203 | | | | Réaumur-Sébastopol |
| nos 252-fin | | | | Strasbourg-St-Denis |
| Saint-Didier | | av. Kléber, 94 | av. Victor-Hugo, 131 | Victor-Hugo |
| Saint-Dominique | | bd St-Germain, 223 | av. la Bourdon, 137 | Solférino |
| nos 40-70 | | | | Invalides |
| nos 104-124 | | | | École-Militaire |
| Saint-Eleuthère | | Foyatier | place du Tertre | Abbesses |
| Saint-Éloi | (cour) | de Reuilly, 39 | bd Diderot, 136 | Reuilly-Diderot |
| Saint-Émilion | (cour) | quai de Bercy | Gabriel-Lamé | Dugommier |
| Saint-Esprit | (cour du) | fg Saint-Antoine, 127 | | Ledru-Rollin |
| Saint-Étienne-du-Mont | | Descartes, 24 | Mont.-Ste-Geneviève | Cardinal-Lemoine |
| Saint-Eustache | (impasse) | Montmartre, 3 | | Les Halles |
| Saint-Exupéry | (quai) | bd Murat | Boulogne | Porte de Saint-Cloud |
| Saint-Fargeau | (place) | av. Gambetta, 108 | | Saint-Fargeau |
| Saint-Fargeau | | Pelleport, 132 | bd Mortier | Saint-Fargeau |
| Saint-Ferdinand | | av. des Ternes, 65 | av. de la Gde-Armée, 66 | Argentine |
| Saint-Ferdinand | (place) | Saint-Ferdinand, 34 | | Argentine |
| Saint-Fiacre | | Jeûneurs, 30 | bd Poissonnière, 11 | Rue Montmartre |
| Saint-Fiacre | (impasse) | Saint-Martin, 81 | | Châtelet |
| Saint-Florentin | | de Rivoli, 258 | Saint-Honoré, 273 | Concorde |
| | | nos pairs, 1er | nos impairs, 8e | |
| Saint-François | (impasse) | Letort, 51 | | Porte de Clignancourt |
| Saint-Georges | (place) | N.-D.-de Lorette, 30 | | Saint-Georges |
| Saint-Georges | | La Fayette, 31 | place St-Georges, 27 | Saint-Georges |
| Saint-Germain | (boulevard) | quai de Tournelle, 1 | quai d'Orsay, 27 | Maubert-Mutualité |
| nos 15-72 | | | | Maubert-Mutualité |
| nos 83-110 | | | | Odéon |
| nos 149-170 | | | | St-Germain-des-Prés |
| nos 207-236 | | | | Rue du Bac |
| nos 229-260 | | | | Solférino |
| no 235-fin | | | | Assemblée Nationale |
| St-Germain-des-Prés | (place) | bd St-Germain, 170 | | St-Germain-des-Prés |
| St-Germain-l'Auxerrois | | Lav. Ste-Opportune | Bourdonnais, 4 | Pont-Neuf |
| Saint-Gervais | (place) | Lobau | François-Miron | Hôtel de Ville |
| Saint-Gilles | | bd Beaumarchais, 67 | Turenne, 50 | Chemin-Vert |
| Saint-Gothard | (du) | Dareau, 45 | d'Alésia, 6 | Saint-Jacques |
| Saint-Guillaume | | Pré aux Clers, 18 | Grenelle, 34 | Rue du Bac |
| Saint-Hippolyte | | Pascal, 44 | de la Glacière, 7 | Les Gobelins |
| Saint-Honoré | | des Bourdonnais, 43 | Royale, 16 | Louvre-Rivoli |
| nos 150-198 | | | | Palais-Royal |
| nos 213-290 | | | | Tuileries |
| nos 271-fin | | | | Concorde |
| Saint-Honoré-d'Eylau | (avenue) | av. R.-Poincaré | en impasse | Victor-Hugo |
| Saint-Hubert | | av. de la République | Saint-Maur | Saint-Maur |
| Saint-Hyacinthe | | Sourdière, 15 | Robespierre, 8 | Pyramides |
| Saint-Irénée | (square) | Lacharrière, 10 | | Saint-Ambroise |
| Saint-Jacques | (place) | fg Saint-Jacques, 83 | bd St-Jacques, 48 | Saint-Jacques |
| Saint-Jacques | (villa) | bd St-Jacques, 67 | Tombe-Issoire, 20 | Saint-Jacques |
| Saint-Jacques | | Saint-Séverin, 3 | bd Port-Royal, 86 | Saint-Michel |
| nos 219-238 | | | | Luxembourg |

| Plan | Arr. | Nom | Rues | Commençant | Finissant | Métro |
|---|---|---|---|---|---|---|
| K 9 | 14 | Saint-Jacques | (boulevard) | de la Santé, 52 | pl. Denf.-Rochereau, 3 | Glacière |
| | | nos 51-69 | | | | Saint-Jacques |
| | | nos 58-75 | | | | Denfert-Rochereau |
| C 8 | 17 | Saint-Jean | | av. de Clichy, 82 | Dautancourt, 6 | La Fourche |
| C 8 | 17 | Saint-Jean | (place) | St-Jean | passage St-Michel | La Fourche |
| I 8 | 6 | Saint-Jean-Baptiste-de-la-Salle | | de Sèvres, 117 | Cherche-Midi, 112 | Vaneau |
| C 11 | 18 | Saint-Jérôme | | Saint-Mathieu, 6 | Cavé, 11 | Porte de la Chapelle |
| G 10 | 1 | Saint-John-Perse | (allée) | Forum-des-Halles | voir détails p. 38 | Les Halles |
| F 10 | 2 | Saint-Joseph | | du Sentier, 9 | Montmartre, 144 | Sentier |
| F 13 | 11 | Saint-Joseph | (cour) | de Charonne, 9 | | Ledru-Rollin |
| B 9 | 18 | Saint-Jules | (passage) | Leibniz, 18 | Angéliquai Compoin, 2 | Porte de Clignancourt |
| H 10 | 5 | Saint-Julien-le-Pauvre | | de la Bûcherie, 35 | Galande, 56 | Saint-Michel |
| B 7 | 17 | Saint-Just | | Pierre-Rebière | limite de Clichy | Porte de Clichy |
| J 5 | 15 | Saint-Lambert | (square) | Léon-Lhermite | Jean-Formigé | Commerce |
| K 5 | 15 | Saint-Lambert | | Lecourbe, 261 | Desnouettes, 6 | Convention |
| E 11 | 10 | Saint-Laurent | | fg St-Martin, 129 | bd Magenta, 74 | Gare de l'Est |
| E8-9 | 8-9 | Saint-Lazare | | N.-D.-de Lorette, 1 | de Rome, 14 | Notre-Dame-de-Lorette |
| | | nos 68-73 | | | | Trinité |
| | | nos 104-107 | | | | Saint-Lazare |
| H 11 | 4 | Saint-Louis | (pont) | quai d'Orléans | quai aux-Fleurs | Pont-Marie |
| H 13 | 11 | Saint-Louis | (cour) | fg Saint-Antoine, 45 | de Lappe, 26 | Bastille |
| H 11 | 4 | Saint-Louis-en-l'Ile | | quai d'Anjou, 1 | Jean-du-Bellay, 6 | Sully-Morland |
| | | nos 9-10 | | | | Pont-Marie |
| C 11 | 18 | Saint-Luc | | Polonceau, 12 | Cavé, 21 | Barbès-Rochechouart |
| I 16 | 12 | Saint-Mandé | (avenue de) | de Picpus, 33 | bd Soult, 117 | Picpus |
| I 16 | 12 | Saint-Mandé | (villa de) | bd de Picpus, 63 | av. de St-Mandé, 29 | Picpus |
| F 10 | 2 | Saint-Marc | (galerie) | Saint-Marc, 8 | galerie Variétés, 23 | Bourse |
| F 10 | 2 | Saint-Marc | | Montmartre, 147 | Favart, 10 | Rue Montmartre |
| C 6 | 17 | Saint-Marceaux | (de) | bd Bertier, 108 | av. Brunetière | Péreire |
| J 11 | 13 | Saint-Marcel | (boulevard) | bd de l'Hôpital | av. des Gobelins, 25 | Saint-Marcel |
| J 11 | 5 | nos 51-54 | | nos pairs, 5e, 48 | nos impairs, 13e | Les Gobelins |
| E 12 | 10 | Saint-Martin | (cité) | fg Saint-Martin, 96 | en impasse | Château d'Eau |
| F 12 | 3-10 | Saint-Martin | (boulevard) | place République, 23 | Saint-Martin, 334 | République |
| G 11 | 4-3 | Saint-Martin | | quai de Gesvres, 12 | bd Saint-Denis, 1 | Châtelet |
| | | nos 245-274 | | | | Réaumur-Sébastopol |
| | | nos 332-359 | | nos pairs, 4e | nos impairs, 3e | Strasbourg-St-Denis |
| C 11 | 18 | Saint-Mathieu | | Stephenson, 21 | Saint-Luc, 8 | La Chapelle |
| G 13 | 11 | Saint-Maur | (passage) | Saint-Maur, 81 | imp.-St-Ambroisie | Saint-Maur |
| F 13 | 11 | Saint-Maur | | la Roquette, 133 | Claude Vellefaux, 22 | Voltaire |
| | | nos 78-91 | | | | Saint-Maur |
| E 13 | 10 | nos 210-223 | | | | Goncourt |
| J 11 | 5 | Saint-Médard | | Gracieuse, 37 | Mouffetard, 39 | Place Monge |
| G 11 | 4 | Saint-Merri | | du Temple, 25 | Saint-Martin, 102 | Hôtel de Ville |
| H 10 | 5 | Saint-Michel | (quai) | Petit-Pont | pont Saint-Michel | Saint-Michel |
| C 8 | 17 | Saint-Michel | (passage) | av. de Saint-Ouen, 17 | Saint-Jean, 10 | La Fourche |
| C 8 | 18 | Saint-Michel | (villa) | av. de St-Ouen, 48 | Ganneron, 59 | La Fourche |
| C 8 | 5-6 | Saint-Michel | (place) | quai St-Michel, 29 | bd St-Michel | Saint-Michel |
| H 10 | 5-6 | Saint-Michel | (pont) | quai des Orfèvres | quai des Gds-Augustins | Saint-Michel |
| H 10 | 5 | Saint-Michel | (boulevard) | pl. Saint-Michel, 7 | av. de l'Observatoire | Saint-Michel-Odéon |
| I 10 | 6 | nos 90-147 | | | | Port-Royal |
| I 15 | 11 | Saint-Nicolas | (cour) | de Montreuil, 45 | | Faidherbe-Chaligny |
| I 13 | 12 | Saint-Nicolas | | Charenton, 67 | fg Saint-Antoine, 82 | Ledru-Rollin |
| B 8 | 17 | Saint-Ouen | (impasse) | Petiet, 3 | | Guy-Môquet |
| C 8 | 17 | Saint-Ouen | (avenue de) | av. de Clichy, 64 | bd Bessières, 1 | Guy-Môquet |
| C 9 | 18 | nos 151-156 | | nos impairs, 17e | nos pairs, 18e | Porte de Saint-Ouen |
| H 12 | 4 | Saint-Paul | (passage) | Saint-Paul, 43 | | Saint-Paul |
| H 12 | 4 | Saint-Paul | | quai des Célestins, 22 | Saint-Antoine, 87 | Saint-Paul |
| H 16 | 20 | Saint-Paul | (impasse) | Petiet, 4 | | Maraîchers |
| D 8 | 8 | Saint-Petersbourg | | place de l'Europe | place de Clichy, 3 | Europe |
| | | nos 36-45 | | | | Place de Clichy |
| F 11 | 2 | Saint-Philippe | | d'Aboukir, 115 | de Cléry, 72 | Sentier |
| E 7 | 8 | Saint-Philippe-du-Roule | (passage) | fg Saint-Honoré, 154 | Courcelles, 9 | Saint-Philippe du Roule |
| E 7 | 8 | Saint-Philippe-du-Roule | | fg Saint-Honoré, 131 | d'Artois, 14 | Saint-Philippe du Roule |
| C 8 | 17 | Saint-Pierre | (cour) | av. de Clichy, 47 | en impasse | La Fourche |
| H 16 | 18 | Saint-Pierre | (place) | Ronsart | Foyatier | Anvers |
| H 16 | 20 | Saint-Pierre | (impasse) | des Vignoles, 47 | | Avron |
| G 13 | 11 | Saint-Pierre-Amelot | (passage) | Amelot, 98 | bd Voltaire, 52 | Oberkampf |
| I 9 | 6 | Saint-Placide | | de Sèvres, 59 | Vaugirard, 89 | Saint-Placide |
| E 11 | 10 | Saint-Quentin | (de) | bd de Magenta, 94 | Dunkerque, 17 | Gare du Nord |
| F 9 | 1 | Saint-Roch | (passage) | Saint-Honoré, 284 | Pyramides, 15 | Pyramides |
| G 9 | 1 | Saint-Roch | | de Rivoli, 194 | av. de l'Opéra, 31 | Pyramides |
| I 8 | 6 | Saint-Romain | | de Sèvres, 113 | Cherche-Midi, 114 | Vaneau |
| I 8 | 7 | Saint-Romain | (square) | Saint-Romain, 9 | | Vaneau |
| C 10 | 18 | Saint-Rustique | | du Mont-Cenis, 7 | Norvins, 20 | Abbesses |
| H 13 | 11 | Saint-Sabin | (passage) | la Roquette, 31 | Saint-Sabin, 12 | Bréguet-Sabin |
| H 13 | 11 | Saint-Sabin | | la Roquette, 17 | Beaumarchais, 88 | Bréguet-Sabin |
| | | nos 44-49 | | | | St-Sébastien-Froissart |
| H 5 | 15 | Saint-Saëns | | Fédération, 30 | bd de Grenelle, 27 | Bir-Hakeim |
| F 10 | 2 | Saint-Sauveur | | Saint-Denis, 183 | Petits-Carreaux | Réaumur-Sébastopol |
| G 13 | 11 | Saint-Sébastien | (impasse) | Alphonse-Baudin | | St-Sébastien-Froissart |
| G 13 | 11 | Saint-Sébastien | (passage) | Amelot, 86 | Richard-Lenoir, 96 | St-Sébastien-Froissart |
| G 13 | 11 | Saint-Sébastien | | bd Beaumarchais | Folie-Méricourt, 19 | St-Sébastien-Froissart |
| D 5 | 17 | Saint-Senoch | (de) | Bayen, 34 | Laugier, 47 | Ternes |
| H 10 | 5 | Saint-Séverin | | Saint-Jacques, 12 | bd Saint-Michel | Saint-Michel |
| H 10 | 7 | Saint-Simon | (de) | bd St-Germain, 215 | Grenelle, 92 | Rue du Bac |
| F 16 | 20 | Saint-Simoniens | (passage des) | Pixérécourt | de la Durée | Télégraphe |
| F 11 | 2 | Saint-Spire | | d'Alexandre, 14 | Sainte-Foy, 8 | Réaumur-Sébastopol |
| I 9 | 6 | Saint-Sulpice | (place) | Bonaparte | St-Sulpice | Saint-Sulpice |
| I 9 | 6 | Saint-Sulpice | | Alexandrie | Sainte-Foy | Odéon |
| H 9 | 7 | Saint-Thomas-d'Aquin | (place) | de Gribeauval, 6 | St-Th-d'Aquin | Rue du Bac |
| H 9 | 7 | Saint-Thomas-d'Aquin | | pl. St-Th.-d'Aquin, 5 | bd St-Germain, 228 | Rue du Bac |
| I 11 | 5 | Saint-Victor | | de Poissy, 32 | Monge, 11 | Cardinal-Lemoine |
| C 10 | 18 | Saint-Vincent | | de la Bonne | pl. Constant-Péqueur | Lamarck-Caulaincourt |
| E 14 | 19 | Saint-Vincent | (impasse) | du Plateau, 7 | | Botzaris |
| D 11 | 10 | Saint-Vincent-de-Paul | | Belzunce, 12 | Amboise-paré, 7 | Gare du Nord |
| L 9 | 14 | Saint-Yves | | av. Reille | Tombe-Issoire, 107 | Alésia |
| B 10 | 18 | Sainte- Hélène | (square) | Letort | | Porte de Clignancourt |
| G 12 | 3 | Sainte-Anastase | | Turenne, 71 | Thorigny, 12 | Saint-Paul |
| F 9 | 2 | Sainte-Anne | (passage) | Sainte-Anne, 59 | passage-Choiseul, 52 | Quatre-Septembre |
| F 9 | 1-2 | Sainte-Anne | | av. de l'Opéra, 15 | Saint-Augustin, 16 | Quatre-Septembre |
| H 13 | 11 | Sainte-Anne-Popincourt | (passage) | Saint-Sabin, 42 | Richard-Lenoir, 43 | Bréguet-Sabin |
| F 11 | 2-3 | Sainte-Apolline | | Saint-Martin, 359 | Saint-Denis, 250 | Strasbourg-Saint-Denis |
| G 11 | 3 | Sainte-Avoie | (passage) | Rambuteau, 8 | du Temple, 62 | Rambuteau |
| J 9 | 6 | Sainte-Beuve | | N.-D.-des Champs, 46 | bd Raspail, 133 | Vavin |
| E 10 | 9 | Sainte-Cécile | | fg Poissonnière | de Trévise, 6 | Rue Montmartre |
| J 14 | 12 | Sainte-Claire-Deville | | passage Montgallet, 11 | Ebelmen, 8 | Montgallet |
| B 8 | 17 | Sainte-Croix | (villa) | la Jonquière | imp. Ste-Croix | Guy-Môquet |
| G 11 | 4 | Ste-Croix-de-la-Bretonnerie | (square) | Archives, 15 | Ste-Croix-Breton., 17 | Hôtel de Ville |
| G 11 | 4 | Ste-Croix-de-la-Bretonnerie | | Vieille-du Temple, 31 | du Temple, 22 | Hôtel de Ville |
| F 12 | 3 | Sainte-Élisabeth | (passage) | Fontaines-du Temple | Turbigo, 197 | Temple |
| F 12 | 3 | Sainte-Élisabeth | | des Fontaines, 10 | de Turbigo, 70 | Temple |
| K 6 | 15 | Sainte-Eugénie | (avenue) | Dombasle, 30 | en impasse | Convention |
| J 6 | 15 | Sainte-Félicité | | de la Procession, 14 | Favorites | Vaugirard |
| F 11 | 2 | Sainte-Foy | (galerie) | du Caire, 34 | passage du Caire | Réaumur-Sébastopol |
| F 11 | 2 | Sainte-Foy | (passage) | Saint-Denis, 263 | Sainte-Foy, 14 | Strasbourg-Saint-Denis |
| F 11 | 2 | Sainte-Foy | | Saint-Spire | Saint-Denis, 281 | Strasbourg-Saint-Denis |
| I 10 | 5 | Sainte-Geneviève | (place) | place du Panthéon | St-Etienne-du Mont | Cardinal-Lemoine |
| M11 | 13 | Sainte-Hélène | (de) | Poterne-des Peupliers | en impasse | Porte d'Italie |
| B 10 | 18 | Sainte-Henriette | | Letort, 51 | en impasse | Porte de Clignancourt |

| Plan | Arr. | Nom | Rues | Commençant | Finissant | Métro |
|---|---|---|---|---|---|---|
| B 10 | 18 | Sainte-Isaure | | du Poteau, 4 | Versigny, 7 | Simplon |
| K 8 | 14 | Sainte-Léonie | (impasse) | Pernéty, 24 | | Pernéty |
| J 4 | 15 | Sainte-Lucie | | de l'Église, 22 | de Javel, 95 | Charles-Michels |
| F 17 | 20 | Sainte-Marie | (villa) | pl. Adjudant-Vincenot | en impasse | Saint-Fargeau |
| E 13 | 10 | Sainte-Marthe | (impasse) | Sainte-Marthe, 22 | | Belleville |
| E 13 | 10 | Sainte-Marthe | (place) | Ste-Marthe | du Chalet | Belleville |
| E 13 | 10 | Sainte-Marthe | | Saint-Maur, 216 | Sambre-et-Meuse, 40 | Belleville |
| B 9 | 18 | Sainte-Monique | (impasse) | des Tennis, 18 | | Guy-Môquet |
| C 5 | 17 | Sainte-Odile | (square) | av. Stéphane-Mallarmé | de Courcelles | Porte de Champerret |
| G 10 | 1 | Sainte-Opportune | (place) | des Halles, 8 | Ste-Opportune, 1 | Châtelet |
| G 10 | 1 | Sainte-Opportune | | Ste-Opportune, 10 | de la Ferronnerie, 19 | Châtelet |
| G 12 | 3 | Saintonge | (de) | du Perche, 10 | bd du Temple, 21 | Filles du Calvaire |
| G 9 | 6-7 | Saints-Pères | (port des) | pont des Arts | pont Royal | Palais-Royal-Musée du Louvre |
| G 12 | 6 | Saints-Pères | (des) | quai Malaquais, 23 | Sèvres, 8 | St-Germain-des-Prés |
| H 9 | 7 | | | nos pairs, 7e | nos impairs, 6e | Sèvres-Babylone |
| H 16 | 20 | Salamandre | (square de la) | St-Blaise | | Porte de Montreuil |
| H 13 | 11 | Salarnier | (passage) | Froment, 6 | Sedaine, 37 | Bréguet-Sabin |
| H 10 | 5 | Salembrière | (impasse) | Saint-Séverin, 4 | | Saint-Michel |
| D 7 | 17 | Salneuve | | Légende, 31 | de Saussure, 67 | Villiers |
| F 11 | 3 | Salomon-de-Caus | | Saint-Martin, 319 | bd Sébastopol, 100 | Strasbourg-Saint-Denis |
| D 4 | 17 | Salonique | (avenue de) | pl. Porte des Ternes | bd Dixmude | Porte Maillot |
| E 13 | 10 | Sambre-et-Meuse | (de) | Juliette-Dodu, 12 | bd de la Villette, 35 | Belleville |
| L 11 | 13 | Samson | | Gérard, 62 | Buttes-aux-Cailles, 22 | Corvisart |
| G 15 | 20 | Samuel-de-Champlain | (square) | av. Gambetta | | Gambetta |
| K 16 | 12 | Sancerrois | (square du) | bd Poniatowski | en impasse | Porte de Charenton |
| F 9 | 9 | Sandrié | (impasse) | Auber, 3 | | Opéra |
| K 10 | 13 | Santé | (impasse de la) | de la Santé, 19 | | Glacière |
| K 10 | 13 | Santé | (de la) | bd Port-Royal, 93 | Alésia, 2 | Glacière |
| | 14 | | | nos pairs, 14e | nos impairs, 13e | |
| J 16 | 12 | Santerre | | de Picpus, 57 | bd Picpus, 27 | Bel-Air |
| J 11 | 5 | Santeuil | | Fer-à-Moulin, 10 | Censier, 17 | Censier-Daubenton |
| F 9 | 7 | Santiago-du-Chili | (place) | bd la Tour-Maubourg | av. la M.-P.-Grenelle | La Tour-Maubourg |
| K 6 | 15 | Santos-Dumont | (villa) | Santos-Dumont | | Plaisance |
| K 6 | 15 | Santos-Dumont | | de Vouillé, 32 | des Morillons, 77 | Plaisance |
| L 9 | 14 | Saône | (de la) | d'Alésia, 32 | Commandeur | Alésia |
| I 16 | 20 | Sarah-Bernhardt | (square) | de Buzenval | Mounet | Buzenval |
| J 4 | 15 | Sarasate | | de la Convention, 93 | passage Lourmel | Boucicaut |
| L 9 | 14 | Sarrette | | d'Alésia, 39 | av. Gal-Leclerc, 109 | Alésia |
| H 16 | 20 | Satan | (impasse) | des Vignoles, 94 | | Maraîchers |
| C 8 | 17 | Sauffroy | | av. de Clichy, 134 | de la Jonquière, 571 | Guy-Môquet |
| C 10 | 18 | Saules | (des) | Norvins, 20 | Marcadet, 135 | Lamarck-Caulaincourt |
| E 10 | 9 | Saulnier | | Richer, 36 | La Fayette, 72 | Cadet |
| F 7 | 8 | Saussaies | (des) | fg St-Honoré, 92 | de Surène, 41 | Ch.-Élysées-Clemenceau |
| F 8 | 8 | Saussaies | (place des) | des Saussaies | Cambacérès | Ch.-Élysées-Clemenceau |
| D 5 | 17 | Saussier-Leroy | | Poncelet, 17 | av. Niel, 22 | Ternes |
| C 7 | 17 | Saussure | (de) | de Dames, 96 | bd Berthier | Villiers |
| G 10 | 1 | Sauval | | Saint-Honoré, 98 | de Viarmes, 2 | Louvre-Rivoli |
| H 16 | 20 | Savart | (passage) | des Haies, 77 | des Vignoles, 82 | Buzenval |
| F 15 | 20 | Savies | (de) | de la Mare, 58 | des Cascades, 57 | Jourdain |
| H 10 | 6 | Savoie | (de) | Séguier, 8 | Grands-Augustins, 13 | Saint-Michel |
| H 10 | 7 | Savorgnan-de-Brazza | | av. la Bourdonnais | Adrienne-Lecouvreur | École Militaire |
| I 7 | 7 | Saxe | (villa de) | av. de Saxe, 21 | | Ségur |
| H 6 | 7-15 | Saxe | (avenue de) | place Fontenoy, 3 | de Sèvres, 100 | Sèvres-Lecourbe |
| D 10 | 9 | Say | | Bochart-de Saron, 3 | Lallier, 4 | Anvers |
| G 13 | 11 | Scarron | | bd Beaumarchais, 72 | Amelot, 61 | Chemin-Vert |
| G 4 | 16 | Scheffer | (villa) | Scheffer, 51 | | Rue de la Pompe |
| G 4 | 16 | Scheffer | | Franklin, 19 | av. Georges-Mandel | Rue de la Pompe |
| K 9 | 14 | Schœlcher | | bd Raspail, 272 | Froidevaux, 12 | Denfert-Rochereau |
| I 12 | 4 | Schomberg | (de) | quai Henri-IV, 30 | Sully, 1 | Sully-Morland |
| H 17 | 20 | Schubert | | Paganini | Charles-et-Robert | Porte de Montreuil |
| I 4 | 15 | Schutzenberger | | Émeriau | Sextius-Michel, 20 | Bir-Hakeim |
| J 11 | 5 | Scipion | (square) | du Fer à Moulin | Scipion | Les Gobelins |
| J 11 | 5 | Scipion | | Scipion, 8 | Fer-à-Moulin, 19 | Censier-Daubenton |
| F 9 | 9 | Scribe | | bd des Capucines, 12 | bd Haussmann, 31 | Opéra |
| F 9 | 7 | Sébastien-Bottin | | de l'Université, 19 | en impasse | Rue du Bac |
| J 4 | 15 | Sébastien-Mercier | | quai André-Citroën, 69 | Saint-Charles, 146 | Javel-André-Citroën |
| F 11 | 1 | Sébastopol | (boulevard de) | av. Victoria, 12 | bd Saint-Denis, 9 | Châtelet |
| | 1-2 | nos 1 à 71, 1er | | | | Étienne-Marcel |
| | 2-4 | nos 2 à 40, 4e | | | | Réaumur-Sébastopol |
| | 3 | nos 109-fin | | | | Strasbourg-St-Denis |
| D 13 | 19 | Secrétan | (avenue) | bd de la Villette, 202 | Manin, 29 | Jaurès |
| I 5 | 15 | Sécurité | (passage de la) | bd de Grenelle | Tiphaine | La M.-Picquet-Grenelle |
| H 13 | 11 | Sedaine | (cour) | Sedaine, 40 | | Bréguet-Sabin |
| H 14 | 11 | Sedaine | | bd Richard-Lenoir, 20 | av. Parmentier, 3 | Bréguet-Sabin |
| H 14 | 7 | Sédillot | (square) | Saint-Dominique, 133 | | École Militaire |
| H 6 | 7 | Sédillot | | av. Rapp, 25 | Saint-Dominique, 114 | École Militaire |
| H 10 | 6 | Séguier | | quai Gds-Augustins, 35 | St-André-des Arts, 40 | Saint-Michel |
| H 7 | 7 | Ségur | (villa de) | av. Ségur, 39 | | Ségur |
| H 10 | 7 | Ségur | (avenue de) | place Vauban | bd Garibaldi, 31 | St-François-Xavier |
| | | nos 70-71, de 1 à 73 | | | | Ségur |
| H 9 | 6 | Seine | (de) | quai Malaquais, 1 | Saint-Sulpice, 18 | Odéon |
| C 13 | 19 | Seine | (quai de la) | bd de la Villette, 206 | de Crimée, 161 | Stalingrad |
| | | nos 57-fin | | | | Crimé |
| F 7 | 8 | Selves | (avenue de) | av. F.-D.-Roosevelt | av. Champs-Élysées | Ch.-Élysées-Clemenceau |
| F 14 | 20 | Sénégal | (du) | Bisson, 41 | Jean-Lacroix, 77 | Couronnes |
| C 5 | 17 | Senlis | (de) | bd Berthier, 146 | Émile-Massard, 10 | Porte de Champerret |
| F 10 | 2 | Sentier | (du) | Réaumur, 116 | bd Poissonnière, 9 | Sentier |
| K 7 | 14 | Séoul | (place de) | Guilleminot | du Château | Pernéty |
| C 16 | 19 | Sept-Arpents | (des) | av. Porte de Pantin | Pantin-Pré-St-Gerv. | Porte de Pantin |
| H 3 | 16 | Serge-Prokofiev | | av. Mozart | en impasse | Ranelagh |
| I 15 | 12 | Sergent-Bauchat | (du) | place François-Ier | av. Matignon | Montgallet |
| D 5 | 17 | Sergent-Hoff | (du) | Pierre-Demours, 27 | Saint-Senoche, 10 | Ternes |
| J 1 | 16 | Sergent-Maginot | (du) | place Gal-Stéphanik | av. Parc-des Princes | Porte de Saint-Cloud |
| M 8 | 14 | Serment-de-Koufra | (square du) | av. d. l. Pte Montrouge | av. E.-Reyer | Porte d'Orléans |
| H 10 | 6 | Serpente | | bd St-Michel, 20 | de l'Éperon, 11 | Saint-Michel |
| G 17 | 20 | Serpollet | | bd Davout, 132 | bd périphérique | Porte de Bagnolet |
| J 5 | 15 | Serret | | av. Félix-Faure, 39 | Henri-Bocquillon | Boucicaut |
| E 16 | 19 | Sérurier | (boulevard) | de Belleville, 353 | canal-de l'Ourcq | Porte de Pantin |
| | | nos 86-140 | | | | Pré-St-Gervais-Pte des Lilas |
| G 14 | 11 | Servan | (square) | Servan | | Père-Lachaise |
| G 14 | 11 | Servan | | de la Roquette, 141 | av. République, 92 | Père-Lachaise |
| I 9 | 6 | Servandoni | (de) | Palatine, 9 | de Vaugirard, 42 | Saint-Sulpice |
| L 9 | 14 | Seurat | (villa) | Tombe-Issoire, 101 | | Alésia |
| F 17 | 20 | Séverine | (square) | bd Mortier | Le Vau | Porte de Bagnolet |
| K 8 | 14 | Severo | | des Plantes, 6 | Hippolyte-Maindron,15 | Mouton-Duvernet |
| D 10 | 18 | Seveste | | bd Rochechouart, 58 | pl. Saint-Pierre, 7 | Anvers |
| H 12 | 3-4 | Sévigné | (de) | de Rivoli, 2 | du Parc-Royal, 5 | Saint-Paul-Le-Marais |
| | | de 1 à 21 et 2 à 34, 4e | | | | |
| H 8 | 7-15 | Sèvres | (de) | Carr.-Croix-Rouge | av. de Breteuil | Sèvres-Babylone |
| | | nos 50-57 | | | | Duroc |
| | | nos 83-fin | | | | Sèvres-Lecourbe |
| I 5 | 15 | Sextius-Michel | | Dr-Finlay | Saint-Charles, 35 | Bir-Hakeim |
| F 8 | 8-9 | Sèze | (de) | bd de la Madeleine | pl. de la Madeleine | Madeleine |
| F 4 | 16 | Sfax | (de) | av. Ray.-Poincaré, 97 | de la Pompe, 176 | Victor-Hugo |
| G 4 | 16 | Siam | (de) | de la Pompe, 45 | Mignard, 13 | Rue de la Pompe |
| E 12 | 10 | Sibour | | fg St-Martin, 121 | bd Strasbourg, 70 | Gare de l'Est |
| J 16 | 12 | Sibuet | | du Sahel | bd de Picpus, 60 | Picpus |
| J 16 | 12 | Sidi-Brahim | | av. Daumesnil, 121 | de Picpus, 98 | Daumesnil |







| Plan | Arr. | Nom | Rues | Commençant | Finissant | Mét |
|---|---|---|---|---|---|---|
| L 11 | 13 | Sigaud | (passage) | Alphand, 15 | Barrault, 19 | Corv |
| D 16 | 19 | Sigmund-Freud | | av. Pte Pré-St-Gervais | av. Porte Chaumont | Danu |
| C 13 | 19 | Signoret-Montand | (promenade) | quai de la Seine | | Stali |
| C 13 | 7 | Silvestre-de-Sacy | (avenue de) | av. la Bourdonnais, 18 | Adr.-Lecouvreur, 18 | École |
| C 11 | 18 | Simart | | bd Barbès, 61 | Ordener, 99 | Marc |
| E 13 | 19 | Simon-Bolivar | (avenue) | de Belleville, 93 | av. Secretan | Butte |
| C 9 | 18 | Simon-Dereure | | av. Junot | allée des Brouillards | Lama |
| G 11 | 4 | Simon-Le-Franc | | du Temple, 47 | Renard, 33 | Hôtel |
| M12 | 13 | Simone-Weil | | av. d'Ivry | Frères-d'Astier-de-la-Vige | Porte |
| L 11 | 13 | Simonet | | Moulin-des Prés, 26 | Gérard, 53 | Corvis |
| B 11 | 18 | Simplon | (du) | des Poissonniers, 107 | du Mont-Cenis, 98 | Simpl |
| H 3 | 16 | Singer | (passage) | Singer, 29 | en impasse | La Mu |
| H 4 | 16 | Singer | | Raynouard, 66 | des Vignes, 68 | La Mu |
| H 11 | 4 | Singes | (passage des) | Vieille-du Temple, 43 | des Guillemites, 6 | Hôtel |
| C 6 | 17 | Sisley | | bd Berthier, 106 | av. Pte d'Asnières, 9 | Pérei |
| K 8 | 14 | Sivel | | Liancourt, 19 | Charles-Divry, 14 | Denfe |
| D 15 | 19 | Sizerins | (villa des) | rd-pt d'Angers | | Danub |
| A 13 | 19 | Skanderbeg | (place) | av. Pte d'Aubervilliers | Haie-du Coq | Porte |
| L 10 | 13 | Sœur-Catherine-Marie | | Glacière, 86 | Glacière, 98 | Glaciè |
| K 11 | 13 | Sœur-Rosalie | (avenue de la) | place d'Italie, 8 | Abel-Hovelacque, 13 | Place |
| D 11 | 18 | Sofia | (de) | bd Barbès, 7 | Clignancourt, 18 | Barbès |
| D 13 | 19 | Soissons | (de) | quai de Seine, 27 | de Flandre, 28 | Staling |
| F 15 | 20 | Soleil | (du) | de Belleville, 192 | Pixérécourt, 71 | Place |
| J 6 | 15 | Soleil-d'Or | (ruelle du) | Blomet, 61 | Vaugirard | Volont |
| F 15 | 20 | Soleillet | | Sorbet, 40 | Elisa-Borey, 14 | Gambe |
| J 6 | 7 | Solférino | (de) | quai Anatole-France, 11 | Saint-Dominique, 8 | Solféri |
| G 8 | 7 | Solférino | (pont) | quai des Tuileries | quai d'Orsay | Solféri |
| G 8 | 7 | Solférino | (port de) | pont Royal | pont de la Concorde | Solféri |
| D 15 | 19 | Solidarité | (de la) | David d'Angers, 9 | bd Sérurier, 137 | Danub |
| E 15 | 19 | Solitaires | (des) | de la Villette, 52 | des Fêtes, 21 | Place d |
| C 5 | 17 | Somme | (bd de la) | de Courcelles | pl. Porte Champerret | Porte d |
| K 2 | 16 | Sommeiller | (villa) | bd Murat, 139 | Claude Terrasse, 135 | Porte d |
| L 6 | 15 | Sommet-des-Alpes | (du) | Fizeau, 20 | Castagnary, 136 | Porte d |
| C 14 | 19 | Sonatine | (villa) | | en impasse | Ourcq |
| F 4 | 16 | Sontay | (de) | pl. Victor-Hugo, 8 | de la Pompe, 174 | Victor-H |
| L 9 | 14 | Sophie-Germain | | Hallé, 48 | av. Gal-Leclerc, 25 | Mouton |
| F 15 | 20 | Sorbier | | Ménilmontant, 70 | pl. Martin-Nadaud, 8 | Gambet |
| I 10 | 5 | Sorbonne | (de la) | des Écoles, 51 | pl. de la Sorbonne, 2 | Luxemb |
| I 10 | 5 | Sorbonne | (passage de la) | de la Sorbonne, 18 | Champollion, 15 | Luxemb |
| I 10 | 5 | Sorbonne | (place de la) | St-Michel | de la Sorbonne | Luxemb |
| F 16 | 20 | Souchet | (villa) | av. Gambetta, 105 | Orfila, 98 | Pellepo |
| G 4 | 16 | Souchier | (villa) | Eugène-Delacroix, 5 | en impasse | Rue de l |
| I 5 | 15 | Soudan | (du) | Pondichéry, 16 | bd de Grenelle, 97 | Dupleix |
| I 10 | 5 | Soufflot | | pl. du Panthéon, 12 | bd Saint-Michel, 63 | Luxemb |
| H 16 | 20 | Souhaits | (impasse des) | des Vignoles, 31 | | Avron |
| L 12 | 13 | Souham | (place) | pl. Jeanne-d'Arc | Ch.-des-Rentiers,114 | Nationa |
| J 17 | 12 | Soult | (boulevard) | av. Daumesnil, 227 | cours de Vincennes | Porte Do |
| | | nos 51-fin | | | | Porte de |
| F 15 | 20 | Soupirs | (passage des) | des Pyrénées, 242 | de la Chine, 47 | Gambett |
| I 3 | 16 | Source | (de la) | Ribera, 31 | Pierre-Guérin, 34 | Michel-A |
| G 12 | 3 | Sourdis | (ruelle) | Charlot, 5 | Pastourelle, 17 | St-Sébas |
| G 12 | 7 | Souvenir-Français | (esplanade du) | av. de Breteuil | place Vauban | Saint-Fra |
| H 15 | 11 | Souzy | (cité) | des Boulets, 41 | en impasse | Boulets- |
| G 14 | 11 | Spinoza | | av. de la Républ., 103 | bd Ménilmontant, 83 | Père-Lac |
| F 4 | 16 | Spontini | (villa) | Spontini, 39 | en impasse | Porte Da |
| F 4 | 16 | Spontini | | av. Foch, 75 | Av.Victor-Hugo, 182 | Porte Da |
| I 2 | 16 | Square | (avenue du) | Poussin, 12 | villa Montmorency | Michel-A |
| C 9 | 18 | Square-Carpeaux | | Eugène-Carrière, 53 | Marcadet, 228 | Guy-Môq |
| J 7 | 15 | Staël | (de) | Lecourbe, 17 | de Vaugirard, 174 | Pasteur |
| J 9 | 6 | Stanislas | | N.D.-des-Champs, 42 | bd Montparnasse, 95 | N.-Dame- |
| F 17 | 20 | Stanislas-Meunier | | Vidal-de la Blache | Maurice-Bertaux | Pelleport |
| B 14 | 19 | Station | (sentier de la) | av. Pte de Flandre | en impasse | Corentin- |
| F 15 | 20 | Station-de-Ménilmontant | (passage de la) | de Ménilmontant, 79 | de la Mare, 12 | Ménilmon |
| D 10 | 18 | Steinkerque | (de) | bd Rochechouart, 72 | pl. Saint-Pierre, 13 | Anvers |
| C 9 | 18 | Steinlen | | Damrémont, 19 | Eugène-Carrière, 8 | Blanche |
| E 13 | 19 | Stemler | (cité) | bd de la Villette, 56 | en impasse | Belleville |
| G 16 | 20 | Stendhal | (passage) | Stendhal, 19 | des Pyrénées, 178 | Gambetta |
| G 16 | 20 | Stendhal | (villa) | Stendhal, 28 | en impasse | Gambetta |
| G 16 | 20 | Stendhal | | place Saint-Blaise | des Pyrénées, 192 | Gambetta |
| C 5 | 17 | Stéphane-Mallarmé | (avenue) | bd Somme, 1 | pl. Porte Champerret | Porte de C |
| K 12 | 13 | Stéphen-Pichon | (avenue) | Pinel, 13 | place des Alpes, 4 | Place d'Ita |
| C 11 | 18 | Stephenson | | Jessaint, 12 | Ordener, 23 | Porte de la |
| L 12 | 13 | Sthrau | | de Tolbiac, 70 | Nationale, 100 | Porte d'Ivry |
| I 15 | 12 | Stinville | (passage) | Érard, 28 | Reuilly, 46 | Reuilly-Did |
| E 8 | 8 | Stockholm | (de) | de Rome, 35 | de Vienne, 12 | Saint-Laza |
| F 11 | 10 | Strasbourg | (boulevard de) | bd Saint-Denis, 14 | de Strasbourg, 9 | Strasbourg |
| | | nos 34-53 | | | | Château d' |
| | | nos 76-fin | | | | Gare de l'Es |
| D 5 | 17 | Stuart-Merrill | (place) | av. Steph.-Mallarmé | bd Berthier | Porte de Ch |
| G 2 | 16 | Suchet | (boulevard) | place de la Colombie | pl. de la Pte d'Auteuil | Ranelagh |
| | | nos 93-fin | | | | Porte d'Aut |
| D 14 | 19 | Sud | (passage du) | Petit, 30 | en impasse | Laumière |
| C 11 | 18 | Suez | (de) | de Panama, 3 | Poissonnière, 26 | Château-Ro |
| H 16 | 20 | Suez | (impasse) | de Bagnolet | en impasse | Alexandre- |
| H 5 | 7 | Suffren | (port de) | pont d'Iéna | pont de Passy | Bir-Hakeim |
| H 5 | 15 | Suffren | (avenue de) | quai Branly | bd Garibaldi, 59 | La M.-Picqu |
| | 7 | nos 163-fin | | nos-pairs, 15e | nos-impairs, 7e | |
| H 10 | 6 | Suger | | pl. St-André-des Arts, 15 | de l'Eperon, 5 | Saint-Miche |
| L 7 | 14 | Suisses | (des) | d'Alésia, 199 | Pierre-Larousse, 48 | Plaisance |
| I 12 | 4 | Sully | (de) | de Mornay, 6 | bd Henri-IV, 12 | Sully-Morla |
| I 12 | 4-5 | Sully | (pont de) | quai Henri-IV | quai Saint-Bernard | Sully-Morlan |
| I 12 | 7 | Sully-Prudhomme | (avenue) | quai d'Orsay, 55 | Université, 154 | Invalides |
| G 7 | 7 | Surcouf | | quai d'Orsay, 51 | Saint-Dominique, 54 | La Tour-Mau |
| F 8 | 8 | Surène | (de) | Boissy-d'Anglas,47 | des Saussaies, 16 | Madeleine |
| F 16 | 20 | Surmelin | (du) | Pelleport, 92 | bd Mortier | Saint-Farge |
| F 16 | 20 | Surmelin | (passage du) | du Surmelin, 47 | Haxo, 12 | Saint-Fargea |
| C 9 | 18 | Suzanne-Buisson | (square) | avenue Junot | Simon-Dereure | Lamarck-Cau |
| F 10 | 18 | Suzanne-Valadon | (place) | av. Junot | Simon-Dereure | Anvers |
| I 2 | 16 | Sycomores | (avenue des) | Poussin, 12 | villa Montmorancy | Michel-Ange |
| H 9 | 6 | T.-Chevtchenko | (square) | des Saint-Pères | bd Saint-Germain | Saint-Germa |
| H 11 | 4 | Tacherie | (de la) | quai de Gesvres, 8 | de Rivoli, 35 | Hôtel de Ville |
| F 15 | 20 | Taclet | | de la Duée, 28 | Pelleport, 123 | Pelleport |
| M11 | 13 | Tage | (du) | av. d'Italie,154 | Damesme, 65 | Maison-Blan |
| M12 | 13 | Tagore | | av. d'Italie, 143 | Gandon, 28 | Porte d'Italie |
| E 15 | 20 | Taillade | (avenue) | Frédéric-Lemaître | en impasse | Jourdain |
| H 13 | 11 | Taillandiers | (des) | de Charonne, 31 | de la Roquette, 68 | Ledru-Rollin |
| H 13 | 11 | Taillandiers | (passage des) | passage Thiéré, 8 | Taillandiers, 9 | Ledru-Rollin |
| I 16 | 11 | Taillebourg | (avenue de) | place de la Nation, 11 | bd Charonne, 25 | Nation |
| J 15 | 12 | Taine | | de Charenton, 239 | de Reuilly, 46 | Daumesnil |
| E 9 | 9 | Taitbout | | bd des Italiens, 22 | d'Aumale, 19 | Chaussée d'A |
| | | nos 78-fin | | | | Saint-Georges |
| J 16 | 12 | Taïti | | bd Picpus, 5 | Picpus, 83 | Bel-Air |
| H 7 | 7 | Talleyrand | (de) | Constantine | de Grenelle, 142 | Varenne |
| H 3 | 16 | Talma | | Bois-le-Vent, 11 | Singer, 24 | La Muette |
| B 9 | 18 | Talus | (impasse du) | rue-Leibniz, 56 | Dehaynin | Porte de Saint |
| C 14 | 19 | Tandou | | Euryale-Dehavnin | de Crimée, 135 | Laumière |
| C 13 | 19 | Tanger | (de) | bd de la Villette, 224 | Riquet, 45 | Stalingrad |
| K 10 | 13 | Tanneries | (des) | Léon-M.-Nordmann | Ch.-de l'Alouette, 6 | Glacière |
| C 7 | 17 | Tapisseries | (des) | bd Péreire | de Saussure | Wagram |

| | Rues | Commençant | Finissant | Métro |
|---|---|---|---|---|
| | | Saussure, 76 | Cardinet, 142 | Villiers |
| eu | | place Saint-Pierre | Trois-Frères, 6 | Anvers |
| | (square du) | Jules-Bourdais | en impasse | Porte de Champerret |
| grain | (place) | av. Henri-Martin | bd Flandrin | Rue de la Pompe |
| r | | René-Boulanger, 62 | Château-d'Eau, 23 | République |
| kovski | | de l'Évangile, 27 | en impasse | Porte de la Chapelle |
| ran | (de) | bd Haussmann, 142 | de Monceau, 60 | Miromesnil |
| graphe | (du) | Saint-Fargeau | de Belleville, 246 | Télégraphe |
| graphe | (passage du) | Télégraphe, 39 | Pelleport, 178 | Télégraphe |
| le | (du) | de Rivoli, 64 | de la République, 15 | Hôtel de Ville |
| 62-fin | | | | Temple |
| le | (boulevard du) | Filles-du-Calvaire, 25 | pl. de la République, 2 | Filles du Calvaire |
| -40 | | nos pairs, 11e | nos impairs, 3e | République |
| ille | (passage) | av. du Maine, 147 | Gassendi, 38*bis* | Mouton-Duvernet |
| is | (des) | Lagille, 13 | Belliard, 181 | Porte de Saint-Ouen |
| aux | | Folie-Méricourt, 50 | Marché-Popincourt | Parmentier |
| es | (des) | bd Péreire, 202 | Gueršant, 27 | Ternes |
| es | (villa des) | av. des Ternes, 96 | av. de Verzy | Porte Maillot |
| es | (place des) | av. de Wagram, 46 | | Ternes |
| es | (avenue des) | av. de Wagram, 49 | bd Gouvion-St-Cyr, 67 | Ternes |
| 9-fin | | | | Porte Maillot |
| age | (du) | quai de Valmy, 139 | fg Saint-Martin, 178 | Château-Landon |
| asse | (de la) | bd Malesherbes, 96 | de Lévis, 33 | Villiers |
| asse | (villa de la) | Terrasse, 19 | | Villiers |
| e-Neuve | (de) | bd Charonne, 108 | Alexandre-Dumas, 104 | Alexandre-Dumas |
| res-au-Curé | (des) | Regnault, 74 | Albert, 43 | Porte d'Ivry |
| oirs-de-France | (avenue des) | de Bercy, 92 | Baron-Le-Roy, 70 | Dugommier |
| tre | (impasse du) | | | Abbesses |
| tre | (place du) | Norvins, 2 | | Abbesses |
| sier | | Bargue, 16 | Procession, 11*bis* | Volontaires |
| son | | av. Parmentier, 162 | Saint-Maur, 189 | Goncourt |
| el | (du) | Vercingétorix, 25 | Ray-Losserand, 24 | Gaîté |
| ann | (de) | de Phalsbourg, 2 | place Malesherbes, 3 | Monceau |
| éâtre | (du) | quai de Grenelle, 57 | Croix-Nivert, 58 | Émile-Zola |
| 109-fin | | | | Commerce |
| énard | | bd Saint-Germain, 63 | des Écoles, 46 | Maubert-Mutualité |
| éodore-de-Banville | | av. de Wagram, 89 | Demours, 82 | Ternes |
| éodore-Deck | (villa) | Théodore-Deck, 10 | | Convention |
| éodore-Deck | | Saint-Lambert, 14 | Croix-Nivert, 161 | Convention |
| éodore-Deck-Prolongée | | Croix-Nivert, 208 | | Convention |
| éodore-Hamont | | de Charenton, 327 | des Menniers, 5 | Porte de Charenton |
| éodore-Judlin | (square) | du Laos, 32 | | Cambronne |
| éodore-Rivière | (place) | Chardon-Lagache | du Buis | Église d'Auteuil |
| éodore-Rousseau | (avenue) | place Rodin | Assomption, 37 | Jasmin |
| éodule-Ribot | | bd de Courcelles, 108 | av. Wagram, 72 | Courcelles |
| héophile-Gautier | (avenue) | Gros, 23 | d'Auteuil, 2 | Mirabeau |
| héophile-Gautier | (square) | av. Théophile-Gautier, 57 | | Église d'Auteuil |
| héophile-Roussel | | de Cotte, 19 | de Prague | Ledru-Rollin |
| héophraste-Renaudot | | Léon-Lhermite | Lecourbe | Commerce |
| érèse | | de Richelieu, 39 | av. de l'Opéra, 24 | Pyramides |
| hermopyles | (des) | Didot, 34 | Ray.-Losserand, 89 | Pernéty |
| ibaud | | av. de Gal-Leclerc, 68 | av. du Maine, 193 | Alésia |
| hiboumery | | d'Alleray, 58 | de Vouillé, 7 | Vaugirard |
| hiéré | (passage) | de Charonne, 25 | de la Roquette, 48 | Ledru-Rollin |
| hierry-de-Martel | (boulevard) | bd de l'Amiral-Bruix | Porte Maillot | Porte Maillot |
| hiers | (square) | av. Victor-Hugo, 161 | | Victor-Hugo |
| hiers | | Victor-Hugo, 166 | Spontini, 57 | Victor-Hugo |
| himerais | (square du) | de Courcelles | de Senlis | Porte de Champerret |
| himonnier | | Lentonnet, 3 | Rochechouart, 52 | Anvers |
| hionville | (de) | Crimée, 152 | quai de la Marne | Ourcq |
| hionville | (passage de) | Léon-Giraud | de Thionville, 14 | Ourcq |
| Tholozé | (de) | Lepic, 36 | Lepic, 88 | Abbesses |
| Thomas-Mann | | qu. Panhard et Levassor, 67 | Chevaleret.-46 | Quai de la Gare |
| Thomire | | bd Kellermann | av. Gaffieri | Cité Universitaire |
| Thomy-Thierry | (allée) | Octave-Gréard | av. de la M.-P.-Grenelle | Dupleix |
| Thorel | | de Beauregard, 11 | bd Bonne-Nouvelle, 31 | Bonne-Nouvelle |
| Thoréton | (villa) | Lecourbe, 324 | | Lourmel |
| Thorigny | (de) | de la Perle, 2 | Debelleyme, 3 | St-Sébastien-Froissart |
| Thorigny | (place de) | de Thorigny, 2 | | St-Sébastien-Froissart |
| Thorins | (de) | Lheureux, 16 | Baron-Le-Roy, 54 | Bercy |
| Thouin | | Cardinal-Lemoine, 70 | de l'Estrapade, 7 | Cardinal-Lemoine |
| Thuré | (cité) | du Théâtre, 132 | | Commerce |
| Thureau-Dangin | | bd Lefebvre | av. Albert-Bartholomé | Porte de Versailles |
| Tibre | (du) | Moulin-de la Pointe | Damesme, 73 | Maison-Blanche |
| Tilleuls | (avenue des) | Poussin, 12 | villa Montmorency | Michel-Ange-Auteuil |
| Tilsitt | (de) | av. Champs-Élysées, 154 | av. Grande-Armée, 2 | Ch.-de-Gaulle-Étoile |
| Tino-Rossi | (square) | quai Saint-Bernard | | Gare d'Austerlitz |
| Tiphaine | | Violet, 13 | du Commerce, 8 | La M.-Picquet-Grenelle |
| Tiquetonne | | Saint-Denis, 139 | Étienne-Marcel, 2 | Étienne-Marcel |
| Tiron | | François-Miron, 29 | de Rivoli, 15 | Saint-Paul |
| Tisserand | | de Lourmel, 143 | av. Félix-Faure, 70 | Lourmel |
| Titien | | bd de l'Hôpital, 104 | du Banquier, 1 | Campo-Formio |
| Titon | | de Montreuil, 35 | Chanzy, 36 | Faidherbe-Chaligny |
| Tlemcen | (de) | bd Ménilmontant, 78 | des Amandiers, 61 | Père-Lachaise |
| Toccata | (villa) | | en impasse | Ourcq |
| Tocqueville | (de) | av. de Villiers, 14 | bd Berthier | Malesherbes |
| Tocqueville | (jardin) | de Tocqueville | | Wagram |
| Tocqueville | (square de) | de Tocqueville, 122 | | Wagram |
| Tolain | | des grands-Champs, 29 | d'Avron, 70 | Maraîchers |
| Tolbiac | (port de) | pont de Tolbiac | pont National | Quai de la Gare |
| Tolbiac | (villa) | de Tolbiac | | Tolbiac |
| Tolbiac | (pont de) | quai de Bercy | quai de la Gare | Quai de la Gare |
| Tolbiac | (de) | quai de la Gare, 3 | de la Santé | Porte d'Ivry |
| nos 81-158 | | | | Tolbiac |
| nos 162-191 | | | | Corvisart |
| nos 111-fin | | | | Glacière |
| Tolstoï | (square) | bd Suchet, 92 | av. Mal-Lyautey | Jasmin |
| Tombe-Issoire | (de la) | bd Saint-Jacques, 61 | bd Jourdan, 50 | Saint-Jacques |
| nos 115-158 | | | | Porte d'Orléans |
| Tombouctou | (de) | bd de la Chapelle, 52 | Jessaint, 20 | Porte de la Chapelle |
| Torcy | (de) | Cugnot, 3 | de la Chapelle, 8 | Marx-Dormoy |
| Torcy | (place de) | de Torcy, 31 | | Marx-Dormoy |
| Torricelli | | Guersant, 12 | Bayen, 41 | Ternes |
| Toul | (de) | av. Daumesnil, 253 | bd de Picpus, 22 | Michel-Bizot |
| Toullier | | Cujas, 11 | Soufflot, 16 | Luxembourg |
| Toulouse | (de) | bd Sérurier, 112 | bd d'Indochine | Porte de Pantin |
| Toulouse-Lautrec | | av. Porte de Saint-Ouen | à Saint-Ouen | Porte de Saint-Ouen |
| Tour | (villa de la) | de la Tour, 96*bis* | Eugène-Delacroix, 19 | Rue de la Pompe |
| Tour | (de la) | de Passy, 2 | av. Henri-Martin, 97 | Passy |
| nos 110-fin | | | | Rue de la Pompe |
| Tour-de-Vanves | (passage de la) | av. du Maine, 146 | Asseline, 7 | Gaîté |
| Tour-des-Dames | (de la) | la Rochefoucauld, 11 | Blanche, 16 | Trinité |
| Tour-Saint-Jacques | (square de la) | de Rivoli | av. Victoria | Châtelet |
| Tourelles | (des) | Haxo, 88 | bd Mortier | Porte des Lilas |
| Tourelles | (passage des) | des Tourelles, 11 | | Porte des Lilas |
| Tourlaque | (passage) | Caulaincourt | Damrémont | Lamarck-Caulaincourt |
| Tourlaque | | Lepic, 49 | de Maistre, 42 | Blanche |
| Tournefort | | de l'Estrapade, 1 | Lhomond, 45 | Place Monge |
| Tournelle | (pont de la) | quai de la Tournelle | de Béthune | Pont-Marie |
| Tournelle | (port de la) | pont Sully | pont de l'Archevêché | Maubert-Mutualité |

| Plan | Arr. | Nom | Rues | Commençant | Finissant | Métro |
|---|---|---|---|---|---|---|
| I 11 | 5 | Tournelle | (quai de la) | pont Sully | pont de l'Archevêché | Maubert-Mutualité |
| H 12 | 3-4 | Tournelles | (des) | Saint-Antoine, 10 | bd Beaumarchais, 81 | Bastille |
| | | nos 19-22 | | | | Chemin-Vert |
| K 16 | 12 | Tourneux | (impasse) | des Tourneux, 4 | | Daumesnil |
| K 16 | 12 | Tourneux | | Claude Decaen, 68 | av. Daumesnil, 200 | Daumesnil |
| I 9 | 6 | Tournon | (de) | Saint-Sulpice, 21 | de Vaugirard, 24 | Odéon |
| I 5 | 15 | Tournus | | Fondary, 40 | du Théâtre, 103 | Émile-Zola |
| F 14 | 20 | Tourtille | (de) | de Palikao, 29 | de Belleville, 34 | Belleville |
| H 7 | 7 | Tourville | (avenue de) | bd des Invalides, 8 | av. la M.-P.-Grenelle | Saint-François-Xavier |
| L 11 | 13 | Toussaint-Féron | | av. de Choisy, 141 | av. d'Italie, 53 | Tolbiac |
| H 9 | 6 | Toustain | | de Seine, 76 | Félibien, 3 | Odéon |
| F 11 | 2 | Tracy | (de) | bd Sébastopol, 127 | Saint-Denis, 244 | Réaumur-Sébastopol |
| B 11 | 18 | Traëger | (cité) | Boinod, 17 | | Marcadet-Poissonniers |
| E 5 | 16 | Traktir | (de) | av. Victor-Hugo, 16 | av. Foch, 11 | Ch.-de-Gaulle-Étoile |
| F 14 | 20 | Transvaal | (du) | Piat, 12 | Couronnes, 95 | Couronnes |
| I 13 | 12 | Traversière | | quai de la Rapée, 86 | fg Saint-Antoine, 100 | Ledru-Rollin |
| E 7 | 8 | Treilhard | | de Miromesnil, 67 | de Téhéran, 14 | Villiers |
| H 11 | 4 | Trésor | (du) | Vieille-du Temple, 28 | des Écouffes, 9 | Saint-Paul |
| C 10 | 18 | Trétaigne | (de) | Marcadet, 112 | Ordener, 117*ter* | Jules-Joffrin |
| E 10 | 9 | Trévise | (cité de) | Richer, 16 | Bleue, 7 | Poissonnière |
| E 10 | 9 | Trévise | (de) | Bergère, 22 | La Fayette, 78 | Rue Montmartre |
| F 11 | 2 | Trinité | (passage de la) | Saint-Denis, 164 | de Palestro, 19 | Réaumur-Sébastopol |
| E 9 | 9 | Trinité | (de la) | Blanche, 7 | de Clichy, 10 | Trinité |
| D 5 | 17 | Tristan-Bernard | (place) | av. des Ternes, 67 | d'Armaillé | Ternes |
| B 12 | 18 | Tristan-Tzara | | place P.-Mac-Orlan | de l'Evangile, 35 | Porte de la Chapelle |
| G 4 | 16 | Trocadéro | (square du) | Scheffer, 38 | | Trocadéro |
| G 4 | 16 | Trocadéro-et-du-11-Nov. | (place du) | av. Kléber | av. Georges-Mandel | Trocadéro |
| F 13 | 11 | Trois-Bornes | (cité des) | des Trois-Bornes, 15 | | Parmentier |
| F 13 | 11 | Trois-Bornes | (des) | av. de la République, 21 | Saint-Maur, 141 | Parmentier |
| F 13 | 11 | Trois-Couronnes | (des) | Saint-Maur, 120 | Morand, 1 | Parmentier |
| F 14 | 20 | Trois-Couronnes | (villa des) | bd de Belleville, 62 | Palikao, 18 | Parmentier |
| H 13 | 11 | Trois-Frères | (cour des) | fg Saint-Antoine, 83 | | Ledru-Rollin |
| D 10 | 18 | Trois-Frères | (des) | d'Orsel, 50 | Ravignan, 12 | Abbesses |
| I 11 | 5 | Trois-Portes | (des) | Frédéric-Sauton, 12 | Hôtel-Colbert, 13 | Maubert-Mutualité |
| G 13 | 11 | Trois-Sœurs | (impasse des) | Popincourt, 28 | passage Lisa | Voltaire |
| G 10 | 1 | Trois-Visages | (impasse des) | des Bourdonnais, 20 | | Pont-Neuf |
| L 13 | 13 | Trolley-de-Prévaux | | de Patay, 71 | Albert, 54 | Boulevard-Masséna |
| F 8 | 8 | Tronchet | | pl. de la Madeleine, 35 | bd Haussmann, 55 | Havre-Caumartin |
| | | | | nos impairs et de 2 à 6, 8e | 28 à la fin des pairs, 9e | Madeleine |
| I 16 | 11 | Trône | (passage du) | bd de Charonne, 5 | av. Taillebourg | Nation |
| I 16 | 12 | Trône | (avenue du) | place de la Nation, 30 | bd Picpus, 89 | Nation |
| E 8 | 8 | Tronson-du-Coudray | | Pasquier, 27 | d'Anjou, 56 | Saint-Lazare |
| H 14 | 11 | Trousseau | | fg Saint-Antoine, 147 | de Charonne, 70 | Ledru-Rollin |
| I 14 | 12 | Trousseau | (square) | du Faubourg St-Antoine | Théophile-Roussel | Ledru-Rollin |
| E 5 | 17 | Troyon | | av. de Wagram, 11 | av. Mac-Mahon | Ch.-de-Gaulle-Étoile |
| L 11 | 13 | Trubert-Bellier | (passage) | Charles-Fourier, 25 | de la Colonie, 67 | Tolbiac |
| D 10 | 9 | Trudaine | (avenue) | Rochechouart, 77 | des Martyrs, 64 | Anvers |
| D 10 | 9 | Trudaine | (square) | des Martyrs, 52 | | Saint-Georges |
| D 8 | 17 | Truffaut | | des Dames, 36 | Cardinet, 154 | Brochant |
| G 13 | 11 | Truillot | (impasse) | bd Voltaire, 86 | | Saint-Ambroise |
| G 8 | 1 | Tuileries | (jardin des) | pl. de la Concorde | de Rivoli | Tuileries |
| G 8 | 1 | Tuileries | (port des) | pont Royal | pont de la Concorde | Concorde |
| G 9 | 1 | Tuileries | (quai des) | pont du Carrousel | pont de la Concorde | Concorde |
| B 10 | 18 | Tulipes | (villa des) | du Ruisseau, 103 | en impasse | Porte de Clignancourt |
| I 15 | 11 | Tunis | (de) | place de la Nation, 9 | de Montreuil, 94 | Nation |
| M 9 | 14 | Tunisie | (avenue de la) | Parc-Montsouris | | Cité Universitaire |
| D 14 | 19 | Tunnel | (du) | des Alouettes,45 | Botzaris, 54 | Buttes-Chaumont |
| G 11 | 1-3 | Turbigo | (de) | Montorgueil, 10 | du Temple, 201 | Les Halles |
| F 12 | 3 | nos 11-12 | | | | Étienne-Marcel |
| | | nos 78-89 | | | | Temple |
| G 12 | 3 | Turenne | (de) | Saint-Antoine, 72 | Charlot, 72 | Saint-Paul-Le-Marais |
| | | nos 52-53 | | | | St-Sébastien-Froissart |
| | | nos 88-fin | | | | Filles-du-Calvaire |
| D 10 | 9 | Turgot | | Rochechouart, 51 | av. Trudaine, 17 | Anvers |
| D 8 | 8 | Turin | (de) | de Liège, 34 | bd des Batignolles, 27 | Europe |
| H 15 | 11 | Turquetil | (passage) | de Montreuil, 93 | Philippe-Auguste, 45 | Boulets-Montreuil |
| J 10 | 5 | Ulm | (d') | place du Panthéon, 5 | Gay-Lussac, 51 | Luxembourg |
| | | nos 42-fin | | | | Censier-Daudenton |
| H 6 | 7 | Union | (passage de l') | de Grenelle, 175 | Champs-de-Mars, 14 | Ecole-Militaire |
| F 4 | 16 | Union | (square de l') | Lauriston, 84 | | Boissière |
| G 7 | 7 | Université | (de l') | Saints-Pères, 22 | allée Paul-Deschanel | Rue du Bac |
| | | nos 57-90 | | | | Solférino |
| | | nos 79-104 | | | | Assemblée Nationale |
| | | nos 101-fin | | | | Invalides |
| I 2 | 16 | Urfé | (square d') | bd Suchet | av. du Mal-Lyautey | Porte d'Auteuil |
| H 11 | 4 | Ursins | (des) | quai aux-Fleurs, 11 | de la Colombe | Cité |
| J 10 | 5 | Ursulines | (des) | Gay-Lussac, 56 | Saint-Jacques, 245 | Luxembourg |
| F 5 | 16 | Uruguay | (place de l') | av. d'Iéna | Jean-Giraudoux | Kléber |
| F 10 | 2 | Uzès | (d') | Saint-Fiacre, 11 | Montmartre, 176 | Rue Montmartre |
| J 10 | 5 | Val-de-Grâce | (du) | Saint-Jacques, 304 | bd Saint-Michel, 139 | Port-Royal |
| N 11 | 13 | Val-de-Marne | (du) | av. Gallieni | av. Mazagran | Gentilly |
| H 6 | 7 | Valadon | | de Grenelle, 169 | Champs-de-Mars, 10 | École Militaire |
| K 11 | 5 | Valence | (de) | av. des Gobelins, 2 | Pascal, 21 | Censier-Daubenton |
| E 11 | 10 | Valenciennes | (de) | fg Saint-Denis, 143 | bd Magenta, 112 | Gare du Nord |
| E 11 | 10 | Valenciennes | (place de) | bd Magenta | bd Denain | Gare du Nord |
| A 12 | 18 | Valentin-Abeille | (allée) | impasse Marteau | | Porte de la Chapelle |
| I 7 | 15 | Valentin-Haüy | | place de Breteuil | Bellart, 7 | Sèvres-Lecourbe |
| K 13 | 13 | Valérie-Larbaud | | Abel-Gance | George-Balanchine | Quai de la Gare |
| I 10 | 5 | Valette | | École-Polytechnique, 19 | place du Panthéon | Maubert-Mutualité |
| J 12 | 5 | Valhubert | (place) | quai d'Austerlitz, 57 | bd de l'Hôpital | Gare d'Austerlitz |
| J 12 | 13 | Valhubert | (place) | quai d'Austerlitz | | Gare d'Austerlitz |
| K 16 | 12 | Vallée-de-Fécamp | (impasse de la) | de Fécamp, 14 | | Porte de Charenton |
| K 12 | 13 | Vallet | (passage) | Pinel, 13 | Saint-Pichon | Nationale |
| H 8 | 7 | Valmy | (impasse de) | du Bac, 40 | | Rue du Bac |
| F 12 | 10 | Valmy | (quai de) | fg du Temple, 27 | La Fayette, 230 | Jacques-Bonsergent |
| | | nos 173 | | | | Château-Landon |
| G 10 | 1 | Valois | (de) | Saint-Honoré, 202 | de Beaujolais, 21 | Palais-Royal-Musée du Louvre |
| G 10 | 1 | Valois | (galerie de) | péristyle de Valois | péristyle de Beaujolais | Palais-Royal-Musée du Louvre |
| G 10 | 1 | Valois | (place de) | de Valois, 6 | des Bons-Enfants | Palais-Royal-Musée du Louvre |
| D 7 | 8 | Valois | (avenue de) | bd Malesherbes, 117 | en impasse | Villiers |
| E 6 | 8 | Van-Dyck | (avenue) | de Courcelles, 78 | parc-Monceau | Courcelles |
| J 13 | 12 | Van-Gogh | | quai de la Rapée | de Bercy, 197 | Gare de Lyon |
| J 2 | 16 | Van-Loo | | quai Louis-Blériot | av. de Versailles, 159 | Chardon-Lagache |
| K 16 | 12 | Van-Vellenhoven | (square) | av. Daumesnil | Marcel-Dubois | Porte Dorée |
| L 7 | 14 | Vandal | (impasse) | bd Brune, 25 | | Porte de Vanves |
| J 8 | 14 | Vandamme | | de la Gaîté, 22 | av. du Maine, 66 | Gaîté |
| L 11 | 13 | Vandrezanne | (passage) | Vandrezanne, 37 | Moulin-des Prés, 59 | Tolbiac |
| L 11 | 13 | Vandrezanne | | av. d'Italie, 42 | du-Moulin-des-Prés, 39 | Tolbiac |
| H 8 | 7 | Vaneau | (cité) | de Varenne, 63 | Vaneau, 10 | Saint-François-Xavier |
| H 8 | 7 | Vaneau | | de Varenne, 61 | de Sèvres, 46 | Vaneau |
| I 17 | 20 | Var | (square du) | Noël-Bellay | Lipmann | Porte de Vincennes |
| H 8 | 7 | Varenne | (cité de) | de Varenne, 51 | | Sèvres-Babylone |
| H 8 | 7 | Varenne | (de) | de la Chaise, 16 | bd des Invalides, 17 | Varenne |
| J 4 | 15 | Varet | | Saint-Charles, 197*bis* | Lourmel, 164 | Lourmel |
| F 10 | 2 | Variétés | (galerie des) | Vivienne, 38 | Gal-Saint-Marc, 28 | Rue Montmartre |
| J 2 | 16 | Varize | (de) | Michel-Ange, 104 | bd Murat, 63 | Exelmans |
| G 5 | 16 | Varsovie | (place de) | pont Iéna | av. de New-York | Trocadéro |

| Plan | Arr. | Nom | Rues | Commençant | Finissant | Métro |
|---|---|---|---|---|---|---|
| K 4 | 15 | Vasco-de-Gama | | av. Félix-Faure, 121 | Desnouettes, 76 | Lourmel |
| I 16 | 12 | Vassou | (impasse) | de la Voûte, 37 | | Porte de Vincennes |
| H 7 | 7 | Vauban | (place) | av. de Tourville | av. Ségur | École Militaire |
| F 11 | 3 | Vaucanson | | Réaumur, 44 | du Vertbois, 29 | Arts-et-Métiers |
| C 6 | 17 | Vaucluse | (square de) | av. Brunetière | en impasse | Porte de Champerret |
| F 13 | 11 | Vaucouleurs | (de) | J.-P.-Timbaud, 85 | de l'Orillon, 30 | Couronnes |
| K 5 | 15 | Vaugelas | | Olivier-de Serres, 60 | Lacretelle, 10 | Convention |
| K 7 | 15 | Vaugirard | (boulevard de) | av. du Maine, 34 | bd Pasteur, 67 | Montparnasse-Bienvenüe |
| I 9 | 6 | Vaugirard | (de) | bd Saint-Michel, 44 | bd Victor, 73 | Luxembourg |
| | | nos 21-53 | | | | Saint-Placide |
| | | nos 55-132 | | | | Falguière |
| | | nos 164-187 | | | | Pasteur |
| J 4 | 15 | nos 204-229 | | | | Volontaires |
| | | nos 258-291 | | | | Vaugirard |
| | | nos 325-326 | | | | Convention |
| | | nos 386-407 | | | | Porte de Versailles |
| J 10 | 5 | Vauquelin | | Lhomond, 44 | Claude Bernard, 72 | Censier-Daubenton |
| B 9 | 18 | Vauvenargues | (villa) | Leibniz | en impasse | Porte de Saint-Ouen |
| B 9 | 18 | Vauvenargues | | Marcadet, 204 | bd Ney, 153 | Porte de Saint-Ouen |
| G 10 | 1 | Vauvilliers | | Saint-Honoré, 76 | Coquillière, 1 | Les Halles |
| J 9 | 6 | Vavin | (avenue) | d'Assas, 84 | en impasse | Vavin |
| J 9 | 6 | Vavin | | d'Assas, 78 | bd Montparnasse, 105 | Vavin |
| J 16 | 12 | Véga | (de la) | av. Daumesnil, 257 | Montempoivre, 2 | Michel-Bizot |
| D 7 | 8 | Velasquez | (avenue) | bd Malesherbes, 113 | parc-Monceau | Monceau |
| M13 | 13 | Velay | (square du) | bd Masséna | av. Boutroux | Porte d'Ivry |
| H 8 | 7 | Velpeau | | de Babylone, 1 | de Sèvres, 18 | Sèvres-Babylone |
| K 16 | 12 | Vendée | (square de la) | bd Poniatowski | | Porte de Charenton |
| F 9 | 1 | Vendôme | (cour) | Saint-Honoré | place Vendôme | Opéra |
| F 9 | 1 | Vendôme | (place) | Saint-Honoré, 358 | de Castiglione | Opéra |
| F 12 | 3 | Vendôme | (passage) | Béranger, 18 | pl. de la République, 3 | République |
| M12 | 13 | Vénétie | (place de) | av. de Choisy, 18 | | Porte de Choisy |
| F 4 | 16 | Vénézuéla | (place du) | Leroux | Léonard-de Vinci | Victor-Hugo |
| G 11 | 4 | Venise | (de) | Saint-Martin | Quincampoix, 56 | Rambuteau |
| F 9 | 1 | Ventadour | (de) | av. de l'Opéra, 26 | Petits-Champs, 59 | Pyramides |
| H 16 | 20 | Véran | (impasse) | des Vignoles, 15 | | Avron |
| L 7 | 14 | Vercingétorix | | av. du Maine, 84 | Paturle, 10 | Gaîté-Plaisance |
| E 10 | 9 | Verdeau | (passage) | Grange-Batelière, 6 | fg Montmartre, 31*bis* | Richelieu-Drouot |
| I 3 | 16 | Verderet | | d'Auteuil | du Ruis | Église d'Auteuil |
| G 3 | 16 | Verdi | | Octave-Feuillet, 1 | Franqueville, 2 | La Muette |
| E 12 | 10 | Verdun | (avenue de) | fg Saint-Martin, 159 | en impasse | Gare de l'Est |
| E 12 | 10 | Verdun | (square de) | av. de Verdun, 14 | en impasse | Gare de l'Est |
| D 4 | 17 | Verdun | (place de) | av. de Neuilly-sur-Seine | bd Pershing | Porte Maillot |
| C 14 | 19 | Verdun | (passage de) | de Thionville, 8 | | Crimée |
| J 6 | 15 | Vergennes | (square) | Vaugirard, 279 | en impasse | Vaugirard |
| K 15 | 12 | Vergers | (allée des) | des Jardiniers | en impasse | Porte de Charenton |
| L 10 | 13 | Vergniaud | | bd A.-Blanqui, 101 | Brillat-Savarin, 66 | Glacière |
| K 10 | 14 | Verhaeren | (allée) | allée Rodenbach | | Saint-Jacques |
| G 10 | 1 | Vérité | (passage de la) | Bons-Enfants, 11 | place de Valois, 7 | Palais-Royal-Musée du Louvre |
| D 15 | 19 | Vermandois | (square du) | bd Sérurier | en impasse | Pré-Saint-Gervais |
| J 11 | 5 | Vermenouze | (square) | Lhomond | Mouffetard | Place Monge |
| F 6 | 8 | Vernet | | Quentin-Bauchart, 1 | av. Marceau, 82 | George V |
| H 9 | 7 | Verneuil | (de) | des Saints-Pères, 10 | de Poitiers, 11 | Rue du Bac |
| | | nos 49-fin | | | | Solférino |
| D 5 | 17 | Vernier | | Bayen, 50 | bd Gouvion-St-Cyr, 9 | Porte de Champerret |
| C 6 | 17 | Verniquet | | bd Péreire, 86 | bd Berthier, 15 | Péreire |
| G 10 | 1 | Véro-Dodat | (galerie) | J.-J.-Rousseau, 19 | du Bouloi, 2 | Louvre-Rivoli |
| D 9 | 18 | Véron | (cité) | bd de Clichy, 94 | en impasse | Blanche |
| D 9 | 18 | Véron | | André-Antoine, 33 | Lepic, 28 | Blanche |
| K 11 | 13 | Véronèse | | Rubens, 10 | av. des Gobelins, 69 | Place d'Italie |
| H 11 | 4 | Verrerie | (de la) | Bourg-Tibourg, 11 | Saint-Martin, 78 | Hôtel de Ville |
| G 10 | 1 | Verrières | (passage des) | Forum niveau -3 | | Les Halles |
| J 2 | 16 | Versailles | (avenue de) | pont de Grenelle | bd Murat, 113 | Mirabeau |
| | | nos 125-133 | | | | Exelmans |
| | | nos 190-fin | | | | Porte de Saint-Cloud |
| B 10 | 18 | Versigny | | Mont-Cenis, 105 | Letort, 24 | Simplon |
| H 10 | 1 | Vert-Galant | (square du) | pl. du Pont-Neuf | | Pont-Neuf |
| F 12 | 3 | Vertbois | (du) | de Turbigo, 77 | Saint-Martin, 306 | Temple |
| F 11 | 3 | Vertbois | (passage du) | du Vertbois, 64 | N.-D.-de Nazareth, 57 | Arts-et-Métiers |
| G 13 | 11 | Verte | (allée) | bd Richard-Lenoir, 59 | Saint-Sabin, 58 | Richard-Lenoir |
| G 11 | 3 | Vertus | (des) | des Gravilliers, 16 | Réaumur, 13 | Arts-et-Métiers |
| D 5 | 17 | Verzy | (avenue de) | av. des Ternes, 90 | Guersant, 43 | Porte Maillot |
| J 11 | 5 | Vésale | | Scipion, 13 | de la Collégiale, 12 | Les Gobelins |
| E 7 | 8 | Vézelay | (de) | de Lisbonne, 22 | de Monceau, 65 | Villiers |
| I 5 | 15 | Viala | | Lourmel, 2 | Saint-Charles, 35 | Dupleix |
| H 14 | 11 | Viallet | (passage) | bd Voltaire, 142 | Richard-Lenoir, 46 | Voltaire |
| G 10 | 1 | Viarmes | (de) | Sauval, 18 | Claude Royer | Louvre-Rivoli |
| K 5 | 15 | Vichy | (de) | Paul-Delmet | Malassis | Convention |
| E 13 | 10 | Vicq-d'Azir | | Granges-aux-Belles, 22 | bd de la Villette, 65 | Colonel-Fabien |
| E 10 | 9 | Victoire | (de la) | La Fayette, 45 | Joubert, 20 | Le Peletier |
| | | nos 93-fin | | | | Havre-Caumartin |
| F 10 | 1-2 | Victoires | (place des) | Étienne-Marcel, 51 | Croix-Petits-Champs | Bourse |
| K 4 | 15 | Victor | (boulevard) | Balard | Porte de Versailles | Place Balard |
| J 16 | 12 | Victor-Chevreuil | | Gal-Michel-Bizot, 135 | Sibuet, 14 | Bel-Air |
| K 9 | 14 | Victor-Considérant | | bd Raspail, 286 | Schoelcher | Denfert-Rochereau |
| I 10 | 5 | Victor-Cousin | | place de la Sorbonne, 1 | Soufflot, 22 | Luxembourg |
| F 17 | 20 | Victor-Dejeante | | bd Mortier | en impasse | Porte de Bagnolet |
| K 6 | 15 | Victor-Duruy | | de Vaugirard, 329 | Marmontel, 18 | Convention |
| L 8 | 14 | Victor-et-Hélène-Basch | (place) | rue-d'Alésia | av. Gal-Leclerc | Alésia |
| L 6 | 15 | Victor-Galland | | Fizeau, 24 | Castagnary, 130 | Porte de Vanves |
| G 14 | 11 | Victor-Gelez | | des Nanettes, 9 | pass. Ménilmontant, 10 | Ménilmontant |
| F 4 | 16 | Victor-Hugo | (place) | av. Victor-Hugo, 91 | av. Raymond-Poincaré | Victor-Hugo |
| F 4 | 16 | Victor-Hugo | (villa) | av. Victor-hugo, 136 | en impasse | Rue de la Pompe |
| G 3 | 16 | Victor-Hugo | (avenue) | Charles-de Gaulle-Étoile | Henri-Martin, 76 | Victor-Hugo |
| | | nos 190-191 | | | | Rue de la Pompe |
| F 14 | 20 | Victor-Letalle | | Ménilmontant, 22 | Panoyaux, 15 | Ménilmontant |
| L 10 | 13 | Victor-Marchand | (passage) | de la Glacière, 112 | de la Santé, 115 | Glacière |
| D 9 | 9 | Victor-Massé | | des Martyrs, 57 | Pigalle, 58 | Pigalle |
| G 16 | 20 | Victor-Ségalen | | Riblette | des Balkans | Porte de Bagnolet |
| H 11 | 1-4 | Victoria | (avenue) | pl. Hôtel-de Ville, 7 | Lav. Ste-Opportune | Châtelet |
| J 3 | 16 | Victorien-Sardou | (square) | Victorien-Sardou, 14 | en impasse | Chardon-Lagache |
| J 3 | 16 | Victorien-Sardou | (villa) | Victorien-Sardou | en impasse | Chardon-Lagache |
| J 2 | 16 | Victorien-Sardou | | av. de Versailles, 122 | en impasse | Chardon-Lagache |
| F 17 | 20 | Vidal-de-la-Blache | | bd Mortier | en impasse | Pelleport |
| F 10 | 2 | Vide-Gousset | | place des Victoires, 12 | des Petits-Pères, 10 | Bourse |
| G 12 | 3 | Vieille-du-Temple | | de Rivoli, 36 | de Turenne, 103 | Hôtel de Ville |
| | 4 | nos 112-fin | | | | Filles-du-Calvaire |
| E 8 | 8 | Vienne | (de) | place Henri-Bergson | place de l'Europe | Europe |
| H 6 | 7 | Vierge | (passage de la) | Cler, 54 | av. Bosquet, 5 | École Militaire |
| D 6 | 17 | Viète | | av. de Villiers, 66 | Malesherbes, 147 | Malesherbes |
| H 9 | 6 | Vieux-Colombier | (du) | Bonaparte, 72*bis* | du Cherche-Midi, 1 | Saint-Sulpice |
| J 7 | 15 | Vigée-Lebrun | | du Dr-Roux | Falguière, 108 | Volontaires |
| H 3 | 16 | Vignes | (des) | Raynouart, 74 | Mozart, 15 | La Muette |
| H 16 | 20 | Vignoles | (des) | bd Charonne, 84 | des Orteaux, 46 | Buzenval |
| H 16 | 20 | Vignoles | (impasse des) | des Vignoles, 78 | | Buzenval |
| F 8 | 9 | Vignon | | bd Madeleine, 12 | Tronchet, 26 | Madeleine |
| | 8 | nos 31-44 | | nos-impairs, 8e | nos-pairs, 9e | Havre-Caumartin |
| H 13 | 11 | Viguès | (cour) | fg St-Antoine | en impasse | Ledru-Rollin |
| F 14 | 20 | Vilin | | des Couronnes, 29 | Piat, 19 | Couronnes |
| J 2 | 16 | Villa-de-la-Réunion | (gde av. de la) | av. de Versailles | Chardon-Lagache | Chardon-Lagache |
| K 6 | 15 | Villafranca | (de) | des Morillons, 54 | Fizeau, 3 | Porte de Vanves |
| E 5 | 17 | Villaret-de-Joyeuse | | des Acacias, 1 | des Acacias, 7 | Argentine |

| Plan | Arr. | Nom | Rues | Commençant | Finissant | Métro |
|---|---|---|---|---|---|---|
| E 5 | 17 | Villaret-de-Joyeuse | (square) | Villaret-de Joy, 7 | en impasse | Arge |
| H 7 | 7 | Villars | (avenue de) | place Vauban, 3 | d'Estrée, 2 | Sain |
| F 8 | 8 | Ville-l'Évêque | (de la) | bd Malesherbes, 11 | place Saussaies, 4 | Mad |
| F 11 | 2 | Ville-Neuve | (de la) | Beauregard, 7 | bd Bonne-Nouvelle, 35 | Bonr |
| D 5 | 17 | Villebois-Mareuil | | av. des Ternes, 42 | Bayen, 29 | Terne |
| F 9 | 1 | Villedo | | de Richelieu, 43 | Sainte-Anne, 32*bis* | Pyrar |
| G 12 | 3 | Villehardouin | | Saint-Gilles, 27 | de Turenne, 58 | Chem |
| K 7 | 14 | Villemain | (avenue) | Ray.-Losserand, 149 | d'Alésia, 138 | Plais |
| E 12 | 10 | Villemin | (square) | des Récollets | allée du Canal | Gare |
| H 8 | 7 | Villersexel | (de) | de l'Université, 53 | bd Saint-Germain, 254 | Solfé |
| E 15 | 19 | Villette | (de la) | de Belleville, 117 | Botzaris, 74 | Botza |
| C 15 | 19 | Villette | (galerie de la) | av. Jean-Jaurès | Corentin | Porte |
| B 15 | 19 | Villette | (parc de la) | av. Jean-Jaurès | bd Macdonald | Porte |
| E 13 | 10 | Villette | (bd de la) | fg du Temple, 137 | Château-Landon, 60 | Belle |
| | | nos 129-194 | | | | Colon |
| E 13 | 19 | Villette | (bd de la) | fg du Temple, 137 | Château-Landon, 60 | Stalin |
| | | nos 145-208 | | | | Jaurè |
| D 7 | 17 | Villiers | (avenue de) | bd de Courcelles | bd Gouvion-Saint-Cyr | Villie |
| | | nos 33-50 | | | | Males |
| | | nos 51-86 | | | | Wagra |
| | | nos 107-114 | | | | Pérein |
| | | nos 120-fin | | | | Porte |
| F 16 | 20 | Villiers-de-l'Isle-Adam | (impasse) | Villiers-de l'Isle-Adam, 99 | | Pellep |
| F 15 | 20 | Villiers-de-l'Isle-Adam | | Sorbier, 21 | Pelleport, 83 | Gambe |
| J 13 | 12 | Villiot | | quai de la Rapée, 30 | de Bercy, 157 | Bercy |
| K 13 | 13 | Vimoutiers | (de) | Duchefdelaville | Charcot | Cheval |
| E 12 | 10 | Vinaigriers | (des) | quai de Valmy | fg Saint-Martin, 102 | Jacque |
| I 16 | 12 | Vincennes | (cours de) | bd Picpus, 100 | bd Soult, 151 | Nation |
| | 20 | | | nos-impairs, 20e | nos-pairs, 12e | |
| K 12 | 13 | Vincent-Auriol | (boulevard) | quai d'Austerlitz | place d'Italie, 11 | Cheval |
| | | nos 128-151 | | | | Nation |
| | | nos 179-184 | | | | Place |
| B 10 | 18 | Vincent-Compoint | | du Pôle-Nord | du Poteau, 79 | Porte d |
| J 17 | 12 | Vincent-d'Indy | (avenue) | av. Courteline | Jules-Lemaître | Porte d |
| C 13 | 19 | Vincent-Scotto | | quai de la Loire | Pierre-Reverdy | Laumiè |
| G 4 | 16 | Vineuse | | de la Tour, 2 | Franklin, 35 | Passy |
| M 8 | 14 | Vingt-Cinq-Août-1944 | (place du) | bd Brune, 187 | av. Ernest-Reyer | Porte d' |
| G 9 | 1 | Vingt-Neuf-Juillet | (du) | de Rivoli, 210 | Saint-Honoré, 215 | Tuilerie |
| K 15 | 12 | Vins-de-France | (place des) | av. Terroirs-de France | Pirogues-de Bercy | Bercy |
| D 9 | 9 | Vintimille | (de) | de Clichy, 66 | place Adolphe-Max | Place d |
| J 5 | 15 | Violet | (place) | Violet, 77 | des Entrepreneurs | Charles |
| J 5 | 15 | Violet | (square) | pl. Violet, 4 | de l'Église, 73 | Félix-Fa |
| J 5 | 15 | Violet | (villa) | des Entrepreneurs, 80 | | Comme |
| I 5 | 15 | Violet | | bd de Grenelle, 94 | des Entrepreneurs, 67 | Dupleix |
| | | nos 28-33 | | | | Comme |
| D 10 | 9 | Viollet-le-Duc | | Lallier, 3 | bd Rochechouart, 59 | Pigalle |
| H 3 | 16 | Vion-Whitcomb | (avenue) | Ranelagh, 86 | bd Beauséjour, 23 | Ranelag |
| L 8 | 14 | Virginie | (villa) | du Père-Corentin | av. Gal-Leclerc, 117 | Porte d' |
| J 6 | 15 | Viroflay | (de) | Amiral-Roussin, 64 | Péclet, 27 | Vaugira |
| H 9 | 6 | Visconti | | de Seine, 26 | Bonaparte, 21 | St-Germ |
| H 8 | 7 | Visitation | (passage de la) | Saint-Simon, 8 | en impasse | Rue du B |
| M12 | 13 | Vistule | (de la) | av. de Choisy, 75 | av. d'Italie, 103 | Maison- |
| G 4 | 16 | Vital | | de la Tour, 53 | de Passy, 68 | Passy |
| G 17 | 20 | Vitruve | (square) | rue-Vitruve | bd Davout, 147 | Porte de |
| G 17 | 20 | Vitruve | | place de la Réunion, 69 | bd Davout, 169 | Porte de |
| J 15 | 12 | Vivaldi | (allée) | de Reuilly, 104 | Albinoni, 1 | Daumesr |
| D 5 | 17 | Vivarais | (square du) | bd Gouvion-Saint-Cyr | square Graisivaudan | Porte de |
| H 11 | 5 | Viviani | (square) | quai de Montebello | | Maubert |
| F 10 | 2 | Vivienne | (galerie) | des Petits-Champs, 4 | Vivienne, 6 | Bourse |
| F 10 | 1 | Vivienne nos 32-39 | | de Beaujolais | bd Montmartre, 13 | Bourse |
| | 2 | nos 1 et 2, 1er | | | | Richelieu |
| H 17 | 20 | Volga | (du) | d'Avron, 72 | bd Davout, 63 | Maraîche |
| F 9 | 2 | Volney | | des Capucines, 12 | Daunou, 21 | Opéra |
| J 7 | 15 | Volontaires | (des) | Lecourbe, 59 | Dutot, 44 | Volontair |
| F 12 | 3 | Volta | | Au-Maire, 6 | N.-D.-de Nazareth, 33 | Arts-et-M |
| G 9 | 7 | Voltaire | (quai) | des Saints-Pères, 2 | du Bac, 1 | Rue du Ba |
| H 15 | 11 | Voltaire | (cité) | bd Voltaire, 207 | | Boulets-M |
| H 15 | 11 | Voltaire | | bd Voltaire, 213 | Philippe-Auguste, 57 | Boulets-M |
| J 2 | 16 | Voltaire | (impasse) | impasse Racine | av. Despréaux | Michel-Ar |
| G 13 | 11 | Voltaire | (boulevard) | place de la République | place de la Nation, 3 | Républiqu |
| | | nos 25-36 | | | | Oberkamp |
| | | nos 55-60 | | | | Saint-Amb |
| | | nos 167-174 | | | | Charonne |
| | | nos 195-fin | | | | Boulets-M |
| M10 | 13 | Volubilis | (des) | des Iris | des Glycines | Corvisart |
| H 12 | 3 | Vosges | (place des) | de Birague, 16 | des Francs-Bourgeois | Chemin-Ve |
| | 4 | de 1 à 19 et 2 à 22, 4e | | de 21 et 24 à la fin, 3e | | |
| K 6 | 15 | Vouillé | (de) | Cronstadt | Alésia | Plaisance |
| F 15 | 20 | Voulzie | (de la) | Westermann | Villiers-de-l'Isle-Adam | Gambetta |
| I 17 | 12 | Voûte | (de la) | Gal-Michel-Bizot | bd Soult, 151 | Porte de Vi |
| I 17 | 12 | Voûte | (passage de la) | de la Voûte | cours-Vincennes, 102 | Porte de Vi |
| K 10 | 13 | Vulpian | | Corvisart, 26 | Auguste-Blanqui, 88 | Glacière |
| W C 6 | 17 | Wagram | (place de) | av. de Wagram, 16 | bd Malesherbes | Wagram |
| D 6 | 8-17 | Wagram | (avenue de) | Charles-de Gaulle-Étoile | place Wagram | Ch.-de-Gau |
| | | nos 50-59 | | de 2 à 46, 8e | de 1 à 50 à la fin, 17e | Ternes |
| | | nos 154-fin | | | | Wagram |
| E 6 | 8 | Wagram-Saint-Honoré | (villa) | fg Saint-Honoré, 233 | | Ternes |
| D 4 | 17 | Waldeck-Rousseau | | bd Péreire, 212 | av. des Ternes, 83 | Porte Maill |
| J 12 | 13 | Wallons | (des) | bd de l'Hôpital, 50 | Jules-Breton | Saint-Marc |
| E 6 | 8 | Washington | | av. Champs-Élysées, 114 | bd Haussmann, 179 | George V |
| K 7 | 15 | Wassily-Kandinsky | (place) | Bargue | | Volontaires |
| L 14 | 13 | Watt | | quai de la Gare, 33 | du Chevaleret, 10 | Porte d'Ivry |
| K 11 | 13 | Watteau | | bd de l'Hôpital, 128 | en impasse | Campo-Forn |
| B 13 | 19 | Wattieaux | (passage) | de l'Ourcq, 74 | Curial, 80 | Crimée |
| K 16 | 12 | Wattignies | (impasse de) | Wattignies | | Porte de Cha |
| K 16 | 12 | Wattignies | (de) | de Charenton, 245 | Claude Decaen, 19 | Dugommier |
| | | nos 42-fin | | | | Michel-Bizo |
| F 12 | 10 | Wauxhall | (cité du) | bd Magenta, 6 | des Marais, 31 | République |
| E 4 | 16 | Weber | | Pergolèse, 28 | bd de l'Amiral-Bruix | Porte Maillo |
| G 15 | 20 | Westermann | | de la Cloche, 7 | de la Voulzie, 4 | Gambetta |
| L 6 | 14 | Wilfrid-Laurier | | bd Brune | av. Marc-Sangnier | Porte de Van |
| I 3 | 16 | Wilhem | | quai Louis-Blériot | Chardon-Lagache, 1 | Mirabeau |
| D 10 | 18 | Willette | (square) | place Saint-Pierre | | Anvers |
| C 5 | 17 | Wilson | (square) | de Courcelles | Jacques-Ibert | Louise-Mich |
| F 7 | 8 | Winston-Churchill | (avenue) | cours-la-Reine | av. Champs-Élysées | Champs-Élys Clemencea |
| L 10 | 13 | Wurtz | | Vergniaud | Boussingault, 42 | Glacière |
| X L 13 | 13 | Xaintrailles | | de Domrémy, 34 | pl. Jeanne-d'Arc, 22 | Nationale |
| H 10 | 5 | Xavier-Privas | | quai Saint-Michel, 15 | Saint-Séverin, 26 | Saint-Michel |
| Y K 12 | 13 | Yéo-Thomas | | Nationale | Château-des-Rentiers | Nationale |
| G 4 | 16 | Yorktown | (square) | Franklin, 37 | avenue Paul-Doumer | Trocadéro |
| D 5 | 17 | Yser | (boulevard de l') | pl. Porte de Champerret | av. Porte de Villiers | Porte de Char |
| K 6 | 15 | Yvart | | d'Alleray, 16 | d'Alleray, 34 | Vaugirard |
| D 4 | 17 | Yves-du-Manoir | (avenue) | av. de Versy, 13 | av. des Pavillons | Porte Maillot |
| F 12 | 10 | Yves-Toudic | | fg du Temple, 9 | Lancry, 42 | République |
| H 2 | 16 | Yvette | (de l') | Jasmin | du Dr-Blanche, 29 | Jasmin |
| E 5 | 17 | Yvon-et-Claire-Morandat | (place) | av. Grande-Armée | des Acacias | Argentine |
| F 5 | 16 | Yvon-Villarceau | | Copernic, 37 | Boissière, 64 | Victor-Hugo |
| D 10 | 18 | Yvonne-le-Tac | | Trois-Frères, 9 | pl. des Abbesses, 9 | Abbesses |
| Z K 13 | 13 | Zadkine | | Baudoin | Duchefdelaville | Chevaleret |

# 2^e Partie

## *2nd Part - 2. Teil - 2ra Parte - 2a Parte*



# RENSEIGNEMENTS DIVERS

## DMINISTRATIONS - ADMINISTRATIONS VERWALTUNGEN

| Administrations | Adresse | Métro |
|---|---|---|
| Présidence de la République (Élysée) | 55, rue du Fg-St-Honoré | Ch.-Elysées-Clemenceau |
| Présidence du Gouvernement (Hôtel Matignon) | 57, rue de Varenne | Rue du bac |
| Conseil Constitutionnel | 2, rue de Montpensier | Palais Royal-Musée du Louvre |
| Conseil Supérieur de la Magistrature | 15, quai de Branly | Alma-Marceau |
| Assemblée Nationale (Palais Bourbon) | 126, rue de l'Université | Assemblée Nationale |
| Sénat (Palais du Luxembourg) | 15, rue de Vaugirard | Odéon |
| Conseil Économique et Social | 1, avenue d'Iéna | Iéna |
| Conseil d'État | Au Palais Royal | Palais-Royal |
| Cour de Cassation (Palais de Justice) | 5, quai de l'Horloge | Cité |
| Cour des Comptes | 13, rue Cambon | Concorde |
| Préfecture de Région Ile-de France | 29, rue Barbey-de-Jouy | St-François-Xavier |
| Préfecture de Paris | 17, boulevard Morland | Sully-Morland |
| Préfecture de Police | 7, boulevard du Palais | Cité |

## IINISTÈRES - MINISTRIES - MINISTERIEN

| Ministère | Adresse | Métro |
|---|---|---|
| Actions Humanitaires | 37, quai d'Orsay | Assemblée Nationale |
| Affaires Étrangères | 37, quai d'Orsay | Assemblée Nationale |
| Affaires Européennes | 37, quai d'Orsay | Assemblée Nationale |
| Affaires Sociales, Santé et Ville | 8, avenue de Ségur | École-Militaire |
| Agriculture et Pêche | 78-80, rue de Varenne | Varenne |
| Aménagement du Territoire | 1 bis, pl. des Saussaies | Miromesnil |
| Anciens Combattants | 37, rue de Bellechasse | Solférino |
| Ministère de l'Économie et des Finances et du Budget | 139, rue de Bercy | Bercy |
| Communication | 69, rue de Varenne | Varenne |
| Coopération | 20, rue Monsieur | St-François-Xavier |
| Culture et Francophonie | 3, rue de Valois | Palais Royal-Musée du Louvre |
| Défense | 14, rue St-Dominique | Solférino |
| Départements d'Outre-Mer (DOM) | | |
| Territoires d'Outre-Mer (TOM) | 27, rue Oudinot | St-François-Xavier |
| Economie et des Finances | 139, rue de Bercy | Bercy |
| Éducation Nationale | 110, rue de Grenelle | Solférino |
| Enseignement Supérieur et Recherche | 1, rue Descartes | Cardinal-Lemoine |
| Développement Économique | 110, rue de Grenelle | Varenne |
| Environnement | 20, avenue de Ségur | Ségur |
| Équipement | Gde Arche de la Défense | Gde Arche de la Défense |
| Fonction Publique | 35, rue St-Dominique | Solférino |
| Industrie, Poste et Télécom, Commerce Extérieur | 20, avenue de Ségur | Ségur |
| Intérieur, Aménagement du Territoire | Place Beauvau | Miromesnil |
| Jeunesse et Sports | 78, rue Olivier-de-Serres | Convention |
| Justice | 13, place Vendôme | Opéra |
| Logement | Gde Arche de la Défense | Gde Arche de la Défense |
| Relations avec l'Assemblée Nationale | 72, rue de Varenne | Varenne |
| Relations avec le Sénat chargé des Rapatriés | 246, bd St-Germain | Solférino |
| Santé | 8, avenue de Ségur | École Militaire |
| Travail et Formation Professionnelle | 127, rue de Grenelle | Varenne |

## MAIRIES - TOWN - BÜRGERMEISTERÄMTER

| Arr. | Adresse | Métro |
|---|---|---|
| | Mairie de Paris - 4, place de l'Hôtel de Ville | Hôtel-de-Ville |
| 4 | Mairie de Paris (annexe) - 7, boulevard Morland | Sully-Morland |
| | 4, place du Louvre | Louvre |
| 2 | 8, rue de la Banque | Bourse |
| 3 | 2, rue Eugène-Spuller | Temple |
| 4 | 2, place Baudoyer | Hôtel-de-Ville |
| 5 | 21, place du Panthéon | Luxembourg |
| 6 | 78, rue Bonaparte | Saint-Sulpice |
| 7 | 116, rue de Grenelle | Solférino |
| 8 | 3, rue de Lisbonne | Europe |
| 9 | 6, rue Drouot | Richelieu-Drouot |
| 10 | 72, rue du Faubourg-Saint-Martin | Château d'Eau |
| 11 | Place Léon Blum | Voltaire |
| 12 | Rue Descos | Dugommier |
| 13 | 1, place d'Italie | Place d'Italie |
| 14 | 2, place Ferdinand-Brunot | Mouton-Duvernet |
| 15 | 31, rue Péclet | Vaugirard |
| 16 | 71, avenue Henri-Martin | Pompe |
| 17 | 16-20, rue des Batignolles | Rome |
| 18 | 1, place Jules-Joffrin | Jules-Joffrin |
| 19 | 5, place Armand Carrel | Bolivar |
| 20 | 6, place Gambetta | Gambetta |

## AMBASSADES - CONSULATS - LÉGATIONS EMBASSIES - CONSULATES - LEGATIONS TSCHAFTEN - KONSULATE - GESANDTSCHAFTEN

| Arr. | Nature | Nation | Adresse | Métro |
|---|---|---|---|---|
| 16 | Ambassade | Afghanistan | 32, avenue Raphaël | La Muette |
| 7 | Ambassade | Afrique du Sud | 59, quai d'Orsay | Invalides |
| 16 | Ambassade | Albanie | 131, rue de la Pompe | Rue de la Pompe |
| 8 | Ambassade | Algérie | 50, rue de Lisbonne | Monceau |
| 16 | Consulat | Algérie | 11, rue d'Argentine | Argentine |
| 8 | Ambassade | Allemagne (République Féd.) | 13-15, avenue Franklin-Roosevelt | Fr.-D.-Roosevelt |
| 16 | Ambassade | Angola | 19, avenue Foch | Ch.-de-Gaulle-Étoile |
| 16 | Consulat | Angola | 40, rue Chalgrin | Ch.-de-Gaulle-Étoile |
| 8 | Ambassade | Arabie Saoudite | 5, avenue Hoche | Courcelles |
| 92 | Consulat | Arabie Saoudite | 29, rue des Graviers - Neuilly | Pont-de-Neuilly |
| 16 | Ambassade | Argentine | 6, rue Cimarosa | Boissière |
| 16 | Consulat | Argentine | Impasse Kléber (62, avenue Kléber) | Boissière |
| 16 | Ambassade | Arménie | 26, avenue Dode de la Brunerie | Pte de St-Cloud |
| 15 | Ambassade | Australie | 4, rue Jean-Rey | Bir-Hakeim |
| 7 | Ambassade | Autriche | 6, rue Fabert | Invalides |
| 7 | Consulat | Autriche | 12, rue Edmond-Valentin | École Militaire |
| 16 | Amb. C. | Bahrein | 15, avenue Raymond-Poincaré | Trocadéro |
| 16 | Ambassade | Bangladesh | 5, square Pétrarque | Trocadéro |
| 17 | Amb. C. | Belgique | 9, rue de Tilsit | Ch.-De-Gaulle-Etoile |
| 16 | Ambassade | Bénin | 87, rue Victor-Hugo | Victor-Hugo |
| 6 | Consulat | Bénin | 89, rue du Cherche-Midi | Vaneau |
| 16 | Amb. C. | Bolivie | 12, avenue du Président-Kennedy | Passy |
| 8 | Ambassade | Brésil | 34, cours Albert-1er | Alma-Marceau |
| 8 | Consulat | Brésil | 12, rue de Berri | George-V |

| Plan | Arr. | Nature | Nation | Adresse | Métro |
|---|---|---|---|---|---|
| G 6 | 7 | Ambassade | Bulgarie | 1, avenue Rapp | Alma-Marceau |
| E 7 | 8 | Ambassade | Burkina Faso | 159, boulevard Haussmann | St-Philippe-du-Roule |
| G 3 | 16 | Ambassade | Burundi | 3, rue Octave-Feuillet | La Muette |
| I 2 | 16 | Amb. C. | Cameroun | 73, rue d'Auteuil | Porte d'Auteuil |
| F 6 | 8 | Ambassade | Canada | 35, avenue Montaigne | Alma-Marceau |
| I 2 | 16 | Ambassade | Centrafrique | 30, rue des Perchamps | Michel-Ange-Auteuil |
| H 7 | 7 | Ambassade | Chili | 2, avenue de La Motte-Piquet | La Tour-Maubourg |
| H 7 | 7 | Consulat | Chili | 64, boulevard la Tour-Maubourg | La Tour-Maubourg |
| F 6 | 8 | Ambassade | Chine | 11, avenue George-V | Alma-Marceau |
| dép. | 92 | Consulat | Chine | 9, avenue Victor-Creson | Issy-les-Moulineaux |
| F 5 | 16 | Ambassade | Chypre | 23, rue Galilée | Boissière |
| F 7 | 8 | Ambassade | Colombie | 22, rue de l'Élysée | Ch.-Elysées-Clém. |
| F 6 | 8 | Consulat | Colombie | 11, rue Christophe-Colomb | George-V |
| I 3 | 16 | Ambassade | Comores | 20, rue Mirabeau | Porte Maillot |
| F 5 | 16 | Ambassade | Congo | 37 bis, rue Paul-Valéry | Victor-Hugo |
| H 7 | 7 | Ambassade | Corée | 125, rue de Grenelle | La Tour-Maubourg |
| J 2 | 16 | Amb. C. | Costa-Rica | 135, avenue de Versailles | Mirabeau |
| F 4 | 16 | Ambassade | Côte-d'Ivoire | 102, avenue Raymond-Poincaré | Victor-Hugo |
| E 7 | 8 | Ambassade | Croatie | 32, rue de la Bienfaisance | St-Augustin |
| H 5 | 15 | Ambassade | Cuba | 16, rue de Presles | Dupleix |
| H 5 | 15 | Consulat | Cuba | 14, rue de Presles | Dupleix |
| F 6 | 16 | Ambassade | Danemark | 77, avenue Marceau | Ch.-de-Gaulle-Étoile |
| F 4 | 16 | Ambassade | Djibouti | 26, rue Émile-Ménier | Porte-Dauphine |
| I 3 | 16 | Ambassade | Dominicaine (République) | 17, rue La Fontaine | Jasmin |
| J 2 | 16 | Consulat | Dominicaine (République) | 36, rue Le Marois | Porte Saint-Cloud |
| F 5 | 16 | Ambassade | Égypte | 56, avenue d'Iéna | Iéna |
| E 4 | 16 | Consulat | Égypte | 58, avenue Foch | Victor-Hugo |
| F 5 | 16 | Amb. C. | El Salvador | 12, rue Galilée | Boissière |
| F 3 | 16 | Ambassade | Émirats Arabes Unis | 3, rue de Lota | Rue de la Pompe |
| E 7 | 8 | Amb. C. | Équateur | 34, avenue de Messine | Miromesnil |
| F 6 | 8 | Ambassade | Espagne | 22, avenue Marceau | Alma-Marceau |
| C 6 | 17 | Consulat | Espagne | 165, boulevard Malesherbes | Wagram |
| F 10 | 9 | Ambassade | Estonie | 14, boulevard Montmartre | Rue Montmartre |
| F 8 | 8 | Ambassade | États-Unis | 2, avenue Gabriel | Concorde |
| F 10 | 1 | Consulat | États-Unis | 2, rue St-Florentin | Concorde |
| H 5 | 7 | Ambassade | Éthiopie | 35, avenue Charles-Floquet | École-Militaire |
| G 7 | 7 | Ambassade | Finlande | 2, rue Fabert | Invalides |
| F 8 | 8 | Consulat | Finlande | 18 bis, rue d'Anjou | Madeleine |
| G 3 | 16 | Ambassade | Gabon | 26 bis, avenue Raphaël | La Muette |
| dép. | 92 | Consulat | Gambie | 57, rue de Villiers - Neuilly sur Seine | Anatole-France |
| E 4 | 16 | Ambassade | Ghana | 8, Villa Saïd | Porte Dauphine |
| F 8 | 8 | Ambassade | Grande-Bretagne | 35, rue du Faubourg Saint-Honoré | Madeleine |
| E 6 | 8 | Consulat | Grande-Bretagne | 9, avenue Hoche | Courcelles |
| F 5 | 16 | Ambassade | Grèce | 17, rue Auguste-Vacquerie | Kléber |
| F 6 | 16 | Consulat | Grèce | 23, rue Galilée | Boissière |
| E 6 | 8 | Ambassade | Guatemala | 73, rue de Courcelles | Courcelles |
| F 3 | 16 | Ambassade | Guinée | 51, rue de la Faisanderie | Porte Dauphine |
| E 6 | 8 | Ambassade | Guinée Équatoriale | 6, rue Alfred-de-Vigny | Courcelles |
| D 6 | 17 | Ambassade | Haïti | 10, rue Théodule-Ribot | Courcelles |
| E 7 | 8 | Ambassade | Honduras | 3, rue de Téhéran | Miromesnil |
| E 4 | 16 | Ambassade | Hongrie | 5 bis, square de l'avenue Foch | Porte Dauphine |
| H 9 | 6 | Consulat | Hongrie | 92, rue Bonaparte | St-Germain-des-Prés |
| G 3 | 16 | Ambassade | Inde | 15, rue Alfred-Dehodencq | La Muette |
| G 4 | 16 | Ambassade | Indonésie | 47-49, rue Cortambert | La Muette |
| F 3 | 16 | Ambassade | Irak | 53, rue de la Faisanderie | Porte Dauphine |
| F 5 | 16 | Ambassade | Iran | 4, avenue d'Iéna | Iéna |
| G 5 | 16 | Consulat | Iran | 16, rue Fresnel | Iéna |
| E 5 | 16 | Ambassade | Irlande | 4, rue Rude | Ch.-de-Gaulle-Étoile |
| E 7 | 8 | Ambassade | Islande | 124, boulevard Hausmann | St-Augustin |
| F 7 | 8 | Ambassade | Israël | 3, rue Rabelais | Fr-D.-Roosevelt |
| H 8 | 7 | Consulat | Italie | 51, rue de Varenne | Rue du Bac |
| G 3 | 16 | Ambassade | Italie | 5, boulevard Émile-Augier | La Muette |
| E 6 | 8 | Ambassade | Japon | 7, avenue Hoche | Courcelles |
| dép. | 92 | Ambassade | Jordanie | 80, bd M.-Barrès - Neuilly sur Seine | Sablons |
| F 5 | 16 | Ambassade | Kenya | 3, rue Cimarosa | Boissière |
| F 5 | 16 | Ambassade | Koweit | 2, rue de Lübeck | Iéna |
| F 6 | 16 | Consulat | Koweit | 1, place des États-Unis | Boissière |
| F 4 | 16 | Ambassade | Laos | 74, avenue Raymond-Poincaré | Victor-Hugo |
| F 10 | 9 | Ambassade | Lettonie | 14, boulevard Montmartre | Rue Montmartre |
| F 5 | 16 | Ambassade | Liban | 3, Villa Copernic | Victor Hugo |
| D 7 | 17 | Ambassade | Libéria | 8, rue Jacques-Bingen | Malesherbes |
| F 4 | 16 | Ambassade | Libye | 2, rue Charles-Lamoureux | Porte Dauphine |
| F 10 | 9 | Ambassade | Lituanie | 14, boulevard Montmartre | Rue Montmartre |
| G 6 | 7 | Ambassade | Luxembourg | 33, avenue Rapp | École-Militaire |
| G 3 | 16 | Ambassade | Madagascar | 4, avenue Raphaël | Ranelagh |
| F 3 | 16 | Ambassade | Malaisie | 2 bis, rue de Bénouville | Porte Dauphine |
| I 9 | 6 | Ambassade | Mali | 89, rue du Cherche-Midi | Saint-Sulpice |
| F 7 | 8 | Ambassade | Malte | 92, avenue des Champs-Élysées | George-V |
| G 4 | 16 | Ambassade | Maroc | 5, rue Le Tasse | Passy |
| K 5 | 15 | Consulat | Maroc | 12, rue de La Saïda | Porte de Versailles |
| D 7 | 17 | Ambassade | Maurice (Île) | 68, boulevard de Courcelles | Monceau |
| F 3 | 16 | Ambassade | Mauritanie | 5, rue de Montevidéo | Rue de la Pompe |
| I 8 | 6 | Consulat | Mauritanie | 89, rue du Cherche-Midi | Falguière |
| G 5 | 16 | Ambassade | Mexique | 9, rue de Longchamp | Boissière |
| F 10 | 2 | Consulat | Mexique | 4, rue Notre-Dame-des-Victoires | Bourse |
| G 2 | 16 | Ambassade | Monaco (Principauté de) | 22, boulevard Suchet | La Muette |
| dép. | 92 | Ambassade | Mongolie | 5, av. R.-Schuman - Boulogne-Billancourt | Porte d'Auteuil |
| D 5 | 17 | Ambassade | Mozambique | 82, rue Laugier | Porte Champerret |
| E 7 | 8 | Ambassade | Myanmar (anc. Birmanie) | 60, rue de Courcelles | Miromesnil |
| E 5 | 17 | Ambassade | Népal | 45 bis, rue des Acacias | Argentine |
| F 4 | 16 | Amb. C. | Nicaragua | 8, rue de Sfax | Victor-Hugo |
| F 3 | 16 | Ambassade | Niger | 154, rue de Longchamp | Porte Dauphine |
| F 4 | 16 | Ambassade | Nigéria | 173, avenue Victor-Hugo | Rue de la Pompe |
| F 7 | 8 | Ambassade | Norvège | 28, rue Bayard | Fr.-D.-Roosevelt |
| F 4 | 16 | Ambassade | Nouvelle-Zélande | 7 ter, rue Léonard-de-Vinci | Victor-Hugo |
| F 5 | 16 | Ambassade | Oman (Sultanat d') | 50, avenue d'Iéna | Iéna |
| G 4 | 16 | Ambassade | Ouganda | 13, avenue Raymond-Poincaré | Trocadéro |
| G 6 | 8 | Ambassade | Pakistan | 18, rue Lord-Byron | Ch.-de-Gaulle-Etoile |
| I 6 | 15 | Ambassade | Panama | 145, avenue de Suffren | Ségur |
| F 9 | 2 | Ambassade | Paraguay | 27, boulevard des Italiens | Opéra |
| I 7 | 7 | Ambassade | Pays-Bas | 7-9, rue Eblé | St-François-Xavier |
| F 5 | 16 | Ambassade | Pérou | 50, avenue Kléber | Kléber |
| F 6 | 8 | Consulat | Pérou | 102, avenue des Champs-Elysées | George-V |
| G 4 | 16 | Ambassade | Philippines | 39, avenue Georges-Mandel | Trocadéro |
| G 7 | 7 | Ambassade | Pologne | 1-3, rue de Talleyrand | Invalides |
| G 7 | 7 | Consulat | Pologne | 5, rue de Talleyrand | Invalides |
| F 4 | 16 | Ambassade | Portugal | 3, rue de Noisiel | Porte Dauphine |
| L 13 | 13 | Consulat | Portugal | 187, rue du Chevaleret | Chevaleret |
| G 7 | 7 | Ambassade | Qatar | 57, quai d'Orsay | Invalides |
| H 6 | 7 | Amb. C. | Roumanie | 5, rue de l'Exposition | École Militaire |
| F 3 | 16 | Ambassade | Russie | 40-50, boulevard Lannes | Rue de la Pompe |
| D 6 | 17 | Consulat | Russie | 8, rue de Prony | Monceau |
| D 6 | 17 | Ambassade | Rwanda | 12, rue Jadin | Monceau |
| F 7 | 8 | Ambassade | Saint-Martin | 19, avenue Franklin-Roosevelt | Fr.-D.-Roosevelt |
| F 7 | 8 | Consulat | Saint-Martin | 50, rue du Colisée | St-Philippe-du-Roule |
| G 6 | 16 | Nonciat. | Saint-Siège | 10, avenue du Président-Wilson | Alma-Marceau |
| G 7 | 7 | Ambassade | Sénégal | 14, avenue Robert-Schuman | Invalides |
| F 5 | 16 | Consulat | Sénégal | 22, rue Hamelin | Boissière |
| H 3 | 16 | Ambassade | Seychelles | 51, avenue Mozart | Ranelagh |
| F 6 | 8 | Consulat | Seychelles | 53, rue François-1er | George-V |
| E 6 | 8 | Consulat | Sierra-Léone | 16, avenue Hoche | Courcelles |
| E 4 | 16 | Ambassade | Singapour | 12, square de l'avenue Foch | Porte Dauphine |
| H 4 | 16 | Ambassade | Slovaque (République) | 125, rue du Ranelagh | Ranelagh |
| F 5 | 16 | Ambassade | Slovénie | 21, rue Bouquet-de-Longchamp | Boissère |
| F 5 | 16 | Ambassade | Somalie | 26, rue Dumont-d'Urville | Kléber |
| F 6 | 8 | Ambassade | Soudan | 56, avenue Montaigne | Fr.-D.-Roosevelt |
| E 8 | 8 | Ambassade | Sri Lanka | 15, rue d'Astorg | St-Augustin |
| H 8 | 7 | Ambassade | Suède | 17, rue Barbet-de-Jouy | Varenne |
| H 6 | 7 | Ambassade | Suisse | 142, rue de Grenelle | Invalides |

| Plan | Arr. | Nature | Nation | Adresse | Métro |
|---|---|---|---|---|---|
| H 8 | 7 | Ambassade | Syrie | 20, rue Vaneau | Vaneau |
| C 6 | 17 | Ambassade | Tanzanie | 70, boulevard Péreire | Wagram |
| F 4 | 16 | Ambassade | Tchad | 65, rue des Belles-Feuilles | Victor-Hugo |
| H 5 | 7 | Ambassade | Tchèque (République) | 15, avenue Charles-Floquet | Bir-Hakeim |
| H 9 | 6 | Consulat | Tchèque (République) | 18, rue Bonaparte | St-Germain-des-Prés |
| G 4 | 16 | Ambassade | Thaïlande | 8, rue Greuze | Trocadéro |
| C 6 | 17 | Ambassade | Togo | 8, rue Alfred-Roll | St-François-Xavier |
| H 8 | 7 | Ambassade | Tunisie | 25, rue Barbet-de-Jouy | St-François-Xavier |
| F 5 | 16 | Consulat | Tunisie | 17, rue de Lübeck | Iéna |
| H 4 | 16 | Ambassade | Turquie | 16, avenue de Lamballe | Passy |
| C 6 | 17 | Consulat | Turquie | 184, boulevard de Malesherbes | Wagram |
| E 5 | 16 | Amb. C. | Uruguay | 15, rue Le Sueur | Argentine |
| F 5 | 16 | Ambassade | Vénézuela | 11, rue Copernic | Victor-Hugo |
| G 5 | 16 | Consulat | Vénézuela | 42, avenue du Président-Wilson | Trocadéro |
| J 2 | 16 | Amb. C | Vietnam | 62, rue Boileau | Exelmans |
| F 5 | 16 | Ambassade | Yemen | 25, rue Georges-Bizet | Alma-Marceau |
| F 3 | 16 | Ambassade | Yougoslavie, Serbie, Monténégro | 54, rue de La Faisanderie | Porte Dauphine |
| F 3 | 16 | Consulat | Yougoslavie, Serbie, Monténégro | 152 bis, rue de Longchamp | Trocadéro |
| G 6 | 8 | Ambassade | Zaïre | 32, cours Albert-1er | Alma-Marceau |
| F 5 | 16 | Ambassade | Zambie | 76, avenue d'Iéna | Ch.-de-Gaulle-Étoile |
| E 5 | 8 | Ambassade | Zimbabwe | 5, rue de Tilsitt | Ch.-de-Gaulle-Étoile |

# BUREAUX DE POSTE - POST OFFICES - POSTBÜROS

| Plan | N° | Adresse | Métro |
|---|---|---|---|
| | | **1er arrondissement** | |
| G 10 | RP | LOUVRE - 52, rue du Louvre - 75100 Paris RP | Louvre |
| G 10 | Annexe 1 | FORUM DES HALLES | Les Halles |
| G 9 | 49 | PALAIS-ROYAL - 8, rue Molière - 75042 Paris Cedex 01 | Pyramides |
| G 9 | Annexe 1 | MUSÉE DU LOUVRE - Pyramide du Louvre | Palais Royal |
| G 11 | 50 | BEAUBOURG - 90, rue Saint-Denis - 75042 Paris Cedex 01 | Halles |
| F 9 | 81 | CAPUCINES - 13, rue des Capucines - 75042 Paris Cedex 01 | Opéra |
| G 10 | 117 | CHATELET - 9, rue des Halles - 75042 Paris Cedex 01 | Châtelet |
| | | **2e arrondissement** | |
| F 10 | 24 | SENTIER - 54, rue d'Aboukir - 75084 Paris Cedex 02 | Sentier |
| F 10 | 47 | BOURSE - 8, place de la Bourse - 75084 Paris Cedex 02 | Bourse |
| | | **3e arrondissement** | |
| F 10 | 85 | TEMPLE - 160, rue du Temple - 75141 Paris Cedex 03 | République |
| G 12 | Annexe | TEMPLE GARANTIE - 14, rue Perrée - 75141 Paris Cedex 03 | République |
| G 12 | 103 | SAINTONGE - 64, rue de Saintonge - 75141 Paris Cedex 03 | Filles du Calvaire |
| F 11 | 116 | ARTS-ET-METIERS - 259, rue St-Martin - 75141 Paris Cedex 03 | Réaumur-Sébastopol |
| G 12 | 127 | ARCHIVES - 67, rue des Archives - 75141 Paris Cedex 03 | Rambuteau |
| | | **4e arrondissement** | |
| H 12 | 21 | BASTILLE - 1, rue Castex - 75181 Paris Cedex 04 | Bastille |
| H 10 | 32 | ILE DE LA CITÉ - 1, boulevard du Palais - 75181 Paris Cedex 04 | Cité |
| H 10 | Annexe | PALAIS DE JUSTICE - 4, boulevard du Palais - 75042 Paris Cedex 04 | Cité |
| H 11 | 36 | MOUSSY - 10, rue de Moussy - 75181 Paris Cedex 04 | Hôtel-de-Ville |
| H 12 | 82 | LE MARAIS - 27, rue des Francs-Bourgeois - 75181 Paris Cedex 04 | St-Paul |
| H 11 | 113 | HÔTEL DE VILLE - Place de l'Hôtel-de-Ville - 75181 Paris Cedex 04 | Hôtel-de-Ville |
| H 11 | Annexe | ILE-ST-LOUIS - 16, rue des Deux-Ponts - 75100 Paris Cedex 04 | Pont-Marie |
| G 11 | Annexe P50 | GEORGES POMPIDOU - 19, rue Beaubourg - 75191 Paris Cedex 04 | Rambuteau |
| | | **5e arrondissement** | |
| J 11 | 5 | MOUFFETARD - 10, rue de l'Épée-de-Bois - 75231 Paris Cedex 05 | Censier-Daubenton |
| I 11 | 28 | JUSSIEU - 30 bis, rue du Cardinal-Lemoine - 75231 Paris Cedex 05 | Cardinal-Lemoine |
| J 10 | 38 | FEUILLANTINES - 47, rue d'Ulm - 75231 Paris Cedex 05 | Port Royal |
| I 10 | 91 | SORBONNE - 13, rue Cujas - 75231 Paris Cedex 05 | Luxembourg |
| | | **6e arrondissement** | |
| I 8 | 6 | CHERCHE-MIDI - 111-117, rue de Sèvres - 75272 Paris Cedex 06 | Duroc |
| H 10 | 25 | ODÉON - 118, boulevard St-Germain - 75272 Paris Cedex 06 | Odéon |
| I 8 | 43 | LITTRÉ - 22, rue Littré - 75272 Paris Cedex 06 | Montparnasse |
| I 8 | 80 | BOUCICAUT - 3, rue Dupin - 75272 Paris Cedex 06 | Sèvres- Babylone |
| H 9 | 110 | ST-GERMAIN-DES-PRÉS - 53, rue de Rennes - 75272 Paris cedex 06 | St-Germain-des-Prés |
| I 9 | 126 | PALAIS DU LUXEMBOURG - 15, rue de Vaugirard - 75291 Paris Cedex 06 | Luxembourg |
| I 9 | 206 | MÉDICIS - 24, rue de Vaugirard - 75272 Paris Cedex 06 | Luxembourg |
| | | **7e arrondissement** | |
| H 6 | 7 | ÉCOLE MILITAIRE - 56, rue Cler - 75341 Paris Cedex 07 | École-Militaire |
| H 8 | Annexe 1 | RASPAIL - 3, boulevard Raspail - 75341 Paris Cedex 07 | Rue du Bac |
| G 5 | Annexe 2 | TOUR EIFFEL | Bir-Hakeim |
| G 6 | 27 | CHAMPS-DE-MARS - 37, avenue Rapp - 75341 Paris Cedex 07 | École-Militaire |
| G 8 | 31 | PALAIS-BOURBON - 126-128, rue de l'Université - 75355 Paris | Assemblée Nationale |
| I 7 | 41 | SÉGUR- 5, avenue de Saxe - 75341 Paris Cedex 07 | Ségur |
| H 8 | 44 | RODIN - 103, rue de Grenelle- 75341 Paris Cedex 07 | Varenne |
| H 9 | 115 | BEAUX-ARTS - 22, rue des Saints-Pères - 75341 Paris Cedex 07 | Rue du Bac |
| G 8 | 202 | ORSAY - 3, rue de Courty - 75341 Paris Cedex 07 | Assemblée Nationale |
| | | **8e arrondissement** | |
| E 7 | 8 | LA BOÉTIE - 49, rue La Boétie - 75800 Paris Cedex 08 | Miromesnil |
| F 6 | Annexe 1 | CHAMPS-ÉLYSÉES - 71, av. des Champs-Élysées - 75800 Paris Cedex 08 | George-V |
| D 7 | 37 | MONCEAU - 101, boulevard Malesherbes - 75800 Paris Cedex 08 | Villiers |
| E 6 | 42 | CHAMBRE DE COMMERCE - 10, rue Balzac - 75800 Paris Cedex 08 | George-V |
| F 7 | 45 | COLISÉE - 14, rue du Colisée - 75800 Paris Cedex 08 | Fr.-D.-Roosevelt |
| F 6 | 86 | LA TRÉMOILLE - 24, rue de La Trémoille - 75800 Paris Cedex 08 | Alma-Marceau |
| E 8 | 109 | EUROPE - 10, rue de Vienne - 75800 Paris Cedex 08 | Europe |
| E 8 | 118 | ST-LAZARE - 15, rue d'Amsterdam -75800 Paris Cedex 08 | St-Lazare |
| F 8 | 123 | ANJOU - 13, rue d'Anjou - 75800 Paris Cedex 08 | St-Augustin |
| | | **9e arrondissement** | |
| E 10 | 9 | ROCHECHOUARD - 4, rue Hippolyte-Lebas - 75436 Paris Cedex 09 | N.-D.-de-Lorette |
| E 9 | 22 | TRINITÉ - 78, rue Taitbout - 75436 Paris Cedex 09 | St-Georges |
| E 10 | 48 | CONSERVATOIRE - 2, rue du Conservatoire - 75436 Paris Cedex 09 | Montmartre |
| E 10 | 51 | DROUOT - 19, rue Chauchat - 75436 Paris Cedex 09 | Le Peletier |
| D 10 | 68 | TURGOT - 20, rue Turgot - 75436 Paris Cedex 09 | Anvers |
| E 10 | 83 | MONTHOLON - 14, rue Bleue - 75436 Paris Cedex 09 | Cadet |
| D 9 | 84 | PLACE CLICHY - 61-63, rue de Douai - 75436 Paris Cedex 09 | Place Clichy |
| D 9 | 90 | PIGALLE - 47, boulevard de Clichy - 75436 Paris Cedex 09 | Blanche |
| E 9 | 92 | MADELEINE - 38, rue Vignon - 75436 Paris Cedex 09 | Havre-Caumartin |
| E 9 | 96 | OPÉRA - 8, rue Glück - 75436 Paris Cedex 09 | Chaussée-d'Antin |
| E 9 | Annexe 1 | PRINTEMPS-HAUSMANN - 64, boulevard Haussmann - 75436 Paris Cedex 09 | Havre-Caumartin |
| F 9 | 108 | HAUSMANN - 7, boulevard Hausmann - 75436 Paris Cedex 09 | Richelieu-Drouot |
| | | **10e arrondissement** | |
| E 11 | 10 | MAGENTA - 2, square A.-Satragne - 75475 Paris Cedex 10 | Gare de l'Est |
| D 11 | 26 | GARE DU NORD - 173 bis, rue du Fg-St-Denis - 75475 Paris Cedex 10 | Gare du Nord |
| E 13 | 39 | SAMBRE-ET-MEUSE - 46, rue Sambre-et-Meuse - 75475 Paris Cedex 10 | Belleville |
| F 12 | 88 | RÉPUBLIQUE - 56, rue René-Boulanger - 75475 Paris Cedex 10 | Strasbourg-St-Denis |
| E 11 | 114 | ST-LAURENT - 38, boulevard de Strasbourg - 75475 Paris Cedex 10 | Château-d'Eau |
| F 11 | 124 | BONNE NOUVELLE - 18, boulevard Bonne Nouvelle - 75475 Paris Cedex 10 | Bonne Nouvelle |
| F 12 | 125 | CANAL ST-MARTIN -11, rue Léon-Jouhaux - 75475 Paris Cedex 10 | République |
| E 12 | 128 | GARE DE L'EST - 158, rue du Faubourg-Saint-Martin - 75475 Paris Cedex 10 | Gare de l'Est |
| D 12 | 93 | CHÂTEAU-LANDON - 22, rue du Château-Landon - 75475 Paris Cedex 10 | Louis-Blanc |
| | | **11e arrondissement** | |
| H 13 | 11 | POPINCOURT - 21, rue Bréguet - 75536 Paris Cedex 11 | Bréguet-Sabin |
| F 13 | 46 | GONCOURT - 5, rue des Goncourt - 75536 Paris Cedex 11 | Goncourt |
| G 14 | 65 | PÈRE-LACHAISE - 103, avenue de la République - 75536 Paris Cedex 11 | Père-Lachaise |
| H 15 | 87 | STE-MARGUERITE - 41, rue des Boulets - 75536 Paris Cedex 11 | Boulets-Montreuil |
| H 14 | 112 | MERCOEUR - 80, rue Léon-Frot - 75536 Paris Cedex 11 | Voltaire |
| G 13 | 119 | RICHARD-LENOIR - 97, boulevard Richard Lenoir - 75536 Paris Cedex 11 | St-Ambroise |
| F 13 | | SAINT-MAUR - 113, rue Oberkampf - 75536 Paris Cedex 11 | Parmentier |
| | | **12e arrondissement** | |
| I 14 | 12 | REUILLY - 30, rue de Reuilly - 75570 Paris Cedex 12 | Reuilly-Diderot |
| I 14 | Annexe 1 | CROZATIER - 31, rue Crozatier - 75570 Paris Cedex 12 | Reuilly-Diderot |
| K 14 | Annexe 2 | BERCY - 1, rue de Dijon - 75571 Paris Cedex 12 | Dugommier |
| K 15 | Annexe 3 | MEUNIERS - 29, rue des Meuniers - 75570 Paris Cedex 12 | Porte de Charenton |
| I 13 | 30 | GARE DE LYON - 25, boulevard Diderot - 75571 Paris Cedex 12 | Gare de Lyon |
| J 15 | 56 | DAUMESNIL - 168, avenue Daumesnil - 75571 Paris Cedex 12 | Daumesnil |
| I 16 | 73 | PICPUS - 92, boulevard de Picpus - 75571 Paris Cedex 12 | Nation |
| I 13 | 105 | FBG-ST-ANTOINE - 80, avenue Ledru-Rollin - 75571 Paris Cedex 12 | Ledru-Rollin |
| I 17 | 132 | SOULT - 137, boulevard Soult - 75571 Paris Cedex 12 | Pte de Vincennes |
| J 16 | 133 | PORTE-DORÉE - 15 bis, rue Rottembourg - 75571 Paris Cedex 12 | Michel-Bizot |
| | | **13e arrondissement** | |
| L 11 | 13 | ITALIE - 23, avenue d'Italie - 75634 Paris Cedex 13 | Place d'Italie |
| M 12 | Annexe 1 | PORTE D'ITALIE - 129, boulevard Masséna - 75634 Paris Cedex 13 | Porte de Choisy |
| J 12 | 33 | AUSTERLITZ - 7 bis, boulevard de l'Hôpital - 75634 Paris Cedex 13 | Gare d'Austerlitz |
| J 11 | 63 | JEANNE D'ARC - 36, place Jeanne d'Arc - 75634 Paris Cedex 13 | Nationale |
| L 13 | Annexe 1 | PATAY - 26, rue de Patay - 75634 Paris Cedex 13 | Porte d'Ivry |
| K 13 | Annexe 2 | CHEVALERET - 128, rue du Chevaleret - 75634 Paris Cedex 13 | Chevaleret |
| K 11 | 77 | REINE BLANCHE - 21, rue de la Reine-Blanche - 75634 Paris Cedex 13 | Gobelins |
| L 10 | 101 | BUTTE-AUX-CAILLES - 216, rue de Tolbiac - 75634 Paris Cedex 13 | Corvisart |
| M 12 | 141 | OLYMPIADES - 19, rue Simone Weil - 75634 Paris Cedex 13 | Maison-Blanche |
| K 10 | 145 | CORVISART - 9, rue Corvisart - 75634 Paris Cedex 13 | Gobelins |
| | | **14e arrondissement** | |
| L 7 | | BACHELARD - 105, boulevard Brune - 75675 Paris Cedex 14 | Porte d'Orléans |
| M 8 | Annexe 1 | PORTE D'ORLÉANS - Place du 25-Août 1944 - 75675 Paris Cedex 14 | Porte d'Orléans |
| M 10 | Annexe 2 | MONTSOURIS - 78, rue de l'Amiral-Mouchez - 75675 Paris Cedex 14 | Cité Universitaire |
| M 8 | Annexe 3 | CITÉ UNIVERSITAIRE - Boulevard Jourdan - 75675 Paris Cedex 14 | Cité Universitaire |
| L 6 | Annexe 5 | PORTE DE VANVES - 3, place de la Porte de Vanves - 75675 Paris Cedex 14 | Porte de Vanves |
| J 9 | 52 | OBSERVATOIRE - 140, boulevard du Montparnasse - 75675 Paris Cedex 14 | Vavin |
| L 8 | 66 | ALÉSIA - 114 bis, rue d'Alésia - 75675 Paris Cedex 14 | Plai |
| K 7 | 72 | PERNETY - 50-52, rue Pernety - 75675 Paris Cedex 14 | Per |
| K 9 | 147 | DENFERT-ROCHEREAU - 15 b, av. du Général Leclerc - 75675 Paris Cedex 14 | Mo |
| | | **15e arrondissement** | |
| K 6 | | ALLERAY - 19, rue d'Alleray - 75731 Paris Cedex 15 | Vau |
| K 6 | | PARIS-BIENVENUE 27, rue Balard - 75015 Paris Cedex 15 | |
| H 5 | Annexe 1 | SUFFREN - 30, avenue de Suffren - 75731 Paris Cedex 15 | Dup |
| I 6 | Annexe 2 | FRANÇOIS-BONVIN - 8, rue François-Bonvin - 75731 Paris Cedex 15 | Sèv |
| K 4 | 35 | PLAINE DE VAUGIRARD - 72, rue Desnouettes - 75731 Paris Cedex 15 | Mou |
| J 4 | 60 | CONVENTION - 102, rue de la Convention - 75731 Paris Cedex 15 | Bou |
| I 5 | 64 | LOURMEL - 38, rue de Lourmel - 75731 Paris Cedex 15 | Dupl |
| K 6 | 69 | VOUILLÉ - 21, rue de Vouillé - 75731 Paris Cedex 15 | Conv |
| J 6 | 97 | ST-LAMBERT - 2, rue Joseph-Liouville - 75731 Paris Cedex 15 | Com |
| J 7 | 102 | BIENVENUE - 42, boulevard de Vaugirard - 75731 Paris Cedex 15 | Past |
| L 5 | 137 | GEORGES-BRASSENS - 113, bd Lefebvre - 75731 Paris Cedex 15 | Port |
| I 4 | 146 | BEAUGRENELLE - 36, rue Linois - 75731 Paris Cedex 15 | Char |
| | | **16e arrondissement** | |
| H 3 | | PASSY - 40, rue Singer - 75775 Paris Cedex 16 | Mue |
| I 3 | Annexe 1 | THÉOPHILE-GAUTIER - 31, rue Gros - 75775 Paris Cedex 16 | Rane |
| G 4 | Annexe 2 | BEETHOVEN - 2, rue Beethoven - 75775 Paris Cedex 16 | Pass |
| K 2 | Annexe 3 | MOLITOR - 35, boulevard Murat - 75775 Paris Cedex 16 | Porte |
| F 3 | Annexe 4 | DAUPHINE - Centre Universit., av. de Pologne - 75775 Paris Cedex 16 | Porte |
| G 3 | Annexe 5 | MUETTE - 39, rue de la Pompe - 75775 Paris Cedex 16 | La M |
| F 5 | 34 | CHAILLOT - 1 bis, rue de Chaillot - 75775 Paris Cedex 16 | Iéna |
| I 2 | 53 | AUTEUIL - 46, rue Poussin - 75775 Paris Cedex 16 | Porte |
| F 4 | 71 | VICTOR-HUGO - 123, avenue Victor- Hugo - 75775 Paris Cedex 16 | Victo |
| F 5 | 75 | ÉTOILE - 75, rue Lauriston - 75775 Paris Cedex 16 | Boiss |
| F 3 | 78 | MONTEVIDEO - 19, rue de Montevideo - 75775 Paris Cedex 16 | Porte |
| J 1 | 100 | PARC DES PRINCES - 109, boulevard Murat - 75775 Paris Cedex 16 | Pte d |
| G 5 | 106 | TROCADÉRO - 51, rue de Longchamp - 75775 Paris Cedex 16 | Troca |
| H 3 | 120 | LA FONTAINE - 3, rue La Fontaine - 75775 Paris Cedex 16 | Ranel |
| F 5 | 134 | PALAIS D'IÉNA - 1, avenue d'Iéna - 75775 Paris Cedex 16 | Iéna |
| | | **17e arrondissement** | |
| D 6 | | WAGRAM -110, avenue de Wagram - 75820 Paris Cedex 17 | Wagr |
| E 4 | Annexe | PALAIS DES CONGRÈS - CIP - Porte Maillot - 75853 Paris Cedex 17 | Porte |
| D 6 | 17 | CTC - 27, rue des Renaudes - 75820 Paris Cedex 17 | Ternes |
| D 8 | 54 | BATIGNOLLES - 9, rue Mariotte - 75820 Paris Cedex 17 | Rome |
| C 8 | 61 | GUY-MOQUET - 57, avenue de St-Ouen - 75820 Paris Cedex 17 | Guy-M |
| E 4 | 62 | GRANDE ARMÉE - 44b, rue St-Ferdinand - 75820 Paris Cedex 17 | Argen |
| D 5 | 74 | TERNES - 13, avenue Niel - 75820 Paris Cedex 17 | Ternes |
| C 7 | 89 | CARDINET - 132, rue de Saussure - 75820 Paris Cedex 17 | Wagra |
| C 8 | 104 | DEBUSSY - 23b, rue Legendre - 75820 Paris Cedex 17 | Villiers |
| B 8 | 131 | BESSIERES - 81, boulevard Bessières - 75820 Paris Cedex 17 | Porte |
| D 5 | 144 | GOUVION-ST-CYR - 79, rue Bayen - 75820 Paris Cedex 17 | Pte de |
| | | **18e arrondissement** | |
| C 10 | 18 | MONTMARTRE - 19, rue Duc - 75877 Paris Cedex 18 | Jules- |
| B 10 | Annexe 2 | DUHESME - 97, rue Duhesme - 75877 Paris Cedex 18 | Jules- |
| C 9 | 23 | VAUVENARGUES - 204, rue Marcadet - 75877 Paris Cedex 18 | Guy-M |
| C 11 | 29 | CLIGNANCOURT - 70, rue de Clignancourt - 75877 Paris Cedex 18 | Marcac |
| C 12 | 58 | MARX-DORMOY - 2, rue Ordener - 75877 Paris Cedex 18 | Marcac |
| D 10 | 67 | ABBESSES - 8, place des Abbesses - 75877 Paris Cedex 18 | Abbess |
| B 9 | 122 | BICHAT - 11, avenue de la Porte de Montmartre - 75877 Paris Cedex 18 | Pte de |
| C 12 | 143 | LA CHAPELLE - 91-93, rue de la Chapelle - 75877 Paris Cedex 18 | Pte de |
| A 13 | Annexe 1 | PORTE D'AUBERVILLIERS - 7, av. Pte d'Aubervilliers - 75877 Paris Cedex 18 | Pte de |
| B 12 | Annexe 2 | TRISTAN TZARA - 29, rue Tristan Tzara - 75877 Paris Cedex 18 | Pte de |
| D 12 | CTC | LA CHAPELLE - 18, boulevard de la Chapelle - 75877 Paris Cedex 18 | La Chap |
| | | **19e arrondissement** | |
| D 15 | 19 | BUTTES-CHAUMONT - 2, rue Goubet - 75935 Paris Cedex 19 | Ourcq |
| E 14 | 55 | SIMON-BOLIVAR - 8, rue Clavel - 75935 Paris Cedex 19 | Pyréné |
| C 13 | 76 | ORGUES-DE-FLANDRE - 67, av. de Flandre - 75935 Paris Cedex 19 | Riquet |
| C 14 | 79 | JAURÈS - 33, avenue Jean-Jaurès - 75935 Paris Cedex 19 | Jaurès |
| E 16 | 95 | LES TOURELLES - 339b, rue de Belleville - 75935 Paris Cedex 19 | Porte de |
| C 15 | 99 | PARC DE LA VILLETTE - 207, av. Jean-Jaurès - 75935 Paris Cedex 19 | Porte de |
| B 13 | 107 | CITÉ DES SCIENCES - 62, rue de l'Ourcq - 75935 Paris Cedex 19 | Corentir |
| E 15 | 121 | PLACE DES FÊTES - 48, rue Compans - 75935 Paris Cedex 19 | Place de |
| | | **20e arrondissement** | |
| F 15 | | GAMBETTA - 250, rue des Pyrénées - 75970 Paris Cedex 20 | Gambet |
| F 16 | Annexe 1 | PELLEPORT - 48, rue Pelleport - 75970 Paris Cedex 20 | Porte de |
| F 15 | 20 | ATAM - 248, rue des Pyrénées - 75970 Paris Cedex 20 | Gambet |
| F 14 | 40 | MÉNILMONTANT - 11, rue Étienne-Dolet - 75970 Paris Cedex 20 | Ménilmo |
| F 14 | | BELLEVILLE - 30, rue Ramponneau - 75970 Paris Cedex 20 | Bellevill |
| G 16 | 59 | CHARONNE - 132, rue des Pyrénées - 75970 Paris Cedex 20 | Maraîch |
| H 17 | Annexe 1 | ST-BLAISE - 37, rue Mouraud - 75970 Paris Cedex 20 | Maraîch |
| H 16 | 70 | BUZENVAL - 56, rue de Buzenval - 75970 Paris Cedex 20 | Buzenva |
| E 16 | 94 | TÉLÉGRAPHE - 28, rue du Télégraphe - 75970 Paris Cedex 20 | Télégrap |
| F 17 | 129 | ST-FARGEAU - 73, boulevard Mortier - 75970 Paris Cedex 20 | Porte de |

# COMMISSARIATS DE POLICE - POLICE STATION POLIZEISTATIONEN – POLICE-SECOURS - Tél. n°

| Plan | Arr. | Quartier | Adresse |
|---|---|---|---|
| F 9 | 1 | COMMISSARIAT CENTRAL | 49, place du Marché Saint-Ho |
| G 10 | 1 | Halles | 8, rue des Prouvaires |
| H 11 | 1 | Palais-Royal | 24, rue des Bons-Enfants |
| F 10 | 1 | Saint-Eustache | 40, rue du Louvre |
| F 10 | 2 | COMMISSARIAT CENTRAL | 5, place des Petits-Pères |
| F 10 | 2 | Commissariat spécial Bourse des Valeurs | Palais de la Bourse |
| F 10 | 2 | Vivienne et Gaillon | 5, rue d'Amboise |
| F 10 | 2 | Mail | 6, rue du Mail |
| F 11 | 2 | Bonne-Nouvelle | 9, rue Thorel |
| G 12 | 3 | COMMISSARIAT CENTRAL | 5, rue Perrée |
| G 12 | 3 | Enfants-Rouges et Arts-et-Métiers | 62, rue de Bretagne |
| G 11 | 3 | Saint-Avoye et Archives | 44, rue de Beaubourg |
| H 11 | 4 | COMMISSARIAT CENTRAL | Place Baudoyer (mairie) |
| H 11 | 4 | Saint-Gervais - Saint-Merri-et-Arsenal | 34, rue de Rivoli |
| I 11 | 5 | COMMISSARIAT CENTRAL | 4, rue de la Montagne-Ste-Gen |
| J 12 | 5 | Poliveau | 38, rue Poliveau |
| H 9 | 6 | COMMISSARIAT CENTRAL | 78, rue Bonaparte (mairie) |
| I 9 | 6 | Notre-Dame-des-Champs - Odéon | 12, rue Jean-Bart |
| H 9 | 6 | Saint-Germain-des-Prés et Monnaie | 14, rue de l'Abbaye |
| G 7 | 7 | COMMISSARIAT CENTRAL | 9, rue Fabert |
| G 8 | 7 | Invalides et École Militaire | 3, rue Aristide-Briand |
| G 6 | 7 | Gros Caillou | 6, rue Amélie |
| H 9 | 7 | Saint-Thomas d'Aquin | 10, rue Perronet |
| F 7 | 8 | COMMISSARIAT CENTRAL | 1, avenue du Général-Eisenhow |
| E 6 | 8 | Faubourg-du-Roule | 206, Faubourg-Saint-Honoré |
| E 8 | 8 | Europe | 1, rue de Lisbonne |
| F 8 | 8 | Madeleine | 31, rue d'Anjou |
| F 6 | 8 | Champs-Élysées | 5, rue Clément-Marot |
| E 10 | 9 | COMMISSARIAT CENTRAL | 12, rue Chauchat |
| E 8 | 9 | Commissariat spécial Gare St-Lazare | 13, rue d'Amsterdam |
| D 9 | 9 | Saint-Georges | 7, rue Ballu |
| E 10 | 9 | Faubourg Montmartre | 21, Faubourg-Montmartre |
| D 10 | 9 | Rochechouart | 50, rue de la Tour-d'Auvergne |
| E 9 | 9 | Chaussée d'Antin | 21, rue Joubert |
| D 12 | 10 | COMMISSARIAT CENTRAL | 26, rue Louis-Blanc |
| E 12 | 10 | Commissariat spécial Gare de l'Est | Place du 8 Mai-1945 |
| D 11 | 10 | Commissariat spécial Gare du Nord | 18, rue de Dunkerque |
| F 11 | 10 | Saint-Vincent-de-Paul | 179, Faubourg Saint-Denis |
| E 11 | 10 | Porte Saint-Denis | 45, rue de Chabrol |
| E 11 | 10 | Porte Saint-Martin | 26, passage du Désir |
| E 13 | 10 | Hôpital Saint-Louis | 40, avenue Claude-Vellefaux |
| G 14 | 11 | COMMISSARIAT CENTRAL | Place Léon-Blum (mairie) |
| G 13 | 11 | Folie-Méricourt - Saint-Ambroise | 19, passage Beslay |
| G 14 | 11 | Roquette | 10, rue Camille-Desmoulins |
| H 14 | 11 | Sainte-Marguerite | 12, rue de Chanzy |
| J 15 | 12 | COMMISSARIAT CENTRAL | 5, rue Bignon |
| I 13 | 12 | Commissariat spécial Gare de Lyon | 20, boulevard Diderot |
| I 16 | 12 | Bel-Air | 36, rue du Rendez-Vous |
| J 14 | 12 | Picpus-Bercy | 163, rue de Charenton |
| I 13 | 12 | Quinze-Vingts | 59, rue Traversière |
| K 11 | 13 | COMMISSARIAT CENTRAL | 144, boulevard de l'Hôpital |
| J 12 | 13 | Commissariat spécial Gare d'Austerlitz | 7, boulevard de l'Hôpital |

| Quartier | Adresse |
|---|---|
| COMMISSARIAT CENTRAL | 114, avenue du Maine |
| Montsouris - Petit-Montrouge | 50, rue Rémy-Dumoncel |
| COMMISSARIAT CENTRAL | 154, rue Lecourbe |
| Commissariat Gare de Montparnasse | 22, place Raoul-Dautry |
| Saint-Lambert | 2, rue Léon-Séché |
| Grenelle - Javel | 38, rue Linois |
| Necker | 45, boulevard Garibaldi |
| COMMISSARIAT CENTRAL | 58, avenue Mozart |
| Porte Dauphine | 75, rue de la Faisanderie |
| Auteuil | 74, rue Chardon-Lagache |
| Auteuil annexe | 3, boulevard Exelmans |
| Chaillot | 4, rue Bouquet-de-Longchamp |
| Muette | 2, rue Bois-le-Vent |
| COMMISSARIAT CENTRAL | |
| Epinettes, Batignolles, Plaine Monceau | 19-21, rue Truffaut |
| Ternes | 161, boulevard Péreire |
| COMMISSARIAT CENTRAL | 77, rue du Mont-Cenis |
| Clignancourt | 122, rue Marcadet |
| Goutte d'or - Chapelle | 50, rue Doudeauville |
| Grandes-Carrières | 5, rue Achille-Martinet |
| COMMISSARIAT CENTRAL | 2, rue André-Dubois |
| Villette - Pont de Flandre | 37, rue de Nantes |
| Amérique | 25, rue Général-Brunet |
| Combat | 10, rue Pradier |
| COMMISSARIAT CENTRAL | 48, avenue Gambetta (mairie) |
| Belleville | 46, rue Ramponeau |
| Saint-Fargeau - Père Lachaise | 46, avenue Gambetta |
| Charonne | 66, rue des Orteaux |

## ACULTÉS - GRANDES ÉCOLES - INSTITUTS
## VERSITY FACULTIES - COLLEGES - INSTITUTES
## FAKULTÄTEN - GR. SCHULEN - INSTITUTE

| | Adresse | Métro |
|---|---|---|
| I.Panthéon-Sorbonne | 12, place du Panthéon | Luxembourg |
| II. Université de Droit | 12, place du Panthéon | Luxembourg |
| III. Centre Censier | 17, rue de la Sorbonne | Saint-Michel |
| III. Centre Censier | 13, rue de Santeuil | Censier-Daubenton |
| IV. Sorbonne | 1, rue Victor-Cousin | Luxembourg |
| IV. Centre du Grand-Palais | Cours de la Reine | Ch.-Elysées-Clemenceau |
| V. René Descartes | 12, rue de l'École-de-Médecine | Odéon |
| VI. Pierre et Marie Curie | 4, place Jussieu | Jussieu |
| VII. | 2, place Jussieu | Jussieu |
| VIII. | Rue de la Liberté | SAINT-DENIS |
| IX (Dauphine) | Pl. du Mal-de-Lattre-de-Tassigny | Porte Dauphine |
| X. (Nanterre) | 200, avenue de la République | Nanterre-Université |
| XI. Paris Sud (Orsay) | 15, rue Georges-Clémenceau | Orsay-Ville |
| XII. Val-de-Marne (Créteil) | Avenue du Général-de-Gaulle | Créteil-Université |
| XII. Nord (Villetaneuse) | Avenue Jean-Baptiste-Clément | Epinay-sur-Seine |
| Cité Universitaire | 19, boulevard Jourdan | Cité Universitaire |
| Conservatoire Nat. des Arts-et-Métiers | 292, rue Saint-Martin | Arts-et-Métiers |
| Conservatoire Nat. de Musique | 211, avenue Jean-Jaurès | Porte de Pantin |
| École Boulle | 9, rue Pierre Bourdan | Reuilly-Diderot |
| École Centrale Arts-et-Métiers (Châtenay-Malabry) | Grande-Voie-des-Vignes | LE PLESSIS-ROBINSON |
| ENA (École Nat. d'Administration) | 13, rue de l'Université | Rue du Bac |
| École Nat. des Arts-et-Métiers | 151, boulevard de l'Hôpital | Campo-Formio |
| École Nat. de Chimie | 11, rue Pirandello | Campo-Formio |
| École Nationale de Commerce | 70, boulevard Bessières | Porte de Clichy |
| École Nat. des Langues Orientales | 2, rue de Lille | Rue du Bac |
| École Nat. des Ponts-et-Chaussées | 28, rue des Saints-Pères | St-Germain-des-Prés |
| École Nat. des Techn. Avancées | 32, boulevard Victor | Place Balard |
| École Nat. Sup. des Arts Décoratifs | 31, rue d'Ulm | Luxembourg |
| École Nat. Sup. des Beaux Arts | 14, rue Bonaparte | St-Germain-des-Prés |
| École Nat. Supérieure de Chimie | 11, rue Pierre-et-Marie-Curie | Luxembourg |
| École Nat. Supérieure des Mines | 60, boulevard Saint-Michel | Luxembourg |
| École Normale Supérieure | 45, rue d'Ulm | Luxembourg |
| École Polytechnique | Route de Saclay | à PALAISEAU |
| École Supérieure d'Electricité | Plateau de Moulon | à GIF-SUR-YVETTE |
| École Nat. Sup. des Travaux Publics | 57, boulevard Saint-Germain | Maubert-Mutualité |
| École Supérieure de la Guerre | Place Joffre | École Militaire |
| Fondation Nat. des Sciences et Techniques | 27, rue Saint-Guillaume | Rue du Bac |
| HEC (Htes Études Commerciales) | 1, rue de la Libération | à JOUY-EN-JOSAS |
| Institut Nationale Agronomique | 16, rue Claude-Bernard | Censier-Daubenton |
| Institut Catholique | 21, rue d'Assas | Saint-Placide |
| Institut du Monde Arabe | 1, rue des Fossés-Saint-Bernard | Cardinal Lemoine |
| Institut Océanographique | 195, rue Saint-Jacques | Luxembourg |
| Institut Pasteur | 28, rue du Docteur-Roux | Pasteur |
| Institut de France | 23, quai de Conti | Pont-Neuf |

## ÔPITAUX - HOSPITALS - KRANKENHÄUSER

| | Hôpital | Adresse | Métro |
|---|---|---|---|
| | Ambroise-Paré | 9, avenue Charles-de-Gaulle | à BOULOGNE-BILLANCOURT |
| | Antoine-Béclère | 157, rue de La-Porte-de-Trivaux | à CLAMART |
| | Beaujon | 100, boulevard Général-Leclerc | à CLICHY |
| | Bégin (Hôpital Militaire) | 69, avenue de Paris | à SAINT-MANDÉ |
| | Bichat-Claude-Bernard | 46, rue Henri-Huchard | Porte de Saint-Ouen |
| | Boucicaut | 78, rue de la Convention | Boucicaut |
| | Broussais | 96, rue Didot | Plaisance |
| 3 | Broca | 54-56, rue Pascal | Les Gobelins |
| 5 | Claudius-Regaud | 26, rue d'Ulm | Luxembourg |
| | Cochin | 27, rue du Fg-Saint-Jacques | Denfert-Rochereau |
| | Corentin-Celton | 37, boulevard Gambetta | à ISSY-LES-MOULINEAUX |
| | Croix St-Simon | 125, rue d'Avron | Porte de Montreuil |
| | Fernand-Widal | 200, rue Faubourg-Saint-Denis | Gare du Nord |
| 2 | Foch | 40, rue Worth à Suresnes (plan Bois de Boulogne) | SNCF- St-Lazare |
| 4 | Henri-Mondor | 51, av. Mar.-de-Lattre-de-Tassigny | à CRÉTEIL |
| 6 | Henri Dunant (Croix Rouge) | 95, rue Michel-Ange | Porte de St-Cloud |
| 2 | Hôpital Américain | 63, boulevard Victor-Hugo | à NEUILLY |
| 2 | Hôpital Britannique | 3, rue Barbès | à LEVALLOIS |
| 3 | Hôpital des Gardiens de la Paix | 35, boulevard Saint-Marcel | Saint-Marcel |
| 4 | Hôpital Paul-Guiraud | 54, avenue de la République | à VILLEJUIF |
| 4 | Hôtel-Dieu | 1, place Parvis-Notre-Dame | Cité |
| 5 | Institut Curie | 26, rue d'Ulm | Luxembourg |
| 7 | Laënnec | 42, rue de Sèvres | Vaneau |
| 13 | La Pitié Salpêtrière | 83, boulevard de l'Hôpital | Saint-Marcel |
| 10 | Lariboisière | 2, rue Ambroise-Paré | Gare du Nord |
| 14 | Léopold-Bellan | 19, rue Vercingétorix | Gaîté |
| 12 | Maison de Santé Les Diaconesses | 18, rue du Sergent-Bauchat | Montgallet |
| 17 | Marmottant | 19, rue d'Armaillé | Argentine |
| 14 | Maternités Port-Royal-Baudelocque | 123, boulevard Port-Royal | Denfert-Rochereau |
| 15 | Necker-Enfants-Malades | 151, rue de Sèvres | Duroc |
| 14 | Notre-Dame-de-Bon-Secours | 66, rue des Plantes | Alésia |
| 15 | Pasteur | 213, rue de Vaugirard | Pasteur |
| 94 | Paul-Brousse | 14, avenue P.V.-Couturier | à VILLEJUIF |
| 9 | Paul Sivadon | 23, rue de la Rochefoucauld | Saint-Georges |
| 13 | Peupliers (Croix Rouge) | 8, place Abbé G.-Hénocque | Tolbiac |
| 12 | Quinze-Vingts | 28, rue de Charenton | Bastille |
| 92 | Raymond-Poincaré | 104, boulevard Raymond Poincaré | à GARCHES |
| 19 | Robert-Debré | 48, boulevard Sérurier | Porte des Lilas |
| 12 | Rothschild | 15, rue Santerre | Bel-Air |
| 14 | Sainte-Anne | 1, rue Cabanis | Glacière |
| 12 | Saint-Antoine | 184, rue Faubourg-Saint-Antoine | Faidherbe-Chaligny |
| 15 | Saint-Jacques | 37, rue des Volontaires | Volontaires |
| 14 | Saint-Joseph | 7, rue Pierre-Larousse | Plaisance |
| 10 | Saint-Lazare | 107, rue Fg-Saint-Denis | Gare de l'Est |
| 10 | Saint-Louis | 2, place du Docteur-Fournier | Goncourt |
| 15 | Saint-Michel | 33, rue Olivier-de-Serre | Porte de Versailles |
| 14 | Saint-Vincent-de-Paul | 74, avenue Denfert-Rochereau | Denfert-Rochereau |
| 13 | Salpêtrière | 47, boulevard de l'Hôpital | Saint-Marcel |

| Plan | | Arr. | Hôpital | Adresse | Métro |
|---|---|---|---|---|---|
| J | 9 | 6 | Tarnier | 89, rue d'Assas | Vavin |
| F | 16 | 20 | Tenon | 4, rue de Chine | Gambetta |
| J | 16 | 12 | Trousseau | 26, rue Dr-Arnold-Netter | Bel-Air |
| H | 9 | 14 | Université de Paris | 42, boulevard Jourdan | Porte d'Orléans |
| J | 10 | 5 | Val-de-Grâce (Hôpital Militaire) | 74, boulevard Port-Royal | Port-Royal |



## GARES DE LA S.N.C.F. - RAILWAY STATIONS - BAHNHÖFE

| Plan | Arr. | Région | Gares | Adresse | Métro |
|---|---|---|---|---|---|
| D 11 | 10 | NORD | Gare du Nord | 18, rue de Dunkerque | 01 45 82 50 50 |
| E 12 | 10 | EST | Gare de l'Est | Place de Strasbourg | 01 45 82 50 50 |
| J 8 | 14-15 | OUEST | Gare Montparnasse | Place Raoul-Dautry | 01 45 82 50 50 |
| E 8 | 8 | OUEST | Gare Saint-Lazare | 13, rue d'Amsterdam | 01 45 82 50 50 |
| G 7 | 7 | RER-C | Gare des Invalides | Esplanade des Invalides | 01 47 05 23 13 |
| J 12 | 13 | SUD-OUEST | Gare d'Austerlitz (Orsay) | 55, quai d'Austerlitz | 01 45 82 50 50 |
| J 13 | 12 | SUD-EST | Gare de Lyon | 20, boulevard Diderot | 01 45 82 50 50 |

## AÉROGARES - AIRPORT TERMINALS - FLUGHAFENTERMINALS

| Plan | Arr. | | Adresse | N° de téléphone |
|---|---|---|---|---|
| G 7 | 7 | AÉROGARE DES INVALIDES | Esplanade des Invalides | 01 43 23 97 10 |
| E 4 | 17 | AÉROGARE PORTE MAILLOT | Place de la Porte-Maillot | 01 42 99 20 18 |
| E 5 | 17 | TERMINAL ÉTOILE | 11, avenue Carnot | 01 42 99 20 18 |

## AÉROPORTS - AIRPORTS - FLUGHAFEN

| | N° de téléphone |
|---|---|
| AÉROPORT DU BOURGET | 01 48 62 12 12 |
| AÉROPORT D'ORLY | 01 49 75 15 15 |
| AÉROPORT DE ROISSY - CHARLES-DE-GAULLE | 01 48 62 22 80 |
| AÉROPORT DE TOUSSUS-LE-NOBLE | 01 39 56 61 49 |
| HÉLIPORT DE PARIS-ISSY | 01 45 54 04 44 |

## COMPAGNIES AÉRIENNES - AIR COMPANIES
## LUFTFAHRTGESELLSCHAFTEN

| Plan | | Arr. | Compagnies aériennes | Adresse | Métro |
|---|---|---|---|---|---|
| F | 9 | 2 | Aer Lingus | 47, avenue de l'Opéra | Pyramides |
| F | 7 | 8 | Aeroflot | 33, avenue des Champs-Élysées | Fr.-D.-Roosevelt |
| F | 6 | 8 | Aerolinas Argentinas | 77, avenue des Champs-Élysées | George-V |
| F | 9 | 9 | Aero Mexico | 12, rue Auber | Opéra |
| F | 6 | 8 | Air Afrique | 104, avenue des Champs-Élysées | George-V |
| F | 9 | 1 | Air Algérie | 28, avenue de l'Opéra | Pyramides |
| J | 7 | 15 | Air Canada | 109, rue du Faubourg-Saint-Honoré | St-Philippe-du-Roule |
| F | 6 | 8 | AIR FRANCE | 119, avenue des Champs-Élysées | George-V |
| F | 7 | 8 | Air Gabon | 4, avenue Franklin-Roosevelt | Fr.-D-Roosevelt |
| F | 9 | 9 | Air India | 1, rue Auber | Opéra |
| F | 6 | 8 | AIR INTER | 49, avenue des Champs-Élysées | Fr.-D-Roosevelt |
| F | 9 | 1 | Air Lanka | 18, rue Thérèse | Pyramides |
| I | 15 | 11 | Air Madagascar | 29-31, rue des Boulets | Boulets-Montreuil |
| F | 9 | 9 | Air Mauritius | 8, rue Halévy | Opéra |
| F | 8 | 1 | Air Portugal | 9, boulevard de la Madeleine | Madeleine |
| F | 9 | 2 | Alitalia | 43-45, avenue de l'Opéra | Opéra |
| E | 7 | 8 | American Airlines | 109, rue du Faubourg-Saint-Honoré | St-Philippe-du-Roule |
| F | 8 | 8 | Austrian Airlines | 9, boulevard Malesherbes | Madeleine |
| F | 9 | 1 | British Airways | 13, boulevard de la Madeleine | Madeleine |
| F | 8 | 8 | China Airlines | 10, boulevard de Malesherbes | Madeleine |
| F | 9 | 9 | Delta Air Lines | 4, rue Scribe | Opéra |
| F | 9 | 9 | Egypt Air | 1 bis, rue Auber | Opéra |
| F | 9 | 2 | El-Al | 24, boulevard des Capucines | Opéra |
| E | 9 | 9 | Finnair | 11, rue Auber | Opéra |
| F | 9 | 9 | Ibéria | 1, rue Scribe | Opéra |
| F | 7 | 8 | Iran Air | 33, avenue des Champs-Élysées | Fr.-D-Roosevelt |
| F | 6 | 8 | Japan Airlines | 75, avenue des Champs-Élysées | George-V |
| F | 9 | 2 | K.L.M. | 36 bis, avenue de l'Opéra | Opéra |
| F | 6 | 8 | Libyan Arab Airlines | 90, avenue ds Champs-Élysées | George-V |
| F | 8 | 8 | Lufthansa | 21-23, rue Royale | Concorde |
| E | 6 | 9 | Olympic Airways | 3, rue Auber | Opéra |
| F | 7 | 8 | Pakistan Airlines | 90, avenue des Champs-Élysées | Ch.-de-Gaulle-Étoile |
| F | 9 | 2 | Royal Air Maroc | 34, avenue de l'Opéra | Opéra |
| F | 9 | 2 | SABENA | 19, rue de la Paix | Opéra |
| F | 9 | 9 | SAS | 30, boulevard des Capucines | Opéra |
| F | 9 | 2 | Swissair | 38, avenue de l'Opéra | Opéra |
| F | 9 | 2 | Tunis Air | 17, rue Daunou | Opéra |
| F | 6 | 8 | TWA | 101, avenue des Champs-Élysées | George-V |
| F | 8 | 8 | UTA | 3, boulevard Malesherbes | Madeleine |
| F | 7 | 8 | Varig Airlines | 27, avenue des Champs-Élysées | Fr.-D.-Roosevelt |
| F | 9 | 2 | Viasa | 5, boulevard des Capucines | Opéra |

## CULTES - WORSHIP - GOTTESDIENSTE
## ÉGLISES CATHOLIQUES - CATHOLIC CHURCHES
## KATHOLISCHE KIRCHEN

| Plan | | Arr. | Église | Adresse | Métro |
|---|---|---|---|---|---|
| H | 8 | 7 | Archevêché | 30, rue Barbet-de-Jouy | St-François-Xavier |
| H | 15 | 11 | Bon Pasteur | 181, rue de Charonne | BAGNOLET |
| I | 16 | 12 | Immaculée-Conception | 34, rue du Rendez-vous | Picpus |
| F | 8 | 8 | Madeleine | Place de la Madeleine | Madeleine |
| H | 11 | 4 | Notre-Dame | Place du Parvis-Notre-Dame | Cité |
| I | 8 | 6 | Notre-Dame-des-Anges | 102, rue de Vaugirard | Saint-Placide |
| H | 2 | 16 | Notre-Dame-de-l'Assomption | 88, rue de l'Assomption | Ranelagh |
| I | 2 | 16 | Notre-Dame-d'Auteuil | 2, place d'Auteuil | Église-d'Auteuil |
| K | 14 | 12 | Notre-Dame-de-Bercy | Place Lachambeaudie | Dugommier |
| G | 11 | 4 | Notre-Dame-des-Blancs-Manteaux | 12, rue des Blancs-Manteaux | Rambuteau |
| B | 11 | 18 | Notre-Dame-du-Bon-Conseil | 140, rue de Clignancourt | Simplon |
| F | 11 | 2 | Notre-Dame-de-Bonne-Nouvelle | 25 bis, rue de la Lune | Bonne-Nouvelle |
| J | 8 | 6 | Notre-Dame-des-Champs | 91, boulevard du Montparnasse | Montp.-Bienvenue |
| C | 10 | 18 | Notre-Dame-de-Clignancourt | 2, place Jules-Joffrin | Jules-Joffrin |
| F | 6 | 8 | Notre-Dame-de-Consolation | 23, rue Jean-Goujon | Alma-Marceau |
| F | 14 | 20 | Notre-Dame-de-la-Croix | 2 bis, rue Julien-Lacroix | Ménilmontant |
| H | 13 | 11 | Notre-Dame-de-l'Espérance | 2-4, rue Commandant-Lamy | Bréguet-Sabin |
| L | 13 | 13 | Notre-Dame-de-la-Gare | Place Jeanne-d'Arc | Nationale |
| H | 4 | 16 | Notre-Dame-de-Grâce-de-Passy | 10, rue de l'Annonciation | Passy |
| E | 10 | 9 | Notre-Dame-de-Lorette | 18, rue de Châteaudun | N.-D.-de-Lorette |
| F | 16 | 20 | Notre-Dame-de-Lourdes | 113, rue du Pelleport | Pelleport |
| G | 14 | 11 | Notre-Dame-Perpétuel-Secours | 6, passage René-Villerme | Père-Lachaise |
| L | 7 | 14 | Notre-Dame-du-Rosaire-de-Plaisance | 174, rue Raymond-Losserand | Porte de Vanves |
| K | 7 | 14 | Notre-Dame-de-Travail-de-Plaisance | 59, rue Vercingétorix | Gaîté |
| K | 6 | 15 | Notre-Dame-de-la-Salette | 27, rue Dantzig | Convention |
| F | 10 | 2 | Notre-Dame-des-Victoires | Place des Petits-Pères | Bourse |
| C | 10 | 18 | Sacré-Cœur | 31, rue Chevalier-de-la-Barre | Anvers |
| G | 13 | 11 | St-Ambroise-de-Popincourt | 71 bis, boulevard Voltaire | Saint-Ambroise |
| L | 11 | 13 | St-Anne-de-la-Maison-Blanche | 186, rue de Tolbiac | Tolbiac |
| D | 9 | 8 | St-André-d'Antin | 24 bis, rue Léningrad | Place de Clichy |
| L | 5 | 15 | St-Antoine-de-Padoue | 52, boulevard Lefebvre | Porte de Versailles |
| I | 13 | 12 | St-Antoine-des-Quinze-Vingts | 66, avenue Ledru-Rollin | Ledru-Rollin |
| E | 8 | 8 | St-Augustin | 46, boulevard Malesherbes | Saint-Augustin |
| C | 11 | 18 | St-Bernard-de-la-Chapelle | 11, rue Affre | La Chapelle |
| D | 7 | 17 | St-Charles-de-Monceau | 22 bis, rue Legendre | Malesherbes |
| J | 4 | 15 | St-Christophe-de-Javel | 28, rue de la Convention | Javel-André Citröen |
| C | 15 | 19 | Ste-Claire | Boulevard Sérurier | Porte de Pantin |
| G | 8 | 7 | Ste-Clotilde | 23 bis, rue Las-Cases | Solférino |
| C | 12 | 18 | St-Denis-de-la-Chapelle | 96, rue de la Chapelle | Marx Dormoy |
| G | 12 | 3 | St-Denis-du-St-Sacrement | 68 bis, rue de Turenne | St-Sébastien-Froiss. |
| K | 9 | 14 | St-Dominique | 18, rue de la Tombe-Issoire | Saint-Jacques |
| F | 12 | 3 | Ste-Élisabeth | 195 , rue du Temple | Temple |

32

| Plan | Arr. | Église | Adresse | Métro |
|---|---|---|---|---|
| J 15 | 12 | St-Éloi | 36, rue de Reuilly | Reuilly-Diderot |
| J 16 | 12 | St-Esprit | 7, rue Cannebière | Daumesnil |
| I 10 | 5 | St-Étienne-du-Mont | 1, place Ste-Geneviève | Cardinal-Lemoine |
| E 10 | 9 | St-Eugène | 4 bis, rue Ste-Cécile | Bonne-Nouvelle |
| G 10 | 1 | St-Eustache | 2, rue du Jour | Les Halles |
| E 5 | 17 | St-Ferdinand-des-Ternes | 27, rue d'Armaillé | Argentine |
| D 15 | 19 | St-François-d'Assise | 7, rue de la Mouzaïa | Botzaris |
| D 6 | 17 | St-François-de-Sales | 6, rue Brémontier | Wagram |
| D 6 | 17 | St-François-de-Sales | 15, rue Ampère | Wagram |
| I 7 | 7 | St-François-Xavier | Place du Président-Mithouard | St-François-Xavier |
| I 16 | 20 | St-Gabriel | 5, rue des Pyrénées | Porte de Vincennes |
| B 9 | 18 | Ste-Geneviève-des-Gr.-Carrières | 174, rue Championnet | Porte Saint-Ouen |
| D 13 | 19 | St-Georges | 114, avenue Simon-Bolivar | Bolivar |
| G 10 | 1 | St-Germain-l'Auxerrois | 2, place du Louvre | Louvre-Rivoli |
| G 16 | 20 | St-Germain-de-Charonne | 4, place St-Blaise | Martin-Nadaud |
| H 9 | 6 | St-Germain-des-Prés | 3, place Saint-Germain-des-Prés | St-Germ.-des-Prés |
| H 11 | 4 | St-Gervais-St-Protais | 2, rue François-Miron | Hôtel-de-Ville |
| B 10 | 18 | Ste-Hélène | 102, rue du Ruisseau | Pte de Clignancourt |
| M 12 | 13 | St-Hippolyte | 27, avenue de Choisy | Porte de Choisy |
| F 4 | 16 | St-Honoré-d'Eylau | 9, place Victor-Hugo | Victor-Hugo |
| F 4 | 16 | St-Honoré-d'Eylau (cité) | 66, avenue Raymond-Poincaré | Victor-Hugo |
| J 10 | 5 | St-Jacques-du-Haut-Pas | 252 bis, rue Saint-Jacques | Luxembourg |
| C 14 | 19 | St-Jacques-St-Christ.-de-la-Villette | 158 bis, rue de Crimée | Crimée |
| E 15 | 19 | St-Jean-Baptiste-de-Belleville | 139, rue de Belleville | Jourdain |
| J 5 | 15 | St-Jean-Baptiste-de-Grenelle | Place Félix-Faure | Félix-Faure |
| J 7 | 15 | St-Jean-Baptiste-de-la-Salle | 9, rue du Docteur-Roux | Pasteur |
| H 16 | 20 | St-Jean-Bosco | 42, rue Planchat | BAGNOLET |
| D 10 | 18 | St-Jean-de-Montmartre | 19, rue des Abbesses | Abbesses |
| G 12 | 3 | St-Jean-St-François | 6 bis, rue Charlot | Filles-du-Calvaire |
| C 12 | 18 | Ste-Jeanne-d'Arc (basilique) | 98, rue de la Chapelle | Marx-Dormoy |
| J 1 | 16 | Ste-Jeanne-de-Chantal | Rue Lieutenant-Colonel-Deport | Pte de Saint-Cloud |
| F 13 | 11 | St-Joseph | 161, rue St-Maur | Goncourt |
| I 9 | 6 | St-Joseph-des-Carmes | 70, rue Vaugirard | Saint-Placide |
| B 8 | 17 | St-Joseph-des-Épinettes | 40, rue Pouchet | Brochant |
| H 10 | 5 | St-Julien-le-Pauvre | Rue Saint-Julien-le-Pauvre | St-Michel |
| J 6 | 15 | St-Lambert-de-Vaugirard | 1, rue Gerbert | Vaugirard |
| E 12 | 10 | St-Laurent | 68 bis, boulevard de Strasbourg | Gare de l'Est |
| I 5 | 15 | St-Léon | 6, place du Cardinal-Amette | Dupleix |
| G 11 | 1 | St-Leu | 92, rue St-Denis | Etienne-Marcel |
| E 9 | 9 | St-Louis d'Antin | 63, rue Caumartin | Havre-Caumartin |
| I 11 | 4 | St-Louis-en-l'Ile | 19 bis, rue Saint-Louis-en-l'Ile | Pont-Marie |
| H 7 | 7 | St-Louis-des-Invalides | 2, avenue de Tourville | Varenne |
| K 12 | 13 | St-Marcel-de-la-Salpêtrière | 82, boulevard de l'Hôpital | Saint-Marcel |
| H 14 | 11 | Ste-Marguerite | 36, rue Saint-Bernard | Faidherbe-Chaligny |
| C 8 | 17 | Ste-Marie-des-Batignolles | 63, rue Legendre | Rome |
| F 12 | 10 | St-Martin-des-Champs | 36, passage des Marais | Jacques Bonsergent |
| J 11 | 5 | St-Médard | 41, rue Mouffetard | Censier-Daubenton |
| G 11 | 4 | St-Merri | 78, rue Saint-Martin | Hôtel-de-Ville |
| C 8 | 17 | St-Michel-des-Batignolles | 12 bis, rue Saint-Jean | La Fourche |
| F 11 | 3 | St-Nicolas-des-Champs | 254, rue Saint-Martin | Arts-et-Métiers |
| I 10 | 5 | St-Nicolas-du-Chardonnet | 39, boulevard St-Germain | Maubert-Mutualité |
| C 5 | 17 | Ste-Odile | 2, avenue Stéphane-Mallarmé | Pte Champerret |
| H 12 | 4 | St-Paul-St-Louis | 99, rue Saint-Antoine | Saint-Paul |
| E 7 | 8 | St-Philippe-du-Roule | 154, Faubourg-St-Honoré | St-Philippe-du-Roule |
| F 6 | 16 | St-Pierre-de-Chaillot | 26, rue de Chaillot - 33, avenue Marceau | Alma-Marceau |
| G 6 | 7 | St-Pierre-du-Gros-Caillou | 92, rue St-Dominique | École Militaire |
| C 10 | 18 | St-Pierre-de-Montmartre | 2, rue du Mont-Cenis | Abbesses |
| L 8 | 14 | St-Pierre-du-Petit-Montrouge | 82, avenue du Général-Leclerc | Alésia |
| FG 9 | 1 | St-Roche | 296, rue St-Honoré | Pyramides |
| H 10 | 5 | St-Séverin | 1, rue des Prêtres-St-Séverin | Saint-Michel |
| I 9 | 6 | St-Sulpice | Place Saint-Sulpice | Saint-Sulpice |
| H 9 | 7 | St-Thomas-d'Aquin | Place St-Thomas-d'Aquin | Rue du Bac |
| E 11 | 10 | St-Vincent-de-Paul | 109, place Franz-Liszt | Poissonnière |
| E 9 | 9 | Trinité | Place Estienne-d'Orves | Trinité |
| J 10 | 5 | Val-de-Grâce | 277, rue St-Jacques | Port-Royal |

## ÉGLISES RÉFORMÉES DE FRANCE - REFORMED FRENCH CHURCHES - REFORMIERTE FRANZOSISCHE KIRCHEN

| Plan | Arr. | Temple | Adresse | Métro |
|---|---|---|---|---|
| E 14 | 19 | Bon Foyer de Belleville | 8, avenue Simon-Bolivar | Bolivar |
| E 11 | 10 | Église Réformée de la Rencontre | 17, rue des Petits-Hôtels | Gare du Nord |
| I 6 | 15 | Foyer de Grenelle | 19, rue de l'Avre | Motte-Picquet-Grenelle |
| F 7 | 8 | Mission Réformée Hongroise | 17, rue Bayard | Franklin-D.-Roosevelt |
| J 15 | 12 | Oratoire des Diaconesses | 95, rue de Reuilly | Montgallet |
| I 2 | 16 | Temple d'Auteuil | 53, rue Erlanger | Michel-Ange-Auteuil |
| D 8 | 17 | Temple des Batignolles | 44, boulevard des Batignolles | Rome |
| F 14 | 20 | Temple de Belleville | 97, rue Julien-Lacroix | Belleville |
| K 15 | 12 | Temple de Bercy | 5, rue de Lancette | Dugommier |
| G 16 | 20 | Temple de Béthanie | 185-187, rue des Pyrénées | Gambetta |
| E 4 | 17 | Temple de l'Étoile | 54-56, avenue Grande-Armée | Argentine |
| H 13 | 11 | Temple « Le Foyer de l'Ame » | 7 bis, rue du Pasteur-Wagner | Bréguet-Sabin |
| H 14 | 11 | Temple « Le Foyer Evangélique » | 153, avenue Ledru-Rollin | Voltaire |
| I 9 | 6 | Temple du Luxembourg | 58, rue Madame | Saint-Sulpice |
| J 11 | 5 | Temple « La Maison Fraternelle » | 37, rue Tournefort | Place Monge |
| B 11 | 18 | Temple de Montmartre | 23, rue Simplon | Simplon |
| G 9 | 1 | Temple de l'Oratoire | 147, rue St-Honoré | Palais Royal-M. du Louvre |
| G 4 | 16 | Temple de Passy | 19, rue Cortambert | Trocadéro |
| I 5 | 15 | Temple de Pentémont | 106, boulevard de Grenelle | Rue du Bac |
| K 8 | 14 | Temple de Plaisance | 95, rue de l'Ouest | Gaîté |
| K 11 | 14 | Temple de Port-Royal | 18, boulevard Arago | Les Gobelins |
| E 8 | 8 | Temple du Saint-Esprit | 5, rue Roquépine | Saint-Augustin |
| H 12 | 4 | Temple Ste-Marie | 17, rue St-Antoine | Bastille |

## CULTE PROTESTANT LUTHÉRIEN - PROTESTANT LUTHERAN RELIGION – LUTHERANISCHER GOTTESDIENST

| Plan | Arr. | Temple | Adresse | Métro |
|---|---|---|---|---|
| D 7 | 17 | Temple de l'Ascension | 47, rue Dulong | Rome |
| G 11 | 4 | Temple Billettes | 24, rue des Archives | Hôtel-de-Ville |
| H 14 | 11 | Temple du Bon-Secours | 20, rue Titon | Faidherbe-Chaligny |
| E 10 | 9 | Temple de la Rédemption | 16, rue Chauchat | Le Peletier |
| J 6 | 15 | Temple de la Résurrection | 8, rue Quinault | Commerce |
| H 6 | 7 | Temple Saint-Jean | 147, rue de Grenelle | La Tour-Maubourg |
| J 10 | 5 | Temple Saint-Marcel | 24, rue Pierre-Nicole | Port-Royal |
| C 11 | 18 | Temple Saint-Paul | 90, boulevard Barbès | Marcadet-Poissonniers |
| K 12 | 13 | Temple de la Trinité | 172, boulevard Vincent-Auriol | Place d'Italie |
| D 15 | 19 | Temple de la Villette | 55, rue Manin | Buttes-Chaumont |

## CHAPELLES ÉTRANGÈRES CATHOLIQUES - FOREIGN CATHOLIC CHAPELS - AUSLANDISCHE KATHOLISCHE KIRCHEN

| Plan | Arr. | Nationalité | Église | Adresse | Métro |
|---|---|---|---|---|---|
| H 18 | 6 | | Église dioc. des Étrangers | 33, rue de Sèvres | Sèvres-Babylone |
| F 4 | 16 | Allemande | Chap. Albert-le-Grand | 38, rue Spontini | Porte Dauphine |
| E 6 | 8 | Anglaise | St-Joseph's Church | 50, avenue Hoche | Ch.-de-Gaulle-Etoile |
| D 13 | 10 | Belge | Mission Belge | 228, rue La Fayette | Louis-Blanc |
| G 3 | 16 | Espagnole | Église Espagnole | 51 bis, rue de la Pompe | Rue de la Pompe |
| E 6 | 8 | Espagnole | Chap. du Corpus-Christi | 23, avenue de Friedland | George-V |
| F 12 | 10 | Hongroise | Mission Hongroise | 42, rue Albert-Thomas | République |
| C 8 | 17 | Hollandaise | Mission Hollandaise | 39, rue du Dr-Heulin | La Fourche |
| I 15 | 11 | Italienne | Chapelle Italienne | 46, rue de Montreuil | Avron |
| D 13 | 10 | Luxembourg | Église St-Joseph | 214, rue La Fayette | Louis-Blanc |
| FG9 | 1 | Polonaise | Mission Polonaise | 263 bis, rue St-Honoré | Madeleine |

## ÉGLISES BAPTISTES - BAPTIST CHURCHES - BAPTISTENKIRCHEN

| Plan | Arr. | Église | Adresse | Métro |
|---|---|---|---|---|
| D 8 | 8 | Association Évangélique | 22, rue de Naples | Villiers |
| H 18 | 7-15 | Église Paris-Centre | 72, rue de Sèvres | Duroc |
| K 8 | 14 | Église du Maine | 123, avenue du Maine | Alésia |
| B 9 | 18 | Église du Tabernacle | 163 bis, rue Belliard | Porte de Saint-Ouen |

## CULTE MAHOMÉTAN

| Plan | Arr. | | Adresse | Métro |
|---|---|---|---|---|
| J 11 | 5 | Mosquée de Paris | Place du Puits de l'Ermite | Place M |

## ÉGLISE PROTESTANTES ÉTRANGÈRES - FOREIGN PROT CHURCHES - AUSLANDISCHE PROTESTANTISCHE KI

| Plan | Arr. | Nationalité | Église | Adresse | Métr |
|---|---|---|---|---|---|
| G 7 | 7 | Américaine | American Church | 65, quai d'Orsay | Alma |
| F 6 | 8 | Américaine | Church of Holy Trinity | 23, avenue George-V | Alma |
| F 8 | 8 | Anglaise | Church of England | 5, rue d'Aguesseau | Made |
| F 5 | 16 | Anglaise | St-George English Church | 7, rue A.-Vacquerie | Klébe |
| E 6 | 8 | Danoise | Église | 17, rue Lord-Byron | Georg |
| E 8 | 8 | Anglaise | Wesleyan Methodist | 4, rue Roquépine | Saint- |
| F 7 | 8 | Ecossaise | Church of Scotland | 17, rue Bayard | Fr.-D.- |
| E 5 | 17 | Hollandaise | Église | 56, avenue Grande-Armée | Argen |
| D 6 | 17 | Suédoise | Église | 9, rue Médéric | Courc |

## ÉGLISES ORTHODOXES - ORTHODOX CHURCHE ORTHODOXE KIRCHEN

| Plan | Arr. | Nationalité | Église | Adresse |
|---|---|---|---|---|
| F 7 | 8 | Église Arménienne | | 15, rue Jean-Goujon |
| L 10 | 13 | Église Française | St-Irénée | 96, bd Auguste-Blanqui |
| D 9 | 9 | Église Grecque | St-Constantin-Ste-Hél. | 28, rue Laferrière |
| F 6 | 16 | Église Grecque | St-Étienne | 7, rue Georges-Bizet |
| E 6 | 8 | Église Russe | St-Alexandre-Newsky | 12, rue Daru |
| J 6 | 15 | Église Russe | Ste-Séraphine-de-Sarov. | 91, rue Lecourbe |
| D14 | 19 | Église Russe | St-Serge | 93, rue de Crimée |
| B 11 | 18 | Église Serbe | St-Sava | 23, rue du Simplon |

## SYNAGOGUES - SYNAGOGUES - SYNAGOGE

| Plan | Arr. | Adresse | Métro |
|---|---|---|---|
| F 12 | 3 | 15, rue Notre-Dame-de-Nazareth | Temple |
| H 12 | 4 | 26 bis, rue des Tournelles | Chemin |
| H 12 | 4 | 10, rue Pavée | Saint-P |
| J 10 | 5 | 9, rue Vauquelin | Censier |
| E 9 | 9 | 44, rue de la Victoire | N.-D.-de |
| E 10 | 9 | 6, rue Ambroise-Thomas | Poisson |
| E 9 | 9 | 18, rue Saint-Lazare | N.-D.-de |
| E 10 | 9 | 28, rue Buffault | Cadet |
| H 13 | 11 | 84, rue de la Roquette | Bréguet |
| I 6 | 15 | 14, rue Chasseloup-Laubat | Cambron |
| F 5 | 16 | 24, rue Copernic | Victor-H |
| B 10 | 18 | 13, rue Sainte-Isaure | Jules-Jo |
| F 14 | 20 | 75, rue Julien-Lacroix | Belleville |

## CIMETIÈRES - CIMETERIES - FREIDHÖFE

| Plan | Arr. | Cimetière | Adresse | Métro |
|---|---|---|---|---|
| J 2 | 16 | Auteuil | 57, rue Claude-Lorrain | Exelma |
| Dép t | 92 | Bagneux | Avenue Marx-Dormoy | à BAG |
| B 8 | 17 | Batignolles | 8, rue Saint-Just | Porte c |
| E 16 | 20 | Belleville | 40, rue du Télégraphe | Télégra |
| K 15 | 12 | Bercy | 329, rue de Charenton | Porte d |
| G 16 | 20 | Charonne | Place Saint-Blaise | Maraîc |
| Dépt | 92 | Cimetière pour chiens et autres animaux | Pont de Clichy | à ASNI |
| M 11 | 13 | Gentilly | 5, rue Ste-Hélène | Porte-d |
| J 14 | 15 | Grenelle | 174, rue Saint-Charles | Charles |
| Dépt | 94 | Ivry | 44, avenue de Verdun | à IVRY |
| Dépt | 93 | La Chapelle | 38, avenue du Président-Wilson | à SAIN |
| C 9 | 18 | Montmartre | 20, avenue Rachel | Blanch |
| J 8 | 14 | Montparnasse | 3, boulevard Edgard-Quinet | Raspail |
| M 8 | 14 | Montrouge | 18, av. de la Porte-de-Montrouge | Porte d' |
| Dépt | 93 | Pantin | Avenue du Général-Leclerc | à PANT |
| G 4 | 16 | Passy | 2, rue du Command.-Schloesing | Trocadé |
| G 15 | 20 | Père-Lachaise | Boulevard de Ménilmontant | |
| G 15 | 20 | Père-Lachaise | 16, rue du Repos | Père-La |
| J 16 | 12 | Picpus | 35, rue de Picpus | Picpus |
| K 17 | 12 | Saint-Mandé | Rue du Gal-Archinard | Porte-D |
| Dépt | 93 | Saint-Ouen | Avenue Michelet | à ST-OU |
| C 10 | 18 | Saint-Vincent | 6, rue Lucien-Gaulard | Lamarck |
| Dépt | 94 | Thiais | Route de Fontainebleau | à THIAIS |
| L 16 | 12 | Valmy | Avenue Porte-de-Charenton | Porte de |
| K 4 | 15 | Vaugirard | 320, rue Lecourbe | Lourmel |
| D 15 | 19 | Villette (La) | 46, rue d'Hautpoul | Botzaris |

# LOISIRS - PROMENADES - SPECTACLES

## OFFICE DE TOURISME - TOURIST OFFICES - REISEBÜR

| Plan | Arr. | Office de tourisme | Adresse | Métro |
|---|---|---|---|---|
| F 8 | 8 | Automobile-Club de France | 6, place de la Concorde | Concorde |
| E 6 | 17 | Automobile-Club de l'Ile-de-France | 14, avenue de la Grande-Armée | Argentine |
| F 9 | 2 | Intourist (U.R.S.S.) | 7, boulevard des Capucines | Opéra |
| F 8 | 1 | Office Allemand de Tourisme | 9, boulevard de la Madeleine | Madelein |
| E 8 | 9 | Office Britannique de Tourisme | 19, rue des Mathurins | Havre-Ca |
| F 8 | 8 | Office du Tour. des États-Unis | 2, avenue Gabriel | Concorde |
| E 6 | 8 | Office du Tourisme de Paris | 127, avenue des Champs-Élysées | George-V |
| F 6 | 8 | Office Espagnol de Tourisme | 43 ter, av. Pierre-1er-de-Serbie | Alma-Ma |
| F 9 | 2 | Office Italien du Tour. E.N.I.T. | 23, rue de la Paix | Opéra |
| E 6 | 8 | Office National du Tour. du Danemark | 142, avenue des Champs-Élysées | George-V |
| F 9 | 9 | Office National du Tour. du Portugal | 7, rue Scribe | Opéra |
| F 9 | 2 | Office National Israélien du Tourisme | 14, rue de la Paix | Opéra |
| G 9 | 1 | Office National Marocain de Tour. | 161, rue St-Honoré | Palais Ro du Louv |
| F 7 | 8 | Office National Neerland. de Tour. | 31, avenue des Champs- Élysées | Fr.-D.-Roo |
| F 9 | 9 | Office National Suisse du Tourisme | 11 bis, rue Scribe | Opéra |
| D 12 | 10 | Tourisme et Travail | 187, quai de Valmy | Louis-Blar |

## ATTRACTIONS - ATTRACTIONS - ATTRAKTIONEN

| Plan | Arr. | Attraction | Adresse | Métro |
|---|---|---|---|---|
| Dépt. | 94 | Disneyland-Paris | Marne-la-Vallée | RER A - Ch |
| E 5 | 16 | Jardin d'Acclimatation | Bois de Boulogne | Les Sablon |
| B 14 | 19 | La Villette-La Géode | Avenue Corentin-Cariou | Porte de la |
| C 15 | 19 | La Villette-La Grande-Halle | 211, avenue Jean-Jaurès | Porte de P |
| F 10 | 9 | Musée Grévin | 10, boulevard Montmartre | Rue Montn |
| K 4 | 15 | Palais des Sports | Porte de Versailles | Porte de Ve |
| J 14 | 12 | Palais Omnisports Paris-Bercy | 8, boulevard de Bercy | Bercy |
| H 5 | 7 | Tour Eiffel | Champ-de-Mars | Bir-Hakeim |
| H C | 12 | Zoo | Bois de Vincennes | Porte Doré |

32

## CABARETS - CABARET - CABARETS

| abaret | Adresse | Métro |
|---|---|---|
| baye (l') | 22, rue Jacob | St-Germain-des-Prés |
| cazar | 62, rue Mazarine | Odéon |
| lle-Époque | 36, rue des Petits-Champs | Pyramides |
| veau des Oubliettes | 11, rue St-Julien-le-Pauvre | Saint-Michel |
| Club St-Germain-des-Prés | 13, rue Saint-Benoît | St-Germain-des-Prés |
| azy Horse | 12, avenue George-V | Alma-Marceau |
| n Camillo | 10, rue des Saints-Pères | St-Germain-des-Prés |
| helle de Jacob | 10, rue Jacob | St-Germain-des-Prés |
| pin Agile | 22, rue des Saules | Lamarck-Caulaincourt |
| Lido | 116b, avenue des Champs-Élysées | George-V |
| axim's | 3, rue Royale | Concorde |
| ichou (chez) | 80, rue des Martyrs | Pigalle |
| ouvelle Ève | 25, rue Fontaine | Pigalle |
| aradis Latin | 28, rue Cardinal-Lemoine | Cardinal-Lemoine |
| aspoutine (chez) | 58, rue de Bassano | George-V |
| héhérazade | 3, rue de Liège | Liège |
| lla d'Este | 4, rue Arsène-Houssaye | Ch.-de-Gaulle-Étoile |

## CHANSONNIERS - CHANSONNIER (SATIRICAL CLUB SINGERS) - CHANSONNIERS

| Chansonnier | Adresse | Métro |
|---|---|---|
| Caveau de la République | 1, boulevard Saint-Martin | République |
| Deux-Anes | 100, boulevard de Clichy | Place de Clichy |

## CINÉMAS - CINEMAS - KINOS

| Cinéma | Adresse | Métro |
|---|---|---|
| Balzac | 1, rue Balzac | George-V |
| Biarritz | 79, avenue des Champs-Élysées | George-V |
| Bretagne | 72, boulevard du Montparnasse | Montp.-Bienvenüe |
| Champollion | 51, rue des Écoles | Maub.-Mutualité |
| Ermitage | 72, avenue des Champs-Élysées | Fr.-D.-Roosevelt |
| Gambetta | 6, rue Belgrand | Gambetta |
| Gaumont-Ambassade-Alésia | 73, avenue du Général-Leclerc | Alésia |
| Gaumont-Ambassade | 50, avenue des Champs-Élysées | Fr.-D.-Roosevelt |
| Gaumont-Convention | 27, rue Alain-Chartier | Convention |
| Gaumont-Élysées | 66, avenue des Champs-Élysées | Fr.-D.-Roosevelt |
| Gaumont-Parnasse | 82, boulevard du Montparnasse | Montparnasse-Bienvenüe |
| George-V | 146, avenue des Champs-Élysées | George-V |
| Hautefeuille | 7, rue Hautefeuille | Saint-Michel |
| Kinopanorama | 60, avenue de la Motte-Picquet | La Motte-Picquet-Grenelle |
| La Géode | 26, rue Corentin-Cariou | Porte de la Villette |
| Le Français | 38, boulevard des Italiens | Opéra |
| Mac-Mahon | 5,avenue Mac-Mahon | Ch.-de-Gaulle-Étoile |
| Miramar | 3, rue du Départ | Montparnasse |
| Mistral | 70, avenue du Général-Leclerc | Alésia |
| Marignan | 31, avenue des Champs-Élysées | Fr.-D.-Roosevelt |
| Nation | 133, boulevard Diderot | Nation |
| Normandie | 116, avenue des Champs-Élysées | George-V |
| Pagode | 57 bis, rue de Babylone | St-François-Xavier |
| Panthéon | 13, rue Victor-Cousin | Luxembourg |
| Paramount-Opéra | 2, boulevard des Capucines | Opéra |
| Pathé-Clichy | 8, avenue de Clichy | Place de Clichy |
| Pathé-Montparnasse | 74, boulevard du Montparnasse | Montparnasse |
| Publicis-Champs-Élysées | 129, avenue des Champs-Élysées | Ch.-de-Gaulle-Étoile |
| Publicis-Matignon | Rond-Point des Champs-Élysées | Fr.-D.-Roosevelt |
| Publicis-St-Germain | 149, boulevard Saint-Germain | St-Germain-des-Prés |
| Rex | 1, boulevard Poissonnière | Bonne Nouvelle |
| Ritz | 6, boulevard de Clichy | Pigalle |
| Rotonde | 105, boulevard du Montparnasse | Vavin |
| Triomphe | 92, avenue des Champs-Élysées | George-V |
| U.G.C. Convention | 204, rue de la Convention | Convention |
| U.G.C. Danton | 99, boulevard Saint-Germain | Odéon |
| U.G.C. Gobelins | 66b, avenue des Gobelins | Les Gobelins |
| U.G.C. Lyon-Bastille | 12, rue de Lyon | Gare de Lyon |
| U.G.C. Maillot | Place de la Porte Maillot | Porte Maillot |
| U.G.C. Montparnasse | 83, boulevard du Montparnasse | Montparnasse-Bienvenüe |
| U.G.C. Opéra | 34, boulevard des Italiens | Opéra |
| Ursulines | 10, rue des Ursulines | Luxembourg |
| Vendôme | 32, avenue de l'Opéra | Opéra |
| Wepler-Pathé | 132, avenue de Clichy | Place de Clichy |

## CIRQUES - CIRCUSES - ZIRKUS

| Cirque | Adresse | Métro |
|---|---|---|
| Cirque Achille Zavatta | 97, rue La Fayette | Poissonnière |
| Cirque Fratellini | 2, rue de la Clôture | Porte de la Villette |
| Cirque Gruss | 41, avenue Corentin-Cariou | Corentin-Cariou |
| Cirque d'Hiver | 110, rue Amelot | Filles-du-Calvaire |

## CONCERTS - CONCERTS - KONZERTE

| | Concert | Adresse | Métro |
|---|---|---|---|
| | Concerts Colonne Place du Châtelet | Théâtre du Châtelet | Châtelet |
| | Concerts du Conservatoire | 2 bis, rue du Conservatoire | Rue Montmartre |
| | Concerts Pas deloup | 18, rue de Berne | Europe |
| [illegible] | Radio-France | 116, av. du Président-Kennedy | Passy |
| [illegible] | Salle Gaveau-Lamoureux | 45-47, rue La Boétie | Mirosmesnil |
| [illegible] | Salle Pleyel, Chopin, Debussy, Rameau | 252, du Faubourg-Saint-Honoré | Ternes |
| [illegible] | Théâtre des Champs-Élysées | 15, avenue Montaigne | Alma-Marceau |
| [illegible] | Zénith | 211, avenue Jean-Jaurès | Porte de Pantin |

## MONUMENTS - MONUMENTS - BAUDENKMÄLER

| r. | Monument | Adresse | Métro |
|---|---|---|---|
| 7 | Arc de Triomphe | Place Charles-de-Gaulle | Ch.-de-Gaulle-Étoile |
| 1 | Arc de Triomphe du Carrousel | Place du Carrousel | Palais Royal-Musée du Louvre |
| 3 | Archives Nationales | 60, rue des Francs-Bourgeois | Rambuteau |
| 5 | Arènes de Lutèce | 60, rue Monge | Censier-Daubenton |
| 4 | Bibliothèque de l'Arsenal | 1, rue de Sully | Sully-Morland |
| 2 | Bibliothèque Nationale | 58, rue de Richelieu | Palais Royal-Musée du Louvre |
| 5 | Bibliothèque Ste-Geneviève | Place du Panthéon | Luxembourg |
| 2 | Bourse | Place de la Bourse | Bourse |
| 4 | Catacombes | Place Denfert-Rochereau | Denfert-Rochereau |
| 8 | Chapelle Expiatoire | Sq Louis XVI - 59, bd Haussmann | St-Augustin |
| -1 | Colonne de Juillet | Place de la Bastille | Bastille |
| 1 | Colonne Vendôme | Place Vendôme | Opéra |
| 4 | Hôtel de Ville | Place de l'Hôtel-de-Ville | Hôtel-de-Ville |
| 6 | Hôtel des Monnaies | 11, quai de Conti | Pont-Neuf |
| 6 | Institut | 23, quai de Conti | Pont-Neuf |
| 7 | Invalides | 2, avenue de Tourville | Place des Invalides St-François-Xavier Invalides |
| 13 | Manufacture des Gobelins | 42, avenue des Gobelins | Les Gobelins |
| 8 | Madeleine | Place de la Madeleine | Madeleine |
| 4 | Notre-Dame | Place du Parvis | Cité |
| 8 | Obélisque | Place de la Concorde | Concorde |
| 14 | Observatoire | 61, avenue de l'Observatoire | Port-Royal |
| 9 | Opéra | Place de l'Opéra | Opéra |
| 12 | Opéra Bastille | 11b, avenue Daumesnil | Bastille |
| 7 | Palais Bourbon Ass. Nationale | 31, quai d'Orsay | Assemb. Nationale |
| 16 | Palais de Chaillot | Place du Trocadéro | Trocadéro |
| 8 | Palais de l'Élysée | 55-57, rue fg-St-Honoré | Ch.-Élysées-Clem. |
| 5 | Panthéon | Place du Panthéon | Luxembourg |
| 1 | Pyramide du Louvre | Palais du Louvre | Louvre-Rivoli |
| 7 | Tour Eiffel | Champ-de-Mars | Bir-Hakeim |

## JARDINS - GARDENS - ÖFFENTLICHE GÄRTEN

| Plan | Arr. | | Métro |
|---|---|---|---|
| H C | | Bois de Boulogne | Pte Dauphine - Porte Maillot Porte d'Auteuil |
| H C | 12 | Bois de Vincennes - Château de Vincennes | Porte-Dorée |
| J 12 | 5 | Jardin des Plantes | Gare d'Austerlitz |
| G 9 | 1 | Jardin du Palais-Royal | Palais Royal-Musée du Louvre |
| G 9 | 1 | Jardins des Tuileries | Tuileries |
| G 5 | 16 | Jardins du Trocadéro | Trocadéro |
| I 9 | 6 | Luxembourg | Luxembourg |
| J 3 | 15 | Parc André-Citroën | Javel-André Citroën |
| H C | 16 | Parc de Bagatelle (Bois de Boulogne) | Pont-de-Neuilly |
| D 14 | 19 | Parc des Buttes-Chaumont | Buttes Chaumont |
| H 6 | 7 | Parc du Champ-de-Mars | École Militaire |
| K 6 | 15 | Parc Georges-Brassens | Porte de Vanves |
| D 7 | 8 | Parc de Monceau | Monceau |
| M 9 | 14 | Parc Montsouris | Cité Universitaire |
| H C | | Parc Zoologique (Bois de Vincennes) | Porte-Dorée |

## MUSÉES - MUSEUMS - MUSEEN

| Plan | Arr. | Musée | Adresse | Métro |
|---|---|---|---|---|
| Dép. | 93 | Musée de l'Air et de l'Espace | Aéroport du Bourget | Le Bourget |
| G12 | 3 | Archives Nationales | 60, rue des Francs-Bourgeois | Hôtel-de-Ville |
| H 7 | 7 | Musée de l'Armée | Esplanade des Invalides | Invalides |
| K17 | 12 | Arts Africains et Océaniens | 293, avenue Daumesnil | Porte Dorée |
| G 9 | 1 | Arts Décoratifs | 107, rue de Rivoli | Palais Royal-Musée du Louvre |
| G 5 | 8-16 | Art Moderne | 11, avenue du Président Wilson | Iéna |
| H C | 16 | Arts Traditionnels Populaires (Plan Bois de Boulogne) | 6, route Mahatma-Gandhi | les Sablons |
| K 9 | 14 | Astronomique | 61, avenue de l'Observatoire | Denfert-Rochereau |
| H 4 | 16 | Balzac | 47, rue Raynouard | Passy |
| H12 | 3 | Carnavalet | 23, rue Sévigné | Saint-Paul |
| G11 | 4 | Centre National d'Art et de Culture Georges Pompidou | Place Georges-Pompidou | Rambuteau |
| D 7 | 8 | Cernuschi | 7, avenue Velasquez | Villiers |
| B14 | 19 | Cité des Sciences et de l'Industrie | Avenue C. Cariou (La Villette) | Porte de la Vilette |
| I 10 | 5 | Cluny | 6, place Paul-Painlevé | Saint-Michel |
| H12 | 3 | Cognacq-Jay | 8, rue Elzévir | Saint-Paul |
| F 5 | 16 | Musée Galliéra | 10, avenue Pierre-1er-de-Serbie | Iéna |
| F 5 | 16 | Musée de la Mode et du Costume | 10, avenue Pierre-1er-de-Serbie | Iéna |
| K11 | 13 | Gobelins | 42, avenue des Gobelins | Les Gobelins |
| F10 | 9 | Grévin | 10, boulevard de Montmartre | Richelieu-Drouot |
| F 5 | 16 | Guimet | 6, place d'Iéna | Iéna |
| D 7 | 17 | Henner | 43, avenue de Villiers | Sully-Morland |
| I 12 | 4 | Hôtel de Lauzun | 17, quai d'Anjou | St-François-Xavier |
| H 7 | 7 | Invalides | 2, avenue de Tourville | Miromesnil |
| E 7 | 8 | Jacquemart-André | 158, boulevard Haussmann | Concorde |
| F 8 | 1 | Jeu de Paume | Jardin des Tuileries | Solférino |
| G 8 | 7 | Légion d'Honneur | 1, rue Bellechasse | Louvre-Rivoli |
| G10 | 1 | Louvre | Palais du Louvre | La Muette |
| G 3 | 16 | Marmottan | 2, rue Louis-Boilly | Luxembourg |
| I 10 | 6 | Minéralogique | 60, boulevard Saint-Michel | Saint-Michel |
| H10 | 6 | Hôtel de la Monnaie | 11, quai de Conti | Gare d'Austerlitz |
| J 11 | 5 | Muséum d'Histoire Naturelle | 57, rue Cuvier | Luxembourg |
| J 10 | 5 | Musée Pédagogique | 29, rue d'Ulm | Villiers |
| G12 | 3 | Musée de la Chasse | 60, rue des Archives | Hôtel-de-Ville |
| J 10 | 5 | Musée de la Mer et des Eaux | 195, rue Saint-Jacques | Ch.-Élysées-Clémenceau |
| D 7 | 8 | Nissim de Camondo | 63, rue de Monceau | Ch.-Élysées-Clémenceau |
| F 9 | 9 | Opéra | Place de l'Opéra | Opéra |
| F 7 | 8 | Palais de la Découverte | Avenue Franklin-Roosevelt | St-Sébastien-Froissart |
| F 7 | 8 | Petit Palais | 1, avenue Dutuit | Varenne |
| G 8 | 7 | Musée d'Orsay | 1, rue de Bellechasse | Bastille |
| G12 | 3 | Musée Picasso | 5, rue de Thorigny | Trocadéro |
| H 8 | 7 | Musée Rodin | 77, rue de Varenne | Trocadéro |
| H12 | 4 | Musée Victor-Hugo | 6 bis, place des Vosges | Trocadéro |
| G 5 | 16 | Musée de l'Homme | 17, place du Trocadéro | Trocadéro |
| G 5 | 16 | Musée de la Marine | 17, place du Trocadéro | Trocadéro |
| G 5 | 16 | Monuments Français | 1, place du Trocadéro | Trocadéro |
| G 5 | 16 | Palais de Chaillot | Place du Trocadéro | Trocadéro |
| F11 | 3 | Musée des Techniques | 270, rue Saint-Martin | Arts et Métiers |

## MUSIC-HALLS - MUSIC-HALL - MUSIC-HALL

| Plan | Arr. | Music-Hall | Adresse | Métro |
|---|---|---|---|---|
| D 9 | 18 | Casino de Paris | 16, rue de Clichy | Trinité |
| E10 | 9 | Folies-Bergère | 32, rue Richer | Montmartre |
| F 6 | 8 | Lido | 116 bis, av. des Champs-Elysées | George-V |
| D10 | 18 | Moulin-Rouge | 82, boulevard de Clichy | Blanche |
| F 9 | 9 | Olympia | 28, boulevard des Capucines | Opéra |

## THÉATRES - THEATER - THEATER

| Plan | Arr. | Théâtre | Adresse | Métro |
|---|---|---|---|---|
| F 11 | 10 | Antoine | 14, boulevard de Strasbourg | Strasbourg-St-Denis |
| D 10 | 18 | Atelier | 1, place Charles-Dullin | Anvers |
| F 9 | 9 | Athénée-Louis-Jouvet | 4, square Opéra-Louis-Jouvet | Opéra |
| F 9 | 2 | Bouffes Parisiens | 4, rue Monsigny | 4 Septembre |
| F 9 | 2 | Capucines | 39, boulevard des Capucines | Opéra |
| F 6 | 8 | Champs-Elysées | 15, avenue Montaigne | Alma-Marceau |
| H 10 | 1 | Châtelet | 1, place du Châtelet | Châtelet |
| G 5 | 16 | Chaillot | Place du Trocadéro | Trocadéro |
| F 9 | 9 | Comédie-Caumartin | 25, rue Caumartin | Madeleine |
| G 9 | 1 | Comédie-Française | 2, rue de Richelieu | Palais-Royal-Musée du Louvre |
| D 9 | 9 | Comédie de Paris | 42, rue Fontaine | Blanche |
| F 9 | 2 | Daunou | 9, rue Daunou | Opéra |
| F 9 | 9 | Edouard-VII | 10, place Edouard-VII | Opéra |
| F 8 | 8 | Espace Cardin | 1, avenue Gabriel | Concorde |
| J 8 | 14 | Gaîté-Montparnasse | 26, rue de la Gaîté | Edgar-Quinet |
| F 11 | 10 | Gymnase | 38, boulevard Bonne-Nouvelle | Bonne-Nouvelle |
| H 10 | 5 | Huchette (de la) | 25, rue de la Huchette | Saint-Michel |
| D 9 | 9 | La Bruyère | 5, rue La Bruyère | Saint-Georges |
| F 8 | 8 | Madeleine | 19, rue de Surène | Madeleine |
| F 7 | 8 | Marigny | Avenue de Marigny | Ch.-Elysées-Clém. |
| I 9 | 6 | Marionnettes | Jardin du Luxembourg | Luxembourg |
| E 9 | 8 | Mathurins | 36, rue des Mathurins | Havre-Caumartin |
| E 9 | 8 | Michel | 38, rue des Mathurins | Havre-Caumartin |
| F 9 | 2 | Michodière (de la) | 4 bis, rue de La Michodière | Opéra |
| E 9 | 9 | Mogador | 25, rue de Mogador | Trinité |
| J 8 | 14 | Montparnasse (G. Baty) | 31, rue de la Gaîté | Edgar-Quinet |
| F 10 | 9 | Nouveautés | 24, boulevard Poissonnière | Rue Montmartre |
| D 9 | 9 | Œuvre | 55, rue de Clichy | Porte de Clichy |
| F 9 | 9 | Opéra | Place de l'Opéra | Opéra |
| F 9 | 2 | Opéra-Comique | Place Boïeldieu | RIchelieu-Drouot |
| I 13 | 12 | Opéra-Bastille | Place de la Bastille | Bastille |
| E 4 | 16 | Palais des Congrès | Porte Maillot | Porte Maillot |
| G 9 | 1 | Palais-Royal | 38, rue Montpensier | Palais-Royal-Musée du Louvre |
| D 9 | 9 | Paris | 15, rue Blanche | Trinité |
| F 12 | 10 | Porte St-Martin | 16, boulevard Saint-Martin | Saint-Martin |
| F 9 | 2 | Potinière | 7, rue Louis-le-Grand | Opéra |
| C 15 | 19 | Présent (La Villette) | 211, avenue Jean-Jaurès | Porte de Pantin |
| F 12 | 10 | Renaissance | 20, boulevard Saint-Martin | Saint-Martin |
| F 7 | 8 | Renaud-Barrault | 1, avenue, Franklin-Roosevelt | Franklin-D-Roosevelt |
| E 10 | 9 | Saint-Georges | 51, rue Saint-Georges | Saint-Georges |
| F 16 | 20 | TEP (Théâtre Est Parisien) | 159, avenue Gambetta | Pelleport |
| D 9 | 9 | Théâtre Fontaine | 10, rue Fontaine | Blanche |
| D 9 | 9 | Théâtre Moderne | 15, rue Blanche | Trinité |
| J 11 | 5 | Théâtre Mouffetard | 73, rue Mouffetard | Place Monge |
| I 10 | 6 | Théâtre National de l'Odéon | Place de l'Odéon | Odéon |
| G 8 | 7 | Théâtre d'Orsay | 7, quai Anatole-France | Solférino |
| J 8 | 6 | Théâtre de Poche | 75, boulevard Montparnasse | Montparnasse-Bienvenüe |
| K 6 | 15 | Théâtre Silvia Montfort | 106, rue de Brancion | Porte de Vanves |
| E 8 | 8 | Théâtre Tristan Bernard | 64, rue du Rocher | Europe |
| H 11 | 4 | Théâtre de la Ville (Sarah Bernard) | 2, place du Châtelet | Châtelet |
| F 10 | 2 | Variétés | 7, boulevard Montmartre | Rue Montmartre |
| H 9 | 6 | Vieux Colombier (Charles Dullun) | 21, rue du Vieux-Colombier | Saint-Sulpice |

33

# SPORTS

## HIPPODROMES - RACE COURSES - RENNBAHNEN

| Plan | Hippodrome | Métro |
|---|---|---|
| HC | Auteuil | Bois de Boulogne |
| HC | Chantilly | Chantilly - 60 |
| HC | Enghien | Soisy - Montmorency - 95 |
| HC | Evry | Evry - 91 |
| HC | Longchamp | Bois de Boulogne |
| | Maisons-Laffitte | Maisons-Laffitte - 78 |
| HC | Saint-Cloud | Saint-Cloud - 92 |
| HC | Vincennes | Bois de Vincennes |

## PISCINES - SWIMMING POOL - SCHWIMMBÄDER

| Plan | Arr. | Piscine | Adresse | Métro |
|---|---|---|---|---|
| B 11 | 18 | Amiraux | 6, rue Hermann-Lachapelle | Simplon |
| K 3 | 15 | Aquaboulevard | 4, rue Louis-Armand | Balard |
| J 8 | 15 | Armand-Massard | 66, boulevard du Montparnasse | Montparnasse |
| K 8 | 14 | Aspirant Dunand | 20, rue Baillard | Pernety |
| B 8 | 17 | Bernard Lafay | 79, rue de la Jonquière | Porte de Clichy |
| B 10 | 18 | Bertrand Dauvin | 12, rue René-Binet | Pte de Clignancourt |
| J 7 | 15 | Blomet | 17, rue Blomet | Sèvres-Lecourbe |
| Dépt | 92 | Boulogne-Billancourt | 165, rue du Vieux-Pont-de-Sèvres | Marcel-Sembat |
| L 11 | 13 | Buttes-au-Cailles | 5, place Paul Verlaine | Porte d'Italie |
| D 12 | 10 | Château-Landon | 31, rue Château-Landon | La Chapelle |
| L 12 | 13 | Château-des-Rentiers | 184, rue Château-des-Rentiers | Porte d'Italie |
| G 13 | 11 | Cour des Lions | 11, rue Alphonse-Baudin | Richard-Lenoir |
| L 7 | 14 | Didot | 22, avenue Georges-Lafenestre | Porte de Vanves |
| K 12 | 13 | Dunois | 70, rue Dunois | Nationale |
| D 13 | 19 | Edouard Pailleron | 30, rue Edouard-Pailleron | Bolivar |
| H 5 | 15 | Emile Anthoine | 9, rue Jean-Rey | Bir-Hakeim |
| D 10 | 9 | Georges Drigny | 18, rue Bochard-de-Saron | Anvers |
| D 15 | 19 | Georges Hermant | 4, rue David-d'Angers | Danube |
| H 15 | 11 | Georges Rigal | 115, boulevard de Charonne | Alexandre-Dumas |
| E 16 | 20 | Georges-Vallerey | 148, avenue Gambetta | Porte des Lilas |
| F 12 | 10 | Grange aux Belles | 154, quai de Jemmapes | Colonel-Fabien |
| A 12 | 18 | Hébert | 2, rue des Fillettes | Marx-Dormoy |
| F 3 | 16 | Henry de Montherlant | 32, boulevard Lannes | Rue de la Pompe |
| J 11 | 5 | Jean Taris | 16, rue Thouin | Cardinal-Lemoine |
| L 5 | 15 | La Plaine | 13, rue du Gal.-Guillaumat | Porte de Versailles |
| H 9 | 6 | Marché Saint-Germain | 7, rue Clément | Mabillon |
| C 13 | 19 | Mathis | 11, rue Mathis | Crimée |
| I 1 | 16 | Molitor | 10, avenue de la Porte-Molitor | Porte d'Auteuil |
| K 9 | 14 | Orléans | 4, square Henri-Delormel | Mouton-Duvernet |
| F 14 | 11 | Oberkampf | 160, rue Oberkampf | Ménilmontant |
| K 6 | 15 | Parnassium | 15, rue Saint-Armand | Plaisance |
| I 11 | 5 | Quartier Latin | 17, rue de Pontoise | Maubert-Mutualité |
| I 4 | 15 | René Mourion | 19, rue Gaston-de-Cavaillet | Charles-Michels |
| I 17 | 12 | Robert Legall | 34, boulevard Carnot | Porte de Vincennes |
| I 4 | 15 | Robert Keller | 14, rue de l'Ing.-R.-Keller | Charles-Michels |
| B 14 | 19 | Rouvet | 1, rue Rouvet | Corentin-Cariou |
| G 11 | 4 | Saint-Merri | 18, rue du Renard | Hôtel-de-Ville |
| E 10 | 9 | Valeyre | 22, rue Rochechouart | Cadet |

## STADES - SPORTS STADIUMS - STADIEN

| Plan | Arr. | Stade | Adresse | Métro |
|---|---|---|---|---|
| I 11 | 5 | Arènes de Lutèce | 60, rue Monge | Jussieu |
| HC | 16 | Cercle de l'Étrier | Bois de Boulogne | Porte Dauphine |
| Dépt | 92 | Colombes (Gare St-Lazare) | Boulevard Pierre-de-Coubertin | à COLOMBES |
| K 1 | 16 | Coubertin | Avenue Dode-de-la-Brunerie | Pte de Saint-Cloud |
| M 8 | 14 | Elizabeth | Avenue de la Porte d'Orléans | Porte d'Orléans |
| Dépt | 92 | Français | Parc de Saint-Cloud | Pont de Sèvres |
| K 2 | 16 | Fronton de Paris - Pelote Basque | 2, quai Saint-Exupéry | Pte de Saint-Cloud |
| J 1 | 16 | Jean-Bouin | Avenue Général-Sarrail | Exelmans |
| K 4 | 15 | Palais des Sports | Porte de Versailles | Porte de Versailles |
| J 14 | 12 | Parc Omnisports - Paris-Bercy | 8, boulevard de Bercy | Bercy |
| J 1 | 16 | Parc des Princes | Avenue du Parc-des-Princes | Pte de Saint-Cloud |
| HC | 12 | Pershing | Bois de Vincennes | Ch.-de-Vincennes |
| L 17 | 12 | Piste Municipale - Vélodrome J.-Anquetil | Bois de Vincennes | Liberté |
| G 1 | 16 | Racing-Club de France | Bois de Boulogne | Porte Dauphine |
| HC | 16 | Roland-Garros | Bois de Boulogne | Porte d'Auteuil |
| M 10 | 13 | Sébastien-Charlety | Boulevard Kellermann | Cité Universitaire |

## TENNIS - TENNIS - TENNISPLÄZE

| Plan | Arr. | Tennis | Adresse | Métro |
|---|---|---|---|---|
| K 1 | 16 | Coubertin | Avenue Dode-de-la-Brunerie | Pte de Saint-Cloud |
| G 1 | 16 | Racing-Club de France | Bois de Boulogne | Porte-Dauphine |
| I 7 | 7 | Racing-Club de France | 5, rue Eblé | St-François-Xavier |
| HC | 16 | Roland-Garros | Bois de Boulogne | Porte d'Auteuil |
| C 7 | 17 | Sporting | 154, rue Saussure | Wagram |
| J 2 | 16 | Tennis Action | 17, rue du Général Delestraint | Pte de Saint-Cloud |
| C 6 | 17 | Tennis d'Asnières | 10, boulevard de Reims | Pte de Champeret |
| I 6 | 15 | Tennis de la Cavalerie | 6, rue de la Cavalerie | La Motte-Piq.-Grenelle |
| C 5 | 17 | Tennis-Club de Courcelles | 25, avenue Paul-Adam | Pte de Champeret |
| F 12 | 10 | Tennis-Club du 10e | 21, boulevard Magenta | Jacques-Bonsergent |
| J 10 | 5 | Tennis-Club du 5e | 218, rue Saint-Jacques | Luxembourg |
| HC | 12 | Tennis-Club de Joinville | Bois de Vincennes | Joinville-Le-Pont |
| E 17 | 20 | Tennis-Club Lutèce | 49, rue Paul-Meurice | Porte des Lilas |
| H 3 | 16 | Tennis-Club Mozart | 109b, avenue Mozart | Jasmin |
| K 1 | 16 | Tennis-Club de Paris | 15, avenue Félix-d'Hérelle | Pte de Saint-Cloud |
| H 3 | 16 | Tennis-Club Ribéra | 15, rue Ribéra | Jasmin |
| K 2 | 16 | Tennis-Club du 16e | 15, avenue du Général-Clavery | Pte de Saint-Cloud |

## MARCHÉS DE PARIS COUVERTS, DÉCOUVERTS ET DIVERS
## PARIS MARKET PLACES, INDOOR, OPEN-AIR AND MIXED
## MÄRKTE IN PARIS, HALLEN, FREILUFT- UND VERSCHIEDENE MÄRKTE

### MARCHÉS COUVERTS (ouverts du mardi au samedi et le dimanche matin)

| Plan | Adresse | Heures d'ouverture | Métro |
|---|---|---|---|
| | **3e Arrondissement** | | |
| G 12 | ENFANTS ROUGES - 39, rue de Bretagne | 8 h à 13 h et de 16 h à 19 h 30<br>Le dimanche de 8 h à 13 h | Filles-du-Calvaire |
| H 9 | **6e Arrondissement**<br>SAINT-GERMAIN - 3 ter, rue Mabillon | 8 h à 13 h et de 16 h à 19 h 30<br>Le dimanche de 8 h à 13 h | Mabillon |
| E 7 | **8e Arrondissement**<br>EUROPE - 1, Rue Corvetto | 8 h à 13 h et de 16 h à 19 h<br>Le dimanche de 8h à 13 h | Villiers |
| E 11 | **10e Arrondissement**<br>ST-MARTIN - 31-33, rue du Château-d'Eau | 8 h à 13 h et de 16 h à 19 h 30<br>Le dimanche de 8 h à 13 h | Château-d'Eau |
| D 11 | SAINT-QUENTIN - 85, bis boulevard Magenta | 8 h à 13 h et de 16 h à 19 h 30<br>Le dimanche de 8 h à 13 h | Gare de l'Est |
| I 14 | **12e Arrondissement**<br>BEAUVAU-ST-ANTOINE<br>entre les rues d'Aligre et de Cotte | 8 h à 13 h et de 15 h 30 à 19 h 30<br>Le dimanche de 8 h à 13 h | Ledru-Rollin |
| H 3 | **16e Arrondissement**<br>PASSY - Angle des rues Bois-le-Vent et Duban | 8 h à 13 h et de 16 h à 19 h 30<br>Le dimanche de 8 h à 13 h | La Muette |
| F 4 | SAINT-DIDIER<br>Angle des rues Mesnil et Saint-Didier | 7 h à 13 h et de 16 h 30 à 19 h 30<br>Le dimanche de 8 h à 13 h | Victor-Hugo |
| C 8 | **17e Arrondissement**<br>BATIGNOLLES - 96 bis, rue Lemercier | 8 h à 12 h 30 et de 16 h à 19 h 30<br>Le dimanche de 8 h à 12 h 30 | Brochant |
| D 5 | TERNES - 8 bis, rue Lebon | 8 h à 13 h et de 15 h 30 à 19 h 30<br>Le dimanche de 8 h à 13 h | Ternes |
| C 12 | **18e Arrondissement**<br>LA CHAPELLE - 10, rue de l'Olive<br>Le dimanche de 8 h à 13 h | 8 h à 13 h et de 15 h 30 à 19 h 30<br>Marx-Dormoy | |
| C 13 | **19e Arrondissement**<br>RIQUET - 42, Rue Riquet | 8 h 30 à 12 h 30 et de 16 h à 19 h 30<br>Le dimanche de 8 h à 13 h | Riquet |
| D 13 | SECRÉTAN<br>46, rue Bouret et 33, avenue Secrétan | 8 h à 13 h et de 16 h à 19 h 30<br>Du mardi au vendredi<br>8 h à 13 h et de 15 h 30 à 19 h 30<br>Le samedi<br>Le dimanche de 8 h à 13 h | Bolivar |

### MARCHÉS DÉCOUVERTS (ouverts de 7 heures à 13 heures 3

| Plan | Adresse | Jours d'ouverture | Métro |
|---|---|---|---|
| I 11 | **5e Arrondissement**<br>MAUBERT - Place Maubert | Mardi, jeudi, samedi | Maubert |
| J 11 | MONGE - Place Monge | Mercredi, vendredi, dimanche | Place M |
| J 10 | PORT-ROYAL - boulevard de Port-Royal | (le long Hôpital Val-de-Grâce)<br>Mardi, jeudi, samedi | Port Roya |
| I 8 | **6e Arrondissement**<br>RASPAIL - Boulevard Raspail<br>(entre rues du Cherche-Midi et de Rennes) | Mardi, vendredi | Rennes |
| I 8 | MARCHÉ BIOLOGIQUE - Boulevard Raspail<br>(même endroit) | Dimanche | Rennes |
| I 7 | **7e Arrondissement**<br>SAXE-BRETEUIL - Av. de Saxe (place Breteuil) | Jeudi, samedi | Sèvres-L |
| F 8 | **8e Arrondissement**<br>AGUESSEAU - Place de la Madeleine<br>Mardi, vendredi | Madeleine | |
| F 13 | **10e Arrondissement**<br>ALIBERT - Rue Alibert - rue Cl.-Vellefaux | Mardi, vendredi | Goncourt |
| F 14 | **11e Arrondissement**<br>BELLEVILLE - Terres- pleins du bd de Belleville | Mardi, vendredi | Belleville |
| H 15 | CHARONNE - Boulevard de Charonne<br>(entre rues de Charonne et Alexandre-Dumas) | Mercredi, samedi | Alexandr |
| G 14 | PÈRE-LACHAISE - Bd de Ménilmontant<br>(entre rues des Panoyaux et de Tlemcen) | Mardi, vendredi | Père-Lac |
| G 13 | POPINCOURT - Boulevard Richard-Lenoir<br>(entre rues Oberkampf et de Crussol) | Mardi, vendredi | Oberkamp |
| H 13 | BASTILLE - Boulevard Richard-Lenoir<br>(de la rue Amelot à la rue Saint-Sabin) | Jeudi, dimanche | Bastille |
| J 15 | **12e Arrondissement**<br>DAUMESNIL - Boulevard de Reuilly<br>(entre la rue de Charenton et la pl. Félix-Éboué) | Mardi, vendredi | Daumesni |
| I 16 | COURS DE VINCENNES - Cours de Vincennes<br>(entre bd de Picpus et Av. du Dr A.-Netter) | Mercredi, samedi | Pte de Vin |
| I 13 | LEDRU-ROLLIN -Avenue Ledru-Rollin<br>(entre rues de Lyon et de Bercy) | Jeudi, samedi | Gare de Ly |
| K 16 | PONIATOWSKI - Boulevard Poniatowski<br>(entre avenue Daumesnil et rue de Picpus) | Jeudi, dimanche | Porte-Dor |
| I 14 | SAINT-ÉLOI - 36-38, rue de Reuilly | Jeudi, dimanche | Reuilly-Did |
| M 11 | **13e Arrondissement**<br>BOBILLOT - Rue Bobillot<br>entre place de Rungis et rue de la Colonie) | Mardi, vendredi | Tolbiac |
| K 12 | VINCENT-AURIOL - Boulevard Vincent-Auriol<br>(entre rues Nationale et Dunois) | Mercredi, samedi | Nationale |
| L 11 | AUGUSTE-BLANQUI - Bd Auguste-Blanqui<br>(entre place d'Italie et rue Barrault) | Mardi, vendredi, dimanche | Corvisart |
| L 11 | MAISON-BLANCHE - 186, avenue d'Italie | Jeudi, dimanche | Maison-Bl |
| J 12 | SALPÊTRIÈRE - Boulevard de l'Hôpital | Mardi, vendredi | Saint-Marc |
| L 13 | JEANNE-D'ARC - Place Jeanne-d'Arc | Jeudi, dimanche | Nationale |
| L 10 | **14e Arrondissement**<br>ALÉSIA - Rue d'Alésia (derrière Ste-Anne) | Mercredi, samedi | Glacière |
| L 7 | BRUNE - Bd Brune (entre nos 33 et nos 73) | Jeudi, dimanche | Pte de Van |
| J 8 | EDGAR-QUINET - Boulevard Edgar-Quinet | Mercredi, samedi | Edgar-Quin |
| K 8 | MONTROUGE - Angle rue Boulard et Mouton-Duvernet | Mardi, vendredi | Mouton-Du |
| K 7 | VILLEMAIN - Avenue Villemain<br>(entre avenue Villemain et rue d'Alésia) | Mercredi, dimanche | Plaisance |
| K 7 | **15e Arrondissement**<br>CERVANTES - Rue Bargue | Mercredi | Volontaires |
| K 5 | CONVENTION - Rue de la Convention<br>(entre rues A.-Chartier et de l'Abbé-Groult) | Mardi, jeudi, dimanche | Convention |
| I 5 | GRENELLE - Boulevard de Grenelle<br>(entre rues Lourmel et du Commerce) | Mercredi, dimanche | Dupleix |
| J 4 | ST-CHARLES - Rue Saint-Charles<br>(entre rue de Javel et Rd-Pt Saint-Charles) | Mardi, vendredi | Charles-Mic |
| K 4 | LECOURBE - Rue Lecourbe<br>(entre rues Vasco-de-Gama et Leblanc) | Mercredi, samedi | Balard |
| L 5 | LEFEBVRE - Boulevard Lefebvre<br>(entre rues Olivier-de-Serres et de Dantzig) | Mercredi, samedi | Porte de Ver |
| E 4 | **16e Arrondissement**<br>AMIRAL-BRUIX - Boulevard Amiral-Bruix<br>(entre rues Weber et Marbeau) | Mercredi, samedi | Porte Maillot |
| I 2 | AUTEUIL - Terre-plein rues d'Auteuil, Donizetti et La Fontaine | Mercredi, samedi | Michel-Ange |
| I 3 | GROS-LA-FONTAINE<br>Rue Gros et rue de La Fontaine | Mardi, vendredi | Jasmin |
| G 5 | PRÉSIDENT-WILSON - Av. Président Wilson<br>(entre rue Debrousse et place d'Iéna) | Mercredi, samedi | Iéna |
| J 1 | PORTE-MOLITOR - Porte Molitor<br>(avenue du Général-Sarrail et bd Murat) | Mardi, vendredi | Porte d'Auteu |
| J 2 | POINT-DU-JOUR - avenue de Versailles<br>(entre rues Le Marois et Gudin) | Mardi, jeudi, dimanche | Pte de Saint- |
| C 6 | **17e Arrondissement**<br>BERTHIER - Angle avenue Pte d'Asnières et bd Berthier | Mercredi, samedi | Péreire |
| B 8 | NAVIER - Rue Navier<br>(entre rues Lantiez et des Épinettes) | Mardi, vendredi | Pte de St-Oue |
| | **18e Arrondissement** | | |
| B 10 | ORNANO - Boulevard Ornano<br>(entre rues du Mont-Cénis et Ordener) | Mardi, vendredi, dimanche | Simplon |
| B 13 | CRIMÉE - Bd Ney - du n° 4 au n° 30 | Mercredi, samedi | Pte de la Cha |
| D 11 | BARBÈS - Boulevard de la Chapelle<br>(face Hôpital Lariboisière) | Mercredi, samedi | Barbès-Roche |
| B 9 | NEY - Boulevard Ney<br>(entre rues J.-Varenne et C.-Flammarion) | Jeudi, dimanche | Pte de Saint-O |
| B 9 | ORDENER - Rue Ordener<br>(entre rues Montcalm et Championnet) | Mercredi ,samedi | Guy-Môquet |
| C 14 | **19e Arrondissement**<br>JEAN-JAURÈS - Avenue Jean-Jaurès<br>du n° 145 au n° 185 | Mardi, jeudi, dimanche | Ourcq |
| C 14 | JOINVILLE - Angle rues Joinville et Jomard | Jeudi, dimanche | Crimée |
| E 15 | PLACE DES FÊTES - Place des Fêtes | Mardi, vendredi, dimanche | Place des Fête |
| D 15 | PORTE BRUNET - Avenue Porte Brunet<br>(entre bd Serurier et bd d'Algérie) | Mercredi, samedi | Danube |
| E 13 | VILLETTE - Boulevard de la Villette)<br>(entre nos 27 et le nos 41 | Mercredi, samedi | Colonel-Fabien |
| G 16 | **20e Arrondissement**<br>BELGRAND - Rue Belgrand<br>(entre rue de la Chine et place E. Piaf) | Mercredi, samedi | Gambetta |
| I 17 | DAVOUT - bd Davout<br>(entre av. Pte de Montreuil et le 94, bd Davout) | Mardi, vendredi | Pte de Montreu |
| F 17 | MORTIER - Boulevard Mortier<br>(entre av. Pte-de-Ménilmontant et rue M.-Berteaux) | Jeudi, dimanche | Saint-Fargeau |
| F 15 | PYRÉNÉES - Rue des Pyrénées<br>(entre rues de l'Ermitage et de Ménilmontant) | Jeudi, dimanche | Gambetta |
| H 16 | RÉUNION - Place de la Réunion | Jeudi, dimanche | Alexandre-Dum |
| E 16 | TÉLÉGRAPHE - 56, rue du Télégraphe | Mercredi, samedi | Télégraphe |

### MARCHÉS DIVERS

| Plan | Adresse | Jours d'ouverture | Métro |
|---|---|---|---|
| H 10 | MARCHÉ AUX FLEURS<br>CITÉ - 4e Arrond. Place Louis-Lépine | Tous les jours de 8 h à 19 h 30<br>sauf le dimanche | Cité |
| F 8 | MADELEINE - 8e Arrond. Pl. de la Madeleine | Tous les jours de 8 h à 19 h 30<br>sauf le lundi | Madeleine |

| …e | Jours d'ouverture | Métro |
|---|---|---|
| - 17e Arrond. Place des Ternes | Tous les jours de 8 h à 19 h 30 sauf le lundi | Ternes |
| E AUX OISEAUX Arrond. Place Louis-Lépine | Dimanche de 8 h à 19 h | Cité |
| E AUX PUCES - 14e Arrond. Pte de Vanves | Samedi, dimanche de 7 h à 19 h 30 | Pte de Vanves |
| NCOURT - | Samedi, dimanche, lundi de 7 h à 19 h 30 18e Arrond. Av. de la Pte de Clignancourt | Pte de Clignancourt |
| E À LA FERRAILLE nd. Rue Jean-Henri Fabre | Samedi, dimanche, lundi de 7 h à 19 h | Pte de Clignancourt |
| EUIL - nd. Avenue de la Pte de Montreuil | Samedi, dimanche, lundi de 7 h à 19 h 30 | Pte de Montreuil |
| E AUX TIMBRES S-ÉLYSÉES - 8e côté droit des Ch.-Élysées v. de Marigny et av. Gabriel | Jeudi, samedi, dimanche et jours fériés toute la journée | Ch.-Élysées-Clem. |

| Arr. | Divers | Adresse | Métro |
|---|---|---|---|
| 8 | Chambre de Commerce de Paris | 27, avenue Friedland | Ch.-de-Gaulle-Étoile |
| 1 | Conseil d'État | Palais-Royal | Palais-Royal |
| 4 | Crédit Municipal | 55, rue des Francs-Bourgeois | Rambuteau |
| 6 | Enregistrement | 9, place Saint-Sulpice | Saint-Sulpice |
| 15 | Fourrière | 1, rue de Dantzig | Convention |
| Dépt 92 | Française des Jeux | | |
| | Halles Centrales - Rungis | 121, rue d'Aguesseau | |
| | Voir plan page 39 | | à BOULOGNE-BILL. |
| 8 | Loterie Nationale | 20, rue La Boétie | Miromesnil |
| 8 | LOTO | 20, rue d'Aguesseau | Madeleine |
| 16 | O.C.D.E. | 2, rue André-Pascal | La Muette |
| 15 | Objets Trouvés | 36, rue des Morillons | Convention |
| 2 | Paierie Générale | 16, rue Notre-Dame-des-Victoires | Bourse |
| 7 | U.N.E.S.C.O. | 9, place Fontenoy | Ségur |



## RENSEIGNEMENTS DIVERS
## …ANEOUS INFORMATION - VERSCHIEDENE AUSKÜNFTE

| …ivers | Adresse | Métro |
|---|---|---|
| …rchives Nationales | 60, rue des Francs-Bourgeois | Rambuteau |
| …anque de France | 39, rue Croix-des-Petits-Champs | Palais Royal-Musée du Louvre |
| …ourse du Commerce | 2, rue de Viarmes | Louvre-Rivoli |
| …ourse du Travail | 10 bis, rue du Château-d'Eau | République |
| …ourse des Valeurs | Place de la Bourse | Bourse |
| …aisse Dépôts et Consignations | 56, rue de Lille | Rue du Bac |
| …aisse d'Epargne de Paris | 9, rue du Coq-Héron | Louvre-Rivoli |
| …arreaux du Temple | Rue du Petit-Thouars | Temple |
| …entre Pompidou | Place Georges-Pompidou | Rambuteau |

## GRANDS MAGASINS - LARGES STORES - WARENHÄUSER

| Plan | Arr. | Grands magasins | Adresse | Métro |
|---|---|---|---|---|
| H 11 | 4 | Bazar de l'Hôtel de Ville | 1, rue des Archives | Hôtel de Ville |
| H 3 | 7 | Bon Marché | 22, rue de Sèvres | Sèvres-Babylone |
| C 13 | 19 | Bazar de l'Hôtel de Ville | 119, rue de Flandres | Crimée |
| Dépt | 95 | Centre commercial des 4 Temps | Parvis de la Défense | La Défense |
| E 9 | 9 | Galeries Lafayette | 40, bd Haussmann | Chaussée d'Antin |
| J 8 | 15 | Gal Lafayette-Montparnasse | 22, rue du Départ | Montparnasse |
| J 8 | 14 | Inno-Montparnasse | 35, rue du Départ | Montparnasse |
| I 16 | 20 | Inno-Nation | 20, boulevard de Charonne | Nation |
| E 8 | 9 | Printemps | 64, boulevard Haussmann | Havre-Caumartin |
| I 16 | 20 | Printemps Nation | 25, cours de Vincennes | Nation |
| F 12 | 11 | Printemps République | 63, rue de Malte | République |
| G 10 | 1 | Samaritaine | 75, rue de Rivoli | Pont-Neuf |

# 3e Partie – *3rd Part - 3. Teil - 3a Parte - 3a Parte*

# LA DÉFENSE

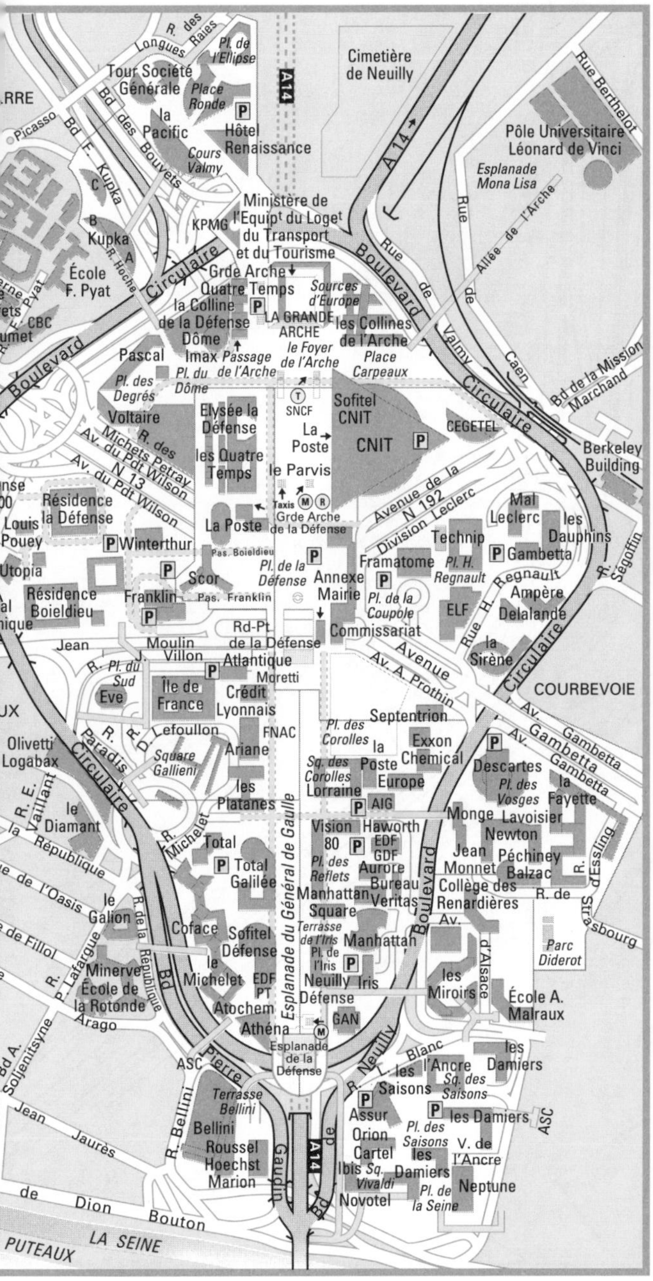


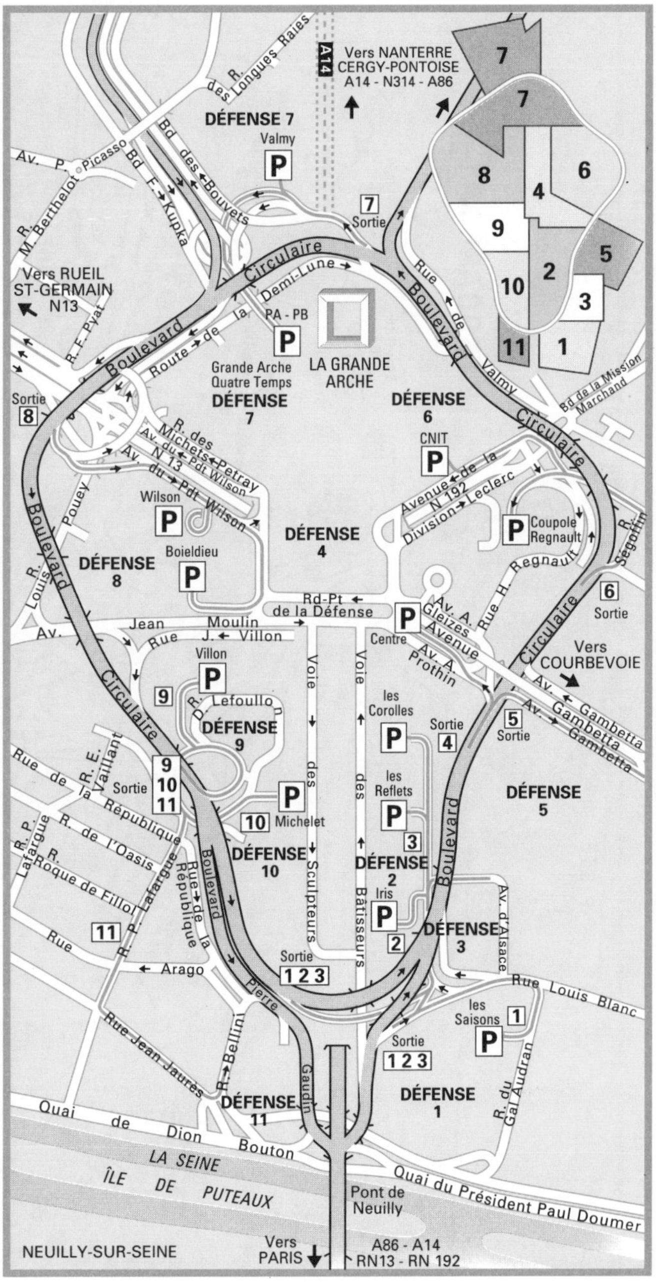

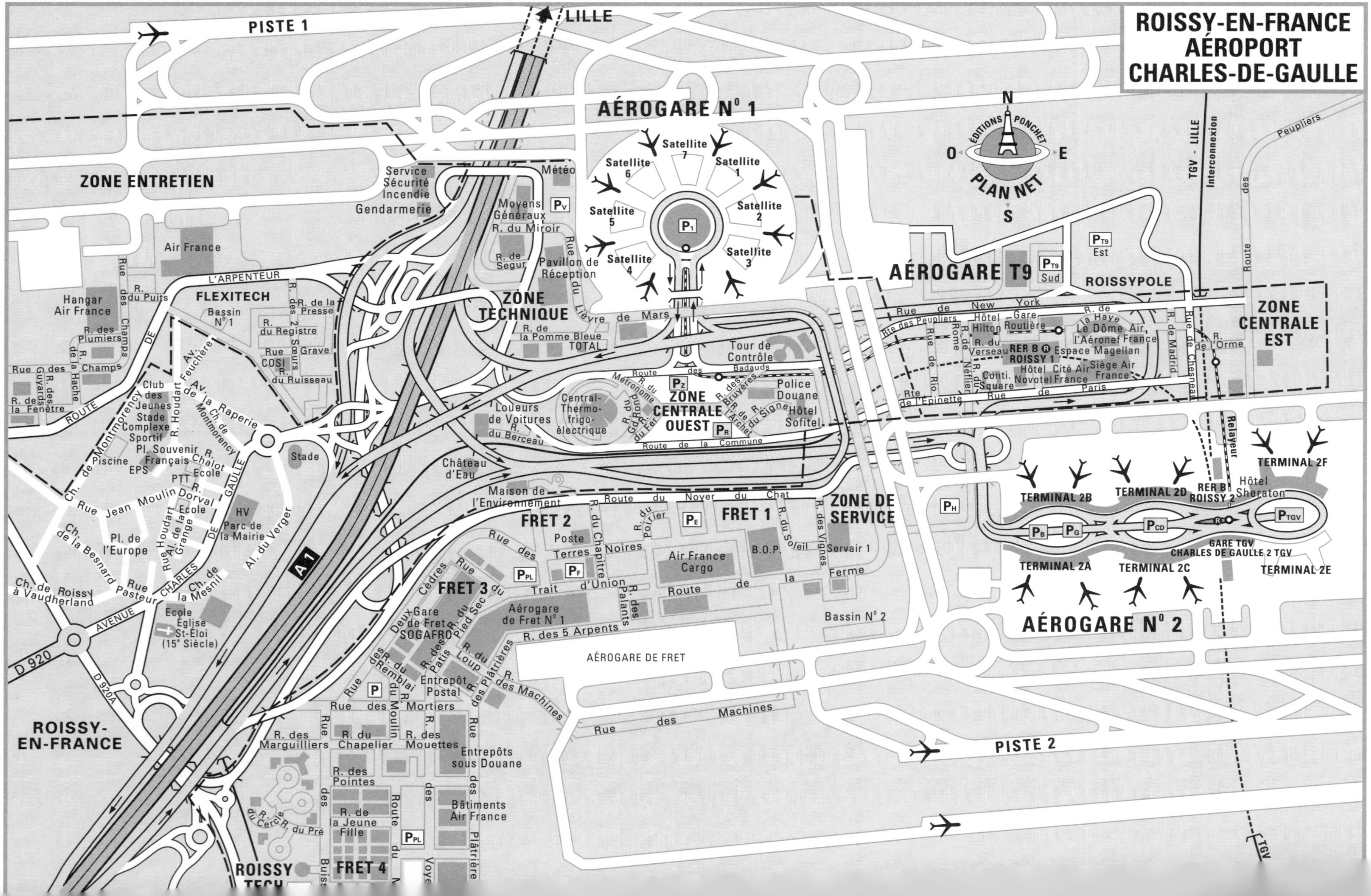
ROISSY-EN-FRANCE
AÉROPORT
CHARLES-DE-GAULLE
N
O
E
S
ÉDITIONS PONCHET
PLAN NET
PISTE 1
LILLE
AÉROGARE N° 1
Satellite 1
Satellite 2
Satellite 3
Satellite 4
Satellite 5
Satellite 6
Satellite 7
ZONE ENTRETIEN
Service Sécurité Incendie
Gendarmerie
Météo
Moyens Généraux
R. du Miroir
R. de Segur
Pavillon de Réception
Air France
Hangar Air France
FLEXITECH
Bassin N° 1
L'ARPENTEUR
ZONE TECHNIQUE
Rue du Lièvre de Mars
R. de la Pomme Bleue
TOTAL
Tour de Contrôle
Police Douane
Hôtel Sofitel
ZONE CENTRALE OUEST
Central-Thermo-frigo-électrique
Loueurs de Voitures
R. du Berceau
Route de la Commune
Route des Badauds
R. du Métronome
R. du Gd Rond
R. du Fer
R. des Bruyères
R. de l'Archet
R. du Signe
Château d'Eau
Maison de l'Environnement
Stade
R. de la Presse
R. des 2 Sœurs
R. du Registre
Rue Grave
COSI
R. du Ruisseau
R. du Puits
Rue des Champs
R. des Plumiers
R. de la Hache
R. des Guyards
R. de la Fenêtre
ROUTE DE MONTMORENCY
Club des Jeunes
Stade Complexe Sportif
Piscine EPS
Pl. Souvenir Français
R. Chalot
PTT
Ecole
R. Dorval
Rue Jean Moulin
Pl. de l'Europe
Ch. de la Besnard
Ch. de Roissy à Vaudherland
Rue Pasteur
AVENUE CHARLES DE GAULLE
Ch. de la Mesnil
Ecole
Eglise St-Eloi (15e Siècle)
HV
Parc de la Mairie
Al. du Verger
Av. Feuchère
Av. de la Raperie
Ch. de Montmorency
R. Houdart
Al. de la Grange
D 920
D 920A
ROISSY-EN-FRANCE
A 1
AÉROGARE T9
ROISSYPOLE
Est
Sud
Rue de New York
Rte des Peupliers
Hôtel Hilton
Gare Routière
R. de la Haye
Le Dôme
Air l'Aéronef France
R. du Verseau
RER B
ROISSY 1
Espace Magellan
Hôtel Novotel
Cité Air France
Siège Air France
Conti. Square
Rue de Paris
Rue de Rome
R. de Néflier
Rue de Rio
Rte de l'Epinette
R. de Madrid
Rue de Chesneau
R. de l'Orme
ZONE CENTRALE EST
TGV - LILLE
Interconnexion
Route des Peupliers
Relayeur
TERMINAL 2F
TERMINAL 2B
TERMINAL 2D
RER B ROISSY 2
Hôtel Sheraton
TERMINAL 2A
TERMINAL 2C
TERMINAL 2E
GARE TGV CHARLES DE GAULLE 2 TGV
AÉROGARE N° 2
TGV
ZONE DE SERVICE
Servair 1
Ferme
Bassin N° 2
Route du Noyer du Chat
FRET 1
FRET 2
R. du Chapitre
R. du Poirier
Poste
Terres Noires
Trait d'Union
R. des Palants
R. du Soleil
R. des Vignes
B.O.P.
Air France Cargo
Route de la
Rue des Cèdres
FRET 3
Aérogare de Fret N° 1
R. des 5 Arpents
Deux Gare de Fret SOGAFRO
R. du Pied Sec
R. des Patis
R. du Loup
R. des Plâtrières
Entrepôt Postal
R. des Machines
R. du Remblai
AÉROGARE DE FRET
Rue des Machines
PISTE 2
Rue des Mortiers
Rue du Moulin
R. des Marguilliers
R. du Chapelier
R. des Mouettes
Entrepôts sous Douane
R. des Pointes
R. de la Jeune Fille
Route du
Bâtiments Air France
Rue des Plâtrière
Voye
FRET 4
Buiss
R. du Cercle
R. du Pré
ROISSY TECH

# STADE DE FRANCE

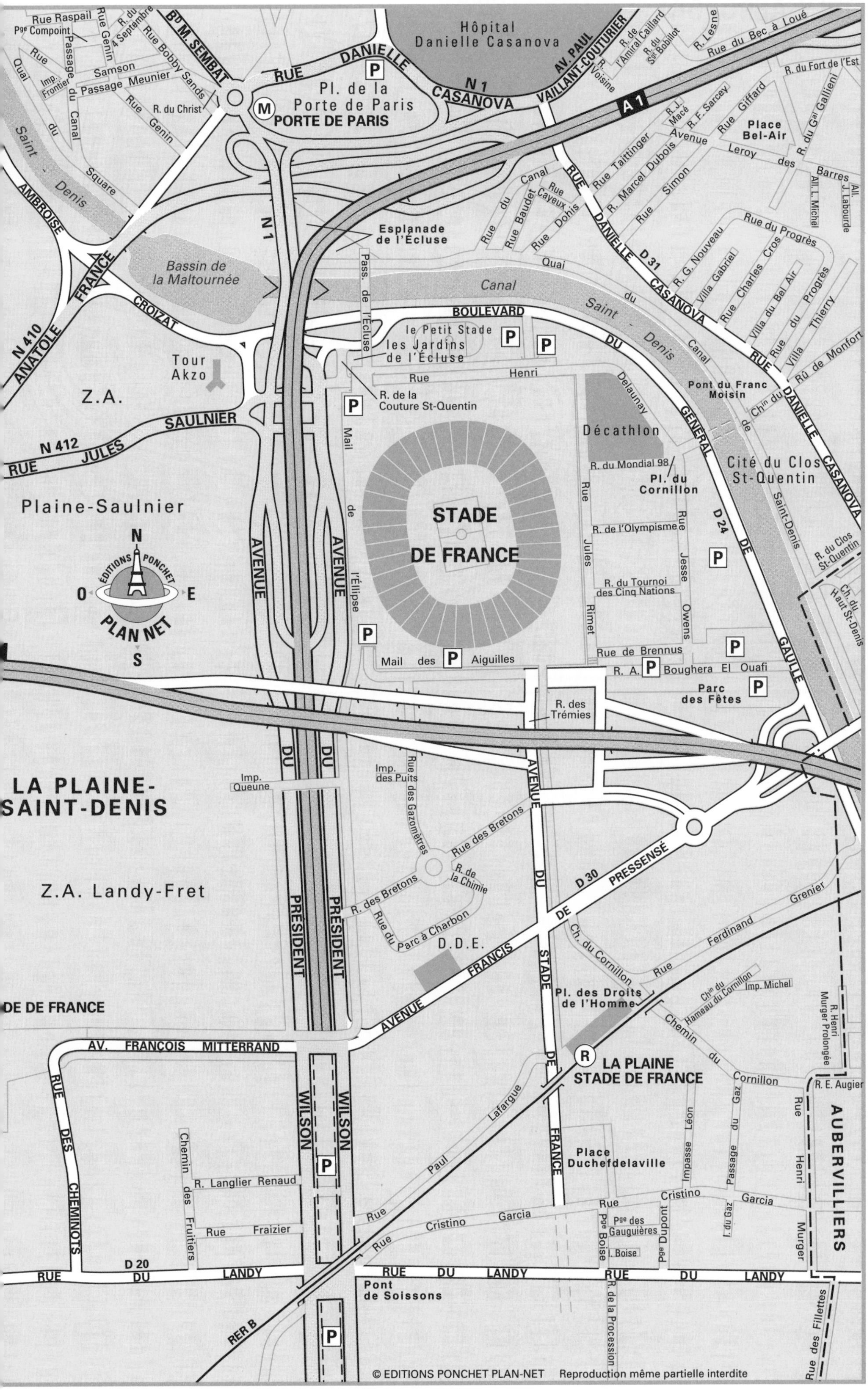

# ORLY-AÉROPORT

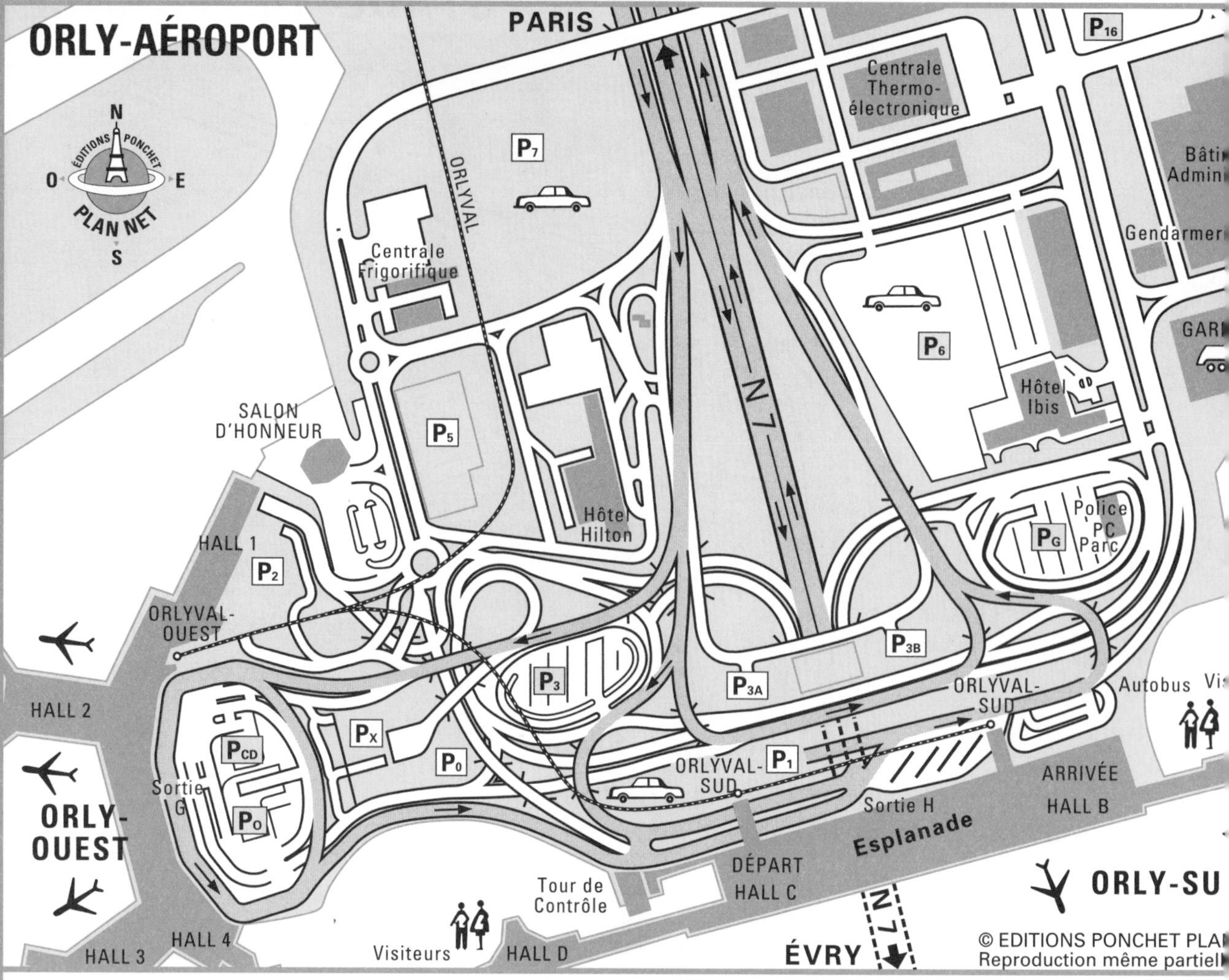


## FORUM DES HALLES

### NIVEAU 1

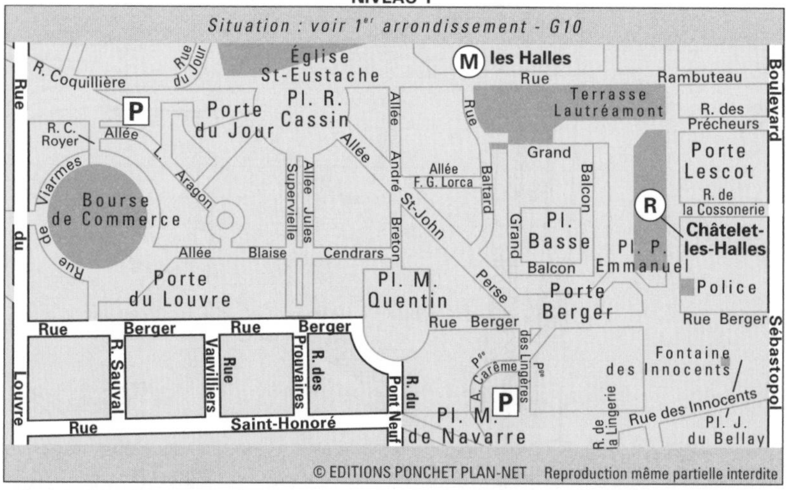


### NIVEAU 2

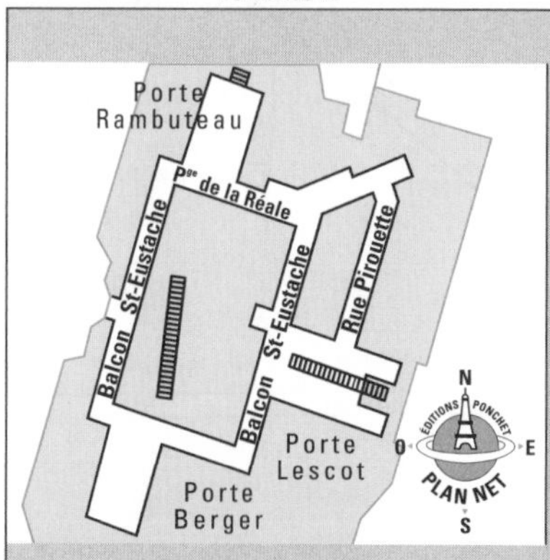


### NIVEAU 3

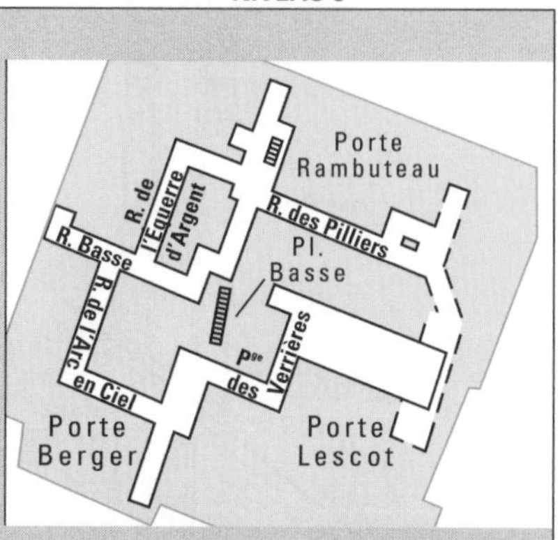

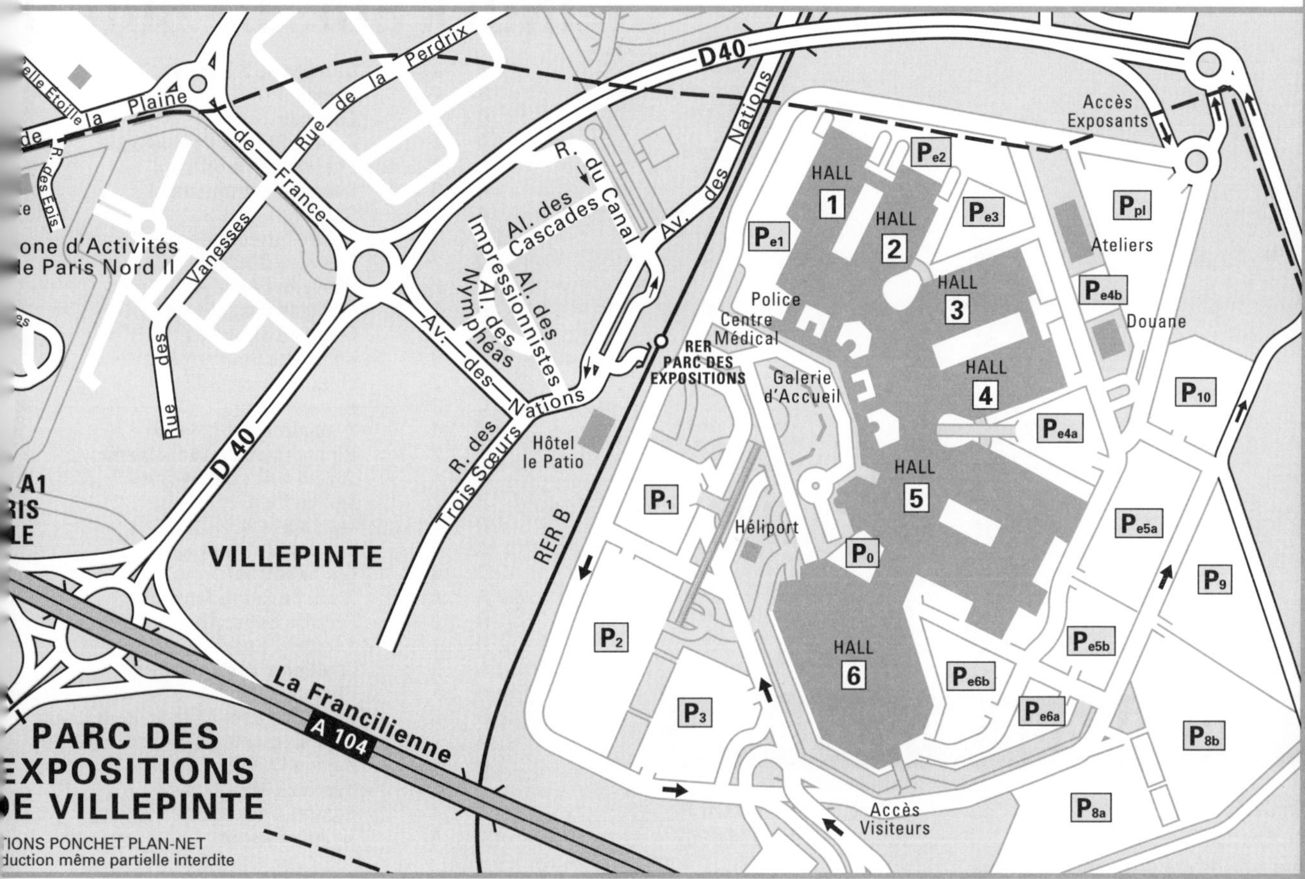



Vers PARIS Pte d'Italie

Vers PARIS Pte d'Italie

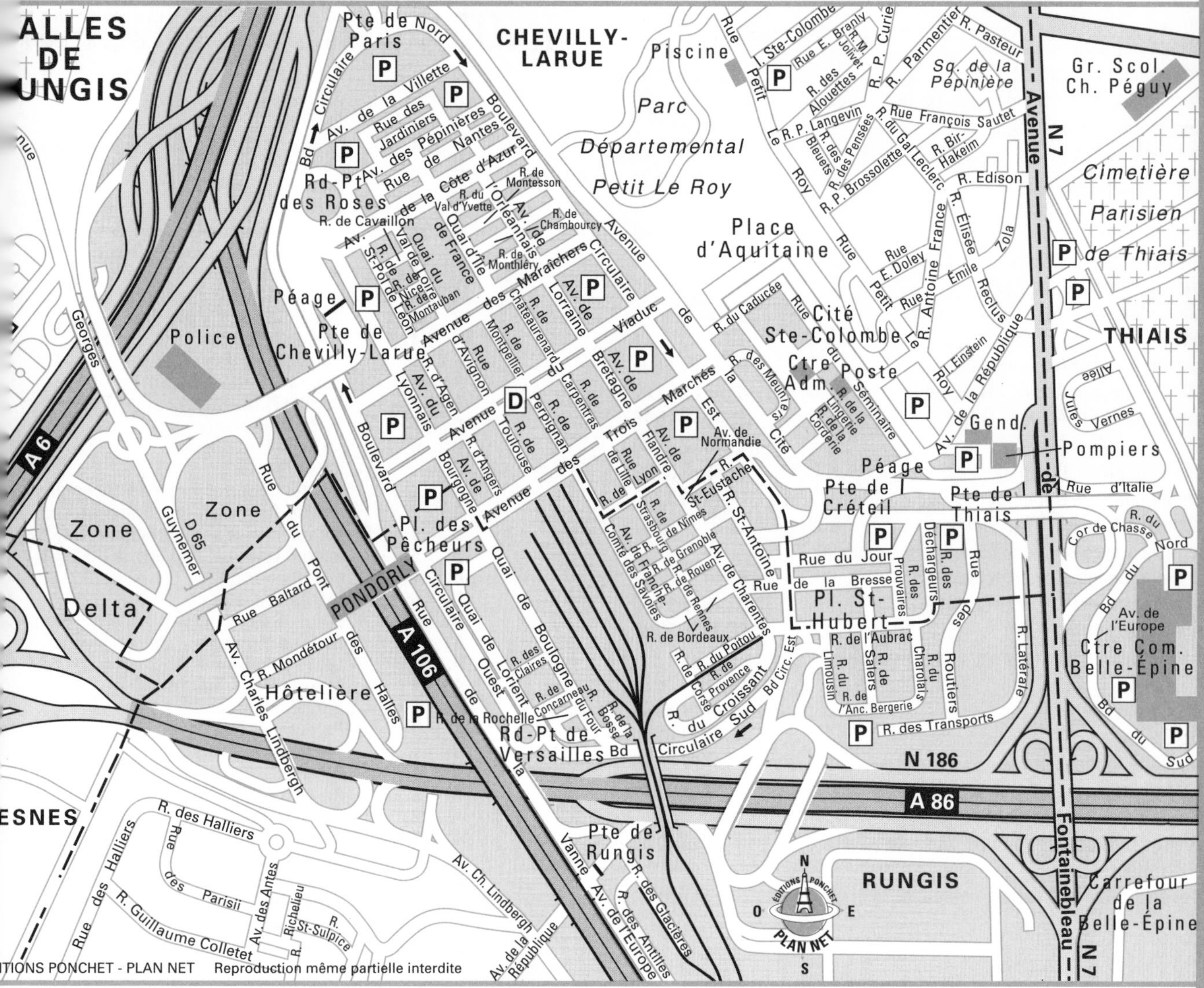

# Téléphones importants

| | |
|---|---|
| Allo Ciné | 01 40 30 20 10 |
| Allo Pharma | 01 40 54 01 02 |
| (Livraison de médicaments à domicile) | |
| Ambulances de l'Assistance Publique | 08 00 28 05 28 |
| Bateaux-Mouches (renseignements | 01 40 76 99 99 |
| Carte Bleue volée | 01 42 77 11 90 |
| Centre anti-Poisons | 01 40 37 04 04 |
| Horloge parlante | 36 99 |
| Informations boursières | 08 36 68 84 01 |
| Informations météorologiques – Ile-de-France – | 08 36 68 02 92 |
| Informations météorologiques – France – | 08 36 68 01 01 |
| Informations des neiges | 01 42 66 64 28 |
| Informations téléphonées | 08 36 68 10 00 |
| Informations touristiques | 01 49 52 53 55 |
| Informations routières | 08 36 68 20 00 |
| Objets perdus - Objets trouvés | 01 55 76 20 20 |
| Office de Tourisme de Paris | 01 49 52 53 54 |
| Police - Secours | 17 |
| Pompiers | 18 |
| Renseignements Administratifs | 01 40 01 11 05 |
| Renseignements Avions - Le Bourget | 01 48 62 22 80 |
| Renseignements Avions - Orly | 01 49 75 15 15 |
| Renseignements Avions - Roissy | 01 48 62 22 80 |
| Renseignements Chèques - Postaux | 01 53 68 33 33 |
| Renseignements Douaniers | 01 40 40 39 00 |
| Renseignements CFRT (téléphone) | 14 |
| (Centre Facture Régional Télécommunications) | |
| Renseignements Gaz et Electricité | 01 40 42 22 22 |
| Renseignements Sécurité Sociale | 01 48 18 11 50 |
| Renseignements SNCF | 08 36 35 35 35 |
| SAMU (Service d'Aide Médicale d'Urgence) | 15 |
| SOS Amitié | 01 42 96 26 26 |
| SOS Cardiologie | 01 47 07 50 50 |
| SOS Dentaire | 01 43 37 51 00 |
| SOS Dépannage voitures | 01 47 07 99 99 |
| SOS Médecin | 01 47 07 77 77 |
| Télégrammes téléphonés | 36 55 |
| Urgences médicales de Paris (24 h. sur 24 h.) | 01 48 28 40 04 |
| Vol de voitures | |
| (Prévenir le Commissariat Principal de la commune où a eu lieu le vol) | |

# INDEX BOIS DE BOULO



# INDEX BOIS DE VINCENN

## BOIS DE BOULOGNE
16ème Arrondissement

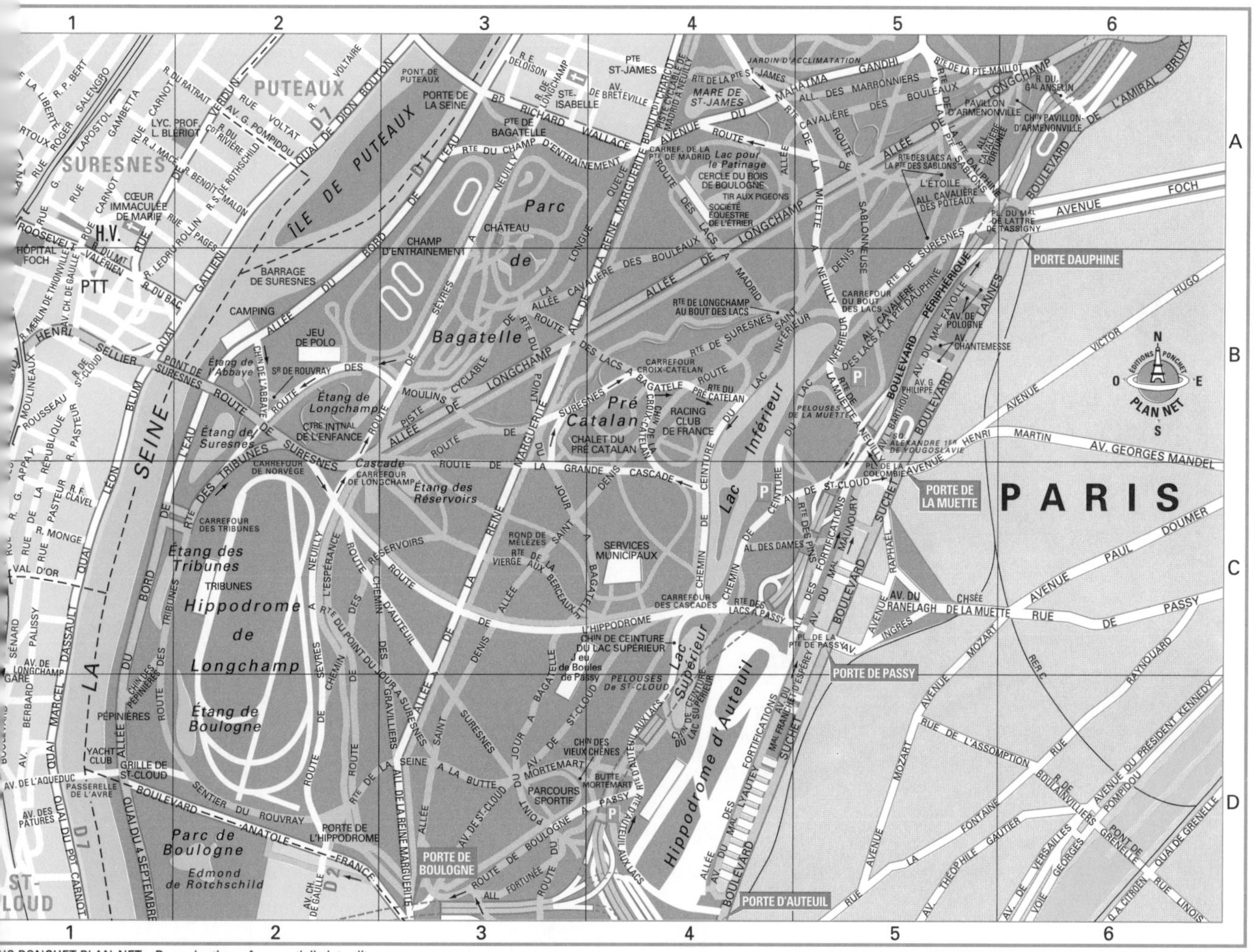




## BOIS DE VINCENNES
12ème Arrondissement

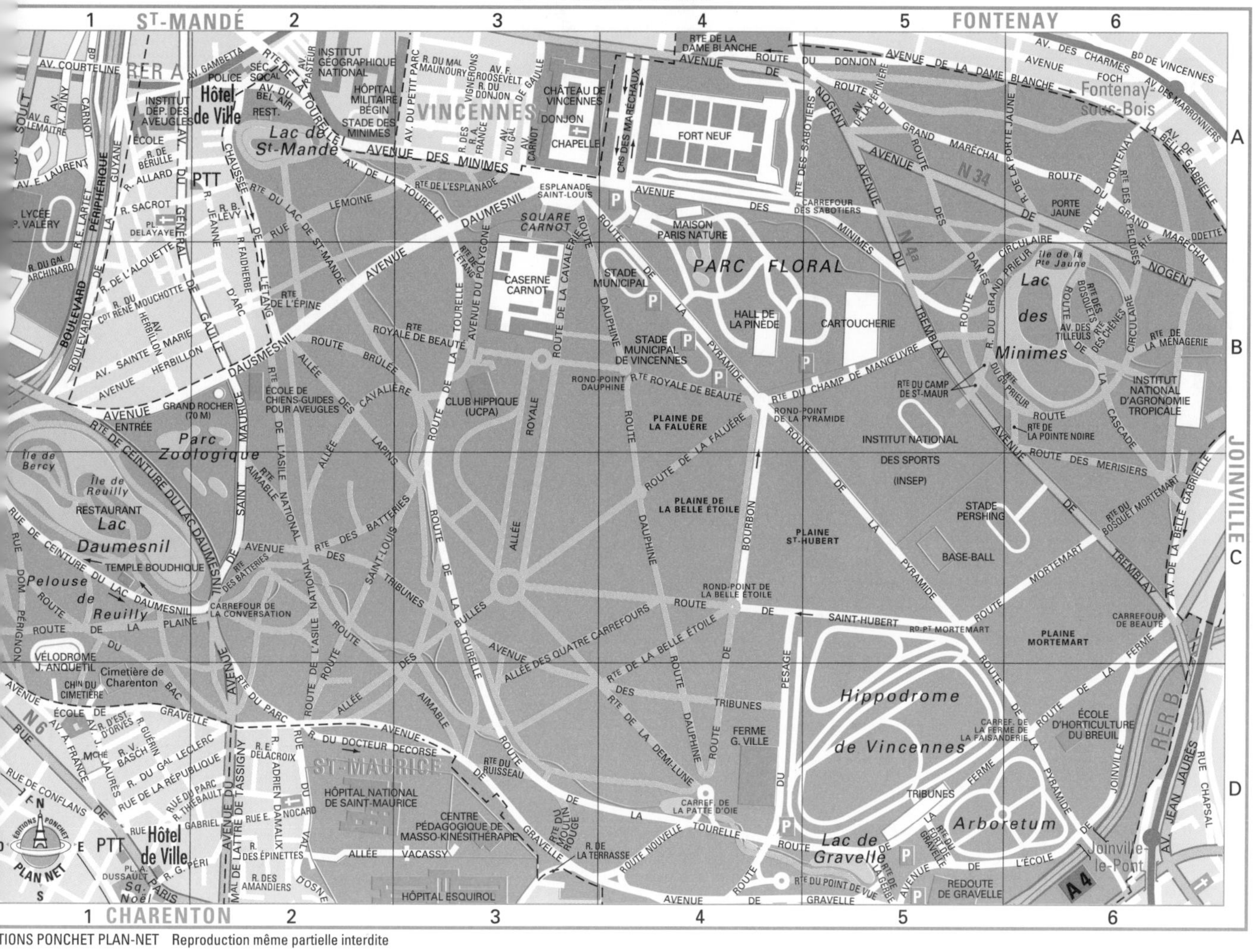

F G H I

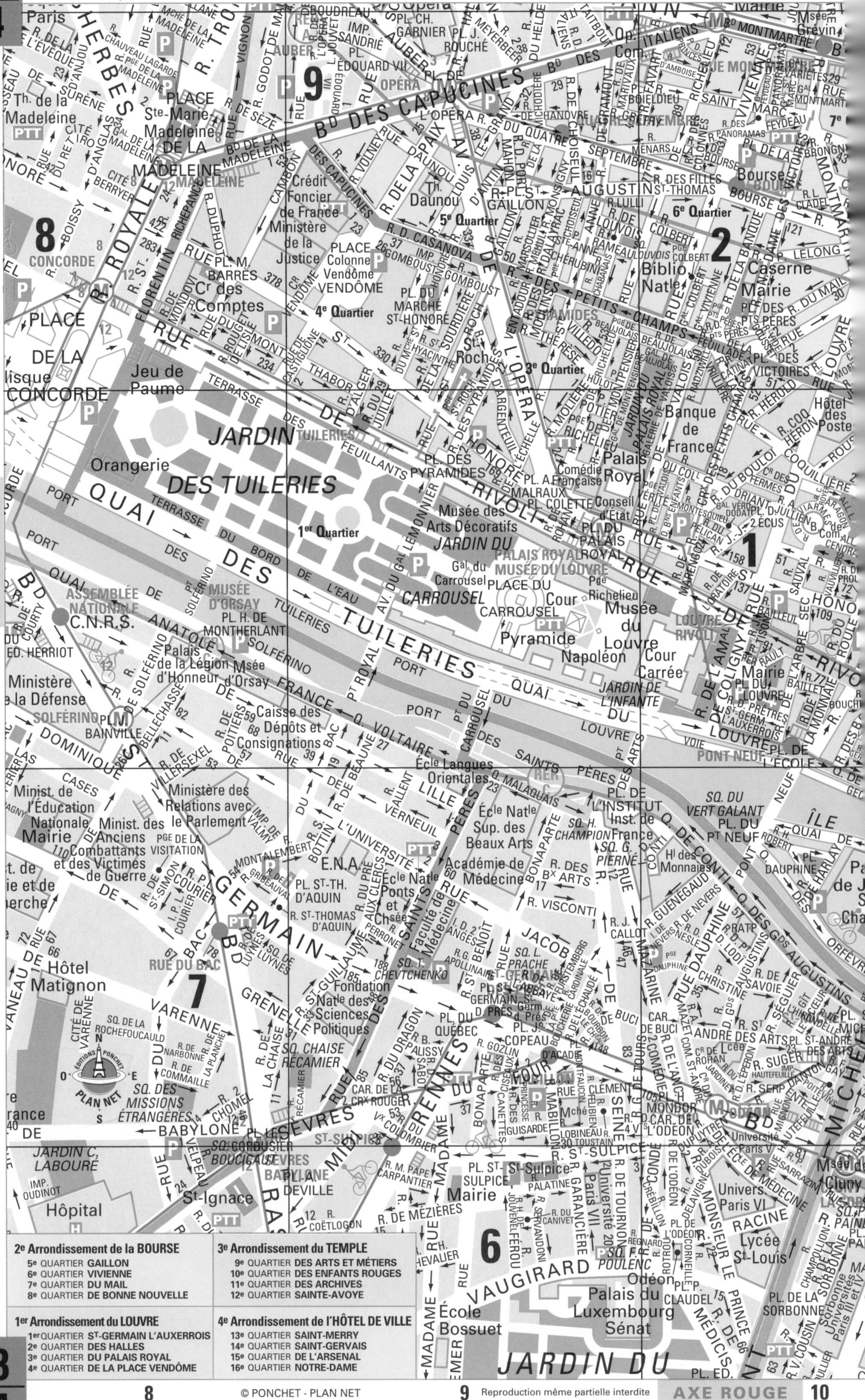
BD DES CAPUCINES
OPÉRA
PLACE Ste-Marie-Madeleine
MADELEINE
Th. de la Madeleine
CONCORDE
PLACE DE LA CONCORDE
RUE ROYALE
Crédit Foncier de France
Ministère de la Justice
PLACE Colonne Vendôme VENDÔME
Cr des Comptes
Jeu de Paume
Orangerie
JARDIN DES TUILERIES
TUILERIES
QUAI DES TUILERIES
RUE DE RIVOLI
Musée des Arts Décoratifs
JARDIN DU CARROUSEL
PALAIS ROYAL MUSÉE DU LOUVRE
PLACE DU CARROUSEL
Pyramide
Cour Napoléon
Musée du Louvre
Cour Carrée
Comédie Française
Conseil d'État
Palais Royal
Banque de France
Biblio. Natle
Caserne Mairie
BOURSE
Th. Daunou
5e Quartier
6e Quartier
4e Quartier
3e Quartier
1er Quartier
ASSEMBLÉE NATIONALE
MUSÉE D'ORSAY
C.N.R.S.
Palais de la Légion d'Honneur
Msée d'Orsay
QUAI ANATOLE FRANCE
Q. VOLTAIRE
Caisse des Dépôts et Consignations
Ministère de la Défense
SOLFÉRINO
Ministère des Relations avec le Parlement
Minist. de l'Éducation Nationale
Minist. des Anciens Combattants et des Victimes de Guerre
BD ST GERMAIN
Écle Langues Orientales
Écle Natle Sup. des Beaux Arts
Académie de Médecine
Inst. de France
PONT NEUF
SQ. DU VERT GALANT
ÎLE
E.N.A.
Fondation Natle des Sciences Politiques
Hôtel Matignon
RUE DU BAC
SQ. DES MISSIONS ÉTRANGÈRES
SQ. CHAISE RÉCAMIER
SÈVRES BABYLONE
St-Ignace
Hôpital
Mairie
PL. ST-SULPICE
Palais du Luxembourg Sénat
JARDIN DU
VAUGIRARD
Odéon
Univers. Paris VI
Lycée St-Louis
Msée de Cluny
PL. DE LA SORBONNE
École Bossuet
AXE ROUGE

2e Arrondissement de la BOURSE
5e QUARTIER GAILLON
6e QUARTIER VIVIENNE
7e QUARTIER DU MAIL
8e QUARTIER DE BONNE NOUVELLE
3e Arrondissement du TEMPLE
9e QUARTIER DES ARTS ET MÉTIERS
10e QUARTIER DES ENFANTS ROUGES
11e QUARTIER DES ARCHIVES
12e QUARTIER SAINTE-AVOYE
1er Arrondissement du LOUVRE
1er QUARTIER ST-GERMAIN L'AUXERROIS
2e QUARTIER DES HALLES
3e QUARTIER DU PALAIS ROYAL
4e QUARTIER DE LA PLACE VENDÔME
4e Arrondissement de l'HÔTEL DE VILLE
13e QUARTIER SAINT-MERRY
14e QUARTIER SAINT-GERVAIS
15e QUARTIER DE L'ARSENAL
16e QUARTIER NOTRE-DAME

1er 2e 3e 4e ARRONDISSEMENTS
Métro
station
correspondances
RER
station
Limite d'arrondissement
Limite de quartier
Sens unique
Parking
PTT
Hôpital
Piste cyclable
AXE ROUGE
: stationnement interdit
Échelle
0
200
400 m
PONCHET - PLAN NET
10
3
4
5
11
12
F
G
H
I
Bd de Strasbourg
Bd de Sébastopol
Bd St-Denis
Bd St-Martin
Magenta
Pl. de la République
Bd du Temple
Bd Beaumarchais
Boulevard Richard Lenoir
Rue de Rivoli
Rue Saint-Antoine
Rue Rambuteau
Rue Réaumur
Rue de Turbigo
Centre Pompidou
Archives Nationales
Musée Picasso
Hôtel de Ville
Notre-Dame
Pl. des Vosges
Colonne de Juillet
Opéra de Paris Bastille
Institut du Monde Arabe
Conserv. des Arts et Métiers
Cirque d'H.
Mairie
9e Quartier
10e Quartier
11e Quartier
12e Quartier
13e Quartier
14e Quartier
15e Quartier
16e Quartier

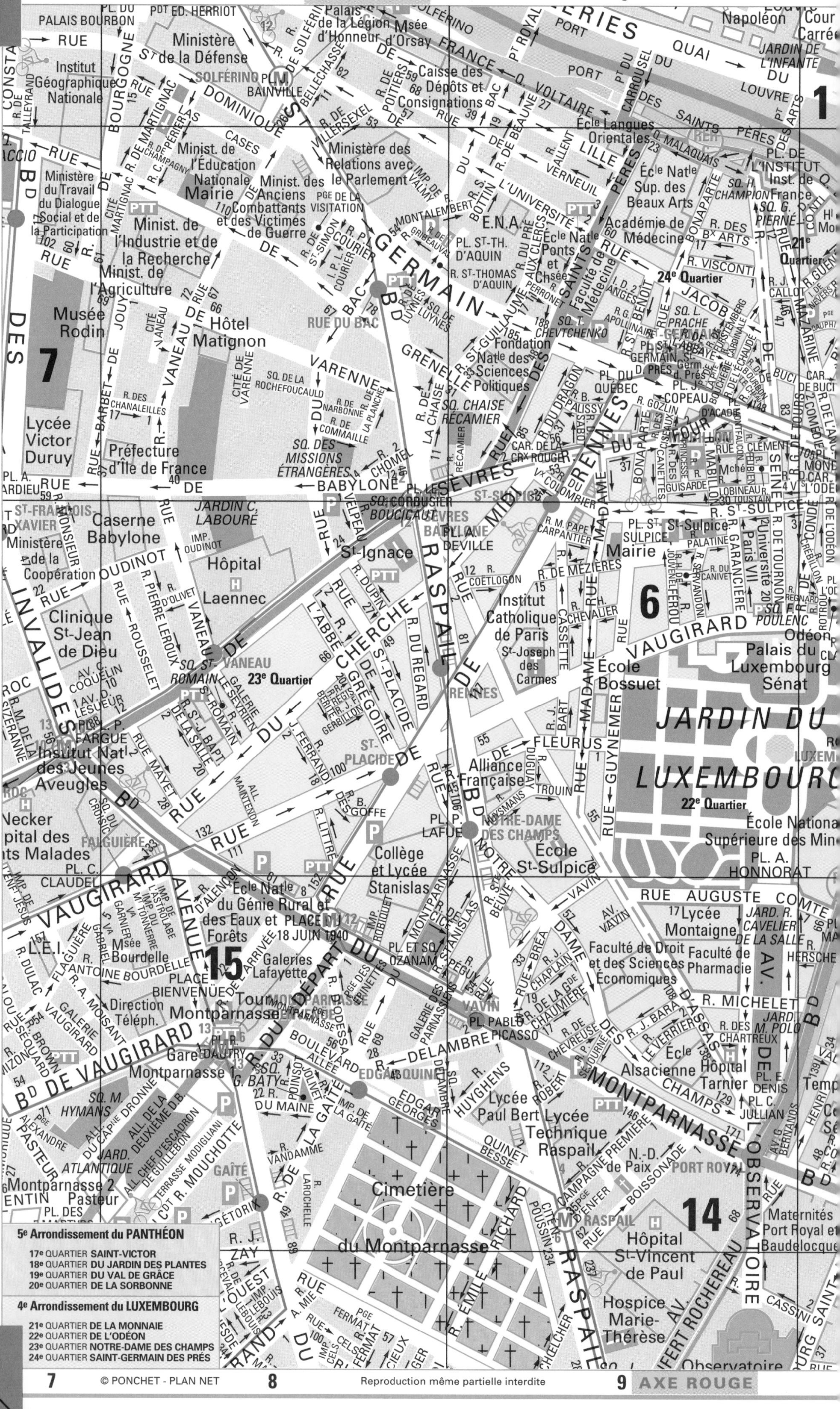


**5e Arrondissement du PANTHÉON**

17e QUARTIER SAINT-VICTOR
18e QUARTIER DU JARDIN DES PLANTES
19e QUARTIER DU VAL DE GRÂCE
20e QUARTIER DE LA SORBONNE

**4e Arrondissement du LUXEMBOURG**

21e QUARTIER DE LA MONNAIE
22e QUARTIER DE L'ODÉON
23e QUARTIER NOTRE-DAME DES CHAMPS
24e QUARTIER SAINT-GERMAIN DES PRÉS

5e-6e ARRONDISSEMENTS
Métro station correspondances RER station
Limite d'arrondissement
Limite de quartier
Sens unique
Parking
PTT
Hôpital
Piste cyclable
AXE ROUGE : stationnement interdit
Échelle 0 200 400 m
PONCHET - PLAN NET
G
H
I
J
K
45
AXE ROUGE
4
3
5
12
13
Hôtel de Ville
Hôtel Dieu
Préfecture de Police
NOTRE DAME
SQ. JEAN XXIII
Tour St Jacques
Crédit Munic.
Ste Marie
Carnavalet
Biblio.
PL. DES VOSGES
Synagogue
St-Paul St-Louis
Lycée Charlemagne
RUE DE RIVOLI
RUE SAINT-ANTOINE
Temple
Caserne des Célestins
Ecole Massillon
Préf. de Paris
QUAI DE LA TOURNELLE
QUAI ST LOUIS
QUAI DE BÉTHUNE
QUAI D'ANJOU
PORT DES CÉLESTINS
BD HENRI IV
BOULEVARD BOURDON
BD SAINT GERMAIN
Institut du Monde Arabe
17e Quartier
Universités Paris VI et VII Pierre et Marie Curie
PLACE JUSSIEU
JARDIN DES PLANTES
Ménagerie
Muséum National d'histoire Naturelle
Institut Musulman
JARDIN TINO ROSSI
QUAI SAINT BERNARD
PLACE VALHUBERT
GARE D'AUSTERLITZ
Gare d'Austerlitz
Arrivée
Départ
SQUARE MARIE CURIE
18e Quartier
Panthéon
Lcée Henri IV
20e Quartier
Secriat d'État à la Rech.
PL. DE LA CONTRESCARPE
PLACE MONGE
RUE MONGE
RUE MOUFFETARD
Arènes de Lutèce
Amphith. d'Anatomie
Inst. Natl Agronomique
BD SAINT MARCEL
ST-MARCEL
St-Louis
Université de Médecine Paris VI Faculté la Pitié-Salpêtrière
Groupe Hospitalier la Pitié-Salpêtrière
Caserne de Lourcine
PORT ROYAL
LES GOBELINS
Écle Natle de Physique
Écle de Physique et Chimie
Écle Norm. Sup.
Fond. Curie
Arts Déco.
Caserne de Lourcine
PLAN NET
ÉDITIONS PONCHET
N O E S

4 5 6

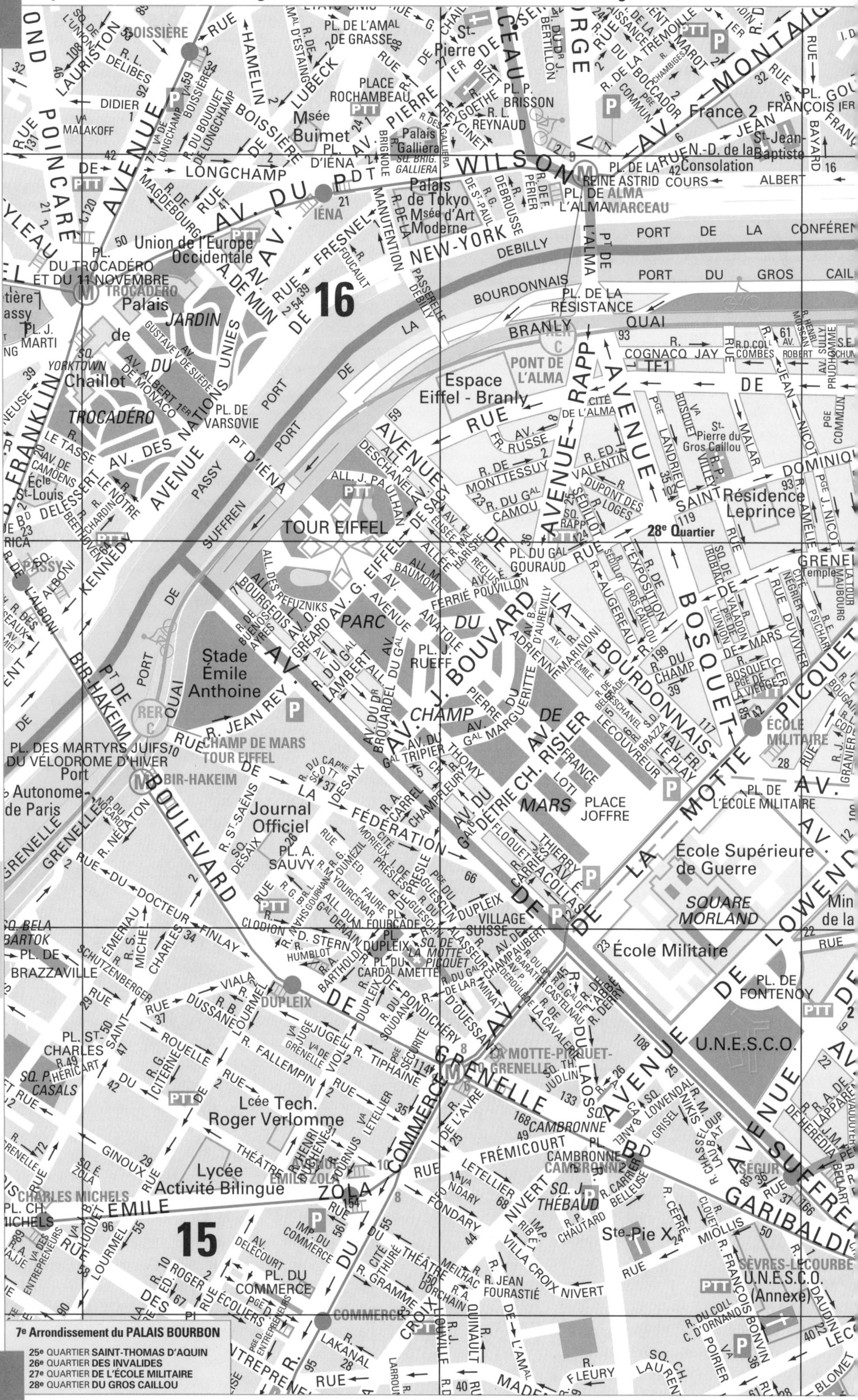
F
G
H
I
AXE ROUGE
BOISSIÈRE
IÉNA
TROCADÉRO
Palais de Chaillot
JARDIN DU TROCADÉRO
PL. DU TROCADÉRO ET DU 11 NOVEMBRE
Union de l'Europe Occidentale
Musée Guimet
Palais Galliera
Palais de Tokyo
Musée d'Art Moderne
PL. DE L'ALMA
ALMA MARCEAU
PONT DE L'ALMA
PL. DE LA RÉSISTANCE
Espace Eiffel - Branly
TOUR EIFFEL
PARC DU CHAMP DE MARS
Stade Émile Anthoine
CHAMP DE MARS TOUR EIFFEL
BIR-HAKEIM
PL. DES MARTYRS JUIFS DU VÉLODROME D'HIVER
Port Autonome de Paris
Journal Officiel
PL. JOFFRE
École Supérieure de Guerre
SQUARE MORLAND
École Militaire
PL. DE FONTENOY
U.N.E.S.C.O.
ÉCOLE MILITAIRE
LA MOTTE-PICQUET-GRENELLE
DUPLEIX
VILLAGE SUISSE
Lcée Tech. Roger Verlomme
Lycée Activité Bilingue
CHARLES MICHELS
AVENUE ÉMILE ZOLA
COMMERCE
CAMBRONNE
SÉGUR
SÈVRES-LECOURBE
U.N.E.S.C.O. (Annexe)
Ste-Pie X
28e Quartier
Résidence Leprince
TF1
France 2
16
15
AV. DU PDT WILSON
AV. DE NEW-YORK
QUAI BRANLY
AVENUE RAPP
AV. BOSQUET
AV. DE LA BOURDONNAIS
AV. DE LA MOTTE PICQUET
AV. DE SUFFREN
AV. DE LOWENDAL
BD GARIBALDI
BD DE GRENELLE
AV. J. BOUVARD
AV. DE SUFFREN
RUE DE LA FÉDÉRATION
BOULEVARD DE GRENELLE
RUE DU DOCTEUR FINLAY
RUE DU COMMERCE
RUE SAINT-CHARLES
AV. PIERRE 1ER DE SERBIE
RUE DE LONGCHAMP
AV. KLÉBER
AV. DE NATIONS UNIES
AV. DES NATIONS UNIES
PORT DE PASSY
PORT DE LA CONFÉRENCE
PORT DU GROS CAILLOU
PORT DE SUFFREN
PORT DE LA BOURDONNAIS
PT D'IÉNA
PT DE BIR-HAKEIM
PT DE L'ALMA
RUE SAINT DOMINIQUE
RUE DE GRENELLE
7e Arrondissement du PALAIS BOURBON
25e QUARTIER SAINT-THOMAS D'AQUIN
26e QUARTIER DES INVALIDES
27e QUARTIER DE L'ÉCOLE MILITAIRE
28e QUARTIER DU GROS CAILLOU

4 5 6

8 9

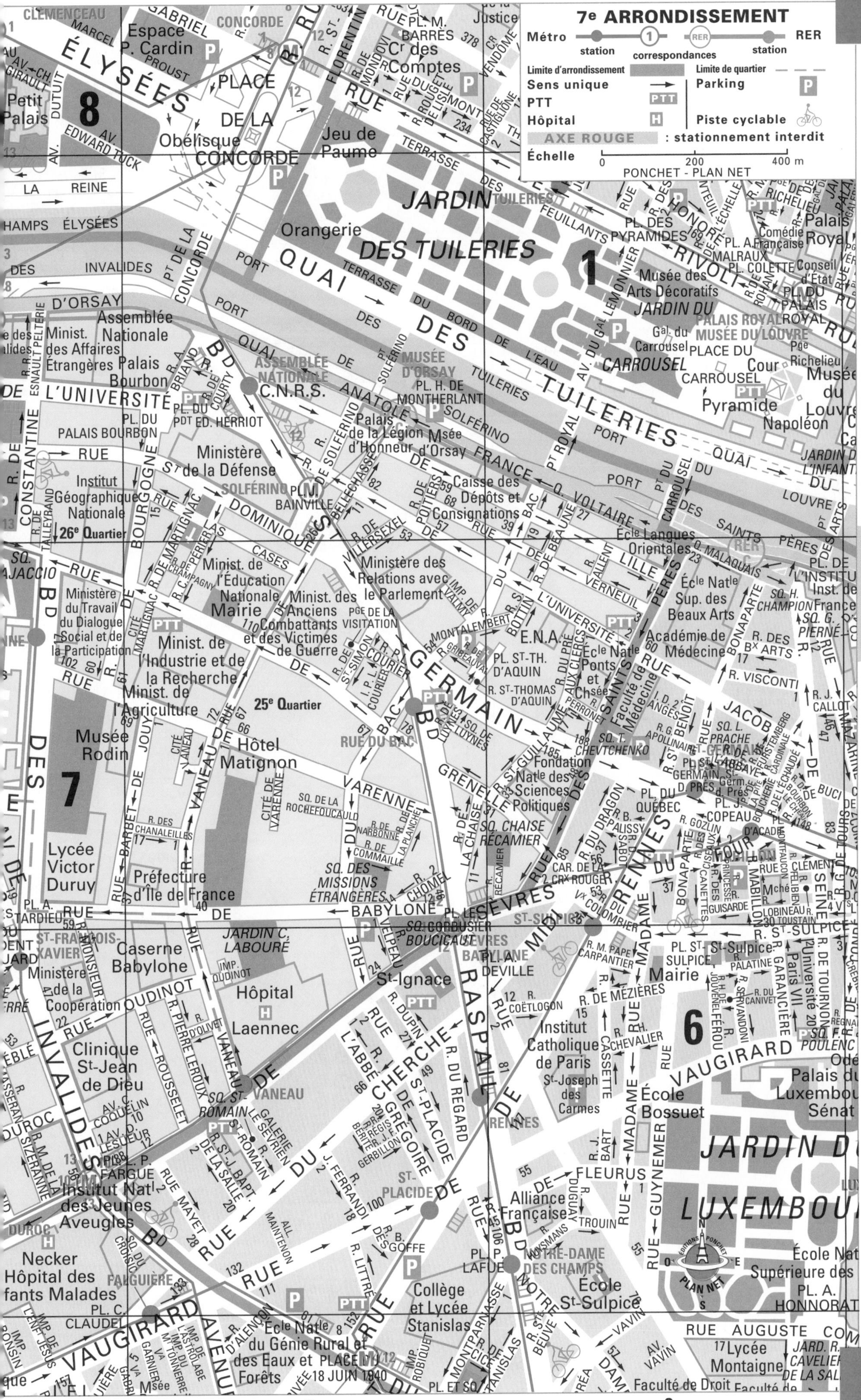
7e ARRONDISSEMENT
Métro
station
correspondances
RER
station
RER
Limite d'arrondissement
Limite de quartier
Sens unique
PTT
Hôpital
Parking
Piste cyclable
AXE ROUGE : stationnement interdit
Échelle
0
200
400 m
PONCHET - PLAN NET
CLEMENCEAU
CONCORDE
Espace P. Cardin
AV. GABRIEL
AV. MARCEL PROUST
ÉLYSÉES
Petit Palais
AV. DUTUIT
AV. EDWARD TUCK
PLACE DE LA CONCORDE
Obélisque
Jeu de Paume
RUE DE RIVOLI
Cr des Comptes
PL. M. BARRÈS
Justice
JARDIN DES TUILERIES
TERRASSE DES FEUILLANTS
TERRASSE DU BORD DE L'EAU
Orangerie
COURS LA REINE
CHAMPS ÉLYSÉES
PORT DES INVALIDES
QUAI D'ORSAY
PT DE LA CONCORDE
PORT DE LA CONCORDE
QUAI DES TUILERIES
PORT DES TUILERIES
PORT DE SOLFÉRINO
Assemblée Nationale
Minist. des Affaires Étrangères
Palais Bourbon
ASSEMBLÉE NATIONALE
C.N.R.S.
MUSÉE D'ORSAY
PL. H. DE MONTHERLANT
QUAI ANATOLE FRANCE
Palais de la Légion d'Honneur
Msée d'Orsay
PT ROYAL
PT DU CARROUSEL
PORT DU LOUVRE
QUAI DU LOUVRE
PL. DES PYRAMIDES
PL. A. MALRAUX
PL. COLETTE
Comédie Française
Palais Royal
Conseil d'État
PL. DU PALAIS ROYAL
Musée des Arts Décoratifs
JARDIN DU CARROUSEL
PALAIS ROYAL MUSÉE DU LOUVRE
PLACE DU CARROUSEL
Cour Napoléon
Pyramide
Pge Richelieu
Musée du Louvre
JARDIN DE L'INFANTE
RUE DE L'UNIVERSITÉ
PL. DU PALAIS BOURBON
PL. DU PDT ED. HERRIOT
RUE SAINT-DOMINIQUE
Ministère de la Défense
SOLFÉRINO
PL. BAINVILLE
Institut Géographique Nationale
26e Quartier
Caisse des Dépôts et Consignations
Q. VOLTAIRE
Écle Langues Orientales
Q. MALAQUAIS
PT DES ARTS
RER
SQ. AJACCIO
Minist. de l'Éducation Nationale
Mairie
Minist. des Anciens Combattants et des Victimes de Guerre
Ministère des Relations avec le Parlement
PGE DE LA VISITATION
Ministère du Travail du Dialogue Social et de la Participation
Minist. de l'Industrie et de la Recherche
Minist. de l'Agriculture
RUE DE VARENNE
25e Quartier
BD SAINT-GERMAIN
RUE DU BAC
E.N.A.
PL. ST-TH. D'AQUIN
R. ST-THOMAS D'AQUIN
Écle Natle des Ponts et Chsée
Écle Natle Sup. des Beaux Arts
Académie de Médecine
Faculté de Médecine
SQ. H. CHAMPION
SQ. G. PIERNÉ
Inst. de France
R. VISCONTI
R. JACOB
SQ. T. CHEVTCHENKO
ST-GERMAIN DES PRÉS
PL. ST-GERMAIN DES PRÉS
Musée Rodin
Hôtel Matignon
SQ. DE LA ROCHEFOUCAULD
Fondation Natle des Sciences Politiques
RUE DE GRENELLE
PL. DU QUÉBEC
MABILLON
SQ. CHAISE RÉCAMIER
SQ. DES MISSIONS ÉTRANGÈRES
Lycée Victor Duruy
Préfecture d'Île de France
RUE DE BABYLONE
RUE DE SÈVRES
SÈVRES BABYLONE
PL. LE CORBUSIER
SQ. BOUCICAUT
ST-SULPICE
CAR. DE LA CRX ROUGE
PL. ST-SULPICE
St-Sulpice
Mairie
Université Paris VII
Odéon
ST-FRANÇOIS-XAVIER
Caserne Babylone
JARDIN C. LABOURÉ
Ministère de la Coopération
Hôpital Laennec
St-Ignace
PL. A. DEVILLE
Clinique St-Jean de Dieu
VANEAU
SQ. ST-ROMAIN
BD RASPAIL
RUE DU CHERCHE MIDI
Institut Catholique de Paris
St-Joseph des Carmes
RUE DE VAUGIRARD
Palais du Luxembourg
Sénat
École Bossuet
JARDIN DU LUXEMBOURG
RENNES
BD DES INVALIDES
DUROC
Institut Natl des Jeunes Aveugles
ST-PLACIDE
Alliance Française
RUE DE FLEURUS
NOTRE-DAME DES CHAMPS
École Supérieure des Mines
PL. A. HONNORAT
Necker Hôpital des Enfants Malades
FALGUIÈRE
PL. C. CLAUDEL
Écle Natle du Génie Rural et des Eaux et Forêts
PLACE DU 18 JUIN 1940
Collège et Lycée Stanislas
École St-Sulpice
PL. P. LAFUE
RUE AUGUSTE COMTE
Lycée Montaigne
Faculté de Droit
AV. DU MAINE
BD DU MONTPARNASSE
RUE VAVIN
EDITIONS PONCHET PLAN NET
AXE ROUGE
F
G
H
I

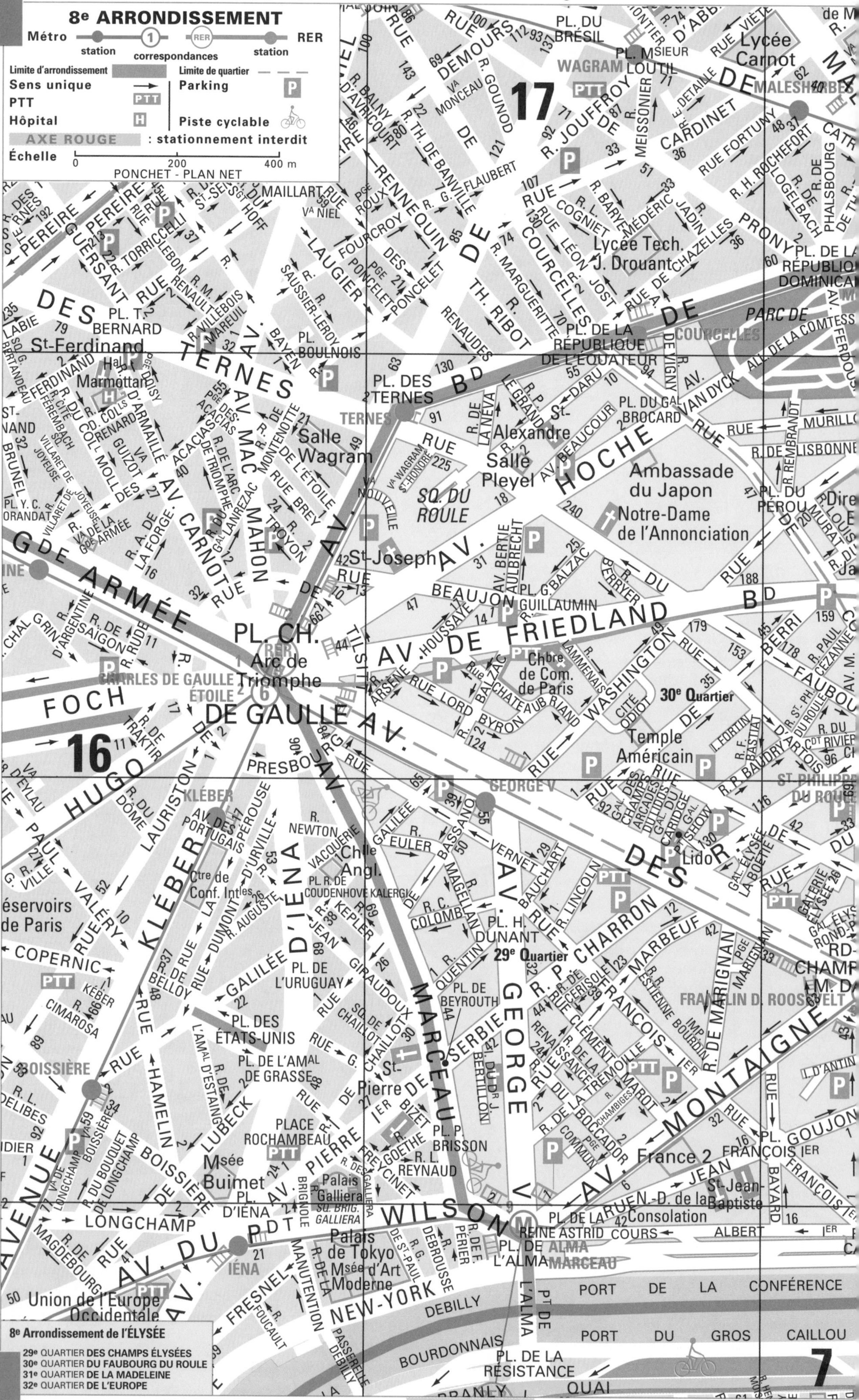
8e ARRONDISSEMENT
Métro station
correspondances
RER station
Limite d'arrondissement
Limite de quartier
Sens unique
Parking
PTT
Hôpital
Piste cyclable
AXE ROUGE : stationnement interdit
Échelle 0 200 400 m
PONCHET - PLAN NET
D
E
F
G
17
16
7
PL. DU BRÉSIL
WAGRAM
PL. Mgr LOUTIL
Lycée Carnot
MALESHERBES
R. DEMOURS
R. GOUNOD
R. JOUFFROY D'ABBANS
R. MEISSONIER
R. CARDINET
RUE FORTUNY
R. H. ROCHEFORT
R. DE LOGELBACH
R. DE PHALSBOURG
R. PRONY
R. DE CHAZELLES
R. JADIN
R. MÉDÉRIC
R. BARYE
R. L. COGNIET
RUE COURCELLES
R. LÉON JOST
Lycée Tech. J. Drouant
R. MARGUERITTE
R. TH. RIBOT
R. RENAUDES
PL. DE LA RÉPUBLIQUE DE L'ÉQUATEUR
BD DE COURCELLES
PARC DE MONCEAU
PL. DE LA RÉPUBLIQUE DOMINICAINE
AV. VAN DYCK
AV. DE LA COMTESSE
R. BALNY D'AVRICOURT
R. TH. DE BANVILLE
R. RENNEQUIN
R. G. FLAUBERT
R. FOURCROY
R. PONCELET
R. LAUGIER
R. SAUSSIER-LEROY
R. BAYEN
PL. BOULNOIS
R. MAILLART
Va NIEL
R. PEREIRE
R. GUERSANT
R. TORRICELLI
R. LEBON
R. RENAULT
R. M. VILLEBOIS MAREUIL
AV. DES TERNES
PL. T. BERNARD
St-Ferdinand
R. LABIE
R. BERTANDEAU
R. ST-FERDINAND
Hal Marmottan
R. D'ARMAILLÉ
R. DES ACACIAS
AV. DES ACACIAS
R. DE L'ARC DE TRIOMPHE
AV. MAC MAHON
R. DE MONTENOTTE
R. DE L'ÉTOILE
Salle Wagram
R. BREY
R. TROYON
AV. CARNOT
R. BRUNEL
R. GUIZOT
R. VILLARET DE JOYEUSE
R. A. DE LA FORGE
R. DU Gal LANREZAC
PL. Y. C. ORANDAT
PL. DES TERNES
TERNES
R. DE LA NEVA
R. DARU
St-Alexandre
Salle Pleyel
AV. HOCHE
AV. BEAUCOUR
PL. DU Gal BROCARD
R. MURILLO
R. DE LISBONNE
R. REMBRANDT
Ambassade du Japon
Notre-Dame de l'Annonciation
PL. DU PÉROU
R. LOUIS MURAT
SQ. DU ROULE
Va NOUVELLE
St-Joseph
AV. BERTIE AUBLRECHT
R. BALZAC
R. BERRYER
PL. G. GUILLAUMIN
R. BEAUJON
BD HAUSSMANN
AV. DE FRIEDLAND
R. DE TILSITT
Arc de Triomphe
PL. CH. DE GAULLE
CHARLES DE GAULLE ÉTOILE
AV. DE LA GDE ARMÉE
R. D'ARGENTINE
R. DE SAIGON
R. RUDE
AV. FOCH
R. DE PRESBOURG
R. ARSÈNE HOUSSAYE
RUE LORD BYRON
R. CHATEAUBRIAND
Chbre de Com. de Paris
R. LAMENNAIS
RUE WASHINGTON
CITÉ ODIOT
30e Quartier
Temple Américain
R. FORTIN
R. F. BASTIAT
R. BERRI
R. PAUL CÉZANNE
R. DU FAUBOURG DU ROULE
R. ST-PH. DU ROULE
RUE D'ARTOIS
R. DU Cdt RIVIÈRE
ST-PHILIPPE DU ROULE
R. BAUDRY
AV. HUGO
R. LAURISTON
R. DU DÔME
R. DE TRAKTIR
KLÉBER
AV. DES PORTUGAIS
R. LA PÉROUSE
AV. KLÉBER
R. DUMONT D'URVILLE
Ctre de Conf. Intles
R. AUGUSTE VACQUERIE
R. NEWTON
Chlle Angl.
PL. R. DE COUDENHOVE KALERGI
R. KEPLER
R. JEAN GIRAUDOUX
AV. D'IÉNA
PL. DE L'URUGUAY
R. GALILÉE
R. EULER
R. BASSANO
R. MAGELLAN
GEORGE V
AV. DES CHAMPS-ÉLYSÉES
R. VERNET
R. BAUCHART
R. LINCOLN
R. C. COLOMB
PL. H. DUNANT
29e Quartier
R. QUENTIN BAUCHART
R. P. CHARRON
R. DE MARBEUF
R. FRANÇOIS IER
R. CLÉMENT MAROT
R. DE LA TRÉMOILLE
R. CERISOLE
R. ROBERT ESTIENNE
R. BOURDIN
R. DE MARIGNAN
GAL. DES CHAMPS
ARCADES DU LIDO
CARIDGE
GAL. PÉTRA SHOW
Lido
GAL. ÉLYSÉE LA BOÉTIE
GALERIE ÉLYSÉE 26
FRANKLIN D. ROOSEVELT
CHAMPS ÉLYSÉES
RD-PT
AV. MONTAIGNE
R. D'ANTIN
R. JEAN GOUJON
PL. FRANÇOIS IER
St-Jean-Baptiste
R. BAYARD
AV. MARCEAU
AV. GEORGE V
R. DE BEYROUTH
R. DE SERBIE
R. DU Dr J. BERTILLON
R. DE LA RENAISSANCE
R. DU BOCCADOR
R. COMMINES
R. CHAMBIGES
R. VALÉRY
RUE COPERNIC
R. KÉBER
R. CIMAROSA
Réservoirs de Paris
R. DE BELLOY
R. PAUL VALÉRY
R. G. VILLE
PL. DES ÉTATS-UNIS
PL. DE L'AMAL DE GRASSE
R. DE L'AMAL D'ESTAING
R. DE LUBECK
R. HAMELIN
R. BOISSIÈRE
BOISSIÈRE
R. L. DELIBES
R. DU BOUQUET DE LONGCHAMP
Va DE LONGCHAMP
PLACE ROCHAMBEAU
Msée Buimet
AV. PIERRE IER DE SERBIE
R. DE CHAILLOT
SQ. DE CHAILLOT
St-Pierre de Chaillot
R. BIZET
R. GOETHE
R. FREYCINET
R. L. REYNAUD
PL. P. BRISSON
Palais Galliera
R. DE GALLIERA
SQ. BRIG. GALLIERA
R. BRIGNOLE
PL. D'IÉNA
IÉNA
R. DE LONGCHAMP
R. DE MAGDEBOURG
AV. DU PDT WILSON
Palais de Tokyo
Msée d'Art Moderne
R. DE LA MANUTENTION
R. G. DE ST-PAUL
R. DEBROUSSE
R. DE F. PÉRIER
PL. DE L'ALMA
ALMA MARCEAU
PL. DE LA REINE ASTRID
N.-D. de la Consolation
COURS ALBERT IER
R. JEAN GOUJON
AV. DE NEW-YORK
R. FRESNEL
R. FOUCAULT
PASSERELLE DEBILLY
PT DE L'ALMA
PORT DE LA CONFÉRENCE
PORT DU GROS CAILLOU
PL. DE LA RÉSISTANCE
QUAI BRANLY
Union de l'Europe Occidentale
France 2
Direction
PARC DE MONCEAU
8e Arrondissement de l'ÉLYSÉE
29e QUARTIER DES CHAMPS ÉLYSÉES
30e QUARTIER DU FAUBOURG DU ROULE
31e QUARTIER DE LA MADELEINE
32e QUARTIER DE L'EUROPE



   AXE ROUGE 

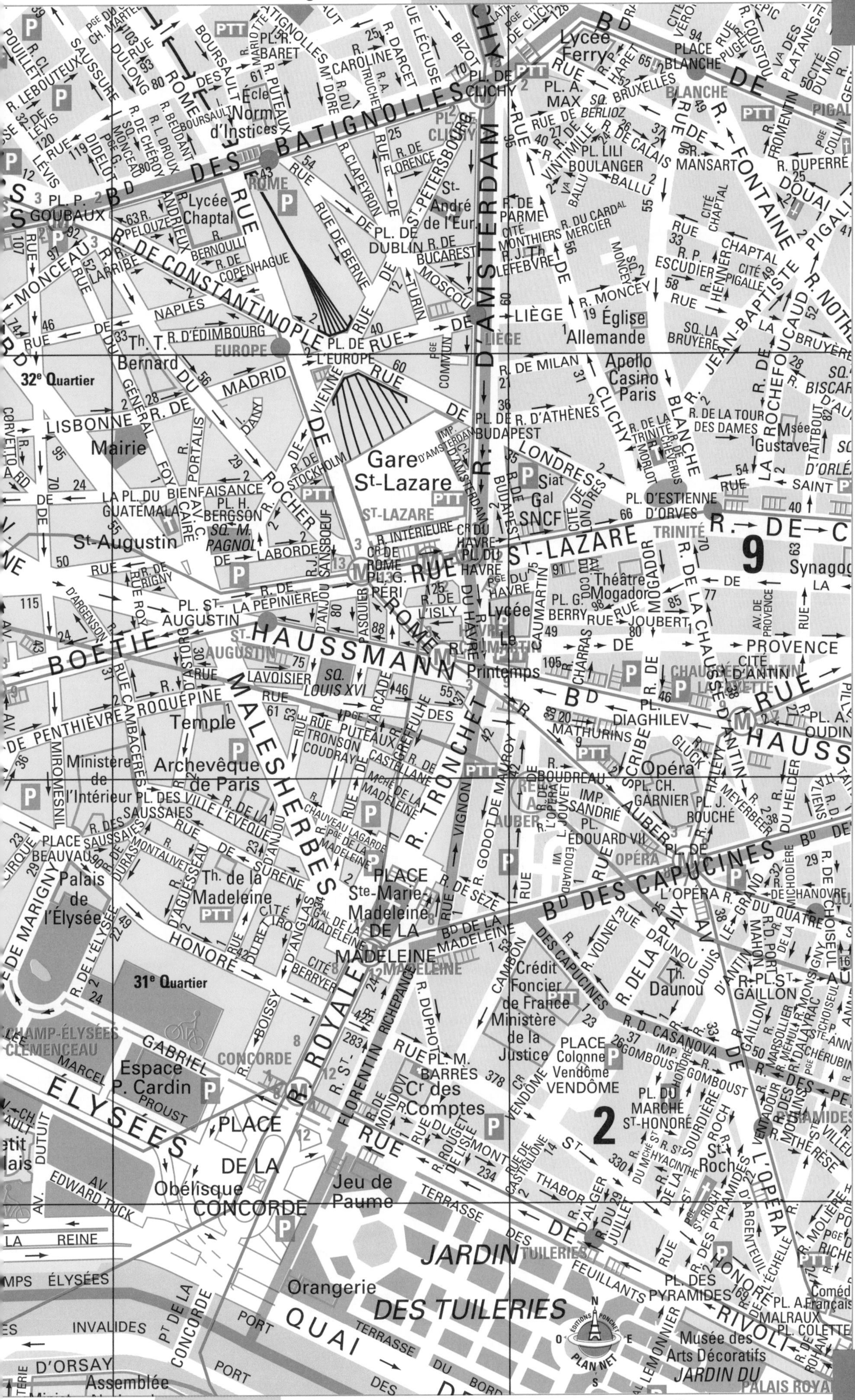

BD DES BATIGNOLLES
PL. DE CLICHY
PLACE BLANCHE
BLANCHE
PIGALLE
R. FONTAINE
R. DE DOUAI
R. D'AMSTERDAM
R. DE CONSTANTINOPLE
R. DE ROME
ROME
Lycée Chaptal
St-André de l'Eur.
PL. DE DUBLIN
R. DE LIÈGE
LIÈGE
Église Allemande
Apollo Casino Paris
PL. DE L'EUROPE
EUROPE
R. DE MADRID
R. DE LISBONNE
Mairie
32e Quartier
Gare St-Lazare
ST-LAZARE
R. ST-LAZARE
TRINITÉ
PL. D'ESTIENNE D'ORVES
St-Augustin
Théâtre Mogador
Lycée
Le Printemps
BD HAUSSMANN
HAVRE CAUMARTIN
ST-AUGUSTIN
SQ. LOUIS XVI
CHAUSSÉE D'ANTIN LA FAYETTE
Temple
Archevêque de Paris
Ministère de l'Intérieur
BD MALESHERBES
R. TRONCHET
Opéra
PL. CH. GARNIER
OPÉRA
AUBER
PLACE Ste-Marie-Madeleine
MADELEINE
BD DES CAPUCINES
Palais de l'Élysée
Th. de la Madeleine
31e Quartier
R. ROYALE
CONCORDE
CHAMP-ÉLYSÉES CLEMENCEAU
Espace P. Cardin
PLACE DE LA CONCORDE
Obélisque
Jeu de Paume
Crédit Foncier de France
Ministère de la Justice
PLACE VENDÔME
Colonne Vendôme
Cr des Comptes
Th. Daunou
R. DE LA PAIX
AV. DE L'OPÉRA
St-Roch
PL. DES PYRAMIDES
JARDIN DES TUILERIES
Orangerie
QUAI
R. DE RIVOLI
Musée des Arts Décoratifs
PL. A. MALRAUX
Comédie Française
PL. COLETTE
JARDIN DU PALAIS ROYAL
Assemblée
D'ORSAY
PLAN NET


D

E

F

G

49

50

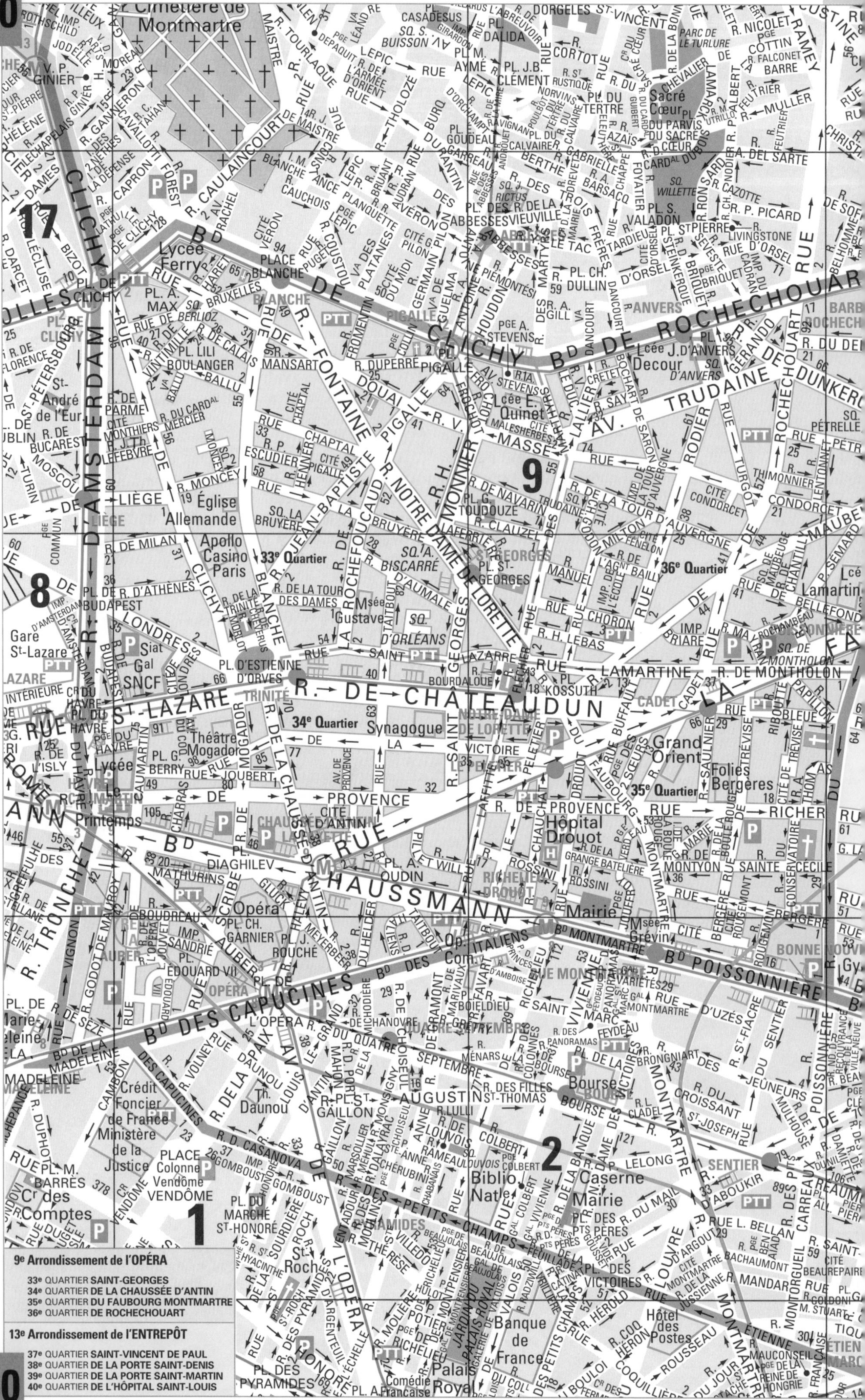


### 9e Arrondissement de l'OPÉRA

- 33e QUARTIER SAINT-GEORGES
- 34e QUARTIER DE LA CHAUSSÉE D'ANTIN
- 35e QUARTIER DU FAUBOURG MONTMARTRE
- 36e QUARTIER DE ROCHECHOUART

### 13e Arrondissement de l'ENTREPÔT

- 37e QUARTIER SAINT-VINCENT DE PAUL
- 38e QUARTIER DE LA PORTE SAINT-DENIS
- 39e QUARTIER DE LA PORTE SAINT-MARTIN
- 40e QUARTIER DE L'HÔPITAL SAINT-LOUIS

50

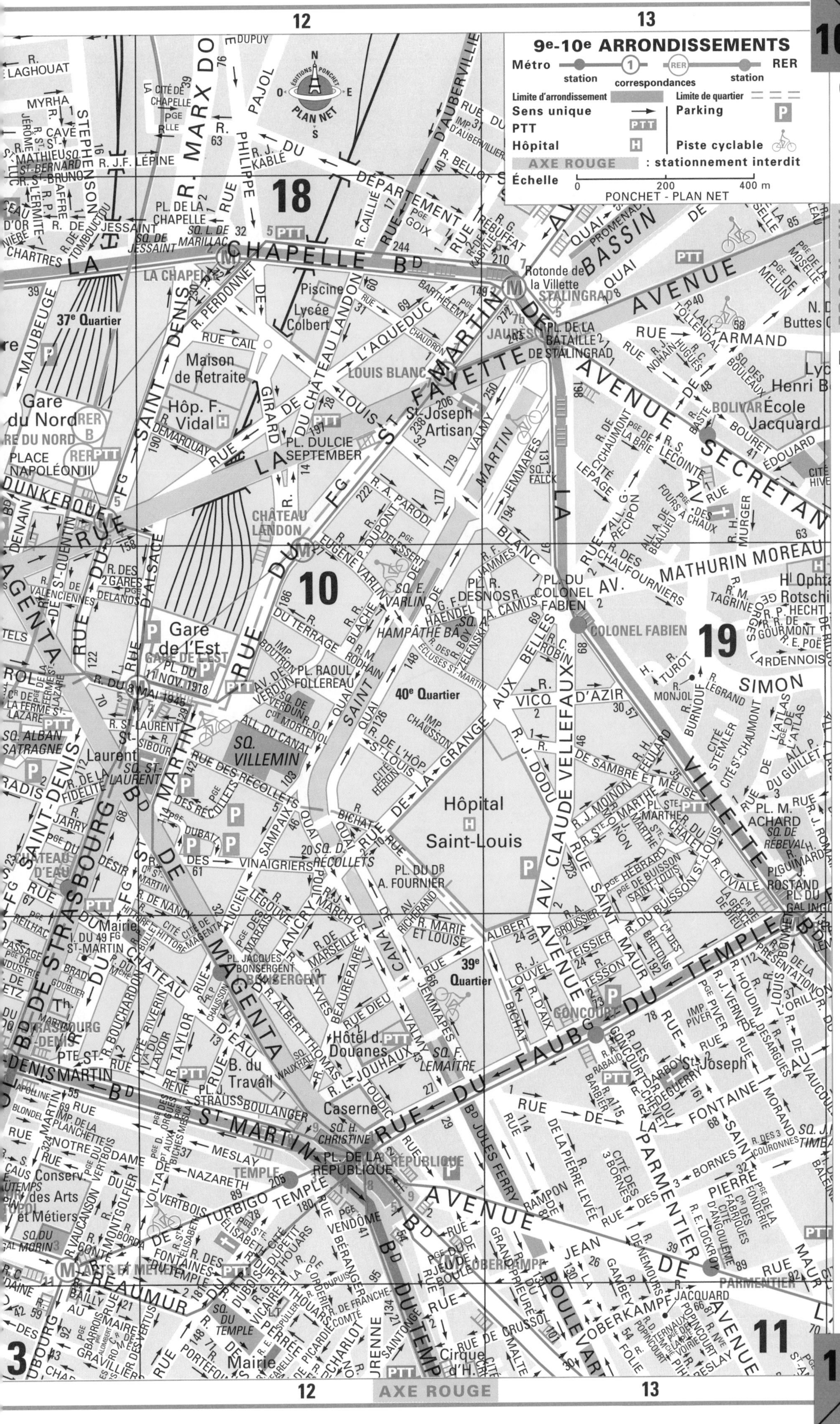
9e-10e ARRONDISSEMENTS
Métro station correspondances station RER
Limite d'arrondissement
Limite de quartier
Sens unique
Parking
PTT
Hôpital
Piste cyclable
AXE ROUGE : stationnement interdit
Échelle 0 200 400 m
PONCHET - PLAN NET
ÉDITIONS PONCHET PLAN NET
12
13
C
D
E
F
18
10
19
11
3
37e Quartier
40e Quartier
39e Quartier
BD DE LA CHAPELLE
Gare du Nord
Gare de l'Est
Hôpital Saint-Louis
Hôp. F. Vidal
Maison de Retraite
Piscine
Lycée Colbert
St-Joseph Artisan
Rotonde de la Villette
QUAI DE LA LOIRE
BASSIN
AVENUE JEAN JAURÈS
AVENUE SECRÉTAN
AV. MATHURIN MOREAU
RUE LA FAYETTE
RUE DU FG ST-MARTIN
BD DE MAGENTA
BD DE STRASBOURG
RUE DU FG ST-DENIS
QUAI DE VALMY
QUAI DE JEMMAPES
AV. CLAUDE VELLEFAUX
RUE DE LA GRANGE AUX BELLES
RUE DU FAUBG DU TEMPLE
AVENUE PARMENTIER
AVENUE DE LA RÉPUBLIQUE
BD ST-MARTIN
BD DU TEMPLE
RUE DE BELLEVILLE
RUE DE TURBIGO
RUE RÉAUMUR
PL. DE LA RÉPUBLIQUE
PL. DU COLONEL FABIEN
PL. DE LA BATAILLE DE STALINGRAD
STALINGRAD
JAURÈS
LOUIS BLANC
CHÂTEAU LANDON
GARE DE L'EST
CHÂTEAU D'EAU
JACQUES BONSERGENT
GONCOURT
RÉPUBLIQUE
TEMPLE
ARTS ET MÉTIERS
PARMENTIER
BOLIVAR
COLONEL FABIEN
SQ. VILLEMIN
Hôtel d. Douanes
Caserne
B. du Travail
Mairie
Conserv. des Arts et Métiers
Cirque d'H.
École Jacquard
AXE ROUGE

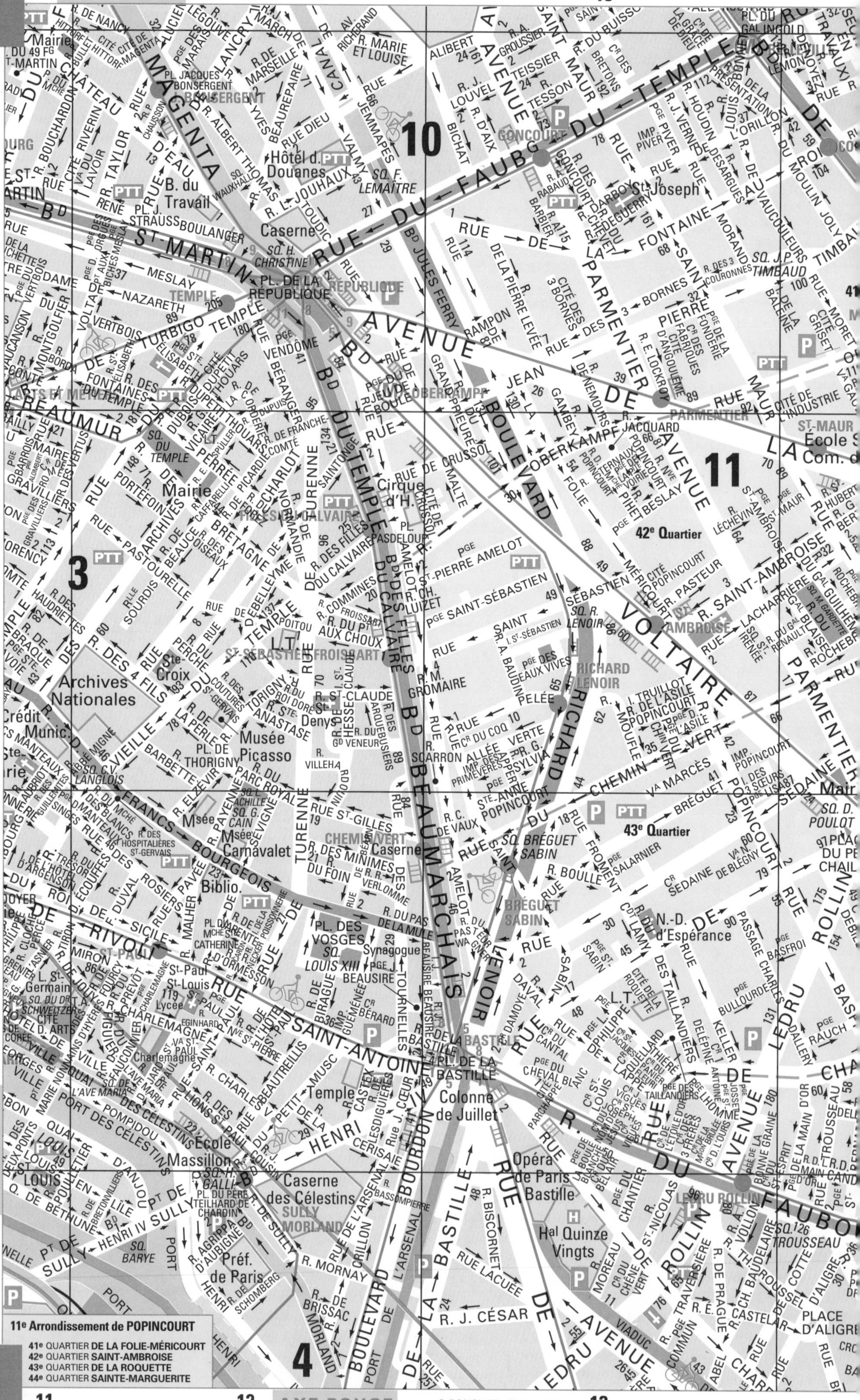


11e Arrondissement de POPINCOURT

41e QUARTIER DE LA FOLIE-MÉRICOURT
42e QUARTIER SAINT-AMBROISE
43e QUARTIER DE LA ROQUETTE
44e QUARTIER SAINTE-MARGUERITE

F
G
H
I

15
16
11e ARRONDISSEMENT
Métro
station
correspondances
RER
station
Limite d'arrondissement
Limite de quartier
Sens unique
Parking
PTT
Hôpital
Piste cyclable
AXE ROUGE
: stationnement interdit
Échelle
0
200
400 m
PONCHET - PLAN NET
53
F
G
H
I
53
Cimetière du Père Lachaise
Hôpital Tenon
20
12
Mairie
PLACE GAMBETTA
Réservoirs de Charonne
JARDIN DEBROUSSE
Hospice Debrousse
SQ. H. KARCHER
Cimre de Charonne
PARC DE CHARONNE
St-Jean Bosco
L.T. Dorian
44e Quartier
Temple du Bon Secours
Caserne de Reuilly
SQ. SARAH BERNHARDT
JARDIN DE LA CITÉ BEAUHARNAIS
SQ. SAMUEL DE CHAMPLAIN
SQ. E. BOLEY
SQUARE DE MÉNILMONTANT
SQ. P. SEGHER
SQ. DES ORMEAUX
SQ. D. GRÈS
SQ. DES CARDEURS
SQ. DE LA SALAMANDRE
SQ. M. RAJMAN
PÈRE LACHAISE
PHILIPPE AUGUSTE
ALEXANDRE DUMAS
MÉNILMONTANT
PELLEPORT
GAMBETTA
PTE DE BAGNOLET
MARAÎCHERS
BUZENVAL
AVRON
BOULETS MONTREUIL
FAIDHERBE CHALIGNY
NATION
PLACE DE LA NATION
AV. GAMBETTA
RUE DE MÉNILMONTANT
BD DE MÉNILMONTANT
RUE DES PYRÉNÉES
RUE BELGRAND
RUE DE BAGNOLET
RUE DE LA CHINE
AV. DU PÈRE LACHAISE
AVENUE PHILIPPE AUGUSTE
BD DE CHARONNE
RUE DE CHARONNE
RUE ALEXANDRE DUMAS
BD VOLTAIRE
RUE DES BOULETS
RUE DE MONTREUIL
RUE D'AVRON
RUE DES MARAÎCHERS
RUE DE LA RÉUNION
RUE DES VIGNOLES
RUE DU REPOS
RUE DE LA ROQUETTE
RUE DES PRAIRIES
RUE DES HAIES
RUE DE BUZENVAL
RUE SAINT ANTOINE
COURS DE VINCENNES
RUE DIDEROT
RUE DE LA FOLIE REGNAULT
RUE LÉON FROT
RUE DES CASCADES
RUE SORBIER
RUE DES COURONNES
RUE DU RETRAIT
RUE DES ORTEAUX
RUE DES VIGNOLES
PL. DES ANTILLES
AV. DU TRÔNE

12e Arrondissement de REUILLY
45e QUARTIER DU BEL AIR
46e QUARTIER DE PICPUS
47e QUARTIER DE BERCY
48e QUARTIER DES QUINZE-VINGTS
48e Quartier
47e Quartier
4
13
Colonne de Juillet
Opéra de Paris Bastille
Hal Quinze Vingts
Caserne des Célestins
Hôpital St-Antoine
Caserne de Reuilly
Temple du Bon Secours
Gare de Lyon
Maison de la R.A.T.P.
Ministère de l'Économie et des Finances
Gare d'Austerlitz
Arrivée
Départ
(SECTEUR EN TRAVAUX)
St-Louis
Groupe Hospitalier la Pitié-Salpêtrière
PALAIS OMNISPORTS DE PARIS-BERCY (P.O.P.B)
Gare de Bercy Auto-Train
PARC DE BERCY
Bibliothèque Nationale de France Fr. Mitterrand
JARD. G. DUHAMEL
JARD. J. JOYCE
PLACE MAZAS
PLACE D'ALIGRE
PLACE RUTEBEUF
PL. LÉONARD BERNSTEIN
PL. DES COMBATTANTS EN AFRIQUE DU NORD
PL. L. ARMAND
PL. H. FRESNAY
PL. DU BATAILLON DU PACIFIQUE
PL. DU COLL BOURGOIN
PL. DU DR A. BÉCLÈRE
PLACE JEANNE
PL. J. VILAR
PL. DE L'ESCADRILLE NORMANDIE NIEMEN
SQ. A. TOURNAIRE
SQ. TROUSSEAU
RUE DU FAUBOURG SAINT ANTOINE
AVENUE LEDRU ROLLIN
AVENUE DAUMESNIL
RUE DE LYON
BOULEVARD BOURDON
BD DE LA BASTILLE
RUE DE CHARENTON
RUE DE CÎTEAUX
RUE CROZATIER
RUE DE RAMBOUILLET
RUE DE BERCY
QUAI DE LA RAPÉE
QUAI D'AUSTERLITZ
QUAI DE BERCY
QUAI DE LA GARE
QUAI FRANÇOIS MAURIAC
QUAI PANHARD ET LEVASSOR
BOULEVARD DE BERCY
PT DE BERCY
PT DE TOLBIAC
PT CH. DE GAULLE
BD VINCENT AURIOL
RUE NEUVE TOLBIAC
RUE DE TOLBIAC
RUE DU CHEVALERET
AV. DE FRANCE
RUE R. J. KESSEL
COUR SAINT-ÉMILION
LEDRU ROLLIN
FAIDHERBE CHALIGNY
REUILLY DIDEROT
GARE DE LYON
QUAI DE LA RAPÉE
QUAI DE LA GARE
CHEVALERET
BERCY
SULLY MORLAND

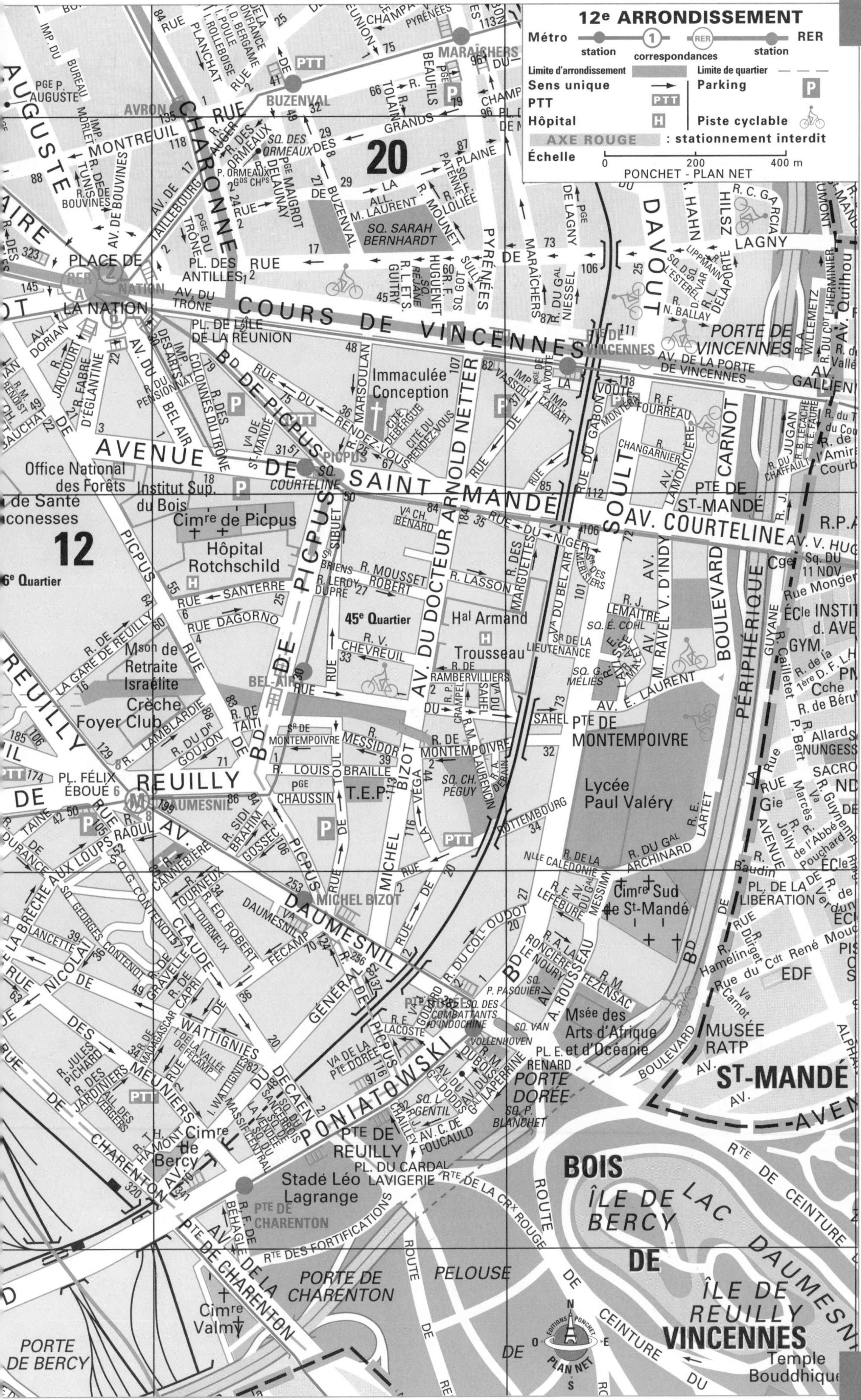
12e ARRONDISSEMENT
Métro station
correspondances
RER station
Limite d'arrondissement
Limite de quartier
Sens unique
Parking
PTT
Hôpital
Piste cyclable
AXE ROUGE : stationnement interdit
Échelle 0 200 400 m
PONCHET - PLAN NET
20
12
45e Quartier
6e Quartier
PLACE DE LA NATION
COURS DE VINCENNES
AVENUE DE SAINT MANDÉ
BD DE PICPUS
AV. DU DOCTEUR ARNOLD NETTER
BD SOULT
AV. COURTELINE
BOULEVARD CARNOT
PÉRIPHÉRIQUE
BD DAVOUT
RUE DE CHARONNE
RUE DE REUILLY
AV. DAUMESNIL
BD PONIATOWSKI
RUE DE CHARENTON
PORTE DE VINCENNES
PTE DE ST-MANDÉ
PTE DE MONTEMPOIRE
PORTE DORÉE
PTE DE REUILLY
PTE DE CHARENTON
PORTE DE CHARENTON
PORTE DE BERCY
Immaculée Conception
Office National des Forêts
Institut Sup. du Bois
Cimre de Picpus
Hôpital Rotchschild
Mson de Retraite Israélite
Crèche Foyer Club
Hal Armand Trousseau
Lycée Paul Valéry
Cimre Sud de St-Mandé
Msée des Arts d'Afrique et d'Océanie
MUSÉE RATP
ST-MANDÉ
Stade Léo Lagrange
Cimre de Bercy
Cimre Valmy
BOIS DE VINCENNES
ÎLE DE BERCY
LAC DAUMESNIL
ÎLE DE REUILLY
PELOUSE
Temple Bouddhique
T.E.P.
EDF
H 55 I J K L 55

56

J
K
L
M
N
5
13
14
Hôpital du Val-de-Grâce
BD DE PORT ROYAL
BD SAINT MARCEL
Clinique Péan
Caserne de Lourcine
Hôpital Cochin
Inst. Natl Agronomique
Amphith. d'Anatomie
SQ. SCIPION
LES GOBELINS
ST-MARCEL
Université de Médecine Paris VI Faculté la Pitié-Salpêtri
St-Marcel
Écle Natle de Physique Chimie Biologie de Paris
PL. LOUIS ARMSTRONG
CAMPO-FORMIO
Manufacture des Gobelins
Mobilier National
Hal Broca
JARDIN ARAGO
SQ. RENÉ LE GALL
Lycée Rodin
52e Quartier
Lcée Techn. J. Lurçat
Écle Natle Sup. d'Arts et Métiers
PLACE PINEL
SQ. G. MESUR
Mairie
PLACE D'ITALIE
Lycée Technique Estienne
BD AUGUSTE BLANQUI
BOULEVARD
GLACIÈRE
CORVISART
Lcée Pro. Corvisart
St-Jean des 2 Moulins
Hôpital Ste-Marie
Lycée Technique Henri Chasles
50e Quartier
AVENUE DES GOBELINS
AVENUE D'ITALIE
AVENUE DE CHOISY
Institut Dentaire et de Stomatologie
PARC DE CHOISY
Lycée Cl. Monet
Écle Natle des PTT
RUE DE TOLBIAC
TOLBIAC
SQ. DES PEUPLIERS
RUE DE LA COLONIE
51e Quartier
Lycée Gabriel Fauré
Hal des Peupliers
RUE BRILLAT SAVARIN
MAISON BLANCHE
St-Hippolyte
R. DES LONGUES RAIES
JARD. DU MOULIN DE LA POINTE
BOULEVARD KELLERMANN
JARD. J. MIRO
SQ. J. C. N. FORESTIER
Stade Sébastien Charléty
Cimetière de Gentilly
Stade Poterne des Peupliers
PARC KELLERMANN
SQ. R. BAJAC
PTE D'ITALIE
PTE DE GENTILLY
SQ. ROSNY AINÉ
CITÉ FRILEUSE
AV. P. DE COUBERTIN
AV. DE MAZAGRAN
RUE DE L'AMIRAL MOUCHEZ
RUE DE LA SANTÉ
RUE BOBILLOT
RUE DE LA BUTTE AUX CAILLES
CITÉ FLORALE

56

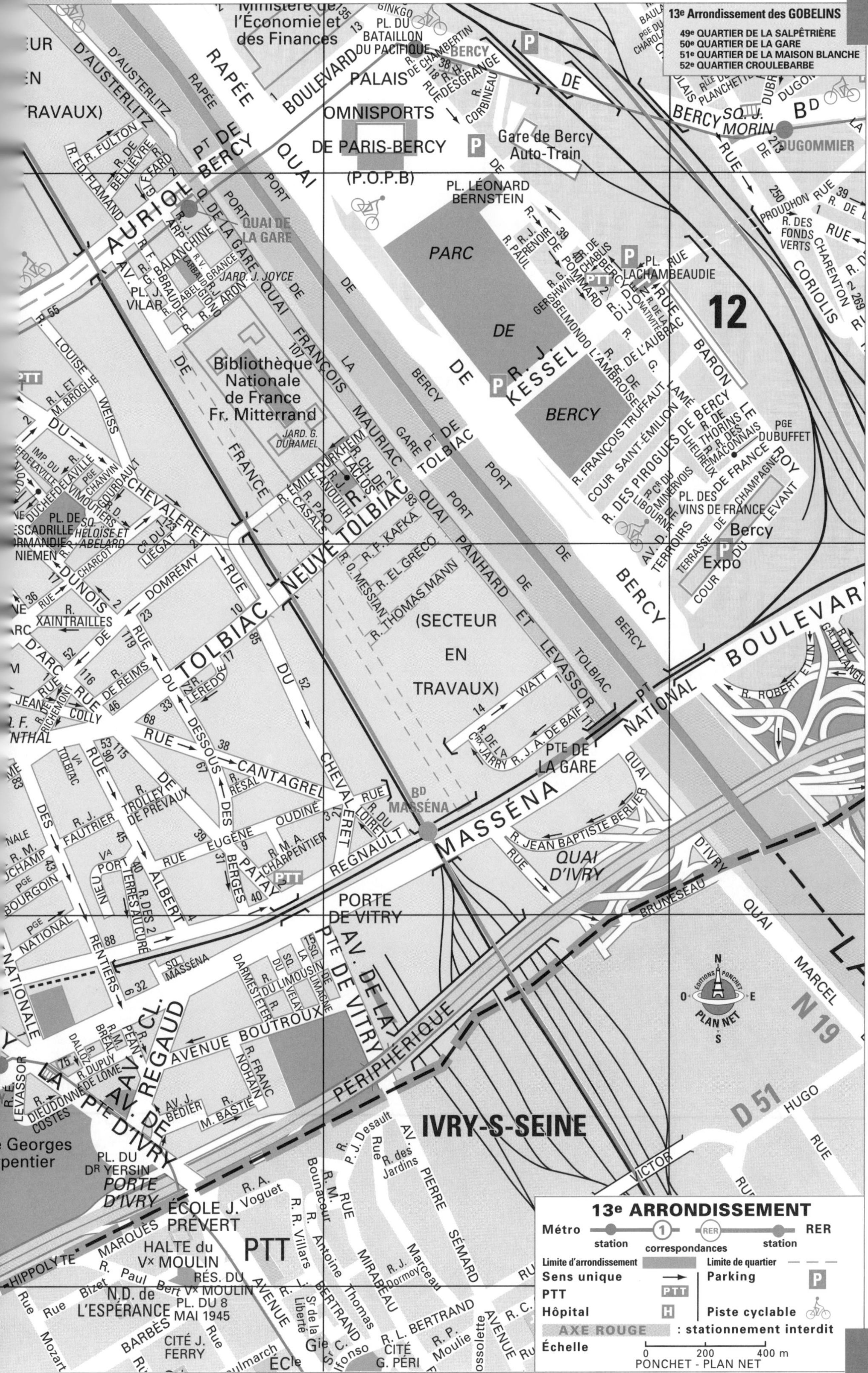
13e Arrondissement des GOBELINS
49e QUARTIER DE LA SALPÊTRIÈRE
50e QUARTIER DE LA GARE
51e QUARTIER DE LA MAISON BLANCHE
52e QUARTIER CROULEBARBE
Ministère de l'Économie et des Finances
PALAIS OMNISPORTS DE PARIS-BERCY (P.O.P.B)
Gare de Bercy Auto-Train
PL. LÉONARD BERNSTEIN
PARC DE BERCY
PL. LACHAMBEAUDIE
12
Bibliothèque Nationale de France Fr. Mitterrand
JARD. G. DUHAMEL
JARD. J. JOYCE
QUAI DE LA GARE
QUAI FRANÇOIS MAURIAC
QUAI PANHARD ET LEVASSOR
QUAI DE BERCY
PORT DE BERCY
PORT DE LA GARE
PORT DE TOLBIAC
PT DE BERCY
PT DE TOLBIAC
PT NATIONAL
BOULEVARD DE BERCY
BD DUGOMMIER
DUGOMMIER
SQ. J. MORIN
R. J. KESSEL
R. NEUVE TOLBIAC
RUE DE TOLBIAC
AURIOL
(SECTEUR EN TRAVAUX)
PTE DE LA GARE
BD MASSÉNA
PORTE DE VITRY
AV. DE LA PTE DE VITRY
QUAI D'IVRY
R. JEAN BAPTISTE BERLIER
BOULEVARD NATIONAL
R. ROBERT ETLIN
PÉRIPHÉRIQUE
AVENUE BOUTROUX
AV. CL. REGAUD
AV. DE LA PTE D'IVRY
PORTE D'IVRY
PL. DU DR YERSIN
IVRY-S-SEINE
QUAI MARCEL
N 19
D 51
ÉCOLE J. PRÉVERT
HALTE du Vx MOULIN
N.D. de L'ESPÉRANCE
PL. DU 8 MAI 1945
CITÉ J. FERRY
CITÉ G. PÉRI
Bercy Expo
COUR SAINT-ÉMILION
R. FRANÇOIS TRUFFAUT
R. DES PIROGUES DE BERCY
PL. DES VINS DE FRANCE
PGE DUBUFFET
RUE DU CHEVALERET
RUE DE DOMRÉMY
RUE DU DESSOUS DES BERGES
RUE CANTAGREL
R. EUGÈNE OUDINÉ
RUE REGNAULT
RUE PATAY
RUE DE DUNOIS
R. DE REIMS
RUE BRUNESEAU
RUE VICTOR HUGO
PLAN NET
13e ARRONDISSEMENT
Métro station
correspondances
RER station
Limite d'arrondissement
Limite de quartier
Sens unique
Parking
PTT
Hôpital
Piste cyclable
AXE ROUGE : stationnement interdit
Échelle 0 200 400 m
PONCHET - PLAN NET

57 J K L M N 57 N

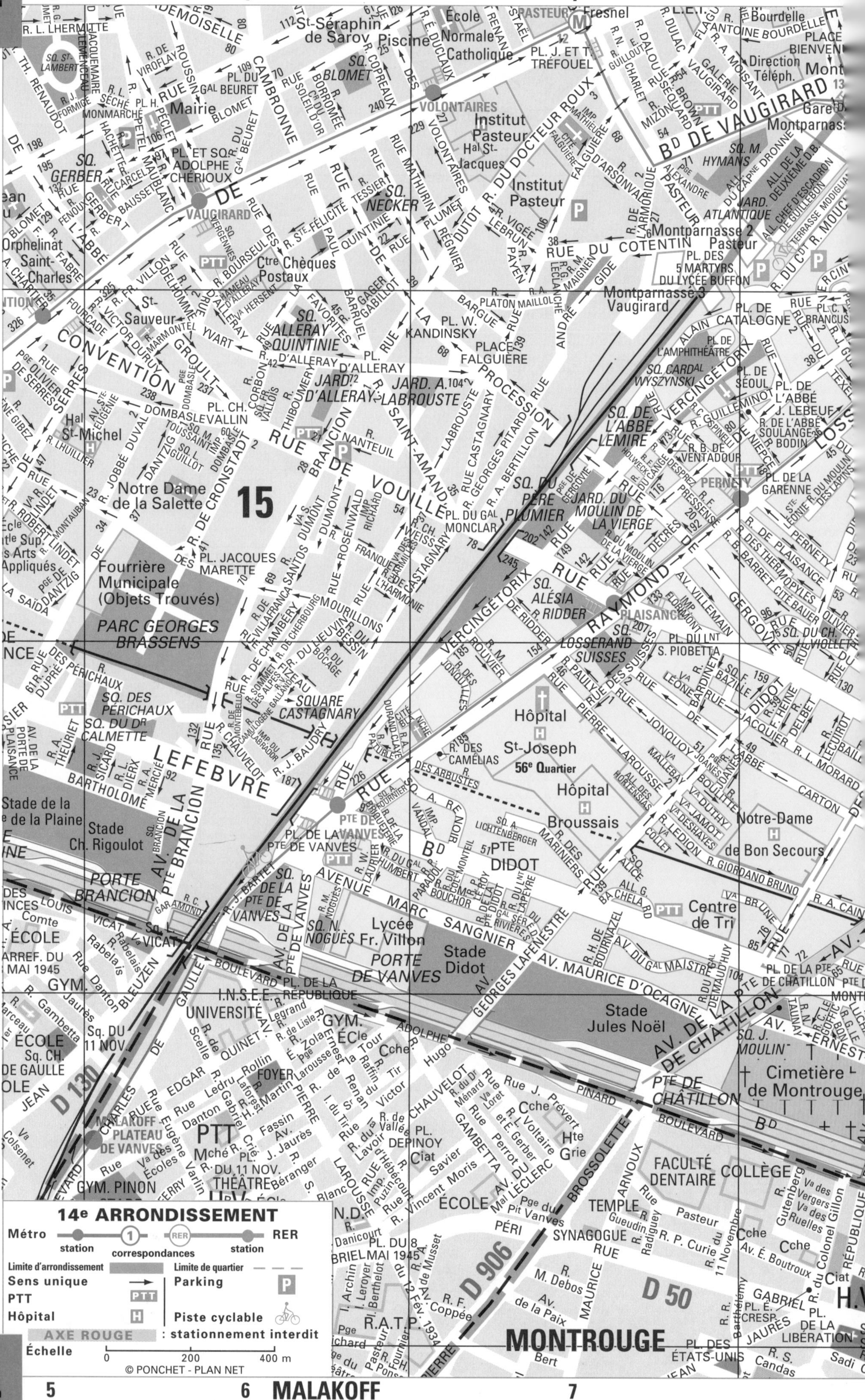
14e ARRONDISSEMENT
Métro station
correspondances
RER station
Limite d'arrondissement
Limite de quartier
Sens unique
Parking
PTT
Hôpital
Piste cyclable
AXE ROUGE : stationnement interdit
Échelle 0 200 400 m
© PONCHET - PLAN NET
15
56e Quartier
VANVES
MONTROUGE
Bd DE VAUGIRARD
RUE DE VAUGIRARD
CONVENTION
RUE DE VOUILLÉ
R. DE CRONSTADT
RUE BRANCION
LEFEBVRE
VERCINGÉTORIX
RAYMOND LOSSERAND
AV. DE LA PTE DE CHÂTILLON
AV. MAURICE D'OCAGNE
AVENUE MARC SANGNIER
PROCESSION
RUE DU COTENTIN
R. DU DOCTEUR ROUX
Institut Pasteur
Hal St-Jacques
Montparnasse 2 Pasteur
Montparnasse 3 Vaugirard
PARC GEORGES BRASSENS
Fourrière Municipale (Objets Trouvés)
Notre Dame de la Salette
Hôpital St-Joseph
Hôpital Broussais
Notre-Dame de Bon Secours
Lycée Fr. Villon
Stade Didot
Stade Jules Noël
Cimetière de Montrouge
PORTE BRANCION
PORTE DE VANVES
PTE DE CHÂTILLON
PLAISANCE
PERNETY
VOLONTAIRES
VAUGIRARD
PASTEUR
MALAKOFF PLATEAU DE VANVES
FACULTÉ DENTAIRE
D 130
D 906
D 50

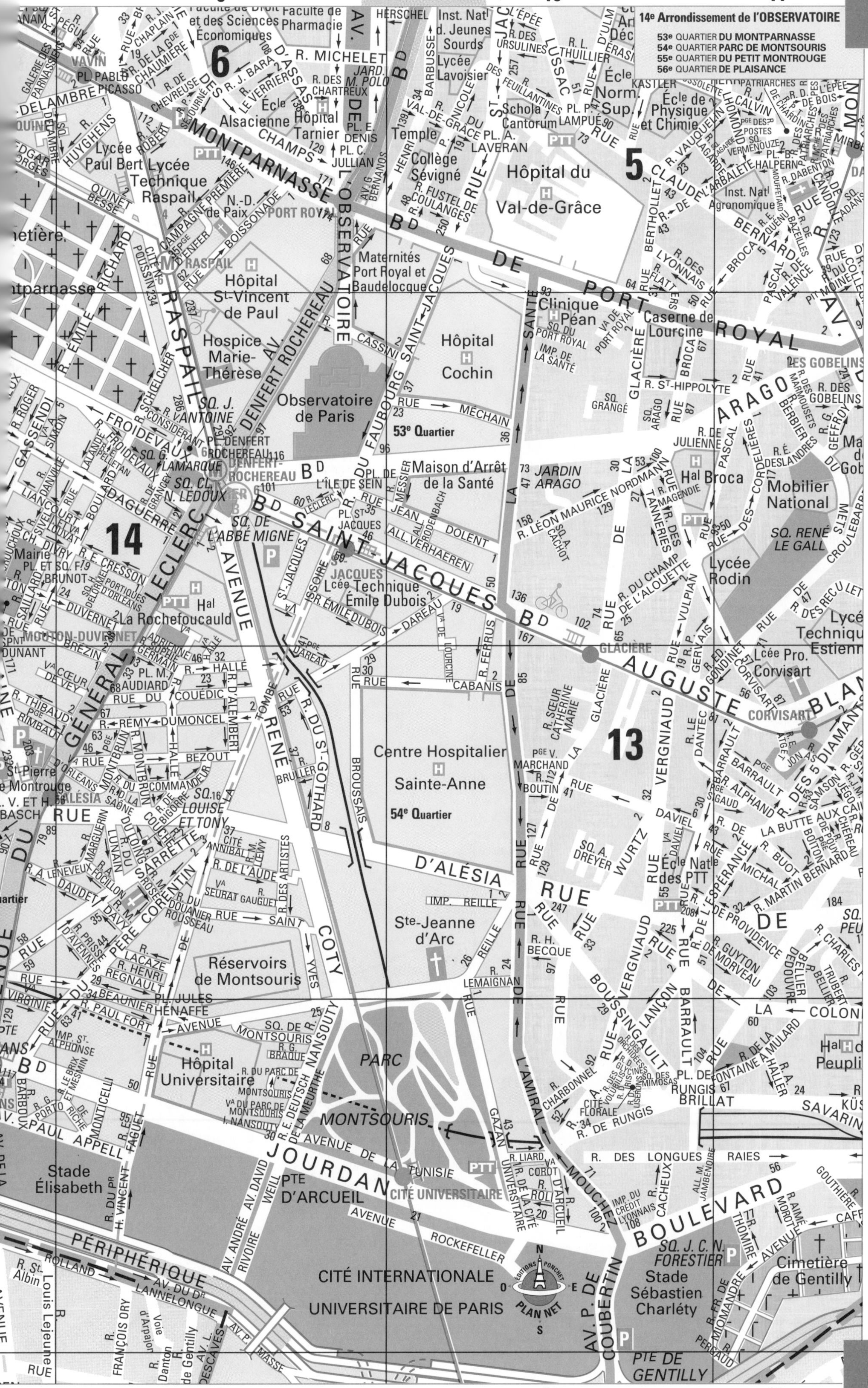
14e Arrondissement de l'OBSERVATOIRE
53e QUARTIER DU MONTPARNASSE
54e QUARTIER PARC DE MONTSOURIS
55e QUARTIER DU PETIT MONTROUGE
56e QUARTIER DE PLAISANCE
6
5
14
13
J
K
L
M
BD MONTPARNASSE
BD DE PORT ROYAL
BD RASPAIL
AV. DENFERT ROCHEREAU
AV. DE L'OBSERVATOIRE
RUE DU FAUBOURG SAINT-JACQUES
BD SAINT JACQUES
BD AUGUSTE BLANQUI
AVENUE DU GÉNÉRAL LECLERC
AVENUE RENÉ COTY
RUE D'ALÉSIA
RUE DE LA SANTÉ
RUE DE L'AMIRAL MOUCHEZ
RUE DE TOLBIAC
BD JOURDAN
BOULEVARD PÉRIPHÉRIQUE
BOULEVARD KELLERMANN
Hôpital du Val-de-Grâce
Hôpital Cochin
Observatoire de Paris
Maternités Port Royal et Baudelocque
Hôpital St-Vincent de Paul
Hospice Marie-Thérèse
Maison d'Arrêt de la Santé
Centre Hospitalier Sainte-Anne
Hal Broca
Mobilier National
Lycée Rodin
Réservoirs de Montsouris
Ste-Jeanne d'Arc
Hôpital Universitaire
PARC MONTSOURIS
CITÉ INTERNATIONALE UNIVERSITAIRE DE PARIS
Stade Élisabeth
Stade Sébastien Charléty
Cimetière de Gentilly
Hal La Rochefoucauld
Clinique Péan
Caserne de Lourcine
JARDIN ARAGO
SQ. RENÉ LE GALL
Lcée Technique Émile Dubois
Lycée Paul Bert
Lycée Technique Raspail
Collège Sévigné
Inst. Natl Agronomique
Éc. Natle des PTT
PLAN NET
EDITIONS PONCHET



59

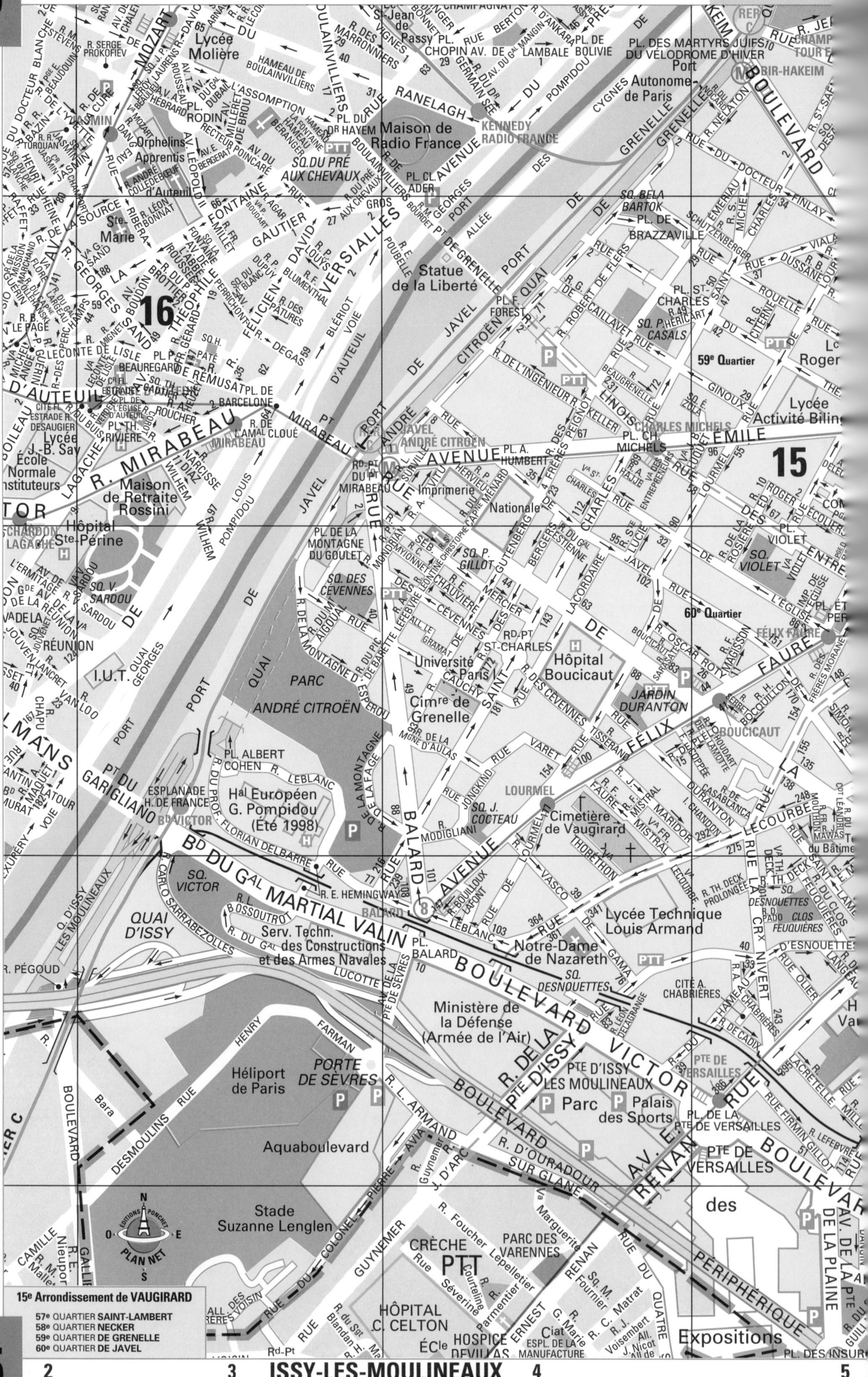
H
I
J
K
L
Lycée Molière
Maison de Radio France
KENNEDY RADIO FRANCE
Port Autonome de Paris
PL. DES MARTYRS JUIFS DU VÉLODROME D'HIVER
BIR-HAKEIM
Orphelins Apprentis d'Auteuil
SQ. DU PRÉ AUX CHEVAUX
Statue de la Liberté
16
JASMIN
PL. DE BARCELONE
MIRABEAU
JAVEL ANDRÉ CITROËN
Maison de Retraite Rossini
Hôpital Ste-Périne
Lycée J.-B. Say
École Normale Instituteurs
R. MIRABEAU
59e Quartier
60e Quartier
CHARLES MICHELS
Lycée Activité Bilingue
15
AVENUE ÉMILE ZOLA
Imprimerie Nationale
Hôpital Boucicaut
JARDIN DURANTON
FÉLIX FAURE
BOUCICAUT
Université Paris
Cimre de Grenelle
PARC ANDRÉ CITROËN
QUAI ANDRÉ CITROËN
SQ. DES CÉVENNES
PL. DE LA MONTAGNE DU GOULET
Hal Européen G. Pompidou (Été 1998)
ESPLANADE H. DE FRANCE
PL. ALBERT COHEN
I.U.T.
SQ. V. SARDOU
RÉUNION
LOURMEL
Cimetière de Vaugirard
SQ. J. COCTEAU
BALARD
Bd DU Gal MARTIAL VALIN
SQ. VICTOR
QUAI D'ISSY
Serv. Techn. des Constructions et des Armes Navales
Lycée Technique Louis Armand
Notre-Dame de Nazareth
BOULEVARD VICTOR
Ministère de la Défense (Armée de l'Air)
Héliport de Paris
PORTE DE SÈVRES
Aquaboulevard
Stade Suzanne Lenglen
Pte D'ISSY LES MOULINEAUX
Parc des Sports
Palais des Sports
PL. DE LA Pte DE VERSAILLES
PTE DE VERSAILLES
Pte DE VERSAILLES
AV. E. RENAN
PÉRIPHÉRIQUE
PARC DES VARENNES
CRÈCHE
PTT
HÔPITAL C. CELTON
HOSPICE DEVILLAS
Expositions
BOULEVARD DESMOULINS
LECOURBE
ÉDITIONS PONCHET
PLAN NET
N
O
E
S
15e Arrondissement de VAUGIRARD
57e QUARTIER SAINT-LAMBERT
58e QUARTIER NECKER
59e QUARTIER DE GRENELLE
60e QUARTIER DE JAVEL

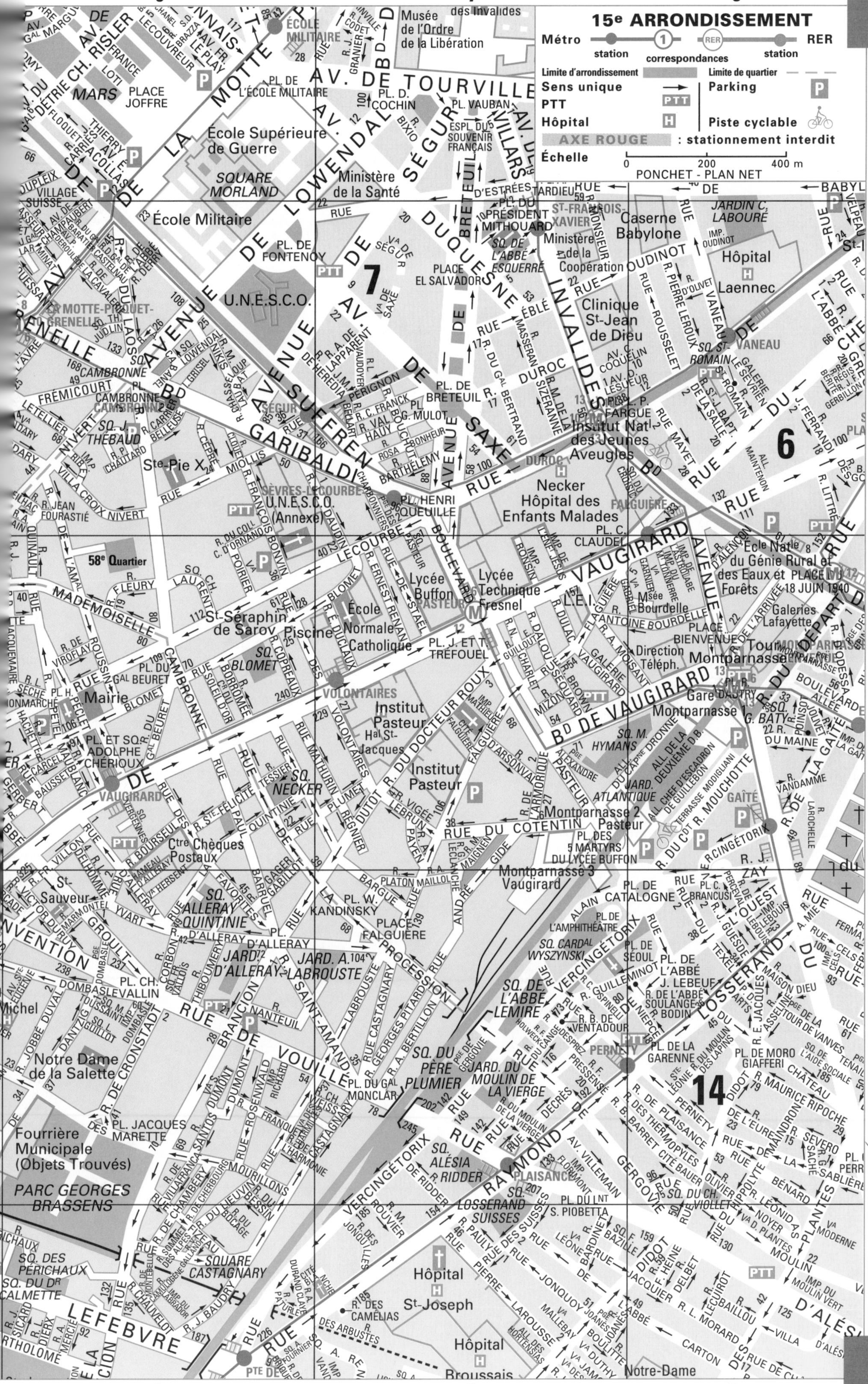
15e ARRONDISSEMENT
Métro station
correspondances
RER station
Limite d'arrondissement
Limite de quartier
Sens unique
Parking
PTT
Hôpital
Piste cyclable
AXE ROUGE : stationnement interdit
Échelle 0 200 400 m
PONCHET - PLAN NET
6
7
8
H
I
J
K
L
École Militaire
École Supérieure de Guerre
Square Morland
U.N.E.S.C.O.
Ministère de la Santé
Musée de l'Ordre de la Libération
Av. de Tourville
Av. de Lowendal
Av. de Ségur
Av. de Saxe
Bd des Invalides
Rue de Babylone
Rue Oudinot
Hôpital Laennec
Clinique St-Jean de Dieu
Ministère de la Coopération
Institut Nat! des Jeunes Aveugles
Necker Hôpital des Enfants Malades
Avenue de Suffren
Bd Garibaldi
Rue de Vaugirard
Lycée Buffon
Lycée Technique Fresnel
École Normale Catholique
Institut Pasteur
Mairie
St-Séraphin de Sarov
Piscine
Ste-Pie X
U.N.E.S.C.O. (Annexe)
58e Quartier
Rue Lecourbe
Rue Cambronne
Rue Blomet
Gare Montparnasse
Tour Montparnasse
Galeries Lafayette
Ecle Natle du Génie Rural et des Eaux et Forêts
Place du 18 Juin 1940
Musée Bourdelle
Direction Téléph.
Montparnasse 2 Pasteur
Montparnasse 3 Vaugirard
Ctre Chèques Postaux
Sq. Alleray Quintinie
Jard. d'Alleray
Jard. A. Labrouste
Notre Dame de la Salette
Fourrière Municipale (Objets Trouvés)
Parc Georges Brassens
Rue de la Convention
Rue de Vouillé
Rue Raymond Losserand
Rue Vercingétorix
Sq. du Père Plumier
Jard. du Moulin de la Vierge
Sq. Alésia Ridder
Hôpital St-Joseph
Hôpital Broussais
Bd Lefebvre
Rue d'Alésia
Plaisance
Pernety
Gaîté
Volontaires
Vaugirard
Sèvres-Lecourbe
Ségur
Cambronne
La Motte-Picquet-Grenelle
Duroc
Falguière
Pasteur
14
7
6

16e ARRONDISSEMENT
Métro station
correspondances
RER station
Limite d'arrondissement
Limite de quartier
Sens unique
Parking
PTT
Hôpital
Piste cyclable
AXE ROUGE : stationnement interdit
Échelle 0 200 400 m
PONCHET - PLAN NET
Musée National des Arts et Traditions Populaires
CARREFOUR DES SABLONS
PL. DE LA PORTE MAILLOT
AV. DE LA GDE ARMÉE
AV. FOCH
AVENUE VICTOR HUGO
AV. RAYMOND POINCARÉ
AVENUE KLÉBER
AV. D'IÉNA
AV. MARCEAU
PL. CH. DE GAULLE
Arc de Triomphe
AV. DE MALAKOFF
BD DE L'AMIRAL BRUIX
ALLÉE DE LONGCHAMP
LAC INFÉRIEUR
PELOUSE DE LA MUETTE
Racing Club de France
PRÉ CATELAN
LAC POUR LE PATINAGE
Tir aux Pigeons
Société Équestre de l'Étrier
CARREFOUR DU BOUT DES LACS
CARREFOUR DE LA CROIX CATELAN
CARREFOUR DES CASCADES
Services Municipaux
BOULEVARD PÉRIPHÉRIQUE
BOULEVARD LANNES
AV. H. MARTIN
AV. G. MANDEL
AV. PAUL DOUMER
BD SUCHET
Centre Universitaire Paris IX
Lycée Janson De Sailly
Mairie
Cimetière de Passy
Palais de Chaillot
TROCADÉRO
JARDIN DU TROCADÉRO
Palais de Tokyo
Palais Galliera
Musée Guimet
Réservoirs de Paris
Espace Eiffel - Branly
17
8
16
7
63e Quartier
64e Quartier
62e Quartier
AXE ROUGE
PTE DE PASSY
JARDIN DU GAL ANSELIN
Musée Marmottan
PL. DU TROCADÉRO ET DU 11 NOVEMBRE
AV. DU PDT WILSON
AV. DE NEW-YORK

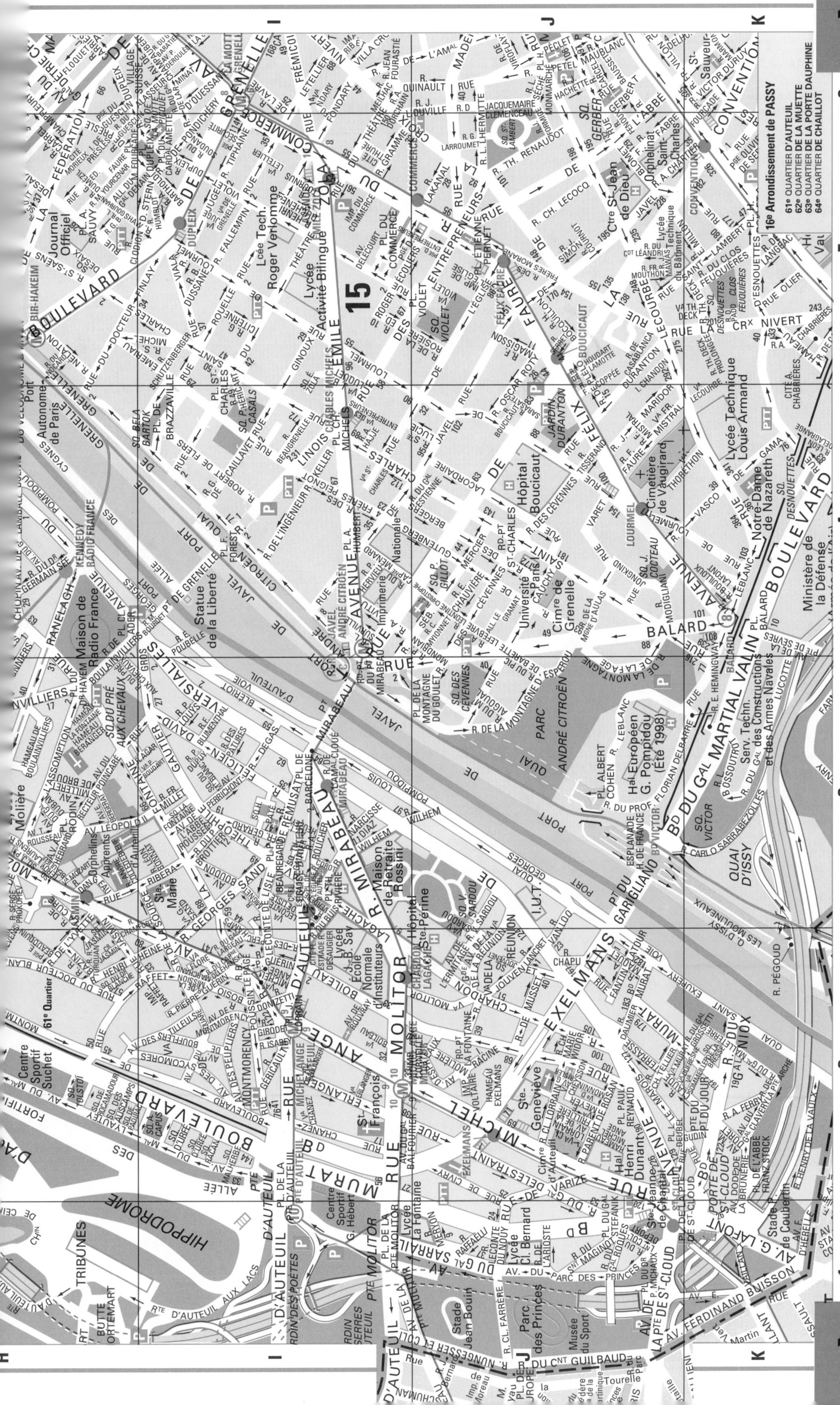
16e Arrondissement de PASSY
61e QUARTIER D'AUTEUIL
62e QUARTIER DE LA MUETTE
63e QUARTIER DE LA PORTE DAUPHINE
64e QUARTIER DE CHAILLOT
15
61e Quartier
BOULEVARD DE GRENELLE
RUE DU COMMERCE
AVENUE ÉMILE ZOLA
RUE DE LA CONVENTION
RUE FÉLIX FAURE
RUE LECOURBE
AVENUE FÉLIX FAURE
RUE BALARD
BD DU Gal MARTIAL VALIN
BOULEVARD
PARC ANDRÉ CITROËN
QUAI ANDRÉ CITROËN
QUAI DE GRENELLE
PORT DE JAVEL
PONT MIRABEAU
RUE MIRABEAU
AVENUE DE VERSAILLES
RUE D'AUTEUIL
RUE MOLITOR
BD EXELMANS
RUE MICHEL ANGE
BD MURAT
AVENUE DE LA PTE DE ST-CLOUD
PARC DES PRINCES
Stade Jean Bouin
HIPPODROME D'AUTEUIL
TRIBUNES
Maison de Radio France
Statue de la Liberté
Hôpital Boucicaut
Cimetière de Vaugirard
Hal Européen G. Pompidou (Été 1998)
Hôpital Ste Périne
Maison de Retraite Rossini
École Normale d'Instituteurs
Lycée J.-B. Say
Orphelins Apprentis d'Auteuil
Centre Sportif Suchet
Centre Sportif G. Hébert
Lycée La Fontaine
Lycée Cl. Bernard
Musée du Sport
Hal Henri Dunant
Imprimerie Nationale
Université Paris
Lycée Technique Louis Armand
Notre-Dame de Nazareth
Ministère de la Défense
Lycée Activité Bilingue
Lcée Tech. Roger Verlomme
Journal Officiel
Port Autonome de Paris
QUAI D'ISSY
I.U.T.
H I J K
1 2 3 4 5 6

64

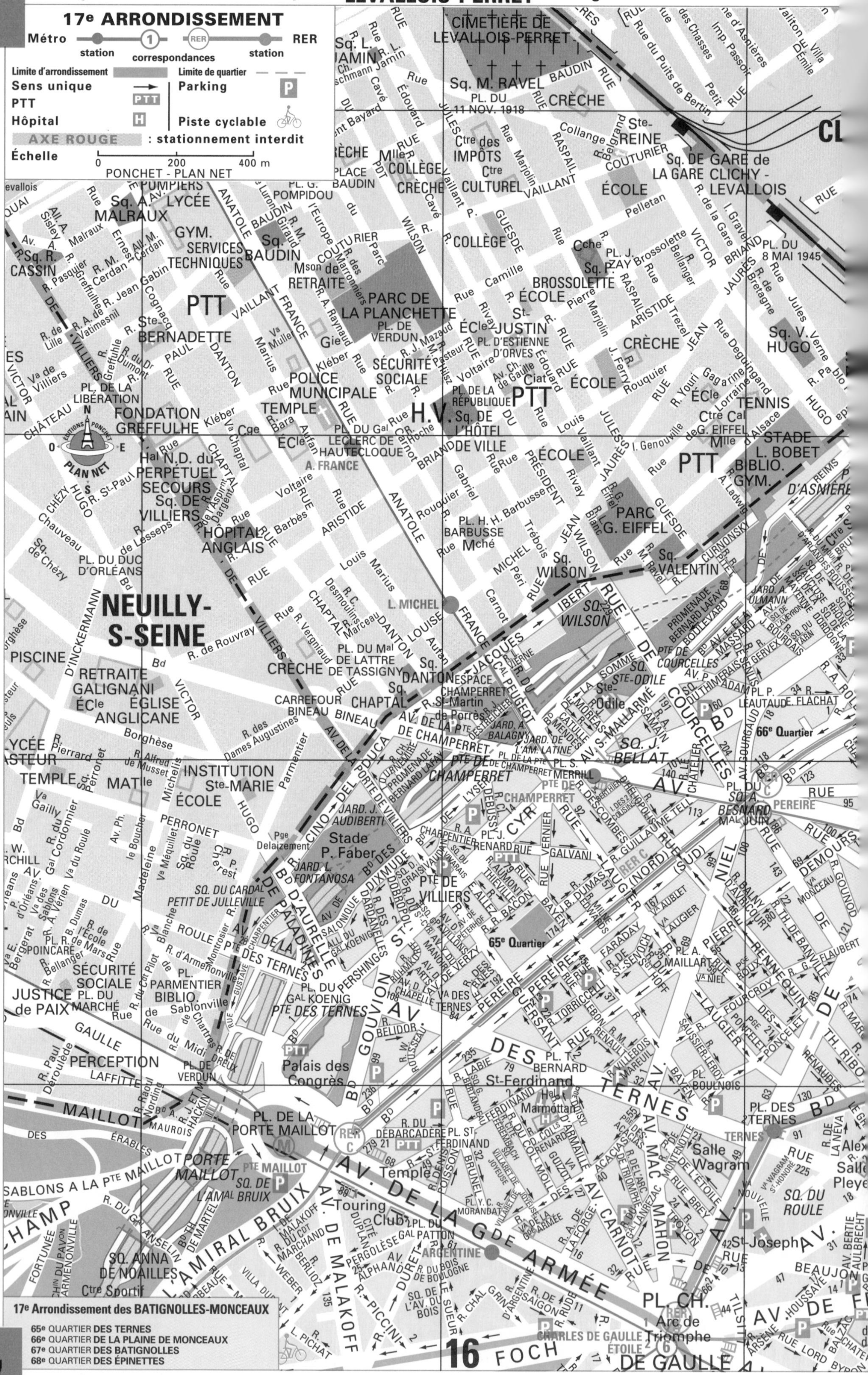
17e ARRONDISSEMENT
Métro station
correspondances
RER station
Limite d'arrondissement
Limite de quartier
Sens unique
Parking
PTT
Hôpital
Piste cyclable
AXE ROUGE : stationnement interdit
Échelle 0 200 400 m
PONCHET - PLAN NET
A
B
C
D
E
CIMETIÈRE DE LEVALLOIS-PERRET
Sq. M. RAVEL
PL. DU 11 NOV. 1918
Sq. DE GARE de LA GARE CLICHY - LEVALLOIS
PARC DE LA PLANCHETTE
H.V.
NEUILLY-S-SEINE
HÔPITAL ANGLAIS
PARC G. EIFFEL
STADE L. BOBET
Stade P. Faber
Palais des Congrès
PL. DE LA PORTE MAILLOT
PL. CH. DE GAULLE
Arc de Triomphe
Salle Wagram
65e Quartier
66e Quartier
16
FOCH
17e Arrondissement des BATIGNOLLES-MONCEAUX
65e QUARTIER DES TERNES
66e QUARTIER DE LA PLAINE DE MONCEAUX
67e QUARTIER DES BATIGNOLLES
68e QUARTIER DES ÉPINETTES

64

7 8 9

A
B
C
D
E
65
65
PTT
Périphérique
Cimetière Parisien des Batignolles
École Nationale de Commerce
Stade Max Roussy
Hôpital Bichat Claude Bernard
Pte de St-Ouen
Bd Bessières
Pte de Clichy
Lycée H. de Balzac
Stade L. Biancotto
68e Quartier
67e Quartier
Magasins de Décors de l'Opéra
Berthier
Avenue de Clichy
Brochant
Station Pt Cardinet
St-Michel
Lycée Mallarmé
Guy Môquet
Av. de St-Ouen
Cimetière de Montmartre
18
Ste-Marie
Mairie
Rue Legendre
Rue Lemercier
Rue Nollet
La Fourche
Place de Clichy
Bd des Batignolles
Lycée Carnot
Malesherbes
Villiers
Bd de Courcelles
Parc de Monceau
Musée Cernushi
Musée Nissim de Camondo
Rue de Constantinople
Lycée Chaptal
Rome
Europe
Gare St-Lazare
St-Lazare
Rue d'Amsterdam
9
Place Blanche
Blanche
Église Allemande
Apollo Casino Paris
Liège
Trinité
Théâtre Mogador
Lycée Condorcet
Printemps
Havre Caumartin
Bd Haussmann
St-Augustin
Mairie
Direction EDF
Musée Jacquemard
8
Miromesnil
Rue La Boétie
Salle Pleyel
Bd de Courcelles
Rue de Rome
Rue de Madrid
Rue de Lisbonne
Av. de Messine
Bd Malesherbes
Rue de Tocqueville
Rue Cardinet
Rue de Saussure
Rue des Dames
Rue Caulaincourt
Rue Fontaine
Rue de Londres
Rue de la Pépinière
Rue de Miromesnil
Saint-Lazare
Chaussée d'Antin

7 8 9

8 9 10

66

A B C D

AXE ROUGE

66

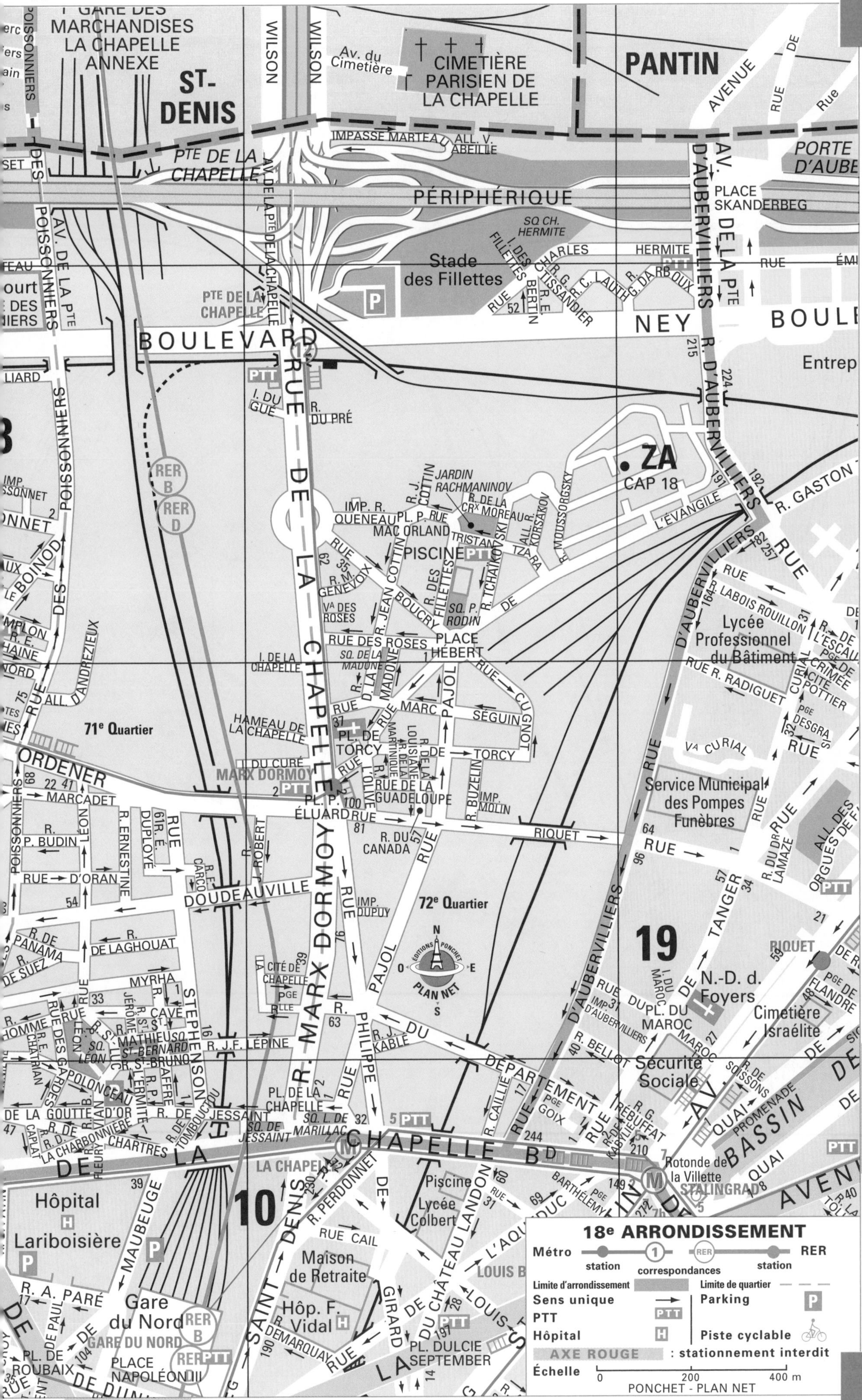
GARE DES MARCHANDISES LA CHAPELLE ANNEXE
ST-DENIS
CIMETIÈRE PARISIEN DE LA CHAPELLE
Av. du Cimetière
WILSON
PANTIN
AVENUE DE
PORTE D'AUBE
IMPASSE MARTEAU
ALL. V. ABEILLE
PTE DE LA CHAPELLE
PÉRIPHÉRIQUE
PLACE SKANDERBEG
SQ CH. HERMITE
Stade des Fillettes
HERMITE
RUE CHARLES
R. G. TISSANDIER
R. C. LAUTH
R. G. DARBOUX
AV. DE LA PTE D'AUBERVILLIERS
PTE DE LA CHAPELLE
BOULEVARD NEY
Entrep
RUE DE LA CHAPELLE
R. DU PRÉ
I. DU GUÉ
ZA CAP 18
L'ÉVANGILE
R. GASTON TESSIER
JARDIN RACHMANINOV
R. DE LA CRX MOREAU
IMP. R. QUENEAU
PL. P. MAC ORLAND
PISCINE
TRISTAN TZARA
R. MOUSSORGSKY
ALL R. KORSAKOV
R. TCHAÏKOVSKI
R. JEAN COTTIN
R. DES FILLETTES
SQ. P. RODIN
RUE BOUCRY
R. M. GENEVOIX
VA DES ROSES
RUE DES ROSES
PLACE HÉBERT
SQ. DE LA MADONE
RUE MARC SÉGUIN
RUE CUGNOT
HAMEAU DE LA CHAPELLE
PL. DE TORCY
RUE DE TORCY
R. DE LA LOUISIANE
R. DE LA MARTINIQUE
RUE DE LA GUADELOUPE
R. BUZELIN
IMP. MOLIN
I. DU CURÉ
MARX DORMOY
PL. P. ÉLUARD
RUE RIQUET
R. DU CANADA
RUE PAJOL
71e Quartier
72e Quartier
ORDENER
MARCADET
RUE D'ORAN
DOUDEAUVILLE
R. DE LAGHOUAT
R. DE PANAMA
DE SUEZ
MYRHA
R. CAVÉ
STEPHENSON
R. J.F. LÉPINE
RUE DE LA GOUTTE D'OR
R. DE JESSAINT
SQ. DE JESSAINT
SQ. L. DE MARILLAC
PL. DE LA CHAPELLE
RUE PHILIPPE DE GIRARD
RUE DU DÉPARTEMENT
R. J. KABLÉ
IMP. DUPUY
CITÉ DE LA CHAPELLE
R. MARX DORMOY
RER B
RER D
RUE D'AUBERVILLIERS
Lycée Professionnel du Bâtiment
R. LABOIS ROUILLON
RUE CURIAL
R. R. RADIGUET
CITÉ POTTIER
VA CURIAL
Service Municipal des Pompes Funèbres
RUE DE TANGER
19
N.-D. d. Foyers
PL. DU MAROC
Cimetière Israélite
Sécurité Sociale
R. BELLOT
QUAI DE LA SEINE
BASSIN DE LA VILLETTE
Rotonde de la Villette
STALINGRAD
AVENUE
AXE ROUGE
BD DE LA CHAPELLE
LA CHAPELLE
Hôpital Lariboisière
Gare du Nord
GARE DU NORD
PLACE NAPOLÉON III
RUE DE MAUBEUGE
10
R. A. PARÉ
RUE SAINT-DENIS
R. PERDONNET
RUE CAIL
Maison de Retraite
Hôp. F. Vidal
R. DEMARQUAY
Piscine Lycée Colbert
RUE DU CHÂTEAU LANDON
PL. DULCIE SEPTEMBER
RUE LOUIS BLANC
L'AQUEDUC
RIQUET
N O E S
ÉDITIONS PONCHET PLAN NET
18e ARRONDISSEMENT
Métro station
correspondances
RER station
Limite d'arrondissement
Limite de quartier
Sens unique
Parking
PTT
Hôpital
Piste cyclable
AXE ROUGE : stationnement interdit
Échelle 0 200 400 m
PONCHET - PLAN NET

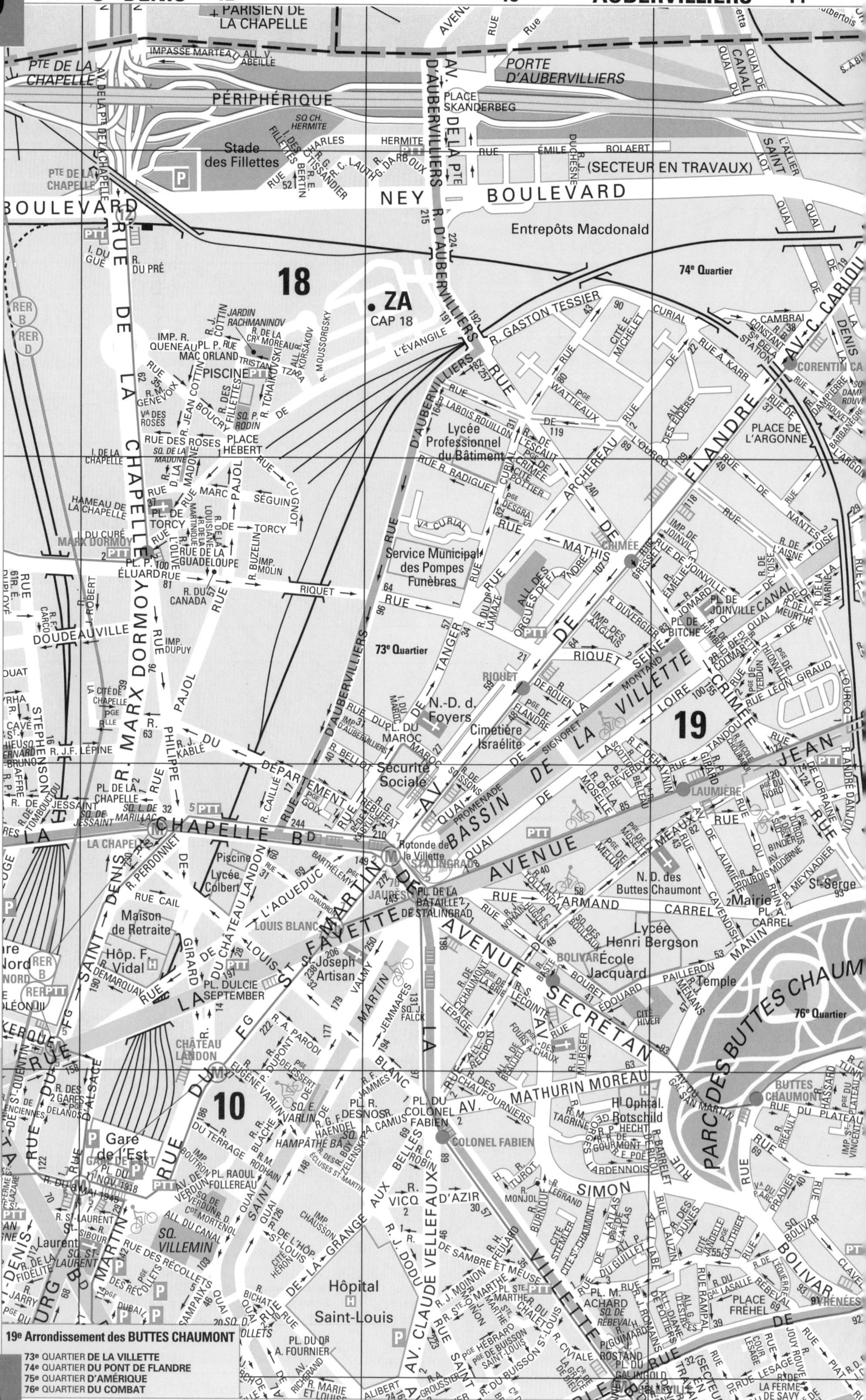
PÉRIPHÉRIQUE
PORTE D'AUBERVILLIERS
PTE DE LA CHAPELLE
Stade des Fillettes
PLACE SKANDERBEG
BOULEVARD NEY BOULEVARD
Entrepôts Macdonald
74e Quartier
18
ZA CAP 18
PISCINE
PLACE HÉBERT
RUE DE LA CHAPELLE
Lycée Professionnel du Bâtiment
Service Municipal des Pompes Funèbres
73e Quartier
RUE MARX DORMOY
RUE D'AUBERVILLIERS
AV. DE FLANDRE
PLACE DE L'ARGONNE
N.-D. d. Foyers
Cimetière Israélite
Sécurité Sociale
BASSIN DE LA VILLETTE
19
Rotonde de la Villette
STALINGRAD
PL. DE LA BATAILLE DE STALINGRAD
BD DE LA CHAPELLE
Piscine
Lycée Colbert
Maison de Retraite
Hôp. F. Vidal
St-Joseph Artisan
PL. DULCIE SEPTEMBER
AVENUE JEAN JAURÈS
N. D. des Buttes Chaumont
Lycée Henri Bergson
École Jacquard
Temple
AVENUE SECRÉTAN
PARC DES BUTTES CHAUMONT
76e Quartier
Mairie
St-Serge
AV. MATHURIN MOREAU
Hl Ophtal. Rotschild
PL. DU COLONEL FABIEN
10
Gare de l'Est
SQ. VILLEMIN
Hôpital Saint-Louis
PLACE FRÉHEL
AV. CLAUDE VELLEFAUX
AXE ROUGE
19e Arrondissement des BUTTES CHAUMONT
73e QUARTIER DE LA VILLETTE
74e QUARTIER DU PONT DE FLANDRE
75e QUARTIER D'AMÉRIQUE
76e QUARTIER DU COMBAT

PANTIN
LES LILAS
BAGNOLET
LE PRÉ ST GERVAIS
CANAL DE L'OURCQ
GARE DES MARCHANDISES
GARE DE PANTIN
SERNAM
ATELIERS MUNICIPAUX
SAPEURS POMPIERS
CITRAIL
TRIPAQUET
D 115
STADE S. CARNOT
PISCINE
ÉCOLE
CASERNE
CHAMBRE de COMMERCE
PARC DU BORD DE L'EAU
CITÉ ADMIN.
PLACE DE LA MAIRIE
LYCÉE F. FAURE
GENDARMERIE
CMS
LYCÉE S. WEIL
ÉGLISE DE PANTIN
St-GERMAIN L'AUXERROIS
ZÉNITH
Centre Sportif J. Ladoumègue
PARC STALINGRAD BIBLIO.
AVENUE JEAN JAURÈS
N 3
ÉCOLE DE PLEIN AIR
STADE CH. AURAY
COLLÈGE LAVOISIER
MAISON de L'ENFANCE
CIMETIÈRE DE PANTIN
MSON de RETRAITE
BOULEVARD PÉRIPHÉRIQUE
PORTE DE PANTIN
PORTE CHAUMONT
PORTE BRUNET
PORTE DU PRÉ-ST-GERVAIS
PORTE DES LILAS
SQ. DE LA BUTTE DU CHAPEAU ROUGE
Hôpital Robert Debré
N.-D. de Fatima Marie Médiatrice
Réservoirs des Lilas
Archives de Paris
STADE L. LAGRANGE
MAIRIE DES LILAS
SQ. DU GAL ZARAPOFF
Cimetière de Belleville
Hôp. de Belleville
N.D. des Otages
Caserne des Tourelles
Stade Henri Paté
BOULEVARD MORTIER
GAMBETTA
TÉLÉGRAPHE
BELLEVILLE
PLANET
20
69
A
B
C
D
E
19e ARRONDISSEMENT
Métro station correspondances
RER station
Limite d'arrondissement
Limite de quartier
Sens unique
Parking
PTT
Hôpital
Piste cyclable
AXE ROUGE : stationnement interdit
Échelle 0 200 400 m
PONCHET - PLAN NET

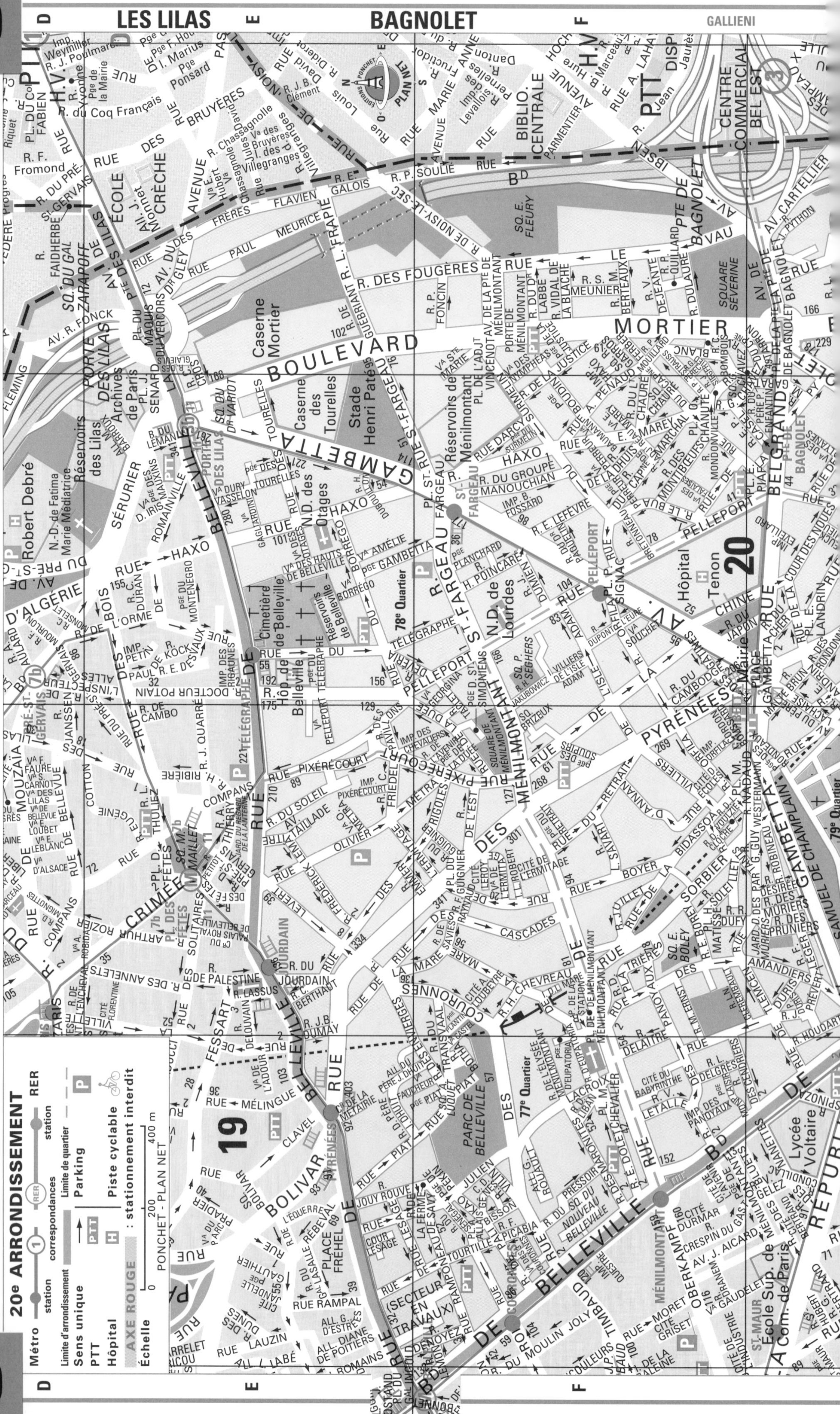
LES LILAS
BAGNOLET
GALLIENI
LE PRÉ-SAINT-GERVAIS 17
D
E
F
70
16
15
14
70
BOULEVARD MORTIER
AV. GAMBETTA
RUE DE BELLEVILLE
BD DE BELLEVILLE
RUE DES PYRÉNÉES
RUE DE MÉNILMONTANT
RUE DE BAGNOLET
RUE DU TÉLÉGRAPHE
RUE SAINT-FARGEAU
RUE HAXO
RUE PELLEPORT
RUE DES CASCADES
RUE DES COURONNES
RUE PIAT
RUE JULIEN LACROIX
RUE OBERKAMPF
RUE DES AMANDIERS
RUE SORBIER
RUE DE LA CHINE
RUE BELGRAND
RUE CRIMÉE
RUE DE BELLEVUE
AV. DE LA RÉPUBLIQUE
Caserne Mortier
Caserne des Tourelles
Stade Henri Paté
Réservoirs des Lilas
Réservoirs de Ménilmontant
Cimetière de Belleville
Hôpital Tenon
Hôp. de Belleville
Robert Debré
PARC DE BELLEVILLE
Lycée Voltaire
École Sup. de Commerce de Paris
CENTRE COMMERCIAL BEL EST
BIBLIO. CENTRALE
SQ. E. FLEURY
SQUARE SÉVERINE
Archives de Paris
N.D. de Lourdes
N.D. des Otages
78e Quartier
77e Quartier
79e Quartier
19
20
PORTE DES LILAS
ST-FARGEAU
PELLEPORT
GAMBETTA
JOURDAIN
PYRÉNÉES
MÉNILMONTANT
COURONNES
ST-MAUR
PLACE GAMBETTA
20e ARRONDISSEMENT
Métro station
correspondances
RER station
Limite d'arrondissement
Limite de quartier
Sens unique
Parking
PTT
Piste cyclable
Hôpital
AXE ROUGE : stationnement interdit
Échelle 0 200 400 m
PONCHET - PLAN NET

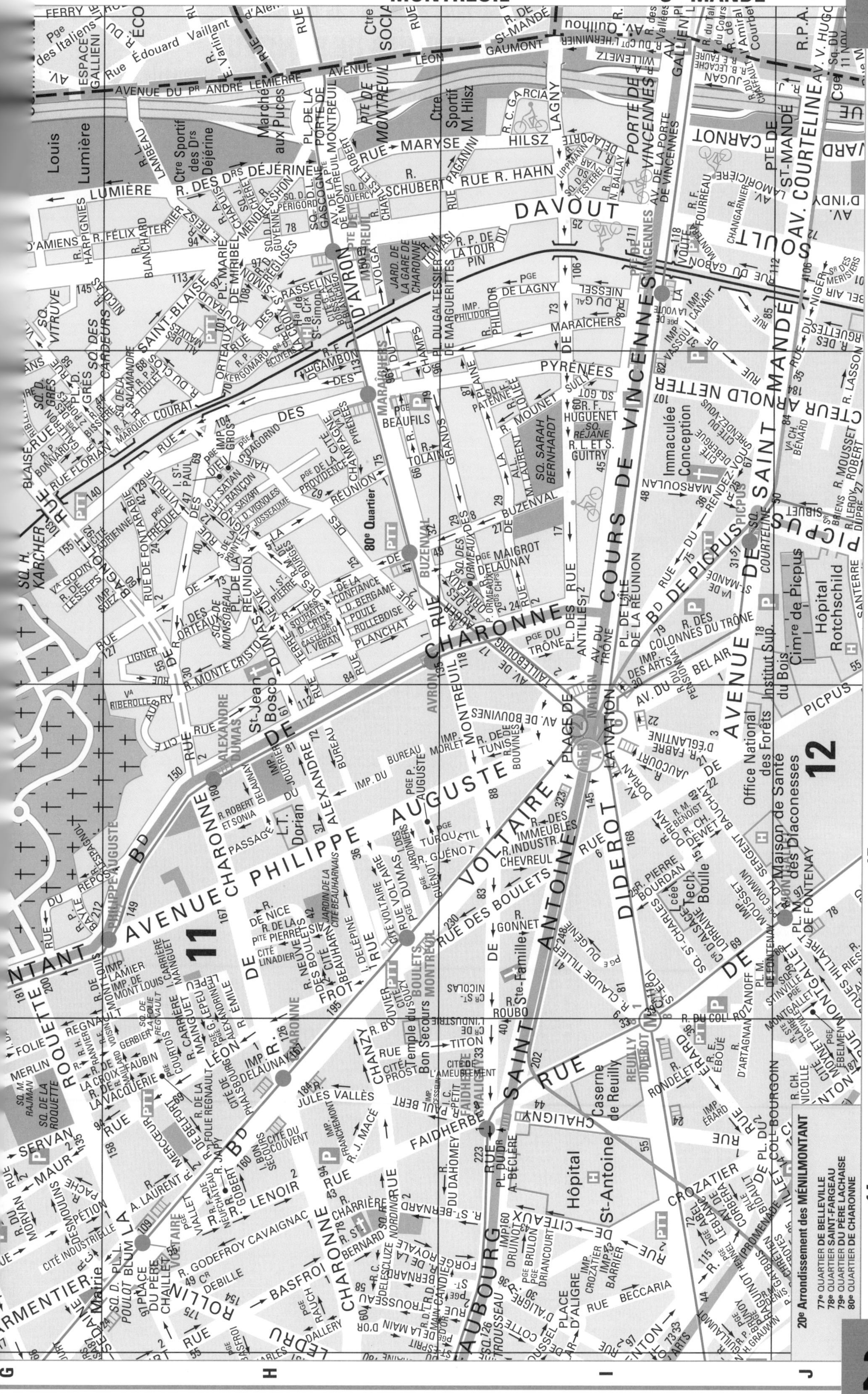


71

17

16

15

14

71

# 4e Partie

*4rd Part - 4. Teil - 4a Parte - 4a Parte*

# INDEX DES COMMUNES DE BANLIEUE

## Index of Suburban Boroughs - Verzeichnis der Vororte der Bannmeile
## Lista de la Comunas de los Suberbios - Elenco dei Comuni Periferici

## ARCUEIL - 94110

plan page 99


D 9 Albert-Le-Grand
D 9 Albert-Le-Grand (impasse)
E 10 Anatole-France
D 10 Antoine-Baïf
E 9 Aqueducs (avenue des)
E 10 Arago (impasse)
E 9 Ardenay (de l')
D 8 Aristide-Briand (avenue)
E 9 Arthur-Honegger
E 9 Aspasie-Jules-Caron
E 10 Astronome (de l')
C 10 Auguste-Blanqui
E 10 Auguste-Delaune
D 9 Baudran (villa)
D 9 Bel-Air (impasse du)
D 10 Bellevue (allée)
C 10 Benoît-Malon
E 9 Berthollet
E 9 Berthollet (impasse)
E 9 Besson
E 10 Blonde (impasse de la)
C 10 Boutet (passage)
E 9 Branly
E 9 Cauchy
C 10 Camille-Blanc
C 10 Camille-Blanc (place)
F 10 Camille-Desmoulins
D 9 Chalets (villa des)
C 10 Champs-Elysées (des)
C 9 Chaperon-Vert (cité du)
E 10 Charles-Grégoire
E 9 Chemin-de-Fer (du)
D 9 Chinon (de)
C 9 Cinquième-Avenue
E 10 Citadelle (de la)
E 10 Citadelle (villa de la)
E 9 Clément-Ader
E 9 Clément-Ader (impasse)
E 10 Colonel-Fabien (du)
E 9 Convention (avenue de la)
E 9 Darius-Milhaud
E 10 Denis-Papin (impasse)
E 10 Dispensaire (du)
D 10 Div.-Gal-Leclerc (de la)
D 9 19-Mars-1962
D 9 Docteur-Durand (avenue du)
D 9 Doron (impasse)
E 10 Duroc (impasse)
E 9 Église (de l')
D 10 Émile-Bougard
E 9 Émile-Raspail
E 10 Erik-Satie
D 9 Ernest-Renan
D 9 Estienne-d'Orves (d')
D 10 Étienne-Jodelle
E 10 Étoile (de l')
D 9 Eugène-Fournière
E 10 Florentin-Lareyre
E 9 Fontaine (de la)
E 10 Forest
E 10 François-Trubert
E 10 François-Trubert (impasse)
D 10 F.-Vincent-Raspail (avenue)
E 10 Gabriel-Péri (avenue)
E 10 Galilée (impasse)
E 8 Gare (de la)
E 9 Gay-Lussac
D 9 Général-de-Gaulle
E 10 G.-Malleret-Joinville (avenue)
C 10 Génova
D 9 Georges-Politzer
E 9 Germaine-Tailleferre
D 9 Gustave-Édouard (villa)
E 10 Gutenberg (impasse)
E 10 Gutenberg (place)
E 8 Guy-de-Gouyon-du-Verger
E 10 Guyton-de-Morveau
E 9 Hardenberg (impasse)
D 10 Henri-Barbusse
E 9 Henri-Didon (place)
E 9 8-Mai-1945 (du)
E 10 Jacquart (impasse)
E 9 J.-Desbrosses (boulevard)
E 9 J.-B.-Oudry (place)
D 9 Jean-Jaurès (avenue)
E 10 Jean-Macé (place)
D 9 Jean-Pierre-Timbaud
D 9 Jeanne-d'Arc (avenue)
D 10 Joachim-du-Bellay
E 11 Jules-Verne
D 9 Laplace (avenue)
D 9 Laplace
D 9 Lavoisier (place)
E 9 Libération (square de la)
D 9 Louis-Frébault
E 9 Louise (allée)
C 9 Marcel-Cachin (place)
E 10 Marcel-Vigneron
E 10 Marc-Séguin (impasse)
E 11 Marie-Louise (impasse)
E 10 Marius-Barbiéri
D 9 Marius-Sidobre
C 10 Martyrs-du-8-Février-1962 (avenue des)
D 8 Marx-Dormoy (avenue)
D 9 Massenet (avenue)
E 10 Maurice-Henri-Guilbert
E 9 Maxime-Bacquet
E 9 Maximilien-Robespierre
E 8 Midi (du)
D 9 Moderne (villa)
D 9 Monge
E 9 Montmort
E 9 Musiciens (place des)
D 9 11-Novembre-1918 (du)
D 9 Pasteur
E 9 Paul-Bert
D 10 Paul-Doumer (avenue)
D 10 Paul-Doumer (allée)
E 9 Paul-Poensin (place)
E 9 Paul-Signac
E 10 P.-Vaillant-Couturier (avenue)
E 10 Peupliers (impasse des)
D 9 P.-Brossolette (avenue)
D 9 Pierre-Curie
D 10 Pierre-Ronsard (avenue)
D 10 Pleïade (place de la)
C 9 Première-Avenue
D 9 Prés.-Salvador-Allende
D 8 Prieur-de-la-C.-d'Or (avenue)
D 9 Reims (de)
D 9 République (avenue de la)
E 9 République (place de la)
E 10 Ricardo
D 9 Richaud (avenue)
E 8 Ridder (de)
E 11 Riquet
E 8 Roger-Simon-Barboux
D 9 Salvador-Allende
E 10 Saint-Just
E 11 Simon (impasse)
D 10 Sous-les-Prés (impasse)
D 8 Stalingrad (avenue)
D 10 Stalingrad (de)
D 9 Strasbourg (de)
E 10 Thimonier
E 10 Thimonier (impasse)
E 10 Tilleul (allée du)
C 9 Troisième-Avenue
D 9 Vache-Noire (carrefour)
D 9 Vaucouleurs (de)
E 10 Vaudenaire (sentier)
D 9 Victor-Basch
E 8 Victor-Carmignac
D 8 Victor-Hugo (avenue)
E 10 Villageoise (de la)
C 9 Vlad.-Ilitch-Lénine (avenue)
C 9 Voltaire
E 10 Vuilleminot (impasse)


## ASNIÈRES - 92600

plan page 82


H 14 Abbé-Glatz (de l')
G 14 Abbé-Lemire (de l')
J 14 Acacias (avenue des)
H 14 Adolphe-Briffault
H 14 Albert-de-Mun
I 14 Albert-1er
I 15 Alembert (d')
I 14 Alma (de l')
I 15 Alphonse-Keppler (avenue)
J 13 Alsace (d')
I 13 Amélie
I 15 Amélie-Maria
G 14 Ancien-ch. de Gennevilliers
J 14 Anciens-Combattants (square)
I 14 André-Cayron
G 14 André-Devèze
I 16 André-Gedaige (square)
K 14 Anjou (d')
J 14 Argenteuil (avenue d')
J 15 Aristide-Briand (place)
I 16 Armand-Numès
K 15 Asnières (pont d')
I 13 Aubert (villa)
K 14 Auguste-Bailly
J 14 Auguste-Mayet
I 15 Auguste-Thomas
I 17 Aulagnier (quai)
I 14 Bac (avenue du)
J 14 Bac (du)
J 13 Balzac
J 14 Bapst
J 14 Barat (cité)
J 14 Barbey (avenue)
J 15 Barreau
I 15 Bas (des)
I 15 Bas (impasse des)
I 15 Basly
J 14 Basses-Bruyères (avenue des)
J 14 Baudoin
J 14 Beaulieu (avenue)
G 14 Becquerelle (avenue)
J 13 Belfort (de)
J 13 Benoît-Malon
J 14 Bernard-Jugault
G 13 / G 14 Bernard-Jussieu
I 17 Bernard-Palissy
I 15 Beurier
I 14 Bidel
J 14 Bois (du)
J 12 Bourdonnais (du)
H 14 Bourdarie-Lafure
I 14 Bourguignons (carrefour des)
I 13 Bourguignons (des)
K 14 Bretagne (de)
I 15 Briffault (villa)
J 12 Bruyères (des)
I 14 Buffon
H 18 Cabœufs (des)
J 14 Callot (avenue)
H 14 Cne-Bossard (du)
I 14 Capucines (villa des)
I 13 Carbonnets (impasse des)
J 15 Cardinal-Verdier (du)
J 13 Caroline (avenue)
J 13 Casimir
J 13 Cerisiers (avenue des)
I 13 Chalet (du)
I 13 Chalet (villa du)
G 14 Chalgrin (square)
J 12 Champagne (de)
I 14 Champs (des)
J 13 Chanzy
J 14 Charcot (avenue)
I 16 Charles-Delaunay (square)
G 14 Charles-Linné
J 12 Chasseurs (avenue des)
J 15 Château (du)
J 15 Château (impasse du)
J 14 Chauvard (avenue)
K 14 Chemin-Vert (du)
J 14 Chevalier (avenue)
J 12 Chevreul (avenue)
H 14 Christophe (square)
J 14 Cigale (avenue de la)
G 13 Claude-Bernard
J 16 Clichy (pont de)
I 14 Colombes (avenue de)
I 14 Colombes (de)
I 15 Comète (de la)
J 15 Concorde (de la)
I 14 Congrès (du)
I 15 Contrat-Social (du)
J 13 Coq (avenue du)
I 14 Courte
G 14 Courtilles (chemin des)
G 14 Courtilles (quartier les)
J 16 Daniel
J 14 Davoust (villa)
J 13 Denfert-Rochereau
F 13 Denis-Lire
J 14 Denis-Papin
J 13 Dianoux (avenue)
I 15 Diderot
G 13 18-Juin-40 (du)
J 16 Docteur-Dervaux (quai du)
G 14 Docteur-Fleming (avenue du)
I 16 D.-de-Largrée (square)
J 15 Duchesnay
J 13 Dupré
I 15 Dussau
G 13 Edelweiss (des)
J 15 Edmé-Périer
J 15 Edmond-Fantin
G 13 Édouard-Branly
K 14 Édouard-Cadol
G 14 Égalité (avenue de l')
J 15 Église (de l')
I 15 Élie-Jaulin
K 15 Embranchement (de l')
J 13 Émila-Agier
I 14 Émile-Deschanel
G 14 Émile-Zola
I 17 Érables (allée des)
J 15 Ernest-Billiet
I 16 Étienne-Vallet (square)
J 14 Étoile (avenue de l')
I 16 Eugène-Faillet (square)
J 13 Faidherbe (avenue)
J 13 Faidherbe (villa)
J 15 Félix-Faure
I 14 Ferron (avenue)
J 14 Flachat (avenue)
I 15 Flammarion (avenue)
I 14 Fleurs (villa des)
H 14 Fossé-de-l'Aumône (du)
I 16 François-Fabié (square)
I 14 Françoise (villa)
J 14 Franklin
H 14 Frédéric-Roustan (avenue)
I 14 Frères-Chausson (des)
G 13 Frères-Lumière (allée des)
G 14 Freycinet (du)
G 14 Gabriel (cours)
I 15 Gabriel-Péri (avenue)
I 13 Gabriel-Péri (place)
H 14 Gaîté (avenue de la)
J 15 Gallieni
J 15 Gambetta
G 14 Gaston-Bonnier
J 13 Gay-Lussac (square)
J 14 Général-Mangin (du)
I 17 Gennevilliers (pont de)
I 15 Georges-Guynemer
I 15 Georges-Janin
H 14 Gilbert-Rousset
J 13 Gilbert-Thomain (square)
K 14 Gde-rue-Ch.-de-Gaulle
J 14 Grande-Rue (passage de la)
I 17 Grésillons (avenue des)
J 12 Guide (du)
I 14 Guillemin (avenue)
J 14 Haag (cité)
I 14 Hector-G.-Fontaine
J 14 Henri-Barbusse (avenue)
I 17 Henri-Bergson
J 13 Henri-Martin
I 13 Henri-Moreau
G 13 Henri-Poincaré
G 13 Henri-Robert (avenue)
I 13 Henry-Say
J 14 Henry-Pigeon
I 16 Héroult (square)
N 14 Homette (passage)
J 15 Hôtel-de-Ville (place de l')
I 13 Imbard-Latour (avenue)
I 15 Jacques-David (impasse)
I 16 Jardin-Modèle (du)
J 15 Jardins (des)
J 14 J.-B.-Baudoin (avenue)
H 14 Jean-Charles (villa)
J 15 Jean-Dussourd
J 14 Jean-Dutilloy
I 15 J.-J.-Rousseau (place)
I 15 Jean-Jacques-Rousseau
H 14 Jean-Jaurès
J 13 Jeanne (avenue)
H 14 Jeanne-d'Arc
J 15 Joffre (square)
J 14 Joseph-M.-Heymann
G 14 Jules-Durand (avenue)
H 14 Jules-Ferry
H 14 Lamartine
I 14 Laure-Flot
I 17 Laurent-Cély (avenue)
J 14 Lauzière (avenue de la)
J 14 Lauzière (impasse de la)
I 14 Laville (impasse)
I 14 Lehot
I 14 Lemaître (impasse)
G 14 Le Vau (place)
J 15 Le-V.-d'Argenson (square)
I 15 Liouville
I 14 Lorne (passage)
J 13 Lorraine (de)
I 17 Louis-Armand
I 15 Louise
J 15 Louis-Jouvet
I 15 Louis-Melotte
J 15 Louis-Vion
K 15 Lucien-Micaud
J 13 Magenta
K 14 Maine (du)
I 14 Malakoff
I 14 Malakoff (villa)
J 13 Manoir (avenue du)
G 14 Mansart
J 15 Marceau-Delorme
H 14 Marcela (villa)
H 14 Marceline (avenue)
I 16 M.-de-L.-de-Tassigny (square)
J 14 Maréchal-Juin (square du)
J 15 Maréchal-Leclerc (square)
J 14 Marguerite (passage)
H 14 Marianne-Roustan (avenue)
I 17 Marie-Curie
J 14 Marne (avenue de la)
J 14 Marronniers (avenue des)
J 13 Maurice (villa)
J 14 Mauriceau
J 15 Maurice-Bokanowski
H 14 Maurice-Laisney
J 15 Maurice-Pellerin
J 13 Max-de-Nansouty (avenue)
H 14 Ménil (du)
I 14 Michelet
I 14 Molière
I 15 Montaigne
I 15 Montesquieu
K 14 Montmorency (avenue)
H 14 Mortinat
G 13 Mourinoux (des)
J 14 Nanterre (de)
G 13 Neuve-des-Mourinoux
K 14 Normandie (de)
I 16 Novion
G 13 Orgemont (d')
K 14 Orne (de l')
K 14 Ouest (de l')
G 14 Paix (de la)
I 16 Parfumerie (de la)
I 16 Parfumerie (square de la)
I 14 Parisiens (des)
J 13 Parmentier
K 14 Pasteur
J 13 Paul (villa)
J 13 Paul-Bert
J 13 Paul-Bert (square)
J 14 Paul-Déroulède
H 14 Paul-Doumer
H 14 Paul-Gillet
L 13 Pauline (villa)
K 14 Pauline (villa)
I 15 Picquart
I 16 Pierre-Boudou
J 15 Pierre-Brossolette
I 17 Pierre-Curie
G 14 P.-de-Coubertin (bd)
J 15 Pierre-Durand
J 13 Pierre-Joigneaux
J 13 Pilaudo
J 13 Pilaudo (villa)
J 14 Pinel (avenue)
I 15 Poisson (impasse)
G 14 Pompidou (square)
H 14 Président-Kruger (du)
J 14 Promenade (de la)
I 15 Prony (impasse)
I 15 Prony (de)
G 13 Quatre-Routes (carrefour des)
I 15 Rabelais
J 12 Raphaël
G 4 Redoute (avenue de la)
I 15 Renan
I 14 René (villa)
H 14 République (place de la)
J 13 Rethonde (de la)
J 14 Retrou
I 14 Rév.-Père-Chris.-Gilbert
J 14 Robert-Aylé
H 14 Robert-Dupont
G 13 Robert-Lavergne
J 13 Rocher (du)
J 13 Roger-Campestre
J 14 Roger-Poncelet
I 13 Roses (villa des)
J 14 Rouget-de-Lisle
H 14 Rouveyrol (villa)
J 13 Sablière (de la)
J 15 Sadi-Carnot
J 13 Saint-Charles (place)
H 14 Saint-Joseph (avenue)
J 14 Saint-Augustin
J 13 Sainte-Anne (avenue)
I 13 Sainte-Anne (villa)
I 14 Sainte-Lucie (avenue)
I 14 Sainte-Sophie
G 13 Scheurer-Kestner
I 13 Senlis (villa)
J 14 Sesquez (impasse)
G 13 Sœur-Valérie
I 13 Solférino (avenue)
G 14 Soufflot (allée)
J 14 Station (place de la)
J 14 Station (de la)
K 14 Steffen
J 13 Strasbourg (de)
I 14 Suzanne (villa)
J 13 Sylvain
J 13 Sylvain (square)
J 13 Teissonnière (avenue)
J 15 Théâtres (place des)
K 14 Thérèse (villa)
J 12 Tilleuls (des)
J 13 Tintoret (du)
I 15 Trarieux
J 14 Traversière (villa)
I 14 Trois-Communes (avenue des)
H 14 Trois-Frères (avenue des)
I 14 Trouillet-Dérel
H 14 Thuyas
J 14 Union
I 14 Union
J 16 Van-Gogh
J 14 Verdun
J 14 Verdun
J 15 Victoires
H 14 Victor-Hugo
I 14 Villebois-Mareuil
G 14 Visconti
I 15 Voisin
I 15 Voltaire
J 15 Voltaire
J 15 Voltaire
J 14 Waldeck-Rousseau


## AUBERVILLIERS - 93300

pla[n page …]


J 7 Abeille (de l')
J 6 Achille-Domart
J 5 Adrien-Agnès (quai)
K 8 Albert-Girard (allée)
I 5 Albert-Walter
J 5 Albinet
J 8 Alexandre-Dumas
I 8 Alfred-Jarry
J 5 Alphonse-Daudet
I 8 Alphonse-Jouis (allée)
J 6 Anatole-France (boulevard)
L 6 André-Karman
I 8 Arthur-Rimbaud
L 7 Auvry
J 5 Avenir (passage de l')
J 8 Balzac
J 6 Beaufils (impasse)
J 5 Bengali
J 8 Béranger
K 6 Bernard-et-Mazoyer
I 5 Bernard-Palissy
L 6 Binet (impasse)
I 5 Bisson
L 7 Bordier
L 6 Bordier (impasse)
J 8 Buisson (du)
J 8 Buisson (impasse du)
K 6 Chalets (passage des)
K 7 Chantilly (allée de)
J 6 Chapon
J 8 Charles-Baudelaire
J 5 Charles-Cousin (impasse)
J 8 Charles-Grosperrin (allée)
J 6 Charron
K 7 Château (allée du)
J 5 Chemin-Vert (du)
J 5 Chemin-Vert (impasse du)
K 6 Chouveroux
J 7 Cimetière (avenue du)
J 7 Cités (des)
J 5 Claude-Bernard
K 6 Clos-Bénard (du)
I 5 Clos-Saint-Quentin (square du)
I 8 Colbert
J 5 Colonel-Fabien (du)
J 7 Commandant-l'Herminier (du)
J 6 Commerce (impasse du)
K 6 Commune-de-Paris (de la)
J 7 Cottin (place)
J 6 Courneuve (de la)
J 6 Crèvecœur (du)
J 6 Crèvecœur (impasse de)
J 7 Danielle-Casanova
J 6 David
J 6 Défense (impasse de la)
L 7 Démars (passage)
J 8 Désiré-Lemoine
K 7 Désiré-Leroy (impasse)
K 9 Division-Leclerc (avenue de la)
L 6 19-Mars-1962 (place du)
K 7 Dr-Michaux (avenue du)
K 6 Dr-Pesque (du)
J 6 Docteur-Pesque (square du)
J 5 Dudouy (passage)
J 5 Échange (chemin de l')
L 7 Écoles (des)
J 6 Edgar-Quinet
K 6 Édouard-Poisson
J 8 Édouard-Vaillant (boulevard)
J 8 Élysée-Reclus
J 5 Émile-Augier
J 8 Émile-Dubois
L 7 Émile-Prévost
L 6 Émile-Reynaud
J 8 Ernest-Thierry
L 6 Espérance (impasse de l')
L 6 Félix-Faure (boulevard)
J 6 Ferragus
J 4 Fillettes (des)
K 6 Firmin-Gemier
J 6 Florentine (impasse)
K 7 Fontainebleau (allée de)
K 8 Fort (impasse du)
I 5 Francis-de-Pressensé (avenue)
J 8 François-Truffaut (galerie)
I 6 Francs-Tireurs (passage des)
J 8 Gabriel-Rabot (allée)
J 5 Gaëtan-Lamy
L 6 Gambetta (quai)
K 5 Gardinoux (des)
L 5 Gare (de la)
K 7 Gaston-Carré
J 7 Georges-Braque (allée)
J 8 Georges-Leblanc (allée)
J 8 Georges-Méliès (coursive)
K 6 Goulet (du)
J 7 Grande-Cour (ruelle de la)
I 6 Grandes-Murailles (des)
J 7 Gustave-Courbet (allée)
K 7 Guyard-Delalain
K 5 Haie-coq (de la)
I 5 Haut-Saint-Denis (chemin du)
L 6 Hautbertois (passage)
J 8 Hégésippe-Moreau
J 7 Hélène-Cochennec
J 7 Hèmet
K 7 Henri-Barbusse
J 8 Henri-Matisse (allée)
J 4 Henri-Murger
J 6 Heurtault
K 6 8-Mai-1945-Charles-De-Gaulle (place du)
J 8 Jacques-Becker (allée)
J 8 Jean-Grémillon (allée)
J 8 Jean-Jaurès (avenue)
J 8 Jean-Jaurès (impasse)
J 8 Jean-Renoir (place)
J 7 Jules-Aubry
J 7 Jules-Guesde
J 7 Jules-Vernes (place)
J 5 Justice (passage de la)
J 8 Lamartine
J 5 Landy (du)
J 5 Landy (pont du)
I 5 Latéral-Nord (chemin)
I 5 Latéral-Sud (chemin)
I 8 Lautréamont
K 7 Lécuyer
K 6 Legendre (impasse)
J 7 Léopold-Rechossière
J 8 Liberté (de la)
K 7 Lilas (allée des)
J 7 Long-Sentier (du)
K 8 Lopez-et-Jules-Martin
J 8 Louis-Daquin (passage)
K 6 Louis-Fourrier
K 5 Lucien-Lefranc (quai)
J 5 Machouart (passage)
J 8 Maladrerie (de la)
J 7 Maladrerie (square de la)
J 7 Marcel-Gargam (avenue)
I 8 Marcel-Nouvian
K 8 Marcelin-Berthelot
J 5 Marcreux (chemin du)
J 6 Mare-Cadet (impasse de la)
L 6 Marin (impasse)
J 5 Maumelat
J 8 Mazier
K 7 Mélèzes
J 8 Meynier
K 5 Moglia
J 8 Molière
K 8 Motte
K 7 Motte
J 6 Moutier
K 7 Myosotis
J 8 Nicolas-de-Staël
J 5 Nicolas-Rayer
J 6 Nouvelle-France
J 6 Noyers
J 6 Pasteur
J 5 Pasteur-Henri-Roge[r]
K 7 Paul-Bert
J 7 Paul-Doumer
J 8 Paul-Éluard
J 8 Paul-Verlaine
L 6 Péping
K 6 Péricat
I 5 Pierre-Curie
L 6 Pierre-Larousse
J 8 Pierre-Prual
K 5 Pilier
J 6 Ponceaux
I 7 Pont-Blanc
J 7 Pont-Blanc
J 7 Pont-Blanc
I 7 Pont-Blanc
J 5 Port
J 5 Port-Prolongée
L 7 Postes
I 7 Prés-Clos
J 6 Président-Roosevelt
K 7 Presles
J 6 Pressin
J 8 Prévoyants
J 7 Puits-Civot
L 7 Quatre-Chemins
K 7 Quentin
J 5 Régine-Gosset
K 7 République
I 7 Robespierre
J 6 Roquedat
K 7 Roses
K 7 Roses
J 7 Rosso
K 6 Sadi-Carnot
J 6 Saint-Christophe
I 6 Saint-Denis
K 5 Saint-Gobain
J 6 Schaeffer
J 5 Sivault
L 7 Solférino
K 6 Stains
K 6 Stalingrad
K 7 Tilleuls
K 5 Tournant
L 7 Trevet
L 7 Union
L 5 Victor-Hugo
K 5 Villebois-Mareuil
K 7 Vivier
J 8 Voltaire
J 6 Waldeck-Rousseau


## BAGNEUX - 92220

plan [page …]


F 7 Abbé-Grégoire (allée de l')
F 8 Abraham-Lincoln
F 6 Acacias (allée des)
F 6 Adèle
D 8 Albert-Fririon
F 7 Albert-Petit (avenue)
E 6 Alphonse-Pluchet
F 6 Ambroise-Croizat (rond-point)
F 7 Amandiers (sentier des)
E 7 Anatole-France (allées)
E 8 André-Ox
F 8 Aristide-Briand (avenue)
E 7 Auboin (villa)
G 7 Bas-Coquarts (des)
G 7 Bas-Coquarts (allée des)
F 8 Bas-des-Buttes (sentier du)
G 8 Bas-Longchamps (des)
F 6 Bénards (des)
E 8 Bertie-Albrecht
E 8 Bièvre (de la)
G 6 Blagis (carrefour des)
F 7 Blains (des)
F 7 Blaise-Pascal
F 5 Blanchard
F 6 Boileau
F 8 Bois (des)
G 7 Bourg-la-Reine (avenue de)
F 8 Briqueterie (de la)
G 6 Brugnauts (place des)
G 6 Brugnauts (des)
F 6 Brugnauts (sentier des)
F 7 Buttes (des)
F 8 Capucines (des)
E 7 Ch.-des-Oiseaux (du)
F 8 Charles-Michels
E 5 Chartres (de)
F 6 Chevreuse (allée de)
E 7 Claude-Debussy
F 7 Clos-Lapaume (du)
E 7 Colibris (des)
D 8 Colonel-Fabien (du)
F 7 Concorde (cité de la)
G 7 Coquarts (des)
G 6 Cuverons (des)
G 6 Cuverons (passage des)
G 6 Cuverons (sente des)
F 6 Cuverons (sentier des)
G 6 Cuverons (mail des)
F 6 Dampierre (place)
F 6 Dampierre
F 6 Division-Leclerc (de la)
G 7 Dr-A.-Schweitzer (rond-point du)
F 7 Dr-A.-Schweitzer (du)
E 8 Docteur-Charcot (du)
F 8 Ed.-Barbanson (square)
G 7 Édouard-Branly
E 7 Égalité (de l')
F 7 Enguehard
F 6 Étienne-Dolet
F 6 Étienne-Hajdu (résidence)
F 6 Fernand-Léger (square)
G 8 Fleurs (avenue des)
G 6 Fontaine (de la)
E 6 Fontaine-des-Vœux (sent.)
G 6 Fontaine-Gueffier (place de la)
F 6 Fontenay (de)
F 6 Fossés (des)
F 7 François-Laurent-Gibon
E 7 Frédéric-Chopin
G 7 Frères-Lumière (des)
E 6 Froide
E 7 Gabriel-Cosson
F 6 Gabriel-Péri (avenue)
E 6 Garlande (avenue de)
E 6 Garlande (villa)
E 6 Général-de-Gaulle (avenue du)
G 7 Général-Sarrail (du)
E 7 Georges-Brassens (allée)
G 7 Germaine
E 8 Gustave-Courbet
F 7 Haig-Tbirian
F 7 Hardemberg
E 7 Henri-Barbusse (avenue)
F 6 / F 7 Henri-Ravéra (avenue)
F 7 Iris (villa des)
E 7 Jacques-Brel (allée)
F 6 J.-Baptiste-Fortin (avenue)
D 6 Jean-Jaurès (avenue)
E 7 Jean-Longuet
E 8 Jean-Marin-Naudin
D 8 J.-Marin-Naudin (villa)
F 8 Jeanne-d'Arc (impasse)
D 7 Kirovakan (de)
E 6 Latéral (chemin)
F 5 Latéral (sentier)
F 6 Ledru-Rollin
F 8 Léo-Ferré
F 8 Léo-Ferré (square)
G 7 Léon-Bernard
F 6 Léon-Blum
F 8 Liberté (de la)
F 6 Lilas (des)
F 6 Lisette (de la)
F 8 Longchamps (villa des)
E 8 Louis-Pasteur (avenue)
F 7 Madame-Curie
E 7 Madeleine (allée de la)
F 6 Mairie (de la)
E 7 Manuel-de-Falla
D 8 Marcel-Viguier
E 7 Marc-Sangnier
G 6 Maréchal-Foch (a…
F 7 M.-Michel-Biorret (p…
G 7 Marronniers (al…
G 7 Marronniers (de…
E 8 Martyrs-de-Châteaubria… (ro…
D 7 Marx-Dormoy (av…
F 7 Mathurins (al…
F 7 Mathurins (de…
E 7 Maurice-Langlet (al…
D 8 Maurice-Pruniaux
E 8 Mégisserie (de…
E 7 Meuniers (de…
F 7 Mirabeau (al…
D 8 Mirabelliers (de…
F 6 Monceaux (de…
F 7 Monceaux (se…
F 8 Montesquieu (sq…
G 7 Montrouge (av…
F 6 Moulin-Blanchard (av…
D 8 Mozart
E 6 Olivettes (de…
E 6 Olivettes (vill…
E 7 Orchidées (allé…
F 6 Pablo-Néruda
E 7 Pablo-Picasso (allé…
F 7 Paix (allé…
F 6 Parc (allé…
E 7 Parc-de-Garlande (allé…
G 7 Paris-à-Sceaux (sen…
F 8 Participation (de…
E 7 Pasteur
F 8 Patry
G 6 Paul-Éluard (allé…
F 6 Paul-Langevin (allé…
F 7 P.-Vaillant-Couturier (ave…
E 5 Perrotin
E 7 Pervenches (des)
G 6 Peuplier (imp…
G 7 Pichets (des)
E 7 Pierre-Brossolette
D 8 Pierre-Plate (de la…
F 5 Pierre-Semard
F 7 Piétons (sent…
F 7 Pointe-des-Buttes (sent…
F 7 Poitou (allée…
F 8 Pont-Royal (du)
G 8 Pont-Royal (impa…
F 6 Porte-d'en-Bas (de la…
F 7 Porte-d'en-Bas (sent…
G 7 Port-Galand (place…
G 8 Port-Galland (du)
F 6 Prémontière (squa…
F 8 Prés (des)
E 8 Progrès (du)
E 7 Prunier-Hardy (allée…

(impasse de la)
(place de la)
(de la)
(de la)
(de)
(square)
(allée des)

E 7 Rossini
E 7 Roue (sentier de la)
F 6 Salvador-Allende
G 7 Sarrazine (de la)
G 7 Schœlcher (square)
D 7 Serge-Prokofiev
F 6 Serpentine
D 8 Stalingrad (avenue de)
E 6 Suisses (voie des)
G 7 Tertres (place des)
G 7 Tertres (des)

G 7 Tertres (passage des)
G 7 Tertres (mail des)
E 7 Tilleuls (allée des)
F 6 13-Octobre (place du)
D 7 Turin (de)
E 7 Verdun (de)
E 8 Verrières (de)
F 5 Verte (voie)
D 8 Victor-Hugo (avenue)
G 7 Violettes (des)
E 6 Vœux (sentier des)

## ET - 93170

plan page 88

(avenue des)
(d')
(avenue des)
(impasse de l')
(de l')
(du)
(sentier des)
(de la)
(avenue de)
(rue)
(des)
(jardin des)
(avenue des)
(de la)
(place du)
(des)
ze
rge
(du)
ng (parc du)
(impasse des)
(impasse)
(avenue de la)
(square du)
(de l')
(impasse de l')
(de l')
(de l')
(d')

S 10 Étienne Dolet
S 9 Eugène-Varlin
Q 10 Fernand-Léger
P 11 Fleuri (passage)
Q 10 Fleurs (avenue des)
P 11 Floréal
Q 11 Fontenelle
R 10 Fosse-aux-Fraises (sentier de le)
Q 10 Fossillons (des)
Q 10 Francisco-Ferrer
P 10 Franklin
R 10 Fraternité (passage de la)
S 10 Fraternité (de la)
S 10 Fraternité (place de la)
Q 9 Fructidor
R 9 Gallieni (avenue)
P 10 Gambetta (avenue)
R 9 Général-de-Gaulle (avenue du)
Q 10 Général-Leclerc (du)
P 10 P 11 Girardot
P 11 Grands-Champs (allée des)
R 10 Guilands (sentier des)
S 10 Gustave-Nicklès (avenue)
Q 11 Helvétius
Q 10 Henriette
Q 9 Hoche
Q 11 Holbach (d')
P 11 Honoré-Bertin (impasse)
Q 11 8-Mai-1945 (parc du)
Q 11 Irène-et-Frédéric-Joliot-Curie
R 9 Italiens (passage des)
P 9 Jean-Baptiste-Clément
Q 9 Jean-Jaurès
Q 11 Jean-Lolive
R 10 Jean-Mouliin (parc)
P 11 Jeanne-Hornet
R 9 S 10 Jules-Ferry
Q 10 Jules-Vercruysse (avenue)
Q 10 Julien-Grimau
Q 10 Julien-Grimau (impasse)
Q 10 Karl-Marx
P 11 Krassine (passage)
P 10 Lebreton (passage)
Q 10 Lénine
Q 9 Levallois (impasse)
R 10 Liberté (de la)
R 10 Lieutenant-Thomas (du)
P 10 Lilas (impasse des)
Q 10 Loriettes (des)
P 9 Louis-David
P 11 Louise-Michel
Q 11 Lucien-Sampaix

Q 11 Lucien-Sampaix (place)
Q 10 Malmaison
Q 9 Marceau
Q 9 Marie-Anne-Colombier
Q 10 Maurice-Thorez (place)
P 10 Michelet
P 10 Molière
P 10 Moulin (du)
P 9 P 10 Noisy-le-Sec (de)
Q 10 Noue (de la)
R 10 Nouvelle
P 11 Noyers (des)
Q 10 Q 11 11-Novembre-1918 (place du)
P 10 Pantin (de)
Q 9 Parmentier
P 10 Pasteur (avenue)
S 10 Paul-Bert
Q 10 Paul-Vaillant-Couturier
Q 9 Pernelles (des)
Q 11 Pierre-Brossolette
Q 10 Pierre-Dupont
Q 10 Pierre-et-Marie-Curie
Q 10 Pinacle (du)
Q 10 Plateau (avenue du)
Q 10 Raoul-Berton
P 11 Raspail (avenue)
R 10 Ravins (sentier des)
P 10 Raymond-Lefèbvre
P 10 René-Alazard
P 10 René-Alazard
R 10 République (avenue de la)
Q 11 Résistance (place de la)
P 11 Rigondes (des)
R 10 Robespierre
Q 10 Roses (avenue des)
S 10 Ruisseau (passage du)
P 10 Q 10 Sadi-Carnot
R 10 Saint-Ange (impasse)
R 10 Saint-Pierre (impasse)
P 11 Saint-Simon
Q 10 Salvador-Allende (place)
Q 10 Schnarbach (square)
R 10 Sesto-Fiorentino (de)
P 10 Socrate
P 11 Stalingrad (avenue de)
R 10 Thérèse
R 10 Thérèse (impasse)
P 10 Tranchée (sentier de la)
S 10 Victor-Hugo
S 10 Victor-Hugo (passage)
P 10 Voltaire

## NE-BILLANCOURT - 92100

plan page 103

(place)
(des)
(de l')
(impasse)
(d')
(place des)
(villa)
(villa)
o (quai)
(d')
(boulevard)
(de l')
s (carrefour des)
(rond-point)
(avenue)
(passsage)
(cours d')
(passage de l')
(des)
(boulevard d')
(boulevard d')
(passerelle de l')
(square de l')
(du)
(sente des)
(villa des)
(passage)
(de la)
(allée de la)
(de)
(impasse de)
(square de)
(du)
(cour)
(place)
(villa)
(pont de)
(de)
(parc de)
(place)
(allée des)
(passage de)
(villa de)
(du)
e (avenue)
(du)
(de)
(du)
(de)
(passage du)
(du)
(place)
au
au (place)
(passage)
(sente)
(avenue)
(du)
(allée des)
(impasse)
(villa des)
(place des)
(avenue)
(de l')
(allée)
(avenue)
dis (passage des)
dis (des)
(de l')
(place de l')
(villa des)
(avenue)
on
(de la)
er

F 15 Fessart
E 15 Fessart (rond-point)
G 16 Fief (du)
F 16 Fief (passage du)
G 15 Fleurs (villa des)
H 14 Forum (allée du)
G 15 Forum-cent-trois (passage du)
E 14 Fossés-Saint-Denis (des)
G 14 Fougères (avenue des)
H 16 Fourquemain (impasse)
E 15 France-Mutualiste (de la)
G 14 Frères-Farman (square des)
G 14 Gabriel-et-Charles-Voisin
G 14 G 16 Gallieni
E 15 Gambetta
G 15 Général-Leclerc (avenue du)
G 14 Georges-et-Charles-Voisin
G 15 Georges-Sorel
G 17 Grande-Illusion (de la)
F 16 Gutenberg
F 16 Gutenberg (square)
H 15 Hameau-Fleuri (du)
H 14 Haute (place)
H 15 Heinrich
G 16 Henri-Martin
G 15 Heyrault
H 14 Ile-de-France (passage de l')
H 15 Issy (d')
H 17 Issy (pont d')
E 15 Jacqueline
F 14 J.B-Carpeaux (allée)
F 14 J.B.-Clément (avenue)
F 14 J.B.-Dumas
G 15 Jean-Bouvérie
H 15 Jean-Brunhes (passage)
H 15 Jean-Hemmen (passage)
F 14 H 15 Jean-Jaurès (boulevard)
G 15 Jeanne (villa)
E 14 Johannot (passage)
F 16 Joseph-Bernard
E 16 Joséphine (avenue)
G 17 Jour-se-Lève (avenue le)
H 15 Jules-Ferry
H 15 Jules-Guesde (place)
G 15 Jules-Henripré
F 15 Jules-Simon
G 14 Koufra (de)
F 15 Lauriers (allée des)
F 14 Lavandières (allée des)
F 15 Lazare-Hoche
G 15 Legrand (passage)
E 14 Lemoine
F 14 Léon-Blum (square)
G 15 Liot
E 14 Longchamp (allée de)
H 15 Longs-Prés (des)
H 16 Longs-Prés (cours des)
G 14 Louis-Blériot
G 14 Louis-Blériot
G 15 Louis-Lumière (villa de)
F 15 Louis-Pasteur
E 14 Mahias
G 15 Maillasson
F 14 Mairie (villa de la)
G 15 Maître-Jacques (sente)
F 15 Maître-Jacques
H 15 Marc-Chagall (allée)
G 16 Marcel-Dassault
F 16 Marcel-Loyau
G 16 Marcel-Pagnol (place)
G 15 Marcel-Sembat (place)
F 14 Marcelin-Berthelot (allée)
H 15 Marché (du)
H 15 Marché (place du)
F 13 M.-de-L.-de-Tassigny (avenue du)
G 14 Maréchal-Juin (avenue du)
E 16 Marguerite (avenue)
F 15 Marie Justine (villa)
F 16 Martinique (villa de la)
E 15 Maurice-Delafosse
F 16 Max-Blondat
E 14 Menus (des)
H 15 Meudon (de)
G 14 Michelet
G 14 Mimosas (avenue des)
H 15 Molière
E 15 Mollien
E 14 Montmorency (de)
F 16 Moreau (impasse)
F 15 Moreau-Vauthier
H 16 Moulineaux (square des)
H 15 Nationale
H 16 Neuve
H 14 Normandie (passage de)
F 16 Nugesser-et-Coli
F 15 Ouest (de l')
F 14 Paix (de la)
F 16 Parc (du)

E 14 Parchamp (du)
E 15 Parchamp (place du)
E 14 Parchamp (square du)
F 16 Paris (de)
G 15 Paul-Bert
G 15 Paul-Constans
G 14 Paul-Ducellier
H 15 Paul-Verlaine (place)
G 16 Pauline (villa)
F 16 Pavillon (du)
G 15 Peltier
E 15 Persane (villa)
E 14 Petibon
G 16 Peupliers (villa des)
G 16 Peupliers (des)
H 16 Pierre-Grenier (avenue)
E 15 Pins (des)
E 15 Pins (allée des)
G 14 Platanes (villa des)
H 16 G 16 Point-du-Jour (quai du)
H 16 Point-du-Jour (du)
H 16 Point-du-Jour (impasse du)
H 16 Pont-de-Billancourt (place du)
H 14 Pont-de-Sèvres (square du)
H 14 Pont-de-Sèvres (rond-point du)
F 14 Port (du)
F 16 Princes (des)
G 15 Princes (villa des)
H 14 Provinces (passage des)
E 14 Puits (cour du)
G 14 Pyramide (sentier de la)
H 15 Pyramide (de la)
G 15 Quatre-Cheminées (des)
E 14 4-Septembre (quai de)
H 16 Racine (place)
F 16 Reine (route de la)
G 14 Reinhardt
G 16 René-Clair (place)
G 16 République (boulevard de la)
F 14 Rhin-et-Danube (rond-point)
F 14 Rhin-et-Danube (square)
G 15 Rieux
F 16 Robert-Schuman (avenue)
E 15 Rochefoucauld (de la)
E 15 Rolland-Garros
H 15 Ronsard (villa)
F 16 Rosendaël (villa)
G 15 Rouget-de-Lisle
F 13 Saint-Cloud (pont de)
F 14 Saint-Denis
F 14 Saint-Denis (passage)
H 16 St-Germain-des-Longs-Prés (place)
F 16 Salomon-Reinach
G 16 Samarcq
G 15 Saussière (de la)
H 16 Seine (de)
H 14 G 14 Sèvres (de)
H 14 Sèvres (pont de)
G 14 Silly (de)
G 14 6-Juin-1944 (du)
H 15 Solférino (de)
H 15 Solférino (square de)
H 15 Solférino (place de)
G 16 Stade-de-Coubertin (avenue du)
I 15 Stalingrad (quai de)
E 14 Sycomores (allée des)
G 16 Thiers
F 15 Tilleuls (des)
G 15 Tilleuls (villa des)
E 14 Tisserant
F 16 Tourelle (de la)
E 15 Trancard (impasse)
E 15 Transvaal (du)
H 15 Traversière
G 16 Vanves (de)
E 15 Vauthier
F 14 Verdun (de)
E 14 Victoires (de)
E 14 Victoires (des)
H 15 Victor-Griffuelhes
G 15 Victor-Hugo (avenue)
G 15 Victor-Hugo (passage)
H 14 Vieux-Pt-de-Sèvres (de)
H 14 Vieux-Pt-de-Sèvres (allée du)
H 14 Vieux-Pt-de-Sèvres (passage du)
G 14 25-Août-1944 (du)
G 17 Voie-Lactée (avenue de la)
F 15 Wallace (place)
H 15 Yves-Kermen

## CACHAN - 94230

plan page 99

G 9 Albert-Camus
E 8 Alphonse-Melun
G 8 Alsace (d')
G 10 Amandiers (des)
F 9 Amédée-Picard
F 8 Ampère
F 8 Anatole-France
F 9 Anc.-Combattants (des)
G 9 Ange-Rubaud
F 8 Aristide-Briand (avenue)
F 8 Armistice (de l')
G 10 Artistes (cité des)
G 10 Arts (allée des)
E 9 Auguste-Rodin
E 8 Avenir (villa de l')
G 10 Bajou (allée)
G 9 Beauséjour (avenue)
F 8 Bel-Air (du)
G 10 Bellevue (allée)
F 9 Belle-Image (de la)
E 8 Benoît-Guichon (avenue)
E 8 Benoît-Guichon (impasse)
G 9 Berry (de)
E 9 Besson
F 8 Bon-Air (impasse du)
G 9 Bourbonnais (du)
G 9 Bretagne (de)
F 9 Camille-Desmoulins
F 9 Carnot (avenue)
E 8 Carnot (villa)
F 8 Centre (du)
F 8 Chaptal
G 8 Chateaubriand (avenue)
F 8 Chateaubriand (place)
E 8 Chateaubriand (villa)
E 9 Chemin-de-Fer (du)
E 10 Citadelle (de la)
G 10 Claude-Cellier
E 10 Colonel-Fabien (du)
F 8 Cdt-Marchand (du)
G 10 Concorde (de la)
F 8 Condorcet
F 9 Coopérative
F 10 Coteau (du)
F 9 Cousin-de-Méric (avenue)
F 10 Cousté
E 9 Croix-Bossée (allée de la)
F 10 Défait (sentier)
G 9 Defrance (avenue)
E 10 Denise (villa)
F 10 Deux-Communes (sent. des)
F 9 Deux-Frères (des)
G 9 Division-Leclerc (avenue de la)
E 9 Docteur-Gosselin (du)
F 9 Docteur-Henouille (du)
F 9 Dumotel (avenue)
G 9 Édouard-Herriot (place)
F 10 Émile-Zola
E 8 Espérance (de l')

E 8 Espérance (villa de l')
F 8 Estienne-d'Orves (d')
F 10 Étienne-Dolet
G 9 Eugène-Belgrand (allée)
G 10 Eugène-Brégeard (sentier)
G 9 Europe (avenue de l')
F 10 E.-Deschamps (place)
F 10 Faure-Beaulieu
F 10 Félix-Choplin
E 9 Fief-des-Arcs (du)
G 9 Flandre (de)
G 10 Fleurie (villa)
F 10 Fontaine-Couverte (sentier)
F 10 François-Delage
G 9 François-Rude
G 9 François-Villon
G 10 Frettes (sentier des)
F 10 Gabriel-Péri (avenue)
F 9 Gallieni
F 9 Gambetta (place)
E 8 Gare (de la)
E 8 Gare (villa de la)
F 10 Garennes (sentier des)
F 10 Garennes (impasse des)
F 10 Gaston-Audat
F 10 Germinal (impasse)
F 9 Georges-Vigor
F 10 Goischères (sentier)
F 10 Gosse (voie)
E 8 Grange-Ory (de la)
E 8 Grange-Ory (villa de la)
F 10 Guichard
G 10 Gustave-Courbet (allée)
G 10 Hautes-Bruyères (allée des)
G 10 Henri-Dupuis (sentier)
E 8 Jardins (des)
E 8 Jardins (impasse des)
E 8 Jean-Jaurès (avenue)
G 10 Joncs (sentier des)
G 8 Lamartine (square)
F 8 Lavoisier
G 8 Léon-Bloy
G 10 Léon-Blum (avenue)
F 9 Léon-Eyrolles (avenue)
F 8 Liberté (de la)
G 8 Lilas (des)
F 8 Loing (du)
F 9 Lorraine (de)
F 9 Louis-Georgeon (avenue)
F 8 Louis-Marguerite
G 9 Lours (allée des)
G 9 Lours (sentier des)
F 8 Lumières (avenue des)
G 10 Lunain (du)
H 8 Madeleine
H 8 Madeleine (impasse)
F 9 Marcel-Bonnet
E 10 Marcel-Vergeat (impasse)
G 9 Marc-Sangnier

G 9 M.-de-Lattre-de-Tassigny (avenue du)
E 8 Marguerite (villa)
F 8 Marne (de la)
F 9 Marx-Dormoy
F 8 Médéric-Védy
H 9 Metz (de)
F 9 Mirabeau
G 9 Moulin-de-Cachan (du)
G 9 Normandie (de)
G 8 Nouvelle
F 9 Ovale (place)
E 8 Paix (villa de la)
F 10 Panorama (avenue du)
G 10 Panorama (allée du)
F 9 Parc-de-Cachan (du)
F 8 Pascal
G 8 Pasteur (avenue)
G 8 P.-Vaillant-Couturier (avenue)
G 9 Peupliers (des)
E 8 Peyrabout (villa)
F 10 Pichot (sentier)
E 8 Pierre (villa)
G 8 Pierre-Curie
G 9 Pierre-de-Montreuil (allée)
F 10 Pitancerie (sentier de la)
F 10 Pléiade
F 8 Pont-Royal (avenue du)
G 9 Poulets (carrefour des)
F 9 Président-Wilson (avenue du)
E 8 Progrès (villa du)
G 9 Provence (de)
E 9 Provigny (de)
F 9 Raspail
F 8 Reims (de)
E 8 Roger (villa)
G 9 Ronsard (allée)
F 8 Rosiers (des)
F 10 Rungis (escalier du)
F 10 Rungis (du)
G 10 Sablons (sentier des)
G 10 Sablons (impasse des)
G 10 Sablons (villa des)
G 10 Saussaies (des)
E 8 Serré (villa)
F 10 Solidarité (de la)
G 8 Somme (de la)
H 9 Strasbourg (de)
F 10 Tour-Carré (impasse de la)
F 9 Tournelles (des)
H 10 Trinty (impasse)
F 10 Vanne (boulevard de la)
G 9 Vatier (avenue)
F 8 Verdun (de)
F 9 Veyssière (allée)
G 8 Victor-Hugo (avenue)
F 10 Vignes (des)
G 8 Voltaire (square)
F 8 Yser (de l')

## CHARENTON-LE-PONT - 94220

plan page 97

E 7 Abreuvoir (de l')
F 6 Alforville (passerelle d')
E 6 Alfred-Savouré
E 6 Anatole-France (avenue)
E 5 Arcade (de l')
E 5 Archevêché (de l')
E 6 Aristide-Briand (place)
E 6 Arthur-Croquette
E 6 Arthur-Dussault (place)
E 7 Bac (du)
F 4 Bercy (quai de)
E 5 Bergerac (villa)
E 5 Bobillot (place)
E 6 Bordeaux (des)
E 6 Cadran (du)
E 6 Camille-Mouquet
E 6 Carrières (quai des)
E 6 Cerisaie (square de la)
E 6 Cerisaie (de la)
D 5 Chanzy (de)
E 7 Charenton (pont de)
E 6 Cdt-Delmas (du)
E 6 Conflans (de)
E 5 Conflans (parc)
D 5 Coupole (place de la)
E 6 Église (place de l')
E 6 Embarcadère (de l')
E 5 Entrepôt (de l')
D 4 Escoffier
E 6 Estienne-d'Orves (d')
D 4 Étienne-Mehul
D 4 Europe (place de l')
D 5 Félix-Langlais

E 6 Fleurs (villa des)
D 5 Fragonard
E 7 Gabriel-Péri
E 7 Gabrielle
D 4 Général-de-Gaulle (avenue du)
E 7 Général-Leclerc (du)
D 6 Gravelle (avenue de)
E 6 Guérin
E 6 Heni-IV (place)
D 4 Henri-d'Astier (place)
E 5 Henri-Sellier (square)
E 5 Hérault (de l')
E 6 8-Mai-1945 (square du)
E 6 Ivry-Charenton (passerelle d')
E 6 Jean-Jaurès (avenue )
E 7 Jean-Mermoz (square)
E 6 Jean-Pigeon
D 6 Jeanne-d'Arc
E 6 Jules-Noël (square)
E 5 Kennedy
E 7 Labouret
E 5 Le-Marin (villa)
D 5 Liberté (avenue de la)
E 6 Mairie (de la)
D 5 Marcelin-Berthelot
E 7 Maréchal-de-Lattre-de-Tassigny (avenue du)
D 5 Marius-Delcher
D 5 Marseillais (place des)
F 6 Martinet (pont)
E 6 Marty
E 5 Nelson-Mandela (pont)
E 6 Nocard

E 4 Nouveau-Bercy (du)
E 5 11-Novembre-1918 (square du)
E 7 Ormes (des)
E 7 Parc (du)
E 6 Paris (de)
E 5 Pasteur
E 6 Paul-Éluard
E 5 Paul-Émile
D 5 Petit-Château (du)
F 7 Port (du)
E 5 Port aux Lions (du)
E 7 Quatre-Vents (villa des)
E 6 Ramon (place)
E 7 République (de la)
D 5 Robert-Grenet
E 6 Robert-Schuman
E 6 Saint-Pierre
E 6 Saint-Pierre (villa)
E 6 Séjour (du)
E 5 Séminaire-de-Conflans (du)
E 6 Stinville (avenue)
E 7 Sully (de)
D 5 Terrasse (de la)
E 7 Thiébault
D 5 Tilleuls (allée du)
E 5 Valmy (passerelle de)
D 5 Valmy (de)
E 6 Valois (place de)
E 6 Verdun (de)
E 6 Victor-Basch
E 6 Victor-Hugo
D 5 Winston-Churchill (avenue)

## CHÂTILLON - 92320

plan page 101

L 19 Albert-Auboin
L 20 Albert-Laurent
K 20 Alfred-de-Musset
K 19 Alsace (d')
K 20 Amélie (avenue)
L 19 Ampère
L 20 Antoine-Watteau (allée)
K 19 Arago
L 19 Aulnais (sentier des)
K 21 Avenir (de l')
K 20 Aywaille (carrefour d')
L 20 Bagneux (de)
L 19 Beauséjour (allée)
K 19 Béranger
K 19 Béranger (villa)
K 21 Berlioz (allée)
M 20 Blanchard
M 20 Blanchard (villa)
M 20 Cadran-Solaire (allée du)
L 20 Cèdre (allée du)
K 19 Chalet (allée du)
K 20 Champs-Fleuris (impasse des)
L 20 Charlot (passage)
L 20 Chartres (de)
L 18 Châtillon (de)
K 20 Clément-Perrière (avenue)
L 19 Clos-de-la-Marquise (v.)
L 20 Colbert
K 19 Colonel Fabien (boulevard du)
K 21 Combattants-d'A.F.N. (des)
L 19 Corot
L 20 Courtois
K 20 Dahlias (allée des)
M 18 Défense (de la) (H.P.)
K 19 Denise (villa)
L 19 Désiré (impasse)
K 20 Desportes
M 19 Division-Leclerc (avenue)
M 18 Division-Leclerc (place) (H.P.)
L 20 Dumur (place)
K 20 Edmond-Rostand
L 20 Église (place de l')
K 19 Épargne (de l')
K 19 Épargne (allée de l')
K 19 Épée (allée de l')
L 19 Espérance (impasse de l')
K 20 Esther-Cordier
L 20 Estienne-d'Orves (d')
M 18 Étangs (des)
M 18 Étangs (passage des)
K 20 Étienne-Deforges
K 19 Eugène (villa)
K 21 Eugénie (villa)
K 19 Fauvette (des)
L 19 Félix-Faure (boulevard)
K 20 Finlande (de)
L 20 Fontaine (allée de la)
L 20 Fontenay (de)
M 18 Fort (du)
K 19 Foyer (villa du)
K 20 François-Barrey
K 20 François-Coppée
K 19 François-Pinson
K 19 Fraternité (allée de la)
L 19 Gabrielle (villa)

L 20 Gabriel-Péri
L 20 Gambetta
L 20 Gare (de la)
K 19 Gay-Lussac
K 19 Gay-Lussac (impasse)
K 19 Gay-Lussac (villa)
K 19 Géo-Chavez
L 19 Général-de-Gaulle (carrefour du)
L 19 Geneviève (villa)
L 20 Genzano-di-Roma
K 19 George-Sand
K 19 George-Sand (mail)
L 20 Georges-Pompidou
K 19 Germaine
K 20 Guy-Môquet
K 20 Guynemer
L 20 Henri-Barbusse (impasse)
K 20 Henri-Gatinot
L 19 Hoche
L 19 Hoche (impasse)
L 20 8-Mai-45 (rond-point du)
M 19 Ile (de l')
K 20 Iris (des)
K 20 Jacqueline (villa)
L 20 Jean-Bouin
K 19 Jean-Dupuis
K 21 Jean-Jaurès (avenue)
L 19 Jean-Jaurès
L 20 Jean-Macé
K 20 Jean-Mermoz
K 20 Jean-Moréas
K 20 Jean-Moulin (square)
L 19 L 20 Jean-Pierre-Timbaud
K 20 Jean-Richepin
L 19 Jeanne-d'Arc
L 19 Jeanne-Hachette
K 20 José-Maria-de-Hérédia
K 20 Jules-Védrines
M 19 Kléber
L 19 Lasègue
L 19 Lasègue (impasse)
L 19 Lasègue (passage)
K 20 Lécaillon
K 20 Lecomte-de-Lisle
K 21 Le-Mesnil (villa)
K 20 Léonard-Mafrand
L 20 Libération (place de la)
L 20 Liberté (de la)
L 20 Liberté (impasse de la)
K 20 Lilas (des)
L 19 Louise-Auvry (villa)
L 20 Louveau
L 20 Lucien-Sampaix
K 19 Madeleine (passage)
L 20 Madeleine (villa)
L 20 Mairie (de la)
K 20 Malakoff
M 18 Marceau
L 20 Marcel (impasse)
K 20 Marcel-Cachin (avenue)
K 20 Marcellin-Berthelot (avenue)
L 19 Marguerite (villa)
K 19 Maurice (allée)
L 20 Merseburg (de)

K 20 Mésie (villa de la)
M 20 Mozart (allée)
L 19 Noise (impasse de la)
M 19 Orme-au-Chien (sentier de l')
K 19 Paix (avenue de la)
L 19 Paix (impasse de la)
L 19 Panorama (du)
K 20 Paris (avenue de)
L 19 Paroseaux (sentier des)
L 19 Paroseaux (villa des)
L 20 Pasteur
L 20 Pasteur (villa)
L 20 Paul-Bert
K 21 P.-Vaillant-Couturier
L 20 Pavillons (des)
L 21 Perrotin
K 19 Pétras (voie)
K 20 Peupliers (villa des)
K 21 Peyronnet (allée)
L 19 Pierre-Brossolette
K 19 Pierre-Curie
K 19 Pierre-Curie (impasse)
K 19 Pierre-Loti
L 20 Pierre-Semard
M 20 Pierrelais (des)
M 20 Pierrettes (des)
K 19 Pierrier (passage du)
M 19 Plateau (du)
M 19 Plateau (sentier du)
K 19 Prévoyants (allée des)
L 19 Pris-Pris (allée des)
K 19 Progrès (allée du)
K 21 Rameau (allée)
K 21 Ravel (allée)
K 19 Renée (allée)
L 20 République (avenue de la)
K 19 Roissys (des)
K 19 Roissys (villa des)
K 19 Roland-Garros
L 19 Roses (villa des)
K 21 Rosiers (villa des)
L 19 Sablons (allée des)
L 20 Sadi-Carnot
L 20 Samson (impasse)
L 20 Sarments (allée des)
L 18 Savoie (de la)
L 19 Savoie (allée de la)
L 19 Savoie (sentier de la)
K 20 Square (impasse du)
K 21 Stalingrad (boulevard de)
K 21 Sully-Prudhomme
K 20 Suzanne (villa)
K 19 Traverse-Loup (allée du)
L 19 Tybyrs (sentier des)
K 19 Union (de l')
K 20 Vanves (boulevard de)
K 20 Vauban (allée)
L 19 Verdun (avenue de)
K 19 Vergers (des)
K 19 Vergès (villa)
K 20 Victor-Hugo
J 20 Youri-Gagarine (rond-point)

# CLICHY - 92110

plan page 82

K 17 Abel-Varet (passage)
K 16 Abreuvoir (de l')
K 17 Acheille-Adam
K 16 Albert-Dhalenne (allée)
J 16 Alexandre-Antonini
K 17 Alfred-Couillard
K 17 Alsace (d')
L 16 Anatole-France (avenue)
K 16 Ancienne-Mairie (de l')
J 17 André-Citroën
K 15 Asnières (route d')
K 15 Asnières (pont d')
K 18 Aubouin
K 16 Avenir (de l')
K 15 Bac-d'Asnières (du)
K 17 Barbier (impasse)
J 17 Bardin
K 16 Bateliers (des)
K 17 Belfort (de)
K 15 Berthier (passage)
K 16 Bertrand-Sincholle
L 17 Bonnet
K 17 Briqueterie (passage de la)
L 16 Cailloux (passage des)
L 16 Cailloux (des)
K 16 Castérès
L 16 Chance-Milly
K 16 Charles-et-René-Auffray
K 16 Charles-Paradinas
K 15 Chasses (passage des)
J 16 Chemin-Vert (du)
J 17 Claude-Debussy (avenue)
J 16 Clichy (pont de)
J 15 J 18 Clichy (quai de)
K 17 Curton
K 16 Dagobert
K 16 Danielle-Casanova (place)
J 16 18-Juin-1940 (du)
L 17 19-Mars-1962 (du)
J 16 Docteurs-Bonamy (place des)
L 17 Dr-Albert-Calmette (du)
L 17 Dr-Émile-Roux (du)
K 16 Droits-de-l'Homme (des)
K 17 Dumur (impasse)
K 16 Émile (villa)
K 16 Estienne-d'Orves (d')
K 17 Fanny
K 16 Ferdinand-Buisson
K 16 Fernand-Pelloutier
K 17 Foucault
K 17 Fouquet
K 16 Fournier
J 17 Frères-Lumières (des)
J 16 Gabriel-Péri
K 17 Gaston-Paymal
J 17 Général-Roguet (du)
I 17 Genevilliers (pont de)
K 17 Georges-Boisseau
K 17 Georges-Courteline
K 16 Georges-Quiclet
J 17 Georges-Seurat
K 17 Georges-Soret
K 16 Gesnouin
K 16 Geulin
K 16 Guichet (du)
L 16 K 17 Henri-Barbusse
K 17 Henri-Poincaré
L 17 8-Mai-1945 (du)
K 16 Huntziger
K 16 Jean-Jaurès (boulevard)
J 16 Jean-Jaurès (villa)
K 17 Jean-Moulin (square)
J 18 Jean-Prouvé (allée)
J 17 Jean-Walter
K 15 Jeanne-d'Asnières
L 16 Joffroy-Renault (cité)
J 6 Jules-Verne (place)
K 17 Klock
K 1 K 17 Landy (du)
J 16 Léon-Blum
K 17 Léon-Gambetta (allées)
K 16 Leroy
K 16 Louis-Joseph-Maes (place)
J 17 Lucien-Poillot
K 17 Madame-de-Sanzillon
K 17 Madame-de-Staël
K 16 Mairie (place de la)
J 16 Marc-Sangnier
J 17 Marcel-Bloch
L 16 Marcel-Paul
K 16 Marcelin-Berthelot
K 16 Marché (place du)
J 16 M.-J.-de-Tassigny (du)
J 17 Maréchal-Leclerc (boulevard du)
K 18 Marie-Bréchet (allée)
K 17 Martissot
K 16 K 17 Martre
K 16 Martyrs-de-l'Occupation (place des)
K 16 J 16 Médéric
K 18 Morel
K 17 Morice
K 17 Morillon
K 17 Mozart (parc)
K 18 Mozart
K 16 Neuilly (de)
K 17 Nivert (passage)
L 16 Nouvelle (cité)
J 18 Olaf-Palme
J 16 11-Novembre-1918 (du)
K 16 Paille (passage)
K 17 Palloy
K 16 L 16 Paris (de)
K 15 Passoir (impasse)
K 16 Pasteur
J 17 Paul-Signac (allée)
K 15 Petit
J 16 Petits-Marais (allée des)
J 18 Pierre
K 16 Pierre Bérégovoy
K 17 Pierre-Curie
J 17 Pierre-Dac
K 18 Pierre-Dreyfus
J 16 Port (du)
J 17 Port-de-Gennevilliers (route du)
K 17 Poyer
J 16 Pr.-René-Leriche (du)
K 15 Puits-de-Bertin (du)
K 17 Reflut (passage)
J 17 René-Véziel
K 17 République-François-Mitterrand (place de la)
L 17 Rouget-de-Lisle
J 17 Simone-Bigot (villa)
K 17 Simonneau
K 17 Souchal
J 16 Stepney (de)
K 16 Teinturiers (des)
J 17 Trois-Pavillons (des)
K 17 Trouillet
K 16 Valiton
J 18 Van-Gogh (allée)
K 17 Victor-Hugo (boulevard)
K 16 Victor-Méric
K 17 J 17 Villeneuve
K 17 Willy-Brandt
K 18 Yitzhak-Rabin

# COURBEVOIE - 92400

plan page 80

L 10 Aboukir (d')
M 11 Abreuvoir (de l')
L 11 Adam-Ledoux
K 14 Adelaïde
K 13 Adolphe-Laiyre
K 13 Ajoux (des)
L 10 Albert-Gleizes (avenue)
L 11 Albert-Simonin
L 9 Alençon (d')
K 13 Alfred-de-Vigny
K 14 Alice
L 11 Alma (de l')
K 13 Alphand
M 11 Alsace (avenue d')
M 11 Alsace (d')
K 13 Ambroise-Thomas
L 10 Amis (villa des)
M 12 Anatole-France
M 11 Ancre (voie de l')
L 11 André-Prothin (avenue)
K 12 Aristide-Briand (boulevard)
M 11 Arletty
K 13 Armand-Silvestre
K 14 Auguste-Bailly
J 13 Auguste-Beau
J 13 Augustin-Thierry
K 12 Baliat
K 11 Barbès
L 11 Baudin
J 13 Béhagie
L 10 Belfort (de)
K 13 Belgique (place de)
L 10 Berthelot
L 11 Bezons (de)
L 10 Bitche (de)
L 11 Bitche (de)
K 11 Bleuets (villa des)
K 10 Blondel (villa)
L 12 Boileau (allée)
K 12 Bois-Colombes (de)
K 10 Bonnet (villa)
L 9 Botticelli (allée)
L 11 Boudoux (des)
L 10 Brest
L 11 Brunettes (allée des)
J 13 Cacheux
L 9 Caen
K 14 Camille-Saint-Saëns
K 13 Cantin
L 10 Capitaine-Guynemer (du)
L 11 Carles-Hébert
L 10 Carnot
L 12 Carpeaux
K 12 Cayla
L 12 Chambon (villa)
L 11 Champagne (allée de)
J 13 Chanzy (de)
K 9 Charcot (villa)
L 11 Charles-de-Gaulle (esplanade)
L 11 Charras (place de)
L 10 Chartres (de)
K 9 Chartres (villa de)
K 11 Château-du-loir (avenue du)
K 14 Chemin-Vert (du)
K 12 Chevreul (avenue)
L 10 Circulaire (boulevard)
M 11 Circulaire (boulevard)
L 11 Colombes (de)
J 13 Commandant-Lamy (du)
K 13 Condorcet
M 10 Corolles (place des)
L 12 Courbevoie (pont de)
J 13 Couronnes (villa des)
L 9 Danton (passage)
M 10 Défense (place de la)
L 10 Descartes
K 10 Dieppe (de)
L 10 Division-Leclerc (avenue de la)
L 10 Docteur-Schweitzer (impasse du)
K 12 Dubonnet (avenue)
K 13 Edgard-Quinet
K 13 Édith-Cavell
K 10 Émile-Deschanel
K 10 Émile-Deschanel (impasse)
K 11 Émile-Zola
L 9 Enguerrand (avenue)
L 11 Essling (d')
K 11 Estienne-d'Orves (d')
K 10 Eugène-Barbier (passage)
K 10 Eugène-Barbier (impasse)
L 10 Eugène-Caron
L 9 Évreux (d')
J 12 Faîdherbe
K 14 Fallet
K 14 Fallet (villa)
K 13 Farel
K 10 Fauvettes (des)
L 11 Ficatier
K 12 Fleurs (villa des)
L 11 Fontanes
M 11 François-Couperin
K 12 Franklin (avenue)
K 13 Franklin
K 13 Gallieni (avenue)
L 10 Gambetta (avenue)
J 13 Gare-de-Bécon (place)
L 10 Gare-de-Courbevoie (place)
L 10 Gaultier
M 11 Général-Audran (du)
L 12 Genêts (villa des)
K 13 G.-Clemenceau (boulevard)
L 10 Ghis (villa)
L 11 Gounod
K 10 Groues (place des)
L 12 Hanriot (impasse)
L 12 Hanriot (passage)
K 13 Haussmann
L 10 Henri-Régnault
L 11 Hérold (place)
K 14 Hirondelles (villa des)
K 11 Hoche (allée)
K 11 Hoche
L 11 Hôtel-de-Ville (de l')
L 11 Hôtel-de-Ville (place de l')
L 11 Hôtel-de-Ville (square de l')
K 12 Hudri
K 10 8-Mai-1945 (place du)
L 12 Industrie (de l')
L 11 J.-Henri-Lartigue (allée)
K 13 Jean-Baptiste-Charcot
K 11 Jean-Bart
K 13 Jean-Mermoz (place)
K 13 Jean-Mermoz (square)
J 13 Jean-Moulin
L 11 Jean-Pierre-Timbaud
K 10 Joffre (avenue)
K 13 Joseph-Méry
K 11 Joseph-Rivière
K 12 Jules-Ferry
L 12 Jules-Lefèvre
K 11 Kilford
L 10 Kléber
L 12 La-Fontaine (place)
L 12 Lambrechts
L 12 Larris (passage des)
L 12 Larris (sente des)
K 12 Latérale
K 13 Léon-Bertalot (avenue)
K 13 Léon-Bertalot (square)
K 13 Léon-Bourgain
L 12 Léon-Boursier
K 14 Levallois (pont de)
K 13 Liberté (avenue de la)
K 11 Lilas (villa des)
M 11 Louis-Blanc
L 10 Louis-Hubert-Lyautey
K 11 Louis-Thullier (passage)
K 12 Louis-Ulbach
K 9 Louise (villa)
K 12 Louvain
J 13 Madiraa
K 13 Malvesin (avenue)
K 12 Malvesin (place)
L 9 Mans (du)
K 10 Marceau (avenue)
K 13 Maréchal-Joffre (quai du)
L 11 Massenet
K 11 Maurice-André (villa)
K 12 Michaël-Winburn
K 12 Michaël-Winburn (impasse)
L 9 Michel-Ange
K 12 Minimes (des)
L 10 Mission-Marchand (boulevard de la)
L 12 Molière
L 9 Mona-Lisa (esplanade de)
J 13 Monçelet (square)
L 12 Montagne (de la)
K 12 Moulin-des-Bruyères (du)
M 11 Mozart (allée)
L 11 Musique (villa de la)
L 10 Mutualité (de la)
M 11 Neptune (de)
M 11 Neuilly (boulevard de)
M 11 Neuilly (pont de)
L 10 Normandie (de)
K 13 11-Novembre (avenue du)
L 10 Ouest (de l')
K 12 Paix (boulevard de la)
L 11 Parc (avenue du)
L 12 Parmentier
K 10 Parthenay (avenue de la)
K 13 Pasteur (avenue)
K 12 Paul-Bert
L 12 Paul-Doumer (promenade)
L 11 Paul-Napoléon-Roinard
M 11 Picardie (allée de)
K 11 Pierre-Brossolette
K 11 Pierre-Curie
L 11 Pierre-Lhomme
L 11 Pleiades (place des)
K 13 Pourquoi-Pas (passage du)
L 11 Président-Krüger (du)
L 12 Prés.Paul-Doumer (quai)
L 12 Racine (allée)
K 11 Raspail
L 10 Ravry (passage)
K 10 Raymond-Ridel
M 10 Reflets (place des)
K 11 République (avenue)
K 13 Réunion (passage de la)
K 10 Rév.-Père-Cloarec (avenue du)
K 10 Rhin-et-Danube (place)
K 11 Robert-Marcel (impasse)
L 9 Roger (impasse)
K 9 Ronde (chemin de)
L 10 Rouen (de)
L 11 Rouget-de-Lisle
J 13 Sablière (de la)
K 13 Saint-Denis (boulevard)
K 14 Saint-Guillaume
K 14 Saint-Guillaume (passage)
K 9 Saint-Lô (de)
L 11 Saint-Pierre (villa)
L 12 Saint-Thomas-en-Argonne
L 11 Sainte-Cécile (villa)
K 14 Sainte-Geneviève
L 12 Sainte-Marie
M 11 Sainte-Odile (villa)
L 11 Salles (des)
K 13 Sarrail (place)
L 11 Saverne (place de)
L 11 Sébastopol (de)
L 10 Ségoffin
L 10 Sergent-Bobillot (du)
K 13 Séverine (avenue)
L 11 Strasbourg (de)
M 10 Stat.-de-la-Défense (place)
K 13 Terrasse (avenue de la)
M 11 Trois-Frères-Enghels (place des)
L 10 Trois-Frères-Lebœuf (place des)
L 12 Trois-Frères-Rocquigny (place)
K 13 Vanettes (avenue des)
L 12 Verdun (boulevard)
M 11 Victor-Hugo
K 11 Vieilles-Vignes (des)
K 10 Vieilles-Vignes (villa des)
K 13 Villebois-Mareuil
K 13 22-Septembre (du)
L 11 Visien (de)
K 13 Volta
K 13 Volta-prolongée
L 11 Vosges (allée des)
L 10 Vosges (place des)
M 10 Vosges (place des)
K 13 Watteau
K 13 Watteau (square)

# FONTENAY-SOUS-BOIS - 94120

plan page 92

E 10 Aimé-et-Eugénie-Cotton
F 10 Albert-Camus (allée)
F 9 Albert-1er
E 9 Alfred-de-Musset
F 10 Alger (d')
E 10 Amitié-entre-les-peuples (place)
E 9 Ampère
E 9 Anatole-France
F 9 Ancienne-Mairie (de l')
F 9 André-Bassée (boulevard)
E 8 André-Laurent
F 9 André-Tessier
G 10 Angles (des)
G 9 Audience (de l')
E 9 Auguste-Comte
F 7 Avenir (impasse de l')
F 7 Avenir (de l')
D 9 Balzac
G 9 Bapaume (de)
E 9 Beaumarchais
E 7 Beaumonts (des)
E 7 Beaumonts (villa des)
E 8 Beauséjour
E 7 Beauséjour (villa)
E 8 Bel-Air (villa du)
G 9 Belle-Gabrielle (avenue de la)
F 9 Belles-Vues (des)
F 9 Belles-Vues (villa des)
E 8 Bellevue (villa)
E 9 Béranger
F 9 Béranger (villa)
F 9 Berceau (du)
D 10 Bernard-Palissy
E 10 Bertie-Albrecht
E 10 Bicentenaire (place du)
G 10 Bir-Hakeim
E 11 Bois-d'Aulnay (sentier du)
E 12 Bois-des-Joncs-Marins (chemin du)
D 11 Bois-Galon (du)
D 11 Bois-Galon (sentier du)
F 10 Bois-Guerin-Leroux (sentier du)
F 9 Boschot
F 9 Bouvard
F 10 Bovary (allée)
E 10 Buisson-de-la-Bergère (allée du)
D 9 Camille-Honoré
E 11 Carnot
F 8 Carreaux (villa des)
F 9 Carrières (des)
F 9 Carrières (villa des)
F 8 Castel
F 8 Charles-Bassée
E 10 Charles-Garcia (avenue)
G 8 Charmes (avenue des)
F 8 Châtelet (villa du)
F 9 Cheval-Ru
F 9 Chevrette
G 9 Clos-d'Orléans (du)
F 7 Coli
F 9 Cdt-J.-Duhail (du)
G 10 Corneille (de la)
G 9 Coteau (villa du)
F 10 Croix-Heurtebise (de)
G 10 Croix-Heurtebise (de)
G 10 Croix-Pommier (de la)
E 9 Cuvier
F 8 Dalayrac
G 7 Dame-Blanche (avenue de la)
G 7 Dame-Blanche (villa de la)
E 10 Danièle-Casanova
E 8 Danton (avenue)
E 7 Daumain (square)
E 9 Denis-Papin
D 10 Descartes
E 12 Desgranges (impasse)
F 7 Désiré (villa)
G 9 Désiré-Richebois
F 9 Desmarets (impasse)
G 9 Deux-Communes (boulevard des)
F 10 19-Mars-1962 (place du)
E 8 Édouard-Maury
F 10 Édouard-Vaillant
F 9 Église (impasse de l')
F 10 Émeris (des)
F 7 Émile-Boutrais
E 7 Émile-Boutrais (passage)
F 8 Émile-Roux
E 9 Émile-Zola
F 10 Épivans (parc des)
G 9 Époigny (d')
E 8 Ernest-Renan (avenue)
G 9 Espérance (villa de l')
E 10 Etterbeck (place)
F 9 Eugène (villa)
E 8 Eugène-Héricourt
F 8 Eugène-Martin
F 9 Eugénie (villa)
E 9 Fabre-d'Églantine
D 11 Faidherbe (avenue)
F 11 Fernand-Léger
G 9 Fidélité (de la)
E 12 Florian
G 7 Foch (avenue)
G 9 Fond-des-Angles (du)
E 11 Fontaine-du-Vaisseau (de la)
F 11 Fontenay (boulevard)
G 10 Fort-de-Nogent (rond-point du)
F 9 François-Poil
G 10 Fraternité (de la)
E 8 Frênes (villa des)
F 10 Gabriel-Lacassagne
E 7 Gabriel-Péri
F 10 Gallieni (boulevard)
F 8 Gambetta
G 9 Gaston-Charles
G 10 Gaston-Margerie
E 9 Gay-Lussac
E 10 Général-de-Gaulle (place du)
F 9 Général-Leclerc (place du)
F 11 Georges-Guynemer
E 7 Georges-Letiec
F 9 Georges-Mandel
F 9 Gérard-Philipe
E 9 Gilbert-Ribatto
F 7 Gounod
E 8 Grandjean (villa)
F 9 Grognard
F 9 Guérin-Leroux
E 9 Guizot
D 10 Gustave-Doré
E 8 Haze (villa)
E 7 Hector-Malot
F 7 Heitz (villa)
G 9 Hélène (villa)
F 10 Henri-Barbusse (allée)
G 9 Henri-Ruel (boulevard)
E 10 Henri-Wallon
F 11 Hoche
F 10 Hôtel-de-Ville (passage de l')
E 9 8-Mai-1945 (place du)
D 10 Jean-Corot
E 7 Jean-d'Estienne-d'Orves
F 9 Jean-Douat
F 8 Jean-Jacques-Rousseau
E 9 Jean-Jaurès
E 10 Jean-Macé
E 10 Jean-Macé (allée)
E 11 Jean-Moulin (allée)
D 10 Jean-Moulin (avenue)
E 10 Jean-Pierre-Martinie
E 9 Jean-Pierre-Timbaud
E 10 Jean-Zay
G 9 Joinville (de)
F 8 Jules-Ferry
F 8 Jules-Lepetit
F 7 Jules-Massenet
E 10 La-Fontaine
E 9 Lamartine
G 9 Lapie (villa)
E 10 Larris (place des)
E 9 Lavoisier
E 7 Le-Brix
G 8 Legrand
F 7 Legris (impasse)
E 9 Lesage
F 9 Letourneur (villa)
F 9 Libération (place de la)
D 9 Lilas (villa des)
E 11 Louis-Auroux
F 9 Louis-Xavier-de-Ricard
E 10 Louise-Michel
E 11 Louison-Bobet (avenue)
E 7 Luat
G 9 Madeleine (villa)
F 8 Maison-Rouge (de la)
G 8 Malier
D 11 Marais (chemin des)
F 11 Marceau
F 8 Marcel-et-Jacques-Gaucher
F 10 Marcel-Paul (place)
E 9 Marcellin-Berthelot
E 11 M.-de-L.-de-Tassigny (avenue du)
E 10 Maréchal-Joffre (avenue du)
E 11 Mare-à-Guillaume (de la)
F 9 Marguerite
G 9 Maronniers (avenue des)
F 10 Martyrs-de-la-Rés. (place)
E 8 Matène (de la)
F 9 Matène (chemin de la)
F 9 Mauconseil
G 9 Maurice-Barthélémy
F 9 Maurice-Couderchet
F 10 Maxime-Gorki (allée)
F 10 Maximilien-Robespierre
F 7 Médéric
F 9 Mémoris (villa)
E 10 Mendès-France (allée)
E 9 Michelet (place)
F 9 Michelet
F 8 Mirabeau
F 8 Mocards (des)
F 9 Molière
F 10 Montesquieu
G 8 Moreau-David (place)
F 9 Mot
E 9 Moulin (sentier du)
E 8 Moulins (des)
E 8 Moulin (villa du)
F 9 Naclières (des)
E 11 Nelson Mandela
F 11 Neuilly (avenue de)
F 10 Neuilly (de)
F 10 Nord (du)
F 9 Notre-Dame
F 7 Nungesser
G 9 Odette (avenue)
E 11 Olympiades (avenue des)
G 9 Orléans (villa d')
F 10 Ormes (des)
E 8 Ormes (villa des)
F 8 Ouest (villa de l')
E 11 Pablo-Picasso
F 8 Paix (villa de l)
E 7 Parmentier (avenue)
F 7 Passeleu (du)
F 7 Pasteur
E 10 Pasteur-Martin-Luther-King
F 9 Paul-Bert
E 10 Paul-Eluard
E 10 Paul-Langevin
F 8 Pauline
F 9 Péché
G 7 Pépinière
F 10 Père-Lucien-A…
G 9 Pierre-Brossol…
D 9 Pierre-Curie
F 7 Pierre-Demont
F 8 Pierre-Dulac
F 11 Pierre-Grange
F 10 Pierre-Larouss…
F 9 Pierre-Sémard
F 8 Pierre-Weber
F 10 Planche
E 8 Plateau
F 7 Pommiers
G 8 Porte-Jaune
D 9 Poussin
E 12 Prairie
D 12 Prairie
G 8 Président-Roos…
E 8 Prés-Lorets
E 8 Prés-Lorets
E 8 Prestinari
F 11 Priets
E 8 Progrès
E 7 Quatre-Ruelles
E 7 Quatre-Ruelles
E 10 Rabelais
E 9 Racine
F 9 Raspail
F 9 Regard
F 7 Renardière
E 7 Renardière
E 8 République
F 10 Résistance
F 9 Réunion
E 9 Rieux
F 8 Rigollots
F 11 Roger-Salengro
E 10 Rosenberg
F 9 Rosettes
E 8 Rosettes
E 8 Rosettes
F 9 Rosny
F 8 Roublot
F 8 Ruisseau
F 9 Saint-Germain
F 9 Saint-Germain
G 9 Saint-Louis
F 10 Saint-Maur
G 9 Saint-Vincent
E 7 Santé
E 8 Seyvert
G 9 Simone
E 7 Solidarité
F 9 Source
G 9 Squeville
F 7 Stalingrad
F 10 Sud
E 10 Suzanne-Buiss…
E 8 Terres-Saint-Vi…
E 9 Théophile-Sueu…
F 8 Thérèse
E 11 Tranquille
F 7 Trois-Territoires
E 9 Trontais
E 7 Trucy
F 7 Turpin
E 11 Val-de-Fontenay
E 9 Val-Tidone
G 10 Vauban
E 8 Védrines
F 9 Verdun
D 10 Victor-Hugo
E 8 Victor-Lespagne
G 9 Victor-Mussault
G 8 Vincennes
F 10 25-Août
G 9 Vitry
F 8 Yvonne

# GENTILLY - 94250

p…

C 11 Albert-Guilpin
C 10 Amélie (villa)
C 10 Arcueil (d')
C 11 Aristide-Briand
C 10 Auguste-Blanqui (impasse)
C 10 Auguste-Blanqui
C 11 Bathilde
C 10 Baudran
D 11 Bel-Ecu (du)
C 10 Benoît-Malon
D 11 Bensérade
C 11 Bièvre (de la)
D 10 Boulineau
C 10 Bout-du-Rang
C 10 Bouvery (impasse)
C 10 Chamoiserie (de la)
C 10 Champs-Elysées (des)
C 9 Chaperon-Vert (cité du)
C 11 Charles-Calmus
C 11 Charles-Frérot
D 11 Condorcet
C 11 Croizat (square)
C 9 Dedouvre
C 10 Demand (villa)
C 9 Deuxième-avenue
C 11 Div.-du-Gl-Leclerc (de la)
C 11 Docteur-Ténine
D 10 Emile-Bougard
C 11 Fernand-Léger
C 9 Foubert
D 10 Fraysse
C 11 Frileuse (cité)
C 11 Gabriel-Péri
C 10 Gabrielle
C 11 Gallieni (avenue)
C 11 Galloy (square)
D 10 Gandilhon
D 10 Glaisières (ruelle des)
C 11 Henri-Barbusse (place)
C 10 Henri-Gautherot
C 10 Henri-Kleynoff
C 11 Jacques-Prévert (allée)
C 10 J.-Baptiste-Clément
C 11 Jean-Destrée
C 11 Jean-Jaurès (avenue)
D 10 Jean-Louis
D 10 Jean-Louis (ruelle)
C 10 Joséphine (impasse)
C 11 Jules-Ferry
D 11 Julien-Bonnot
D 10 Labourse
C 10 Lafouge
C 10 Lecocq
C 9 Lénine (avenue)
C 10 Louis-Gaillet
C 9 Marcel-Cachin (place)
C 10 Marcelin-Berthelot
C 10 Mazagran
D 10 Moulin-de-la-Roche (du)
D 10 Moulin-de-la-Roche (passage du)
C 10 Nicolas-Debray
C 10 Paix (de la)
C 11 Paroy (du)
C 11 Paroy (impasse du)
D 11 Pascal
C 10 Pasteur
C 9 P.-Vaillant-Coutu…
C 10 Pierre-Marcel
C 11 Platanes
C 10 Poste
C 9 Première-avenu…
C 11 Pr.-Salvador All…
C 10 Président-Wilso…
C 11 Quatre-Tours
C 9 Quatrième-Aven…
D 10 Raspail
C 10 Raymond-Lefeb…
C 10 Reims
C 9 Rémond
C 10 René-Anjolvy
C 11 René-Cassin
C 11 République
C 11 Robert-Marchar…
C 10 Romain-Rolland
C 11 Saint-Eloi
D 10 Soleil-Levant
D 10 Soleil-Levant
C 10 Souvenir
C 11 Tanneurs
C 11 Thiberville
C 9 Troisième-avenu…
C 11 Val-de-Marne
C 11 Verdun
C 11 Victoire-du-8-Mai
C 11 Victor-Hugo
C 10 Victor-Marquign…

# ÎLE-SAINT-DENIS - 93450

p…

I 1 Aéroplane (quai de l')
G 2 Armand-Fumouze
F 2 Arnold-Géraux
F 2 Berthelot
G 2 Bocage (du)
G 2 Briffault
H 1 Châtelier (quai du)
F 2 Commune-de-Paris (de la)
G 2 Cordier (impasse)
G 2 19-Mars-1962 (du)
G 2 Eglise (de l')
G 2 Fackler (square)
G 2 Fontanier (passage)
G 2 8-Mai-1945 (du)
G 2 Ile-Saint-Denis (pont de l')
F 1 Impressionistes (promenade des)
G 2 Irène-et-Frédéric-Joliot-Curie
G 2 Jean-Jaurès (avenue)
I 1 Jean-Lurçat (H.P.)
G 2 Lénine
G 2 Libération (place de la)
G 2 Louis-Bouxin
H 1 Marcel-Cachin (H.P.)
I 1 Marcel-Paul (boulevard) (H.P.)
G 2 Marine (quai de la)
F 1 Maurice-Thorez (avenue)
F 1 Maurice-Thorez (cité)
G 2 Méchin
G 2 Moulin
H 2 Ortebout
F 1 Paix
H 2 Pasteur
G 2 Pêcheurs
G 2 Président-Allen…
G 2 René-et-Isa-Lef…
F 2 République
I 1 Saint-Ouen
G 2 Saule-Fleuri
G 2 Seine
G 2 Taffarault
G 2 Verdun

# ISSY-LES-MOULINEAUX - 92130

pla…

I 19 Abbé-Derry (de l')
I 18 Abbé-Grégoire (de l')
I 17 Acacias (des)
I 18 Adolphe-Chérioux
I 18 Alembert (d')
I 18 Alembert (place d')
I 15 Alfred-Boucher (mail)
I 18 Anatole-France
I 18 André-Chénier
J 16 Antoine-Courbarien
I 16 Aristide-Briand
I 17 Asile (sentier de l')
I 18 Auguste-Gervais
I 18 Bachaga-Boualam (place)
G 18 Bara
J 18 Barbès
I 15 Bas-Meudon (avenue du)
I 18 Baudin
I 18 Baudin (impasse)
J 17 Benoît Malon
I 15 Billancourt (allée de)
I 16 Billancourt (pont de)
H 18 Biscuiterie (de la)
H 18 Bonaventure-Leca (place)
I 17 Bourgain (avenue)
I 16 Brasserie (allée de la)
I 18 Buvier (sentier du)
H 17 Camille-Desmoulins
H 17 Capitaine-Ferber (du)
I 17 Carrières (allée des)
I 18 Cerisiers (villa des)
I 15 Chabanne (place)
H 18 Charlot
J 17 Chemin-de-fer (sentier du)
J 18 Chemin-Vert (du)
I 19 Chevalier-de-la-Barre (du)
I 18 Chevreuse (villa)
I 17 Citeaux (allée des)
J 18 Claude-Bernard
H 19 Claude-Matrat
I 18 Cloquet (impasse)
I 16 Clos (allée du)
I 18 Clotilde
H 18 Colonel-Pierre-Avia (du)
I 15 Constant-Pape (promenade)
H 19 Courteline
I 17 Coutures (allée des)
H 18 Danton
I 17 Défense (de la)
I 18 De-L.-de-Tassigny (place)
H 18 Delahaye
H 18 Diderot
I 16 Docteur-Lombard (du)
I 15 Docteur-Vuillième (du)
J 18 Docteur-Zamenhoff (du)
I 17 Ecoles (allée des)
I 18 Edouard-Branly
I 17 Edouard-Naud
H 17 Edouard-Nieuport
J 17 Egalité (de l')
I 18 Eglise (place de l')
J 17 Emile-Duployé
I 18 Emile-Zola
I 17 Epinettes (sentier des)
I 17 Epinettes (petite sente des)
I 17 Erévan
H 19 Ernest-Renant
I 17 Estienne-d'Orves
I 18 Etienne Dolet
J 16 Etroites
H 17 Eugène-Atget
H 19 Eugène-Baudoin…
J 17 Ferdinand-Buiss…
I 16 Ferme
I 16 Fleury
I 17 Fontaine
H 19 Fontaine
I 18 Fort
H 19 Foucher-Lepelle…
I 18 Francisco-Ferrer
I 17 Fraternité
H 18 Frères-Voisin
I 17 Fréret
I 19 Général-De-Gau…
H 17 G-et-R-Caudron
I 18 Gabriel-Peri
I 18 Galerie
H 18 Gallieni
H 18 Gambetta
I 16 Gare
I 17 Gare
I 17 Garibaldi
H 18 Général-Leclerc
I 19 Georges-Marcel
H 19 Georges-Marie
I 18 Glacière
H 18 Gouv.-Gl-F.-Ebou…
H 17 Grenelle

74

UX (suite)
(allée)
nd (allée du)
(cité des)
d (rond-point)
(allée)
(allée)
ard
(place du)
(boulevard des)
(passage de l')
(allée d')
(pont d')
t
i-Lartigue
aule (place)
Potin
(avenue)
(passage)
-Rousseau
u (villa)
s-Rousseau
(avenue)
(avenue)
(allée)
imbaud
embert
t (place)
(villa)
(impasse)
(chemin)
t
(place)
(de la)
(sentier des)
d
er (allée)
Moreau
le
(esplanade de la)
(allée des)

H 19 Marcel-Fournier (square)
I 15 Marcel-Miquel
J 17 Marcel-Sembat
I 18 Marcelin-Berthelot
I 18 Marcettes (sentier des)
H 18 Maréchal-Juin (place du)
H 19 Marguerite (villa)
I 18 Marius-Breton
I 17 Martelle (de la)
H 17 Maurice-Berteaux
H 19 Maurice-Hartmann
H 17 Maurice-Mallet
I 15 Maximilien-Lucé (allée)
I 18 Maximilien-Robespierre
I 16 Meudon (de)
H 19 Michelet
H 19 Minard
I 18 Montézy (sentier de la)
J 16 Montquartiers (chemin des)
J 17 Monts (villa des)
J 18 Moulin (chemin du)
I 18 Moulin-de-Pierre (du)
I 15 Moulineaux (allée des)
I 18 Musée
I 17 Nouvelle (impasse)
H 18 Nouvelle
I 18 11-Novembre-1918 (place du)
G 19 Oradour-sur-Glan
J 18 Paix (avenue de la)
J 18 Paix (villa de la)
I 16 Panorama (allée du)
I 18 Parc (villa du)
H 19 Parmentier
I 17 Pasteur (avenue)
J 17 Pastorale d'Issy (de la)
I 16 Paul-Bert
I 16 Paul-Besnard
H 19 P.-Vaillant-Couturier (place)
I 19 Pensards (sentier des)
I 16 Père-Natter (du)
I 18 Petit-Buvier (sentier du)
I 17 Peupliers (des)
I 18 Pierre-Brossolette
I 18 Pierre-Curie
I 15 Pierre-Poli
I 15 Ponceau (du)
I 16 Ponts (allée des)
I 17 Président-Kennedy (place du)
H 18 Président-Robert-Schuman (place du)
G 17 Président-Roosevelt (quai du)
J 18 Professeur-Calmette (avenue du)
I 18 Prudent-Jassedé

J 16 Pucelles (sentier des)
H 19 4-Septembre (du)
J 17 Rabelais
I 16 Raoul-Follereau (esplanade)
H 18 Raymond-Menand (mail)
I 17 René-Jacques
H 18 République (avenue de la)
I 16 Résistance (place de la)
I 16 Résistance (parc de la)
I 15 Robinson (promenade)
I 17 Rodin (boulevard)
I 17 Roger-Salengro
H 17 Rouget-de-Lisle
H 17 Sablons (allée des)
J 16 Saint-Cloud (chemin des)
I 15 Saint-Germain (place)
I 18 Saint-Jean (passage)
I 15 Sainte-Eudoxie (allée)
I 16 Sainte-Lucie (allée)
J 17 Sergent
J 17 Sergent (villa)
H 18 Sergent-Blandan (du)
H 19 Séverine
J 17 Souvenir-Français (place du)
I 15 Stalingrad (quai de)
I 18 Telles-de-la-Poterie
I 18 Telles-de-la-Poterie (villa)
I 18 Tilleuls (villa des)
I 18 Tilleuls (place des)
J 17 Tir (villa du)
J 17 Tolstoï
I 17 Travailleurs (des)
I 18 Tricots (sentier des)
I 18 Tricots (impasse des)
J 18 Trois-Beaux-Frères (impasse des)
J 16 Union (allée de l')
H 19 Université (allée de l')
H 19 Vanves (de)
H 18 Vaudétard
I 15 Vaugirard (de)
J 17 Verdi
I 17 Verdun (avenue de)
I 16 Viaduc (du)
I 17 Victor-Cresson (avenue)
H 18 Victor-Hugo
H 18 Victor-Hugo (rond-point)
I 16 Vignes (chemin des)
H 19 Voltaire (boulevard)
H 19 Voltaire
I 18 Wagner (impasse)
I 18 Weiden (carrefour de)

C 23 Molette (avenue)
B 24 Moret
B 23 Mozart (place)
C 23 Naast (avenue)
A 23 Nantes (avenue de)
A 23 Nouvelle
B 24 11-Novembre (avenue du)
B 24 Oudinot (avenue)
B 22 Paix (de la)
C 24 Palissy (avenue de)
C 24 Palissy (square)
B 23 Parc (avenue du)
C 23 Paris (de)
C 23 Pasteur (avenue)
B 24 Pauline (avenue)
C 24 Peupliers (avenue des)

B 24 Pierre-Allaire (avenue)
B 23 Pierre-Brossolette (quai)
B 23 Plage (avenue de la)
B 24 Platanes (avenue des)
B 24 Polangis (boulevard de)
A 23 Polangis (quai de)
B 23 Port (du)
C 22 Pourtour-des-Écoles
C 22 Pdt-J.-F.-Kennedy (avenue du)
C 24 Président-Wilson (avenue du)
C 23 Presles (square de)
C 24 42-de-Ligne (du)
A 23 Racine (avenue)
B 24 Raspail
B 24 Ratel (avenue)
C 23 République (avenue de la)

B 22 Réservoirs (des)
C 23 Robard
C 23 Roseraie (square de la)
C 22 Rousseau (villa)
C 24 Saint-Maur (pont de)
C 23 Sévigné (avenue)
C 24 Théodore (avenue)
C 23 Tilleuls (avenue des)
C 23 Tilleuls (villa des)
C 23 Transversale (avenue)
B 22 Uranie (place)
A 24 Vauban
C 23 Vautier
B 23 Verdun (place de)
B 23 Vergnon (avenue)
C 22 Viaduc (du)

75

## LE KREMLIN-BICÊTRE - 94270

plan page 99

D 12 A-Poisat (square)
E 10 Albert-Laurenson
D 12 Anatole-France
E 11 Antoine-de-Saint-Exupéry
D 10 Avenir (de l')
D 12 Barbeuf
D 11 Bellevue (passage)
D 11 Benoît-mallon
E 11 Blaise-Pascal
C 12 Boulodrome (avenue du)
E 10 Candiotti (villa)
D 12 Capitaine-Morinet (du)
D 12 Carnot
D 12 Carnot (passage)
C 12 Chalets (des)
D 11 Charles-Gide (avenue)
D 11 Charles-Richet
D 12 Chastenet-de-Géry (boulevard)
C 12 Cimetière-Communal (avenue du)
C 12 Convention (de la)
C 11 Courteix (impasse)
C 12 Curie
C 12 Danton
C 12 Delescluze
C 12 Dr-Antoine-Lacroix (avenue du)
D 11 Édith-Piaf (square)
D 12 Edmond-Michelet
D 11 Édouard-Herriot (place)
C 12 Édouard-Vaillant

C 11 Élysée-Reclus
C 12 Émile-Zola
C 12 Émile-Zola (impasse)
C 12 Étienne-Dolet
C 12 Étienne-Dolet (impasse)
D 12 Eugène-Thomas (avenue)
D 12 Fontainebleau (avenue de)
D 11 Fort (du)
E 11 Fualdès (impasse)
D 11 Gabriel-Péri
C 12 Gambetta
C 12 Gambetta (passage)
C 12 Général-de-Gaulle (boulevard du)
C 12 Général-Leclerc (du)
D 12 Georges-Pompidou
E 11 Horizon (de l')
E 11 8-Mai (du)
C 12 Ifshak-Rabin
C 12 Jean-Baptiste-Clément
C 12 Jean-Jaurès (place)
E 11 Jean-Mermoz
D 12 Jean-Monnet
D 11 Jean-Moulin (square)
D 11 John-Fitzgerald-Kennedy
C 12 Jules-Guesde (square)
D 12 Lech-Walesa
D 12 Lech-Walesa (square)
E 10 Léo-Lagrange
D 11 Léon-Blum

C 12 Malassis (square)
E 11 Marc-Sangnier
D 11 Marcel-Sembat
D 12 Marcelin-Berthelot
D 11 Martinets (impasse des)
D 11 Martinets (des)
C 12 Pasteur
D 12 Paul-Lafargue
D 12 Paul-Lafargue (square)
C 12 Pierre-Brossolette
E 10 Pierre-Sémard
C 12 Plantes (passage des)
D 11 Plateau (impasse du)
E 11 Professeur-Bergonie (du)
E 11 Professeur-Einstein
C 12 Quatorze-Juillet (du)
D 12 René-Cassin
D 12 Repos (avenue du)
D 12 République (place de la)
D 11 Réunion (de la)
D 11 Robert-Schuman
C 12 Roger-Salengro
C 12 Rossel
D 11 Séverine
D 11 Stratégique (route)
D 12 Verdun (de)
D 12 Victor-Hugo (place)
C 12 Voltaire
D 12 Walt-Disney (square)

## R-SEINE - 94200

plan page 97

(square des)
ein
nier
ssinand
(square des)
ion
net
omas
shaies (quai)
oline (cité)
(de l')
(impasse de l')
(villa)
(de la)
ur (résidence)
alissy
(place des)
(passage)
urg (boulevard de)
(escalier de la)
Delacroix (allée des)
Alfonso (sentier)
Alfonso (promenade)
(des)
(impasse)
e-Coulomb
eroy
un
e-Colomb
-Parisien (avenue du)
uy
r (du)
abien (boulevard du)
Casanova (avenue)
(place)
pin
s
1962
Esquirol (du)
uillou
Vasseur
(place de l')
n
astard
enet (place)
la
in
enan
-d'Orves (d')
Duchauffour
ières (placette des)
ières (cité des)
d-Roussel
(promenade du)
(route du)
x
(passage du)
co-Ferrer
Blais (des)
Blais (impasse des)
-Péri (cité)
-Péri
ne (allée)
ne (cité)
e
(de la)
-Cornavin
-Monmousseau
-Picard
al-de-Gaulle (place du)
al-Leclerc (avenue du)
es-Gosnat (avenue)
es-Jehenne
es-Marrane (esplanade)

G 3 Georges-Trudin
G 3 Georgette-Rostaing
H 5 Gérard (passage)
F 3 Gérard-Philipe (promenée)
F 3 Gérard-Philipe (place)
G 2 Gournay (impasse de)
F 4 Gustave-Simonet
G 2 Hautes-Bornes (impasse des)
G 2 Henri-Barbusse (avenue)
G 2 Henri-Martin
G 2 Henri-Martin (impasse)
G 6 Henri-Pourchasse (quai)
G 2 Herbeuses (sentier des)
G 2 Herbeuses (impasse des)
E 2 Hippolyte-Marquès (boulevard)
F 2 Hoche
F 2 Hoche (impasse)
F 2 Hoche (passage)
G 3 Hoche (square)
F 5 Hubert-Beuve-Méry (place)
F 2 8-Mai-1945 (place du)
F 4 Insurrection (square de l')
F 4 Insurrection de Août 1944 (place de l')
F 2 Irène-Joliot-Curie (allée)
F 2 Ivry (pont d')
F 3 Ivry (villa d')
F 3 Ivry-Boileau (résidence)
F 5 Ivry-Charenton (passerelle)
G 4 Ivry-Raspail (résidence)
E 3 Jardins (des)
G 4 Jaroslaw-Dombrowski (rond-point)
F 5 Jaurès (place Jean)
G 3 Jean-Baptiste-Clément
G 4 Jean-Baptiste-Renoult
G 4 Jean-Bonnefoix
E 5 Jean-Compagnon (quai)
F 3 Jean-Dormoy
F 4 Jean-Jacques-Rousseau
G 5 Jean-Jaurès (avenue)
F 5 Jean-Jaurès (place)
F 2 Jean-le-Galleu
G 2 Jean-Marie-Poulmarch
F 6 Jean-Mazet
F 2 Jean-Perrin
H 4 Jean Trémoulet
G 3 Jeanne- Hachette (terrasse)
F 3 Jeanne-Hachette (promenée)
G 3 Joséphine (avenue)
F 2 Jules-Ferry
F 2 Jules-Ferry (cité)
E 4 Jules-Vanzuppe
G 4 Klébert
F 3 Ledru-Rollin
F 4 Leibnitz
F 4 Lénine
F 5 Léon-Gambetta (place)
F 2 Liberté (sentier de la)
F 3 Liégat (promenée du)
H 4 Lion d'Or (passage du)
F 3 Louis-Bertrand
F 4 Louis-Fablet
F 1 Louis-Marchal
F 3 Louis-Rousseau
H 4 Louise-Aglaé-Cretté
H 4 Lucien-Nadaire
G 3 Lucien-Selva
G 3 Malicots (sentier des)
H 5 Malik-Oussekine (place)
G 4 Marat
G 3 Marat (promenée)
E 3 Marceau
E 4 Marcel-Boyer (quai)
F 4 Marcel-Cachin
F 4 Marcel-Cachin (place)
G 3 Marcel-Hartmann
G 3 Marcel-Lamant
F 5 Marcel-Sallnave
F 5 Marne (allée de la)
F 3 Marronniers (chemin des)
F 1 Maurice-Berteaux
F 5 Maurice-Couderchet
G 3 Maurice-Coutant

F 4 Maurice-Grandcoing
F 5 Maurice-Gunsbourg
F 3 Maurice-Thorez (avenue)
F 5 Michaël-Faraday
G 3 Michelet
G 2 Michelet (impasse)
E 3 Mirabeau
E 2 Mohamed-Bounaceur
F 5 Moïse
F 4 Molière
G 3 Moulin-à-vent (sentier du)
F 2 Mozart
E 5 Nelson-Mendela (pont)
G 5 Nouvelle
G 4 Oeillets (sentier des)
G 2 Paix (impasse de la)
G 2 Paix (de la)
F 3 Parc (allée du)
G 4 Parmentier (place)
F 5 Parson (impasse)
F 3 Pasteur
F 2 Paul-Andrieux
F 2 Paul-Bert
F 2 Paul-Langevin
F 3 Paul-Mazy
F 5 P.-Vaillant-Couturier (boulevard)
F 5 Péniches (des)
F 5 Petits-Bois (promenade des)
F 5 Petits-Hôtels (des)
G 3 Peupliers (impasse des)
F 3 Pierre-Brossolette
F 2 Pierre-et-Marie-Curie
F 2 P.-et-Marie-Curie (cité)
F 5 Pierre-Galais
F 4 Pierre-Guignois
G 3 Pierre-Honfroy
E 3 Pierre-Joseph-Desault
F 3 Pierre-Moulie
F 5 Pierre-Rigaud
E 3 Pierre-Sémard (avenue)
F 4 Pioline (cité)
F 5 Postillon (allée de)
H 3 Professeur-Calmette (du)
G 5 Prudhon (impasse)
G 2 Quartier-Parisien (du)
G 4 Raspail
G 2 Raymond-Lefèvre
F 3 René-Robin
E 2 René-Villars
H 4 République (avenue de la)
F 3 République (place de la)
F 4 Révolution (de la)
G 3 Rivoli (passage)
G 2 Robert-Degert
E 4 Robert-Westermeyer
G 5 Robert-Witchitz
G 4 Robespierre
G 2 Roger-Buessard (impasse)
G 2 Roger-Buessard
G 2 Roger-Derry
G 4 Saint-Frambourg (sentier)
G 4 Saint-Just
E 5 Seine (allée de la)
G 3 Simon-Dereure
G 5 Sorbiers (villa des)
F 4 Spinoza (avenue)
H 3 Stalingrad (boulevard de)
F 3 Supérieur (promenée)
G 2 Tellier (impasse)
G 3 Terrasses (promenée des)
G 3 Théâtre (chemin du)
G 4 Truillot
F 3 Venise-Gosnat (promenée)
G 2 Verdun (avenue de)
G 2 Vérollot (impasse)
G 2 Vérollot
E 3 Victor-Hugo
F 2 Vieux-Moulin (résidence du)
G 5 Volta (passage)
F 3 Voltaire
F 3 Voltaire (place)

## LEVALLOIS-PERRET - 92300

plan page 81

L 13 Albert-de-Vatimesnil
L 13 Alfred-Sisley (allée)
M16 Alsace (d')
L 14 M15 Anatole-France
L 14 André-Citroën
L 13 André-Malraux (avenue)
L 13 André-Malraux (square)
L 14 Antonin-Raynaud
M14 L 15 Aristide-Briand
M15 Arthur-Ladwig
L 13 Asnières (boulevard d')
M14 Aspirant-Dargent (de l')
L 14 Auguste-Renoir (allée)
L 14 Bara
M14 Barbès
L 14 Baudin (place)
L 14 Baudin (square)
L 14 K 15 Baudin
L 15 Belgrand
L 15 Bellanger
M 14 Bineau (boulevard)
L 15 Bretagne (de)
M14 Camille-Desmoulins
L 15 Camille-Pelletan
L 14 M15 Carnot
K 14 L 14 Cavé
M14 Chaptal (square)
M14 Chaptal (villa)
M14 Chaptal
L 15 Charle-de-Gaulle (avenue)
K 14 Charles-Deutschmann
L 13 Claude-Monet (allée)
L 13 Claude-Monet (rond-point)
L 14 Clément-Bayard
L 15 Collange
M14 Danton (square)
M14 Danton
L 15 Deguingand
L 14 19-Mars-1962 (du)

L 14 Dr-Dumont (du)
K 14 L 15 Édouard-Vaillant
L 13 Ernest-Cognacq
L 15 Estiennes-d'Orves (place d')
L 14 Europe (avenue de l')
M15 Gabriel-Péri
L 15 Gare (de la)
L 15 Gare (square de la)
L 14 Gl-Leclerc-de-Hautecloque (place du)
M15 Genouville (impasse)
L 14 Georges-Pompidou (avenue)
L 14 Georges-Pompidou (place)
L 15 Gravel (impasse)
L 13 Greffüne
M15 Gustave-Eiffel (parc)
M15 Gustave-Eiffel
M15 Henri-Barbusse (place)
M15 Henri-Barbusse
K 14 Henri-Matisse (allée)
M14 Hoche
L 15 Hôtel-de-Ville (square de l')
L 16 8-Mai-1945 (place du)
M15 Jacques-Ibert
L 14 Jacques-Mazaud
L 14 Jean-Gabin
M15 L 15 Jean-Jaurès
L 15 Jean-Zay (place)
L 15 Jules-Ferry
K 14
L 15 Jules-Guesde
L 16 Jules-Verne
L 14 Kléber
K 14 Léon-Jamin (square)
K 14 Léon-Jamin
L 13 Levallois (boulevard de)
K 14 Levallois (pont de)
L 15 Lorraine (de)
M15 Louis-Blanc
M14 L 15 Louis-Rouquier
M 14 Louise-Michel

M14 Marceau
L 14 Marcel-Cerdan (allée)
L 13 Marcel-Cerdan
M14 Maréchal-de-Lattre-de-Tassigny (place du)
L 14 M.-Jeanne-Bassot (place)
L 14 Marie-Hilsz
L 14 M14 Marius-Aufan
L 15 Marjolin
L 14 Marronniers (des)
L 14 Mathilde-Giraud
K 15 Maurice-Ravel (square)
M15 Maurice-Ravel
K 14 Michelet (quai)
L 14 Muller (villa)
L 15 11-Novembre-1918 (place du)
L 16 Pablo-Neruda
K 14 Pablo-Picasso (allée)
K 14 Pablo-Picasso (square)
L 14 Parc (du)
L 13 Pasquier
L 14 Pasteur
L 14 L 15 Paul-Vaillant-Couturier
L 15 Pierre-Brossolette (square)
L 15 Pierre-Brossolette
L 14 Planchette (parc de la)
L 14 Président-Wilson (du)
L 15 Raspail
L 15 République (place de la)
L 15 M15 Rivay
L 14 Thierry-Le-Luron
M15 Trébois
L 15 Trezel
L 14 Verdun (place de)
M14 Vergniaud
L 16 Victor-Hugo (square)
L 15 Victor-Hugo
M14 Villiers (de)
L 15 Voltaire
M15 Wilson (square)
L 15 Youri-Gagarine

## LES LILAS - 93260

plan page 88

O 10 Aigle (sentier de l')
O 9 Alfred-Capus (allée)
O 9 André-Rivoire (allée)
O 10 Anglemont (d')
O 9 Bellevue (impasse des)
O 9 Bellevue
O 10 Bernard
O 10 Bois (du)
O 9 Bois (impasse des)
P 9 Bruyères (des)
P 9 Bruyères (villa des)
O 9 C-Terrasse (allée)
O 10 Centre (du)
O 9 Chanoine-Riquet (allée du)
O 10 Charles-de-Gaulle (place)
O 9 Charles-Lecoq (allée)
O 10 Charles-Péguy
P 9 Chassagnolle
P 9 Chassagnolle (villa)
O 10 Château (du)
O 9 Colonel-Fabien (place du)
O 10 Combattants-d'A.F.N. (avenue des)
O 9 Convention (de la)
P 9 Coq-Français (du)
O 10 Croix-de-l'Épinette (de la)
N 10 Déportation (voie de la )
O 10 Docteur-Calmette (allée du)
O 10 Docteur-Courcoux (square du)
O 9 Égalité (de l')
P 10 Est (de l')
O 9 Esther-Cuvier
O 9 Eugène Decros (boulevard)
P 9 Ève-Hubert (villa)
O 9 Faidherbe (avenue)
P 9 Félix-Houdart (passage)
O 10 Floréal (passage)
P 11 Floréal
O 9 Fontaine-St-Pierre (passage de la)
O 10 Fort (du)
O 9 Francine-Fromond
O 11 Fraternité (de la)

O 10 Garde-Chasse (du)
O 11 Général-Leclerc (boulevard du)
O 10 Georges-Clemenceau (avenue)
O 11 Giraud (sente)
O 10 Guynemer
O 10 Henri-Barbusse
O 10 Henri-Dunant (square)
O 10 Hortensias (allée des)
O 10 Hortensias (passage de l')
O 10 8-Mai-1945 (du)
O 10 Jacques-Catric
O 9 Jean-Duda (allée)
N 10 Jean-Jaurès (boulevard)
P 9 Jean-Monnet (allée)
O 9 Jean-Moulin
O 9 Jean-Poulmarch
O 10 Joseph-Dépinay (allée)
P 9 Jules-David
O 9 Kistemakers (allée)
O 9 La-Rochefoucault (de)
P 10 Lecomte (impasse)
O 10 Lecouteux
O 10 Liberté (boulevard de la)
O 11 Liberté (de la)
P 10 Lilas (passage des)
O 10 Louis-Dumont (avenue)
O 10 Louis-Renault
O 10 Lucien-Noël
P 9 Mairie (passage de la)
O 10 Marc-Sangnier (place)
O 9 Marcelle
O 10 Maréchal-de-Lattre-de-Tassigny (avenue du)
O 10 Maréchal-Juin (avenue du)
O 11 Maréchal-Kœnig (du)
P 9 Marius (impasse)
O 9 Meissonnier
O 10 Myosotis (place des)
P 11 Noisy-le-Sec (de)
O 11 Normandie-Niemen

O 10 Œillets (sentier des)
O 10 Oies (sentier des)
O 10 11-Novembre-1918 (du)
O 9 Paix (de la)
O 9 Panoramas (passsage des)
O 10 Paris (de)
P 9 Pasteur (avenue)
O 10 Patigny (sente)
O 10 Paul-de-Kock (avenue)
O 10 Paul-Doumer
O 10 Paul-Langevin
O 10 Pelletier (impasse)
P 9 Ponsard (passage)
O 9 Pré-Saint-Gervais (du)
N 10 Président-Robert-Schuman (du)
O 9 Prévoyance (de la)
O 9 Progrès (du)
O 9 14-Juillet (du)
O 10 Raymond-Salez
O 10 Regard (du)
O 9 République (de la)
O 10 Résistance (de la)
O 10 Romain-Rolland
P 10 Romainville (de)
O 10 Rouget-de-Lisle (de)
O 10 Sablons (des)
P 10 Sablons (passage des)
O 10 Saint-Germain (cité)
O 11 Saint-Germain
O 10 Saint-Paul (cour)
O 10 Tapis-Vert
O 9 Victorien-Sardou (allée)
P 9 Villegranges (impasse des)
P 9 Villegranges (des)
O 9 Vincent-d'Indy (allée)
O 10 Volklingen (place de)
O 10 Waldeck-Rousseau
O 9 Weymiller (impasse)
P 9 Yvonne

## VILLE-LE-PONT - 94340

plan page 95

(avenue)
(avenue d')
(boulevard des)
(quai d')
(avenue)
de-Briand
udes (boulevard des)
ge (quai du)
bourg
er
une (quai de)
akeim (quai)
(avenue)
(de)
vil (square)
gny (impasse)
s (avenue de)
diens (avenue des)
obert
et (impasse du)
sal
les-de-Gaulle (square)
les-Floquet (avenue)
les-Floquet (impasse)
les-Pathé
min-Creux (du)
ert (avenue)
mune (place de la)
rsault (avenue)
rtin (avenue)
oty (avenue)

A 23 Diane (avenue de)
B 22 Edmé-Lheureux (allée)
B 24 Égalité (de l')
B 23 Église (de l')
A 23 Élysée (de l')
B 22 Émile-Moutier
B 24 Émile-Zola (allée)
B 23 Étienne-Pégon
A 23 Étoile (avenue de l')
A 23 Étoile (villa de l')
C 22 Europe (boulevard de l')
B 24 Familles (avenue des)
B 23 Foch (avenue)
C 23 Fraternité (de la)
B 24 Frères-Lumière (des)
A 24 Gabrielle
C 23 Gabriel-Péri (quai)
B 24 Général-Gallieni (avenue du)
B 24 Gérard-Philipe (square)
C 24 Gilles (avenue)
B 23 Gisèle (villa)
A 23 Gounod (avenue)
C 23 Grotte (villa de la)
A 23 Guinguettes (allée des)
A 23 Guy-Môquet (avenue)
B 22 Halifax
A 24 Hameau (du)
B 24 Henri (avenue)
C 22 Henri-Barbusse
B 22 Henri-Vel-Durand
C 23 Hippolyte-Pinson

B 23 Hugedé
C 23 8-Mai-1945 (place du)
B 23 Ile-Fanac (chemin de l')
B 24 Jamin (avenue)
A 23 J.-d'Estienne-d'Orves (avenue)
B 22 Jean-Jaurès (avenue)
A 23 Jean-Mermoz
B 24 Jean-Moulin (allée)
B 24 Jean-Paul-Sartre (allée)
C 23 Jeanne-d'Arc (avenue)
C 23 Joinville (avenue de)
B 23 Joinville (pont de)
B 24 Joseph-Jougla (avenue)
B 24 Joyeuse (avenue)
C 23 Jules-Rousseau (impasse)
B 23 Lapointe (villa)
C 24 Lefèvre (avenue)
B 24 Léo-Lagrange (square)
C 23 Liberté (de la)
B 24 Louise-Michel (allée)
A 24 Mabileau
B 23 Madrid (avenue de)
C 22 Maisons-Alfort (pont de)
A 24 Marceau (avenue)
C 23 Maréchal-Leclerc (boulevard du)
A 24 Marie-Rose
C 23 Marne (avenue de la)
A 23 Marne (quai de la)
B 23 Marne (passage de la)
C 22 Mendès-France (quai)
A 23 Mésange (avenue de la)

## MAISONS-ALFORT - 94700

plan page 94

C 19 Abri (villa de l')
C 20 Aix (d')
E 20 Albert-Camus
E 21 Alexandre
C 18 Alfort (cité d')
E 19 Alouettes (des)
D 18 Amandiers (allée des)
C 18 Amaryllis (allée des)
D 18 Amédée-Chenal
D 18 Amédée-Chenal (pont)
C 19 Amiral-Courbet (de l')
D 18 Arbres (allée des)
E 19 Arcades (résidence des)
D 21 Arthur-Dalidet
C 18 Artificier-François (square de l')
E 20 Aspirant-Manceau-Lafitte
E 19 Auguste-Simon
C 20 Avenir (de l')
C 20 Avignon (d')
F 20 Bazeilles (de)
C 18 Bégonias (allée des)

F 20 Belfort (de)
C 19 Belle-Image (de la)
E 20 Berlioz (square)
F 19 Berne (de)
D 21 Blanchet
D 21 Bordeaux (allée de)
D 18 Bouleaux (allée des)
C 18 Bouley
E 20 Boulmier (impasse)
C 18 Bourgelat
F 19 Bouvets (impasse des)
D 20 Brest (de)
E 19 Bretons (des)
D 21 Briqueterie (impasse de la)
F 19 Bruxelles (de)
E 20 Buffon (allée)
E 21 Buisson-Joyeux (du)
D 19 Busteau (avenue)
C 18 Camélias (allée des)
E 19 Capitaine-Deplanque (du)
E 20 Carnot

D 20 Cécile
C 18 Chabert
C 19 Champagne (de)
D 20 Champs-Corbilly (des)
C 18 Charenton (pont de)
C 20 Charentonneau (passerelle)
F 20 Charles-Martigny
F 19 Charles-Péguy
D 18 Chênes (allée des)
D 22 Chéret
D 20 Chevreul
F 19 Cino-Del-Duca
F 20 Clos-des-Noyers (du)
D 21 Cocagne (allée de)
F 20 Colmar (de)
C 21 Concorde (de la)
C 21 Condorcet
C 21 Convention (de la)
D 21 Danielle-Casanova
E 21 Debacq (passage)
E 19 Dehais (impasse)

75

*MAISONS-ALFORT (suite)*

D 20 Delalain
D 19 Delaporte
D 21 Denis-Dulac (impasse)
C 18 Desroy-du-Roure
E 20 18-Juin-1940
C 18 Docteur-Mass (quai du)
C 19 Dodin (place)
F 19 Dufourmantelle (square)
D 20 Dulac-Plaisance (résidence)
C 19 Edmond-Nocard
D 19 Édouard-Herriot
C 19 Ernest-Renan
C 19 Estienne-d'Orves (d')
F 19 Étienne-Dolet
C 18 Eugène-Renault
C 19 Eugène-Sue
C 21 Fédération (de la)
C 18 Fernand-Saguet (quai)
D 20 Fernet
D 20 Fernet (impasse)
C 19 Fiocre (impasse)
C 18 Fleurs (allée des)
C 21 Fleurus (allée)
E 19 Fleutiaux
C 20 Foch (avenue)
C 20 Gabriel-Péri
F 19 Gallieni (boulevard)
F 19 Gallieni (place)
D 20 Gambetta (avenue)
D 18 Général-De-Gaulle (avenue du)
E 20 Général-Koenig (du)
D 19 Général-Leclerc (avenue du)
D 20 Georgenthum
D 20 G.-Clemenceau (avenue)
E 20 Georges-Gaume
E 20 Georges-Médéric
F 20 Georges-Médéric
C 18 Girard
C 18 Girard (impasse)
C 21 Gravelle (de)
D 20 Grenoble (de)
D 20 Grimoult
C 18 Gué-aux-Aurochs (du)
C 20 Guy-Môquet
E 20 Hannetons (parc des)
C 19 Henri-Regnault
D 21 Hoche
C 19 8-Mai-1945
E 19 Imberdis (impasse)
E 19 Iles (impasse des)
E 19 Jean-Moulin (place)
F 19 Jean-Jaurès
D 21 Jean-Pierre-Timbaud
C 21 Jemmapes (de)

C 21 Joffre (avenue)
D 21 Joinville (de)
D 20 Jouet
E 20 Juillottes (cours des)
C 21 Kléber
C 21 La-Fontaine (de)
E 19 Léon-Blum (avenue)
F 19 Liberté (avenue de la)
F 19 Liège (de)
C 20 Lille (de)
F 19 Londres (de)
C 19 Lorraine (de)
E 19 Louis-Braille
F 20 Louis-Braille (square)
D 22 Louis-Fliches (résidence)
C 21 Louis-Heurtel
E 20 Louis-Pergaud
E 19 Louise-Lesleur
E 19 Louvain (de)
C 21 Lune (de la)
D 21 Lyon (de)
C 18 Maire
E 19 Mairie (cité de la)
D 22 Maisons-Alfort (pont de)
E 19 Marceau
D 21 Marc-Sangnier
C 20 Ml-de-L.-de-Tassigny (du)
C 19 Maréchal-Juin (du)
D 19 Maréchal-Maunoury (du)
D 22 Marne (de la)
D 21 Mars (de)
D 21 Marseille (de)
E 20 Maryse-Bastié (résidence)
D 21 Masséna
E 19 Maurice-Lissac
D 22 Mercure (de)
F 20 Mesly (de)
F 20 Metz (de)
C 21 Michelet
F 19 Milan (de)
C 21 Molière
F 19 Mulhouse (de)
C 20 Nancy (de)
C 18 Naville (de)
D 22 Neptune (de)
C 18 Nordling
C 18 Normandie (de)
D 19 11-Novembre-1918 (du)
E 19 Parc (impasse du)
D 19 Parc (résidence du)
E 19 Parmentier
E 19 Pasteur
C 18 Paul-Bert
D 21 Paul-Saunière
D 19 Paul-Vaillant-Couturier

E 19 Pelet-de-la-Lozère
C 20 Perpignan (de)
C 19 Pierre-Curie
E 19 Pierre-Sémard
C 19 Platanes (allée des)
D 19 Platanes (allée des)
E 21 Plateau (du)
E 19 Procession (impasse de la)
D 19 Professeur-Cadiot (avenue du)
E 19 Professeur-Cadiot (avenue du)
E 20 Professeur-Ramon (du)
C 21 14-Juillet (du)
D 20 Raspail
C 20 Reims (de)
C 20 Renard
D 20 René-Coty (place)
D 21 République (avenue de la)
C 18 Résistance (carrefour de la)
D 19 Riçois (impasse)
D 21 Robert-Ferrer
E 19 Rodier
D 20 Roger-François
F 19 Rome (de)
D 19 Rouen (de)
D 19 Rouget-de-Lisle
E 20 Saillanfait (impasse)
E 19 Saint-Georges
D 22 Saint-Maur (impasse)
E 20 Saint-Michel (voie)
D 22 St-Vincent-de-Paul (cité)
E 19 Salanson (place)
D 21 Sapins (des)
D 22 Soleil (résidence du)
D 22 Soleil (du)
D 21 Soult
E 19 Springer
F 20 Strasbourg (de)
D 21 Suchet
C 19 Tilleuls (des)
C 21 Tours (de)
F 19 Turin (de)
C 19 Ulysse-Benne
D 22 Uranus (d')
F 20 Valenton (de)
D 22 Vénus (de)
D 22 Verdun (avenue de)
F 20 Vert-des-Mèches (chemin)
C 19 Victor
D 20 Victor-Basch
E 20 Victor-Hugo
D 21 Vincennes (impasse de)
D 21 Vincennes (de)
C 20 Voltaire

# MALAKOFF - 92240

plan page 101

J 20 Adnot (villa)
I 21 Adolphe-Pinard (boulevard)
J 20 Albert-Marie (impasse)
J 19 Albert-Samain
J 20 Alexis-Martin
I 22 Alfred-de-Musset
I 20 Ampère
J 20 Anatole-France (avenue)
I 21 André-Coin
K 20 André-Rivoire
J 19 André-Sabatier (sentier)
J 19 André-Sabatier
J 19 André-Sabatier (impasse)
I 20 Arblade (avenue)
I 21 Archin (impasse)
I 21 Arcole (passage d')
J 21 Arcueil (villa d')
J 19 Arthur-Rimbaud
I 21 Augustin-Dumont (avenue)
J 20 Avaulée
J 19 Bas-Garmants (sentier des)
J 20 Bel-Air (villa)
I 21 Benjamin-Raspail
I 21 Béranger
I 21 Berthelot (impasse)
J 20 Bourgeois (villa)
J 20 Cacheux (villa)
J 21 Camélinat (boulevard)
J 21 Carnot (impasse)
J 19 Carnot
I 21 Caron
J 18 Cerisiers (sentier des)
I 21 Césaire (impasse)
J 19 Charles-Baudelaire
I 21 Charles-de-Gaulle (boulevard)
J 21 Châtillon (impasse de)
I 22 Chauvelot
I 20 Chemin-de-Fer (villa du)
J 21 Christiane (impasse)
J 19 Clos (impasse du)
J 19 Clos-Montholon (place du)
J 19 Colonel-Fabien (boulevard du)
J 19 Colonel-Fabien (carrefour du)
K 19 Commune de Paris (rond-point de la)
I 21 Danicourt
I 21 Danton
I 22 Depinoy (place)
J 20 19-Mars-62 (du)
I 22 Docteur-Ménard (du)
I 21 12-Février-1934 (avenue du)
J 20 Drouet (villa)
J 19 Drouet-Peupion
I 21 Ecoles (villa des)
J 20 Economes (villa des)
I 21 Edgar-Quinet
I 21 Emile-Zola
I 21 Ernest-Renan
J 19 Espérance (l')
J 21 Etienne-Dolet
I 21 Eugène-Varlin
J 20 Fosses-Rouges (sentier des)
J 21 Fosses-Rouges (impasse des)
I 21 François-Belloeuvre
I 22 François-Coppée
J 19 François-Fabié
J 21 Frédéric-Fournier
J 18 Frères-Vigouroux (boulevard des)

I 21 Gabriel-Crié
I 21 Gabriel-Péri (boulevard)
J 21 Gallieni
I 22 Gambetta
J 19 Garmants (des)
J 18 Garmants (sentier des)
J 19 Gl-Mailleret-Joinville (du)
J 18 Geneviève (villa)
J 19 Georges-Brassens
J 19 Georges-Henri
J 19 Germaine
J 19 Groux (impasse des)
J 21 Guy-Môquet
I 21 Hébécourt (d')
J 19 Henri-Barbusse (boulevard)
J 20 Henri-Barbusse (rond-point)
I 21 Henri-Martin
J 20 Hoche (allée)
J 20 Hoche
J 21 Hubert-Ponscarmé
I 21 Hubert-Ponscarmé (impasse)
I 21 8-Mai-45 (place du)
J 21 Irène-et-frédéric-Joliot-Curie (avenue)
J 20 Iris (villa des)
J 19 Issy (voie d')
J 19 Jacques-Brel (allée)
I 22 Jacques-Prévert
I 21 Jean-Jacques-Rousseau
J 20 Jean-Jaurès (cité)
I 21 Jean-Jaurès (avenue)
J 21 Jean-Lurçat
K 20 Jean-Mermoz (square)
K 20 Jean-Mermoz
J 21 Jean-Moulin
J 20 Jeanne (allée)
J 20 Jules-Dalou
J 21 Jules-Ferry (impasse)
J 19 Jules-Guesde
K 20 Jules-Védrines
I 21 Jules Ferry (avenue)
J 21 Labrousse (villa)
I 21 Laforest
I 21 Larousse (passage)
I 21 Lavoir (du)
I 21 Ledru-Rollin
J 20 Léger (villa)
I 21 Legrand
I 20 Léon-Salagnac
I 21 Leroyer (impasse)
I 22 Loret (villa)
J 19 Lorraine (de)
I 21 Louis-Blanc
J 19 Louis-Girard
K 20 Louis-Mercier
I 22 Lucien-et-Edouard-Gerber
I 21 Marc-Lanvin (square)
J 21 Marc-Seguin
J 21 Marceau (impasse)
I 22 Maréchal-Leclerc (avenue du)
J 20 Marguerite (allée)
I 21 Maria-Gérault (impasse)
J 20 Marie-Antoinette (villa)
J 20 Marie-Jeanne (allée)
J 20 Marie-Lahy-Hollebecque
J 20 Marie-Louise (allée)
J 21 Marotte (villa)

J 19 Mathilde
J 19 Maurice-Bouchor
I 21 Maurice-Thorez (avenue)
J 20 Maximilien-Robespierre
I 21 Michelin (passage)
J 20 Mirabeau (villa)
J 20 Négriers (impasse des)
J 18 Neuve-Montolon
J 21 Nicomédès-Pascual
I 21 Nord (passage du)
J 19 Nouzeaux (sentier des)
I 21 11-Novembre-1918 (place du)
J 21 Pasteur
J 20 Paul-Bert
J 19 Paul-Eluard
J 20 Paul-Vaillant-Couturier
J 19 Paul-Valéry
J 19 Paul-Verlaine
J 20 Paulette (villa)
I 22 Perrot
I 22 Petit-Vanves (passage du)
I 22 Pierre-Brossolette
J 20 Pierre-Curie (impasse)
I 21 Pierre-Larousse (avenue )
J 21 Pierre-Simon (impasse)
J 21 Pierre-Valette
J 21 Pierres-Plates
K 19 Pierrier (passage du)
I 21 Président-Wilson (avenue du)
I 21 Puzin (impasse)
I 21 14-Juillet (place du)
I 21 Raffin
I 20 Raymond-David
I 21 Raymond-Fassin
I 21 Renault
I 21 République (place de la)
J 21 Ressort (impasse)
I 21 Richard (passage)
I 21 Rose (villa)
I 21 Rouget-de-Lisle
J 20 Sablonnière (sentier de la)
J 20 Sabot (villa)
I 21 Sainte-Hélène (impasse)
I 21 Salvador-Allende
J 18 Sandrin (allée)
I 22 Savier
I 21 Scelle (de)
J 19 Sowetto (square de)
I 21 Stade (du)
J 19 Stalingrad (boulevard de)
J 21 Théâtre (passage du)
I 21 Tir (impasse du)
I 21 Tir (sentier du)
J 20 Tissot (allée)
I 21 Tour (de la)
I 21 Vallée (de la)
J 21 Vauban (impasse)
I 21 Verdun (square de)
I 21 Victor-Hugo
I 22 Vincent-Moris
I 22 Voltaire
J 20 Youri-Gagarine (rond-point)
J 20 Yvonne (villa)

# MONTREUIL - 93100

plan page 90

C 9 Acacia (de l')
E 4 Alembert (d')
D 7 Alexandre-Lefèvre
C 6 Alexis-Lepère
D 6 Alexis-Pesnon
C 7 Alice
C 7 Alice (square)
B 8 Amitié (cité de l')
D 8 Anatole-France
D 8 André-Messager (impasse)
D 5 Anne-Frank
D 10 Anne-Godeau (allée)
B 8 Antoinette
C 7 Aqueduc (de l')
F 5 Arago (villa)
B 9 Aristide-Briand (villa)
C 7 / B 7 Aristide-Briand (boulevard)
D 6 Aristide-Hémard
E 4 Armand-Carrel
E 4 Arsène-Chéreau
F 4 Auguste-Blanqui
B 8 Auguste-Peron
E 8 Avenir (villa de l')
C 10 / C 9 Babeuf
E 4 Bara
E 4 Barbès
E 4 Barbès (impasse)
D 10 Batteries (des)
C 7 Baudin
E 5 Beaumarchais
D 5 Beaune (de la)
D 8 Beethoven (square)
D 8 Bel-Air (du)
D 6 Benoît-Frachon (esplanade)
F 6 Berger (du)
C 6 Berlioz (avenue)
C 5 Berthie-Albrecht (place)
D 4 Blanche
C 10 Blancs-Vilains (des)
B 9 Blériot (allée)
B 8 Boissière (impasse de la)
B 9 / B 8 Boissière (boulevard de la)
C 8 Bol-d'air (impasse du)
E 5 Bonouvrier

D 5 Bons-Plants (des)
C 5 Bourguignons (des)
D 10 Braves (des)
C 8 Brûlefer
D 6 Buffon
D 5 Buttes (sentier des)
C 6 Caillots (des)
C 10 Camélinat
C 7 Capitaine-Guynemer (du)
D 5 Capsulerie (de la)
E 6 Carnot
E 6 Carnot (place)
D 4 Carrel (impasse)
E 5 Centenaire (du)
C 6 Chantereines (des)
C 6 Chantereines (impasse des)
E 5 Chanzy (boulevard)
E 7 Chapons (des)
D 10 Charles-Delavacquerie
B 8 Charles-Delescluze
E 7 Charles-Infroit
E 7 Charmes (des)
B 7 Châteaudun (passage)
C 6 Chemin-Vert (sentier du)
C 6 Chemin-Vert (du)
E 7 Chênes (des)
C 7 Claudes-Bernard
C 8 Clos-des-Arrachis (du)
D 5 Clos-Français (des)
E 6 Clotilde-Gaillard
D 5 Colbert
C 9 Coli
E 7 Colmet (impasse)
E 6 Colmet-Lépinay
E 5 Colonel-Delorme (du)
B 7 Colonel-Fabien (avenue du)
E 5 Colonel-Raynal (du)
E 6 Condorcet
D 6 Convention (de la)
D 9 Côte-du-Nord (de la)
F 4 Cuvier
D 10 Daniel-Ferry (allée)
D 9 Daniel-Renoult
B 7 Danielle-Casanova
D 7 Danton
D 9 Défense (de la)
D 5 Delpêche

E 6 Demi-Cercle (du)
B 8 Demi-Lune (de la)
B 8 Demi-Lune (sentier de la)
D 5 Denis-Couturier
E 5 Denise-Buisson
E 6 Desgranges
C 7 Desiré-Charton
E 6 Désiré-Chevalier
D 5 Désiré-Préaux
F 5 Deux-Communes (des)
B 7 Dhuys (passage de la)
B 7 Dhuys (de la)
E 5 Diderot
C 7 Didier-Daurat
D 6 18-Août (du)
D 6 19-Mars-1962 (place du)
C 6 Docteur-Calmette (du)
C 9 Docteur-Charcot (du)
B 7 Dr-Fernand-Lamaze (avenue du)
C 7 Dr-Roger-Brandon (du)
C 6 Docteur-Roux (du)
D 7 Dombasle
E 5 Douy-Delcupe
B 7 Écoles (passage des)
C 8 Édouard-Branly
E 5 Édouard-Vaillant
D 6 Église (de l')
D 6 Église (place de l')
F 6 Émile-Bataille
B 8 Émile-Beaufils
C 6 Émile-Raynaud
E 4 Émile-Zola
C 6 Epernons (des)
D 5 Épine-Prolongée (de l')
C 7 Ermitage (de l')
B 8 Ermitage (impasse de l')
E 8 Ernest-Renan (avenue)
C 6 Ernest-Savart
C 7 Estienne-d'Orves (d')
B 9 Étienne-Dolet
E 4 Étienne-Marcel
D 4 Eugène-Chevreau (cité)
D 9 Eugène-Pottier
D 7 Eugène-Varlin
D 5 Eugénie-Cotton (allée)
C 6 Faidherbe (avenue)
D 10 Fanny-Dewerpe (allée)

E 6 Fédération (de la)
F 5 Fédérés (des)
B 5 Ferdinand-Buisson (avenue)
C 7 Ferme (de la)
C 7 Ferme (sentier de la)
C 7 Fernand-Combette
B 8 Fleurs (allée des)
E 6 Fonderie (de la)
B 7 Fontaine (chemin de la)
C 6 Fontaine-des-Hanots (de la)
D 5 Fosse-Pinson (impasse de la)
D 5 Fosse-Pinson (de la)
E 7 Francisco-Ferrer
E 5 François-Arago
E 6 François-Debergue
D 6 François-Mitterrand (place)
D 6 Franklin
E 4 Fraternité (place de la)
F 4 Fraternité (de la)
C 5 Fusée
C 5 Fusée (impasse)
B 8 Gabriel
E 6 Gabriel-Péri (avenue)
D 7 Galilée
E 5 Gambetta
E 5 Garibaldi
D 9 Gascogne (de)
C 6 Gaston-Couté
D 6 Gaston-Lauriau
D 7 Gaston-Monmousseau
F 5 Gazomètre (passage du)
C 5 Général-De-Gaulle (place du)
D 6 Géneral-Gallieni (du)
E 7 G-Lauriau
B 7 Georges-Méliès
E 5 Girard
E 5 Girard
D 6 Girardot
D 6 Glaisière (passage de la)
C 8 Glycines (villa des)
D 7 Gobétue (impasse)
D 7 Gradins (des)
C 9 Grand-Air (impasse du)
B 7 Grandes-Cultures (des)
E 8 Grands-Pêchers (des)
C 6 Graviers (des)
C 6 Groseilliers (des)
D 5 Guilands (passage des)
D 4 Guilands (sentier des)
D 5 Guilands (des)
D 10 Gustave-Courbet
E 4 Gutenberg
D 9 Guyenne (de)
B 8 Haies-Fleuries (des)
C 7 Hanots (des)
E 5 Hayeps (des)
C 6 Henri-Barbusse (boulevard)
D 9 Henri-Dunant
D 8 Henri-Schmitt
E 8 Henri-Wallon
D 5 / D 6 Hoche
B 8 Honoré-de-Balzac
C 7 8-Mai-1945 (carrefour du)
B 7 Irénée-Lecocq
C 5 Irène-et-Frédéric-Joliot-Curie
E 4 Jacquart
E 6 Jacques-Duclos (place)
C 6 Jardin-St-Georges (des)
C 8 Jardins-Dufour (des)
C 7 Jasmins (sentier des)
C 9 Jean-Baptiste-Clément
C 7 Jean-Baptiste-Lamarck
D 10 Jean-Coquelin
F 5 Jean-Jacques-Rousseau
D 6 Jean-Jaurès (place)
C 5 Jean-Lolive
D 7 Jean-Moulin (avenue)
D 10 Jean-Pierre-Bernard (allée)
C 5 Jean-Pierre-Timbaud (place)
C 5 Jean-Zay (place)
E 6 Jeanne-d'Arc (boulevard)
F 6 Joseph-Gaillard
B 8 Joyeuse (allée)
D 5 Jules-Ferry
D 10 Jules-Guesde
D 10 Jules-Vallès
C 8 Jules-Verne
D 10 Juliette-Dodu
E 5 Kléber
F 5 Lagny (de)
D 9 Lancelot (allée)
E 4 Lavoisier
C 9 Le-Brix (impasse)
E 4 Lebour
D 8 Lenain-de-Tillemont
C 5 Lénine (square)
B 7 Léo-Lagrange
C 6 Léon-Loiseau
C 7 Léontine-Préaux
E 6 Levant (du)
D 5 Libération (square de la)
C 5 Lilas (des)
B 8 Louise
C 9 Louise-Michel

E 7 Luat (du)
B 8 Madeleine
C 8 Madeleine-Laffite
D 5 Mainguet
E 6 Malot
C 5 Marais (impasse du)
C 5 Marais (impasse du)
C 5 Marais (du)
E 4 Marceau
F 4 Marceau
D 8 Marcel-Largillière
D 5 Marcel-Sembat
E 6 Marcelin-Berthelot
E 5 Marché (place du)
D 8 Mare-à-l'Âne (de la)
B 8 Mare-aux-Petits-Pains (passage de la)
B 7 Marécages (sentier des)
C 6 Margottes (des)
B 8 Marguerite (villa)
D 10 Marguerite-et-Émile-Le-Morillon (place)
B 9 Marseuil (impasse)
B 9 Maryse-Bastié (villa)
E 4 Matlle
D 8 Maurice-Bouchor
D 5 Maurice-Chevalier (allée)
B 7 Maurice-Woljung
D 6 Mériel
E 6 Merlet
D 5 Messiers
D 4 Messiers (sentier des)
F 5 Meuniers (des)
E 5 Michelet
C 6 Midi (impasse du)
C 6 Midi (du)
C 7 Mirabeau
D 5 Moïse-Blois
E 6 / E 7 Molière
B 8 Montagne-Pierreuse (de la)
D 8 Montaigne (allée)
E 4 Moreau (impasse)
C 5 Moulin-à-Vent (du)
C 8 Moulins (impasse des)
B 8 Mutualité (de la)
B 8 Nanteuil (de)
E 5 Navoiseau
C 7 Néfliers (des)
E 6 Nicolas-Faltot
B 8 Normandie (de)
C 5 Noue (de la)
E 8 Nouvelle-Cité-de-Tillemont
D 8 Nouvelle-France (de la)
C 9 Nungesser
E 7 Ormes (des)
B 7 Oseraies (des)
C 9 Paix (impasse de la)
D 9 Paix (de la)
C 5 Papillons (des)
E 4 / E 5 Paris (de)
D 5 Parmentier
F 7 Passeleu (du)
C 5 / D 6 Pasteur (avenue)
D 9 Patte-d'Oie (impasse de la)
D 9 Patte-d'Oie (de la)
E 4 Paul-Bert
D 8 Paul-Doumer
E 4 Paul-Éluard
D 10 Paul-Lafargue
E 5 Paul-Langevin (avenue)
D 5 Paul-Sémard (place)
C 7 Paul-Signac (avenue)
D 6 P.-Vaillant-Couturier (boulevard)
C 7 Pavillons (des)
E 8 Pêchers (allée des)
D 7 Pépin
B 9 Peti-Bois (du)
D 10 Pierre-Brossolette (avenue)
D 9 Pierre-Curie
D 7 Pierre-de-Montreuil
B 8 Pierre-Degeyter (impasse)
D 9 Pierre-Dupont
C 9 Pierre-Jean-de-Béranger
B 7 Pinsons (villa des)
C 9 Pivoines (impasse des)
C 6 Plateau (du)
E 6 Plâtrières (des)
C 6 Pointe (de la)
C 6 Pointe (sentier de la)
D 9 Poitou (du)
D 9 Port-Royal (allée de)
C 6 Poulin
B 8 Président-Salvador-Allende (avenue du)
D 6 Président-Wilson (avenue du)
B 8 Printemps (allée du)
B 8 Processions (sentier des)
B 8 Processions (des)
D 10 Pr.-Esclangon (du)
F 4 Progrès (du)
E 4 Progrès (impasse du)
E 6 14-Juillet (place du)

E 7 Quatres-Ruelles
D 6 Rabelais
B 5 Racine
B 6 Racine
B 7 Ramenas
E 6 Rapatel
E 4 Raspail
D 4 Ravins
D 4 Ravins
E 8 Raymond-Lefèvre
C 9 Raymond-Lefèvre
B 8 Redoute
B 8 Redoutes
E 6 Remblais
B 8 Renardière
C 6 René-Mélin
E 4 République
E 4 République
D 6 Résistance
E 5 Révolution
E 4 Richard-Lenoir
C 6 Ricochets
C 5 Rigondes
D 8 Robert-Legros
F 4 Robespierre
C 7 Rochebrune
B 8 / C 8 Roches
D 10 Roland-Martin
C 10 Romain-Rolland
C 7 Romainville
B 7 Romainville
E 6 Roseraie
B 5 Rosiers
C 7 / D 6 Rosny
D 6 Rouget-de-Lisle
D 5 Roulettes
D 9 Ruffins
D 9 Ruffins
C 10 Ruines
C 6 Ruisseau
D 9 Sacy
E 6 Saigne
C 8 / C 8 Saint-Antoine
D 8 Saint-Antoine
C 7 Saint-Denis
B 7 Saint-Denis
C 9 Saint-Exupéry
C 9 Saint-Exupéry
D 7 Saint-Just
F 3 Saint-Mandé
C 7 Saint-Victor
B 7 Saules-Clouet
B 7 Saules-Clouet
C 6 Savarts
D 5 Seigneurie
E 5 Sergent-Bobillot
E 5 Sergent-Godefroy
C 10 Simon-Dereure
E 6 Solidarité
D 7 Solitaire
E 5 Sorins
D 4 Souchet
D 7 Soucis
D 7 Soupirs
D 9 Source
D 6 / E 7 Stalingrad
C 6 Sureaux
D 10 Suzanne-Martorell
D 7 Terrasse
C 9 / D 9 Théophile-Sueur
E 7 Tilleuls
E 8 Tilliers
C 6 Tortueux
E 5 Tourelle
D 5 Tourniquet
D 10 Tranchée
C 6 Traverse
B 7 Traversière
F 6 Trois-Territoires
E 8 Union
E 5 Union
E 4 Valette
F 4 Valmy
F 5 Varennes
C 5 Vert-Bois
C 6 Victor-Beausse
D 6 Victor-Hugo
D 10 Victor-Hugo
E 6 Victor-Mercier
C 7 Vignes
D 7 Village-de-l'Amitié
D 5 Villiers
E 6 / E 5 Vincennes
D 7 Vitry
E 4 Voltaire
D 6 Walwein
D 9 Yves-Farge

# MONTROUGE - 92120

plan

D 8 Agénor-Logeais
C 8 Amaury-Duval
D 8 Arcueil (d')
C 8 Aristide-Briand (avenue)
B 9 Arpajon (voie d')
C 7 Arthur-Auger
C 7 Auber
B 8 Bagneux (de)
C 9 Barbès
B 8 Barthélémy
C 8 Blanche
C 8 Boileau
C 7 Bossuet (villa)
B 8 Cadran-Solaire (villa du)
C 7 Camille-Pelletan
C 8 Carvès
C 8 Chaintron
C 8 Charles-Floquet
C 7 Chateaubriand (de)
C 6 Chopin
B 8 Colonel-Gillon (du)
C 7 Constant-Juif
C 7 Corneille
C 7 Couprie
C 9 Danton
B 8 Delerue
D 8 Descartes
B 9 Dr-Lannelongue (avenue du)
B 8 Draeger
B 8 Edgar-Quinet
B 8 Edmond-Champeaud
C 8 Église (impasse de l')
B 8 Émile-Cresp
B 8 Émile-Boutroux (avenue)
C 8 Estienne-d'Orves (d')
C 7 Etats-Unis (place des)
C 7 Fénelon
C 7 Fleurs (villa des)
C 8 Fort (avenue du)
B 9 François-Ory
D 8 Frères-Henry (des)
B 8 Gabriel-Péri

C 9 Général-de-Gaulle (boulevard du)
C 8 Général-Leclerc (place du)
C 9 Gentilly (de)
B 8 Georges-Bouzerait
C 6 Germain-Dardan
B 8 Gossin
B 7 Gueudin
C 7 Guillot
B 8 Gutenberg
C 7 Henri-Barbusse
C 8 Henri-Ginoux
C 7 Hippolyte-Mulin
C 7 8-Mai-1945 (place du)
D 7 Isabelle (villa)
C 8 Jardins (impasse des)
C 7 Jean-Jaurès (avenue)
C 7 Jean-Jaurès (place)
C 8 Jean-Moulin (square)
C 8 Jean-Vallet
C 7 Joséphine (villa)
C 7 Jules-Chéret
C 8 Jules-Ferry (place)
C 7 Jules-Guesde
C 7 La-Bruyère
C 8 La-Fontaine
C 8 Leblanc (villa)
C 8 Léger (villa)
C 8 Léon-Gambetta (avenue)
B 8 Libération (place de la)
B 8 Louis-Lejeune
C 8 Louis-Rolland
C 7 Manège (passage du)
C 7 Marcel-Sembat
C 8 Marcelin-Berthelot
B 7 Marie-Debos
C 7 Marne (avenue de la)
D 8 Marx-Dormoy (avenue)
C 7 Maurice-Arnoux
D 7 Molière
C 7 Montplaisir (villa)
C 8 Morel
C 8 Myrtille-Beer

B 7 11-Novembre (du
B 7 Paix (av
C 8 Parmentier (vil
C 7 Pascal
B 7 Pasteur
C 7 Paul-Bert
C 8 Périer
C 7 Pierre-Boillaud
C 7 Pierre-Brosselette (av
B 7 Pierre-Curie
C 7 Pierre Renaudel (sq
C 7 Poitou (du
C 8 Prévost (vill
B 8 Rabelais
C 7 Racine
C 8 Racine
B 7 Radiguey
C 7 Raoul-Pugno
D 8 Raymond (pas
B 8 République (ave
D 7 République (villa
B 8 Robert-Schumann (squ
C 6 Roger-Salengro
B 8 Romain-Rolland (bou
C 8 Rondelet (cité
B 8 Ruelles (villa
C 8 Sadi-Carnot
B 8 Saint-Albin
C 7 Saisset (de)
C 7 Sévigné (de)
C 8 Solidarité (de la
C 8 Stade-Buffalo (du)
C 8 Sylvine-Candas
C 9 Thalheimer
C 9 Vanne (de la
C 7 Verdier (aver
D 7 Verdun (aver
B 8 Vergers (villa
C 8 Victor-Basch
C 8 Victor-Hugo

# NEUILLY-SUR-SEINE - 92200

plan pa

N 13 Acacia (villa de l')
N 13 Achille-Peretti (avenue)
N 13 Achille-Peretti (place)
N 11 Alexandre-Bertereau
N 14 Alfred-de-Musset (square)
N 14 Alfred-de-Musset
M 13 Amiral-de-Joinville (de l')
N 13 Amiral-Fournier (de l')
N 13 Ancelle
N 13 Angélique-Vérien
M 12 Argenson (boulevard d')
N 14 Armenonville (d')
O 11 Bagatelle (de)
O 11 Bagatelle (place de)
O 11 Bagatelle (porte de)
M 12 Bailly
M 12 Beffroy
N 13 Bellanger
L 12 Benjamin-Constant
N 13 Berteaux-Dumas
M 13 Bineau (boulevard)
M 14 Bineau (carrefour)
M 11 Blaise-Pascal

M 12 Blaise-Pascal (villa)
N 14 Blanche (villa)
N 11 Bois-de-Boulogne (du)
M 13 Borghèse
M 13 Borghèse (allée)
L 13 Bourdon (boulevard)
N 12 Boutard
O 11 Bretteville (avenue de)
N 12 Cne-Maurice-Barrès (square du)
N 11 Casimir-Pinel
M 13 Céline (avenue)
N 11 Centre (du)
M 12 Chanton (square)
N 12 Charcot
N 11 Charles-Bernard-Metman
N 12 Charles-de-Gaulle (avenue)
N 13 Charles-Laffitte
M 12 Chartran
N 14 Chartres (de)
M 12 Château (avenue du)
M 13 Château (boulevard du)
M 12 Château (du)
M 13 Chauveau

M 13 Chézy (de)
M 13 Chézy (squa
L 13 Claude-Monet (rond-
O 11 Cdt-Charcot (boule
N 14 Commandant-Pilot (du)
N 14 Dames-Augustines (des)
N 11 Delabordère
N 14 Delaizement (passa
N 12 Deleau
N 13 Devès
M 13 Duc-d'Orléans (place
N 13 École-de-Mars (de l')
N 13 Edmond-Bloud
M 12 Édouard-Nortier
M 12 Église (de l')
N 13 Émile-Bergerat (villa)
O 11 Ernest-Deloison
O 11 Ferme (de la)
N 13 Ferrand (allée)
N 11 Frédéric-Passy
N 13 Gailly (villa)
M 12 Garnier
N 13 Général-Cordonnier (du)

(suite)
...ne (du)
...ertier (du)
...ng (boulevard du)
...zac (du)
...c (boulevard du)
...at (boulevard)
(des)
(de l')
(villa)
(des)
(boulevard d')
...d
(boulevard)
(boulevard)
...nci (villa)
(de)
(place de la)
...ncourt (du)
(de)
(de)
(de)
...assigny (du)
...ichelis
(avenue de )
(villa de)
(boulevard)
(villa)
(place du)
(de la)
...ézillat
(square)
...rès (boulevard)

N 14 Méquillet (villa)
N 14 Midi (du)
N 14 Montrosier (de)
N 11 Neufchâteau (villa)
M 11 Neuilly (pont de)
N 12 Neuilly (porte de)
N 13 Orléans (d')
N 13 Orléans (passage)
L 12 Parc (boulevard du)
N 11 Parc-Saint-James (avenue du)
N 14 Parmentier
N 14 Parmentier (place)
M 13 Pasteur (villa)
M 12 Paul-Chatrousse
O 13 Paul-Déroulède
L 12 Paul-Émile-Victor (boulevard)
M 12 Perronet (avenue)
N 13 Perronet (square)
M 13 N 14 Perronet
O 11 Peupliers (villa des)
N 13 Philippe-Le-Boucher (avenue)
M 13 Pierrard
N 12 Pierre-Chalons (allée)
N 14 Pierre-Cherest (passage)
N 12 Pierret
N 12 Poissonniers (des)
M 12 Pont (du)
M 13 Puvis-de-Chavannes
O 14 Raoul-Nording
N 13 Raymond-Poincaré (place)
L 13 René-Cassin (square)
O 11 Richard-Wallace (boulevard)
N 12 Rigaud

N 14 Roule (avenue du)
N 14 Roule (square du)
N 13 Roule (villa du)
M 14 Rouvray (de)
N 13 Sablons (boulevard des)
N 13 Sablons (villa des)
N 14 Sablonville (de)
N 12 Saint-Ferdinand (passage)
N 11 Saint-James
N 11 Saint-James (rond-point)
M 13 Saint-Paul
N 13 Saint-Pierre
M 12 Sainte-Foy (avenue)
M 12 Sainte-Foy (villa)
N 12 Salignac-Fénelon
L 13 Saussaye (boulevard de la)
M 12 Saussaye (de la)
M 12 Soyer
M 12 Sylvie
L 12 Terrier (impasse)
N 12 Théophile-Gautier
M 13 Tilleuls (villa des)
N 11 Victor-Daix
M 13 M 14 Victor-Hugo (boulevard)
N 12 Victor-Noir
L 13 M 14 Villiers (de)
M 13 Villiers (square de)
L 13 Villiers (villa de)
L 13 Vital-Bouhot (boulevard)
N 11 Winsor
N 13 Winston-Churchill (place)
M 12 Ybri

## ...NT-SUR-MARNE - 94130

plan page 92

...ninault (de l')
(impasse)
(boulevard)
...ncellet
...bet (de l')
(villa)
...ier
(des)
(de l')
(de l')
(de l')
...chinez
(de)
...Perreuse
(avenue de)
(de)
(île de)
(villa de)
...ielle (avenue de)
(impasse)
(sentier de)
(impasse du)
(impasse)
(avenue)
...ers (avenue des)
...un (de)
(villa des)
(des)
...-Henriette (villa)
...abien (du)
...hand (du)
(de)
...reau (du)
(passage)
(square)
...rs-de-Verdun (des)
...de-Tassigny (avenue)
...mmunes (bd des)
(avenue de)
...oy (avenue)
...Vitry
...-Renard
...isson
...la
(allée des)
...-d'Orves (square d')
...Galbrun
(place de l')
(square de la)
(de)
(du)
...s-Rolland
...-Roosevelt (avenue)
...Péri
(boulevard)

H 9 Gambetta (boulevard)
G 11 Gare (place de la)
G 11 Gare (de la)
G 10 Gaston-Margerie
G 10 Général-Chanzy (du)
H 10 Général-Faidherbe
H 9 Général-Leclerc (place du)
G 10 George-V (boulevard)
H 9 G.-Clemenceau (avenue)
H 10 Grande-Rue-Ch.-de-Gaulle
H 9 Grillons (impasse des)
H 10 Gugnon (avenue)
G 10 Guillaume-Achille-Vivier
H 10 Gustave-Lebègue
G 10 Guy-Môquet
F 11 Hauts-Villemains (sentier des)
H 11 Henri-Dunant
G 11 Héros-Nogentais (des)
H 11 Hoche
H 10 Île-de-Beauté (prom. de l')
H 11 Jacques-Kable
H 9 Jean-Guy-Labarbe
H 11 Jean-Mermoz (place)
G 11 Jean-Monnet
H 10 Jean-Moulin
H 10 Jean-Soulès
H 11 Jeanne-Marguerite (impasse)
H 10 Jeu-de-l'Arc (du)
H 10 Jeu-de-Paume (du)
H 9 Joinville (avenue de)
G 9 Joinville (de)
H 11 José-Dupuis
H 10 Jules-Ferry
G 11 Julien-Roger (carrefour)
G 11 Kléber (avenue)
G 11 Lac (du)
G 9 Lebègue (villa)
G 9 Ledoux (villa)
H 11 Lemancel
H 10 Leprince
G 11 Lequesne
G 11 Libération (de la)
H 11 Lieutenant-Ohresser (du)
H 10 Lille (de)
G 11 Louis-Léon-Lepoutre
I 12 Loups (île des)
G 11 Lucien-Bellivier
H 10 Luxembourg (impasse du)
H 11 M.-Smith-Champion (avenue)
G 11 Mairie (de la)
G 10 Manessier
H 11 Marceau
H 11 Marcelle
H 10 Marchand (impasse)
H 11 Marché (place du)
G 11 Maréchal-Fayolle (avenue du)
G 11 Maréchal-Foch (rond-point du)
G 11 Maréchal-Franchet-d'Espérey
F 11 Maréchal-Joffre (du)
F 11 Maréchal-Lyautey (avenue du)
G 11 Maréchal-Maunoury (avenue du)
G 11 Maréchal-Vaillant (du)
H 11 Marie-Éléonore (villa)

F 11 Marlières (des)
I 9 Marne (boulevard de la)
H 9 Marronniers (avenue des)
H 11 Maurice-Chevalier (place)
I 9 Merisiers (avenue des)
I 9 Mésange (avenue de la)
H 10 Muette (de la)
G 11 Mulhouse (pont de)
I 9 Neptune (avenue de)
I 11 Nogent (pont de)
H 10 Nord (impasse du)
H 11 Nouvelle
H 11 Nughes (impasse)
H 10 Nungesser-et-Coli
G 9 Odette (avenue)
G 10 Odile-Laurent
H 10 Ouest (impasse de l')
H 9 Parc (villa du)
G 10 Parmentier
H 11 Pasteur
G 10 Paul-Bert
H 10 Paul-Doumer
H 10 Pierre-Brossolette
H 9 Pierre-Sémard (place)
H 11 Pins (impasse des)
G 11 Plaisance (de)
H 9 Plisson
F 11 Polton (avenue)
G 11 Pont-Noyelles (de)
H 11 Port (quai du)
H 11 Port (du)
H 10 Pressoir (chemin du)
G 11 Raymond-Josserand
H 11 République (boulevard de la)
H 11 Roi-Dagobert (du)
G 10 Saint-Quentin (de)
H 10 Saint-Sébastien
H 10 Sainte-Anne
H 10 Sainte-Marthe (villa)
H 11 Siegburg (rond-point)
H 11 Simone (avenue)
H 9 Source (avenue de la)
G 10 Sous-Châteaudun (passage)
G 11 Sous-Plaisance (sentier)
G 10 Stalingrad (route de)
F 11 Strasbourg (boulevard de)
H 10 Suzanne (avenue)
H 10 Théodore-Honoré
G 11 Thiers
H 9 Tilleuls (avenue des)
H 11 Tino-Rossi (square)
H 10 Val-de-Beauté (avenue du)
H 12 Viaduc (du)
H 9 Victor-Basch
H 9 Victor-Hugo
H 9 Vieux-Paris (square du)
H 10 Vignerons (des)
G 10 25-Août-44 (boulevard du)
G 10 Viselets (des)
H 9 Watteau (villa)
I 9 Yverdon (square d')
H 10 Yvon

## ...TIN - 93500

plan page 87

(quai de l')
...Capus (allée)
...de-Musset
...de-Vigny
...Lesieur (avenue)
...oré (impassed')
...e-France (avenue)
...-Messager (allée)
...villiers (impasse d')
(de)
...epaire
...r (du)
...min-Delessert
...ger
...ries (des)
...s
...ier
...dieu
...au
(du)
...gnes (avenue des)
...s (des)
...ale (de)
...ale Prolongée (de)
...re (chemin de la)
...er-Bresson
...e-Faguet
...les-Auray
...les-de-Gaulle (mail)
...les-Nodier
...nin-de-Fer (du)
...val-Blanc (du)
...vreul
...étière-Parisien (avenue du)
...de-Debussy (allée)
...de-Terrasse (allée)
...nel-Fabien (avenue du)
...lorcet
(du)
...vention (de la)
...ernic (allée)
...rtillières (avenue des)
...rtillières (parc des)
...rtois
...rtois
...ton
...rid (impasse)
...voust
...barcadère (du)
...izy
...nis-Papin
...portation (voie de la)
...portation (voie de la)
...erot
...erot (impasse)
...lerot
...stillerie (de la)
...-Leclerc (avenue de la)
...-Pellat (du)
...mond-Rostand (allée)
...ouard-Renard
...ouard-Renard (avenue)
...ouard-Vaillant (avenue)

N 9 Église (place de l')
M 10 Ernest-Renan
M 8 Étienne-Marcel
O 9 Eugène-Brieux (allée)
M 8 Eugène-et-Marie-Louise-Cornet
O 9 Faidherbe (avenue)
O 9 Flers-et-Caillavet (allée)
M 8 Florian
M 10 Formagne
L 8 Foyers (cité des)
N 10 François-Arago
N 8 Franklin
O 9 Gabrielle-Fauré (allée)
L 7 Gabrielle-Josserand
N 9 Gambetta
M 8 Gare (avenue de la)
L 7 Gare-des-Marchandises (place de la)
M 8 Général-Compans (du)
L 9 M 8 Général-Leclerc (avenue du)
M 8
K 9 George-Sand
O 9 Georges-Courteline (allée)
O 9 Georges-Courteline (allée)
M 9 Grilles (des)
N 9 Grilles (impasse des)
N 10 Guillaume-Tell
N 9 Gutenberg
N 10 Henri-Barbusse (square)
M 8 N 8 Hoche
L 7 Honoré
N 8 Honoré-d'Estienne-d'Orves
M 8 Hôtel-de-Ville (de l')
N 9 8-Mai-1945 (avenue du)
M 10 Hyppolyte-Boyer (pont)
N 10 Jacquart
L 8 Jacques-Cottin
L 8 Jardins (villa des)
O 9 Jean-Giraudoux (allée)
L 7 Jean-Jaurès (avenue)
N 8 N 9 Jean-Lolive (avenue)
N 9 Jean-Nicot
N 9 Jules-Auffret
N 9 Jules-Ferry
N 10 Jules-Jaslin
K 9 Kléber
J 8 La-Fontaine (allée)
L 7 La-Pérouse
M 9 Lakanal
K 9 Lamartine
J 9 Laplace (square)
M 9 Latéral-au-Chemin-de-Fer (chemin)
N 10 Lavoisier
O 9 Lecocq (allée)
M 10 Lépine
N 9 Lesault
M 8 Liberté (de la)
O 9 Louis-Ganne (allée)
M 9 Louis-Nadot
L 7 Magenta
M 8 Mairie (place de la)

O 9 Marcelle
J 9 Marché (place du)
L 8 Marie-Louise
N 10 Marie-Thérèse
M 8 Marine (de la)
M 10 Maurice-Borreau
O 9 Maurice-Donnay (allée)
O 9 Maurice-Ravel (allée)
N 9 Méhul
N 9 Meissonnier
N 9 Michelet
M 8 Montgolfier
N 9 Montigny
N 8 Moscou (de)
L 8 Neuve
L 7 Neuve-Berthier
J 9 Newton (allée)
M 11 Noisy (route de)
L 9 Noue (chemin de la)
M 10 Nouvelle
O 9 Octave-Mirbeau (allée)
N 9 11-Novembre-1918 (du)
M 9 Ourcq (quai de l')
N 9 Paix (de la)
M 10 Palestro (de)
N 10 Parmentier
L 7 Pasteur
N 9 Paul-Bert
O 9 Paul-Dukas (allée)
M 10 Petit-Pantin (impasse de)
M 10 Pierre-Brossolette
N 9 Pommiers (des)
J 9 Pont-de-Pierre (du)
N 8 Pré-Saint-Gervais (du)
M 8 Président-Allende (place du)
K 9 Racine
N 9 Regnault
N 10 République (parc de la)
N 10 Résistance (avenue de la)
O 9 Reynaldo-Hahn (allée)
M 8 Roche (passage)
M 10 Roger-Gobaut
N 10 Romainville (impasse de)
N 9 Rouget-de-Lisle
M 8 Sadi-Carnot
N 8 Saint-Louis
L 7 Sainte-Marguerite
M 8 N 8 Scandicci (de)
N 8 Sept-Arpents (impasse des)
N 8 Sept-Arpents (des)
N 9 Stalingrad (parc)
K 9 Stendhal
O 9 Thalie
N 9 Théophile-Leducq
M 8 Timi-Soara (de)
L 8 Toffier-Decaux
O 9 Tristan-Bernard (allée)
N 8 Vaucanson
M 8 Victor-Hugo
O 7 Victorien-Sardou (allée)
L 10 Vignes (chemin des)
L 7 Weber (avenue)
N 10 Westerman

## LE PRÉ-SAINT-GERVAIS - 93310

plan page 88

O 8 Acacias (avenue des)
O 8 Aigle (avenue de l')
O 8 Albert-Thomas (allée)
O 8 Alphonse-Quizet (allée)
O 8 Anatole-France
O 8 Anatole-France (place)
O 8 André-Joineau
N 8 Auguste-Blanqui (allée)
O 9 Avenir (villa de l')
N 8 Baudin
O 9 Beau-Soleil (avenue)
O 8 Bellevue (avenue de)
O 8 Belvédère (avenue du)
N 8 Béranger
O 8 Cne-Louis-Soyer (du)
N 8 Carnot
O 8 Chardanne
N 9 Charles-Fourier (allée)
N 8 Charles-Nodier
N 9 Chevreul
N 8 Cité-Rabelais (passage)
O 8 Clos-Lamotte (sente du)
O 8 Colette-Audry
O 9 Cornettes (sentier des)
N 8 Cristino-Garcia (carrefour)
O 9 Danton
O 8 Deltéral
O 8 Edmond-Pépin (square)

O 9 Édouard-Vaillant (avenue)
O 8 Émile-Augier
O 9 Émile-Zola
N 9 Étienne-Cabet (allée)
O 9 Faidherbe (avenue)
O 9 Faidherbe (square)
N 9 Francisco-Ferrer (avenue)
N 9 Franklin
N 9 Gabriel-Péri
O 9 Général-Zarapoff (square du)
N 9 Garibaldi
O 8 Général-Leclerc (place du)
O 8 Geneste (sente)
N 8 Giengen-sur-Brentz (place)
N 9 Gracchus-Babeuf (allée)
O 8 Grande-Avenue
N 9 Gutenberg
N 8 Henri-Martin
O 9 Henri-Sellier (place)
N 8 Honoré-E.-d'Orves (d')
N 8 Jacquard
N 8 Jean-Baptiste-Clément
O 8 Jean-Baptiste-Sémanaz
O 9 Jean-Jaurès (place)
O 9 Jean-Jaurès (avenue)
N 9 Jules-Auffret
O 9 Jules-Jacquemin
N 8 Lamartine

O 9 Lilas (villa des)
O 8 Lions (villa des)
N 9 Louis-Blanc
O 8 Mairie (passage de la)
N 8 Marceau
O 9 Marchais (sentier des)
O 8 Marronniers (avenue des)
N 8 Marx-Dormoy
N 8 Paul-de-Kock
O 9 Pavillons (passage des)
O 8 Pierre-Brossolette
N 9 Pierre-Joseph-Proudhon
N 8 O 9 Progrès (du)
N 8 14-Juillet (du)
N 8 Roger-Salengro
N 8 Saint-Simon (allée)
N 8 Sept-Arpents (des)
O 9 Séverine (place)
O 8 Simonnot
N 9 Sismondi (allée)
O 8 Soupirs (avenue des)
N 8 Stalingrad (de)
O 9 Sycomores (avenue des)
N 9 Thomas-Moore (allée)
O 9 Trou-Marin (passage du)



## PUTEAUX - 92800

plan page 80

N 10 Abbé-Guibert (de l')
O 10 Agathe
O 9 Ampère
M 10 Anatole-France (n°3-résidence)
M 10 Anatole-France
O 9 Ancien-Château (n°20-résidence)
M 9 Anciens-Edgar-Quinet (n°1-rés. des)
N 9 Anciens-Richard-Wallace (n°2-rés. des)
N 10 André-Leclerc
M 11 Arago
N 10 Auguste-Blanche
N 10 Barbès
N 9 Bas-Rogers (des)
M 11 Bellini (n°4-résidence)
M 11 Bellini
N 10 Benoît-Malon
N 8 Bergères (rond-point des)
N 9 Bernard-Palissy (n°5-rés.)
N 9 Bernard-Palissy
N 9 Bicentenaire (du)
N 10 Bourgeoise
M 9 Bouvets (boulevard des)
M 9 Brazza (de)
M 9 Carré-Vert (n°8-rés. du)
N 9 Cartault (n°6-résidence)
N 9 Cartault
N 9 Champs-Moisiaux (square des)
N 10 Chante-Coq
M 8 Charcot
N 9 Charles-Chenu
M 9 Charles-Lorilleux (n°7-résidence)
M 9 Charles-Lorilleux
M 9 Chigneux (sente des)
N 10 Collin
N 8 Compagnie-des-Eaux (chemin de la)
N 11 De-Dion-Bouton (quai)
M 9 Demi-Lune (route de la)
N 9 Deux-Horloges (n°9-résidence)
L 10 Division-Leclerc (avenue de la)
M 9 Edgard-Quinet
M 10 Édouar-Vaillant
N 10 Église (de l')
N 9 Eugène-Eichenberger
N 8 Félix-Faure (avenue)
M 9 Félix-Pyat

N 9 Fernand-Pelloutier
M 9 Fontaines (n°1-rés. des)
M 9 Fontaines (des)
N 10 Four (du)
O 9 Francis-de-Préssensé
M 9 Frank-Kupka
N 8 Fusillés (des)
N 8 Fusillés (n°11-rés. des)
M 10 Gambetta
O 9 Georges-Hassoux (voie)
O 9 Georges-Legagneux
O 9 Georges-Pompidou (avenue)
N 10 Gérhard
N 10 Godefroy
M 9 Graviers (des)
N 9 Gutenberg (avenue)
N 9 Hanet
N 10 Henri-Martin
M 9 Hoche
O 10 8-Mai-1945 (du)
O 10 8-Mai-1945 (passage du)
M 9 Imprimeurs (des)
N 10 Jean-Jaurès
M 10 Jean-Moulin
M 9 Jules-Ferry
M 10 Jules-Guesde
M 9 Jules-Verne
O 9 Keighley (place)
M 9 Lavoisier
N 10 Léon-Blum (square)
M 9 Loges (sente des)
M 10 Louis-Pouey (n°12-résidence)
M 10 Louis-Pouey
N 9 Lucien-Voilin
N 10 Manissier
M 9 Marcellin-Berthelot
M 9 Marcellin-Berthelot (n°13-rés.)
N 10 Marius-Jacotot
N 10 Mars-et-Roty
N 9 Martyrs-de-la-Résistance (square des)
O 9 Michel (cité)
M 9 Michets-Petray (des)
M 10 Michets-Petray (des)
N 9 Moissan (n°14-résidence)
M 9 Monge
N 9 Monge (square)

M 10 Montaigne
M 9 Moulin (du)
N 9 Moulin (n°15-rés. du)
M 9 Nélaton
M 11 Neuilly (pont de)
M 10 Oasis (de l')
O 10 Parmentier
N 8 Pasteur
N 9 Paul-Bert
M 10 Paul-Lafargue
N 10 Pavillons (des)
N 8 Pierre-Curie
M 11 Pierre-Gaudin (boulevard)
N 10 Pitois
M 10 Platanes (n°21-rés. des)
M 9 Président-Wilson (avenue du)
N 9 Puits (du)
O 10 Puteaux (pont de)
N 10 Rabelais
N 10 Rabelais (place)
N 9 République (de la)
N 10 Richard-Wallace (boulevard)
M 10 Rivière-Lefoulon (de la)
N 10 Roque-de-Fillol
M 8 Rosiers (des)
M 9 Rosiers (n°16-rés. des)
N 9 Rouget-de-Lisle
N 10 Rousselle
M 9 Sadi-Carnot
N 10 Saint-Ferdinand (passage)
N 10 Saulnier
N 11 Soljenytsine (boulevard)
N 10 Stalingrad (place)
N 9 Station (de la)
N 8 Tilleuls (avenue des)
L 9 Valmy (de)
O 9 Verdun
O 9 Verdun (n°19-résidence)
N 9 Victor-Hugo
N 10 Victor-Hugo (n°17-résidence)
N 10 Vieille-Église (n°18-rés. de la)
M 9 Villes-Jumelées (allée des)
L 9 Vimy (de)
M 10 Volney
O 9 Volta
O 10 Voltaire
O 10 Voltaire (passage)

## LA DÉFENSE - 92800

plan page 80

(voir plan détaillé page 35)

M 11 La Défense 1
M 10 La Défense 2
M 10 La Défense 3
M 10 La Défense 4
M 10 La Défense 5
L 10 La Défense 6
M 9 La Défense 7
M 10 La Défense 8
M 10 La Défense 9
M 10 La Défense 10
M 11 La Défense 11
M 10 M 11 Circulaire (boulevard)
M 10 Défense (place de la)
L 10 Gambetta (avenue)
M 10 Général-De-Gaulle (esplanade du)
M 10 Jean-Moulin (avenue)
M 11 Le Parvis
M 11 Louis-Blanc
M 11 Neuilly (boulevard de)
M 11 Pierre-Gaudin (boulevard)

**TOURS-RÉSIDENCES-BATIMENTS**

M 10 AIG
L 10 Ampère
M 11 Ancre (l')
M 10 Ariane
M 11 Assur
M 11 Athéna
M 10 Atlantique
M 10 Atochem
M 10 Aurore
L 10 Berkeley
M 10 Boieldieu
L 10 CNIT

M 10 Coface
M 9 Colline-de-la-Défense
L 9 Collines-de-l'Arche (les)
M 10 Crédit-Lyonnais
M 11 Damiers (les)
L 10 Dauphins (les)
M 10 Défense (résidence)
M 10 Défense 2000
L 10 Delalande
L 10 Descartes
M 10 Diamant (le)
M 9 Dôme-Imax
M 10 EDF-GDF
L 10 ELF
M 10 Élysées-La-Défense
L 9 Espace 21
M 10 Europe
M 10 Ève
M 10 Exxon-Chemical
M 10 Framatome
M 10 Franklin
M 10 Galilée
M 10 Gallion (le)
L 10 Gambetta
M 11 Gan
L 10 Grande-Arche (la)
L 10 Griffine-Venilia
M 11 Harmonie
M 10 Haworth
M 11 Ibis-Novotel
M 10 Île-de-France
M 11 Iris
M 10 Jean-Monnet
M 9 Kupka
L 10 La-Fayette

L 11 Lavoisier
M 10 Lorraine
M 10 Louis-Pouey
M 10 Manhattan
M 10 Manhattan-Square
L 10 Maréchal-Leclerc
M 10 Michelet (le)
M 10 Minerve
M 11 Miroirs (les)
M 10 Monge
M 11 Neptune
M 10 Neuilly-Défense
M 10 Olivetti-Logabax
M 9 Pacific (le)
M 9 Pascal
M 11 Péchiney-Balzac
M 10 Platanes (les)
M 9 Président Wilson (avenue du)
M 10 Quatre-Temps (les)
M 11 Roussel-Hoechst
M 11 Saisons (les)
M 10 Scor
M 10 Septentrion
L 10 Sirène (la)
M 9 Société-Générale
M 10 Sofitel
L 10 Technip
M 11 Thomson-Multimédia
M 10 Total
M 10 Utopia
M 11 Véritas
M 10 Vision 80
M 9 Voltaire
M 10 Winthertur

## ROMAINVILLE - 93230

plan page 88

O 12 Abbé-Bourbon (de l')
O 11 Abbé-Houël (de l')
M 11 Albert-Desnos
P 12 Albert-Thomas
P 11 Alembert (d')
P 12 Alexandre-Dumas
N 12 Alphonse-Leydier
M 12 Anatole-France
N 11 Ancien-Château (impasse de l')
N 11 André-Léonet (place)
P 12 Arago
P 12 Arbitrage (sente de l')
N 11 Aviation de l'
N 12 Bas-Pays (des)
N 12 Bellevue (allée)
P 12 Benfleet (de)
N 10 Bergeries (des)
Q 12 Berlioz (avenue)
N 12 Bethisy (sente)
O 12 Bleuets (des)
N 12 Bonnes (allée des)
P 13 Boissière (boulevard)
O 12 Brazza (passage)
O 12 Brazza (villa)
M 11 Bretagnes (avenue)
P 12 Buffon (villa)
P 13 Butte-Brachet (sente de la)
O 12 Camp (du)
O 12 Camp (sente du)
O 12 Camp (impasse du)
N 11 Capitaine-Guynemer (du)
O 12 Carnot (place)
O 12 Carnot
P 12 Carolus
N 12 Carrières (des)
P 12 Chalets (des)
N 11 Chantaloups (des)
N 12 Chantaloups (sente des)
P 13 Chemin-Vert (du)
P 13 Chemin-Vert (allée du)
O 12 Chevalier (sente)
N 11 Colonel-Fabien (du)
M 11 Commune-de-Paris (de la)
O 12 Convention (de la)

O 12 Convention (villa de la)
N 11 Cortœufs (sente des)
N 12 Coudes-Cornettes (ste. des)
O 11 Derrière-les-Murs (ruelle de)
O 11 19-Mars-1962 (place du)
P 13 Docteur-Calmette
P 13 Docteur-F.-Lamaze (avenue du)
N 12 Docteur-Parat (du)
O 12 Docteur-Rosenfeld (avenue du)
N 11 Docteur-Vaillant (avenue du)
P 12 Économes (sente des)
P 12 Édouard-Branly (boulevard)
O 11 Émile-Genevoix (boulevard)
P 12 Émile-Zola
P 12 Étienne-Dolet
P 13 Étienne-Marcel
P 12 Eugène-Levasseur
N 12 Fauvettes (allée des)
P 11 Félix-Neel
O 11 Ferme (sente de la)
O 11 Ferme (sentier de la)
P 12 Ferrand (sente)
O 12 Fleurs (avenue des)
P 11 Floréal
O 11 Fontaines (des)
O 10 Fort (du)
P 12 Fraternité (de la)
P 12 Fraternité (villa de la)
M 11 Frères-Lumière (des)
O 12 Gabriel-Husson
P 12 Gallieni
P 12 Gambetta (villa)
O 12 Goulet (du)
Q 12 Graviers (des)
P 13 Gué (impasse du)
O 12 Gué (sente du)
P 13 Gué (villa du)
O 12 Henri (villa)
P 11 Henri-Barbusse (boulevard)
O 12 8-Mai-1945 (du)
O 12 Irène-Joliot-Curie
P 12 Jean-Charcot
M 12 Jean-Jacques-Rousseau
P 13 Jean-Jaurès

P 12 Jean-Jaurès (sente)
O 13 Jean-Lemoine
P 13 Jean-Moulin (place)
O 11 Joseph-Bara
O 12 Jules-Ferry
O 12 Jules-Ferry (villa)
N 10 Jules-Jaslin
P 12 Laborieux
O 11 Labyrinthe (sente du)
M 11 Latéral (chemin)
O 11 Lénine (avenue)
O 11 Liberté (de la)
O 12 Liberté (impasse de la)
P 12 Libre-Pensée (de la)
P 12 Libre-Pensée (sente de la)
P 12 Lionel (impasse)
O 12 Loriots (chemin des)
P 12 Louis-Aubin
M 11 Louise-Dory
O 12 Lys (impasse des)
N 11 Maneyrol
O 12 Marcel (villa)
P 12 Marcel-Ethis
O 12 Mares (des)
O 12 Mares (sente des)
O 12 Marguerites (allée des)
N 12 Mésanges (allée des)
M 12 Metz (avenue de)
P 12 Michelet (passage)
P 13 Mirabeau
N 12 Montagne (de la)
P 13 Montreuil (route de)
M 12 Noisy (route de)
O 11 Normandie-Niemen
P 10 Noyers (des)
P 12 Oradour-sur-Glane
P 12 Ormes (des)
P 12 Oseraies (des)
P 12 Oseraies (impasse des)
P 12 Oseraies (impasse des)
P 13 Pablo-Neruda (cité)
M 11 Paix-Verte (sente de la)
O 11 Paris (de)
O 12 Parmentier

# SAINT-CLOUD - 92210

plan page 102

D 13 Albert-1er (avenue)
E 12 Alexandre-Coutureau
D 13 Alfred-Belmontet (avenue)
D 13 Alphonse-Moguez (avenue)
F 12 Anatole-Hébert
E 13 André-Chevrillon
D 13 Aqueduc (avenue de l')
F 13 Arcade (de l')
E 12 Armengaud
F 13 Audé
D 12 Avre (de l')
D 10 Bad-Godesberg (allée)
E 13 Béarn (de)
D 12 Beausoleil (résidence)
D 12 Bérengère (parc de la)
D 13 Bernard-Palissy (avenue)
E 13 Bois-de-Boulogne (du)
D 13 Bory-d'Arnex (avenue)
E 12 Bucourt
D 11 Buzenval (de)
E 13 Calvaire (du)
D 11 Camp-Canadien (du)
E 13 Carnot (quai)
F 13 Carnot (quai)
E 12 Caroline (avenue)
F 12 Centre (avenue du)
F 13 Cerisiers (place des)
F 12 Chalets (avenue des)
E 11 Chanioux (allée des)
D 13 Charles-Blum
F 13 Charles-De-Gaulle (place)
F 13 Charles-Lauer
F 12 Chemin-de-Fer (du)
C 12 Cicérone (avenue)
D 13 Clodoald (avenue)
E 12 Clos (sente du)
E 11 Clos-Jacoulet (le)
F 12 Cdt-Lareinty (du)
D 13 Coteaux (passage des)
E 12 Cottage-Picard (allée du)
F 12 Crillon (de)
E 13 Dailly
F 13 Dantan
E 13 Dix-Huit-Juin (du)
F 13 Docteur-Desfossez (du)
D 13 Docteur-Nicoli (du)
D 13 Duval-le-Camus (avenue)
C 13 Duval-le-Camus (rond-point)
E 13 Écoles (des)
F 12 Edeline
F 13 Église (de l')
F 13 Église (place de l')
F 12 Émile-Verhaeren
E 12 Ernest-Tissot
E 13 Eugénie (avenue)
F 13 Faïencerie (place de la)
E 11 Ferdinand-Chartier
E 13 Feudon
D 12 Flore (avenue de)
E 12 Florent-Schmitt (avenue)

E 11 Foch (allée)
C 12 Fouilleuse (avenue)
C 12 Francis-Chaveton
D 10 Frascati (allée de)
F 11 Frênes (allée des)
E 11 Gaillons (des)
F 11 Garches (de)
D 12 Gare-du-Val-d'Or (place de la)
F 11 Garenne (de la)
E 13 Gaston-Latouche
F 11 Gaston-Rollin
E 13 Gâte-Ceps (des)
F 10 Général-de-Gaulle (boulevard du)
F 13 Général-de-Gaulle (place du)
F 12 Général-Leclerc (avenue du)
F 13 G.-Clemenceau (place)
E 12 Girondins (des)
F 12 Gounod
E 11 Grands-Champs (impasse des)
F 13 Grille-d'Honneur (avenue de la)
C 12 Gymnases (allée des)
E 12 Henri-Chrétien (place)
E 12 Henri-Regnault
D 10 Ile-de-Franc (square de l')
E 12 Jacoulet
E 11 Jean-Chieze (villa)
F 13 Jeanne
F 11 Joseph-Lambert
E 11 Joseph-Leguay
F 12 Joséphine
E 13 Jules-Peltier (boulevard)
F 11 Laval (de)
F 11 Lelégard
F 13 Lessay (place de)
F 13 Libération (de la)
F 12 Lilas (allée des)
D 13 Longchamp (avenue de)
D 13 Longchamp (rond-point de)
E 11 Longchamp (allée des)
C 12 Louis-Loucheur (boulevard du)
F 12 Magenta (place)
F 11 Marbeau
D 13 Marcel-Dassault (quai)
G 13 Maréchal-Juin (quai)
H 13 Maréchal-Juin (quai)
D 13 Mal-de-L.-de-Tassigny (quai)
E 12 Maréchal-Foch (avenue du)
D 12 Marie-Bonaparte
E 13 Marius-Franay
F 12 Marronniers (avenue des)
F 12 Maurice-Ravel
D 12 Michel-Salles
E 13 Milons (des)
E 13 Milons (sente des)
F 12 Montesquiou (de)
E 12 Montretout (de)
D 12 Mont-Valérien (du)
D 10 Moustier (place du)
F 12 Nancy (avenue de)
F 13 Nogent (de)

F 13 Orléans (d')
F 13 Palais (avenue du)
F 12 Parc (avenue du)
F 12 Paris (avenue de)
G 11 Paris-à-Versailles (route de)
F 13 Pas-de-Saint-Cloud (place du)
F 13 Pas-de-la-Mule (sente du)
F 12 Passerelle (avenue de la)
F 11 Pasteur
F 11 Pasteur (villa)
E 13 Pâtures (avenue des)
E 12 Paul-Ollendorff
F 13 Pavée
E 12 Pavillons-Sévin (avenue des)
D 12 Pierrier (du)
F 12 Pigache
D 13 Pommeraie (avenue de la)
D 13 Pommeraie (passage de la)
E 12 Pommiers-Rouges (sentier des)
E 11 Porte-Jaune (de la)
F 12 Pozzo-di-Borgo (avenue)
F 12 Preschez
F 12 Preschez (villa)
E 12 Redoute (de la)
E 11 René (avenue)
C 12 République (boulevard de la)
D 13 Romand (avenue)
D 13 Romand (rond-point)
F 11 Roses (allée des)
F 13 Rouen (de)
F 13 Royale
F 13 Saint-Cloud (pont de)
D 10 Saint-Cloud-Floride (passage)
D 10 St-Cloud-Minnesota (passage)
D 10 Sainte-Clothilde (square)
D 13 Santos-Dumont (place)
D 13 Sénard (boulevard)
F 11 Sévin-Vincent
F 13 Silly (place de)
F 11 Source (de la)
D 13 Suresnes (avenue de)
E 11 Tahère
E 12 Tennerolles (des)
F 12 Terres-Fortes (des)
D 10 Tour (passage de la)
E 12 Traversière
C 13 Treille (allée de la)
E 13 Trois-Pierrots (chemin des)
E 12 Trois-Pierrots (pont des)
C 13 Val d'Or (du)
F 13 Vauguyon
F 13 Vauguyon (place)
D 13 Verrerie (de la)
D 13 Vignes (avenue des)
E 12 Villarmains (des)
E 12 Villes-Jumelées (des)
D 13 Viris (des)
E 12 Weill
D 10 Wittenheim (square de)
D 13 Yser (de l')

# SAINT-DENIS - 93200

plan page 84

G 4 Abélard (passage)
I 4 Ahmede-Boughera-el-Ouafi
I 4 Aiguilles (mail des)
H 6 Alan-Sheppard
G 5 Albert-Einstein
G 4 Albert-Walter
G 6 Alembert (d')
H 6 Alexis-Léonov
G 4 Alouette (place de l')
G 2 Alphonse-Combe
I 5 Alsace (allée d')
H 3 / G 2 Ambroise-Croizat
J 2 Amélie (passage)
H 4 Amiral-Caillard (de l')
I 2 Ampère
J 2 Anatole-France (boulevard)
I 3 Anatole-France (boulevard)
J 2 Anatole-France (villa)
G 4 Ancienne-Tannerie (passage de l')
F 6 Andilly (d')
H 5 Anjou (allée d')
G 4 Aqueduc (de l')
F 5 Argenteuil (d')
F 5 Arnouville (d')
G 4 Arquebusiers (passage de l')
H 5 Arthur-Fontaine
F 4 Arthur-Rimbaud
J 4 Arts-et-Métiers (avenue des)
H 3 Aubert
I 5 Aubervilliers (chemin d')
G 4 Auguste-Blanqui
F 3 Auguste-Delaune (cité)
G 3 Auguste-Delaune
F 3 Auguste-Poullain
F 6 Aulnay (d')
F 6 Aulnes (allée des)
K 3 Bailly (de)
F 6 Basilique (promenade de la)
G 2 Basse-du-Port
H 4 Baudet
I 2 Beaumonts (des)
H 5 Bec-à-Loué (du)
H 5 Bel-Air (place)
H 4 Bel-Air (villa du)
J 2 Berline (place de la)
F 4 Berne
H 5 Berry (allée du)
G 6 Berthelot
H 5 Berthie-Albrecht (allée)
J 4 Blés (des)
F 5 Bleuets (des)
H 3 Bobby-Sands
J 4 Boise (impasse)
J 4 Boise (passage)
F 5 Bonneuil (de)
F 4 Bonnevide (avenue)
F 6 Borodine
G 3 Boucheries (des)
G 3 Boucheries (impasse des)
G 4 Boulangerie (de la)
F 5 Boulogne (de)
F 5 Bourget (du)
G 3 Boursier (cité)
I 2 Bréchon (passage)
I 4 Brennus (de)
I 5 Bretagne (allée de)
I 4 Bretons
F 2 Briche (de la)
G 2 Brise-Échalas
I 2 Calon
E 3 Camelinat
G 6 Camille-Simonet
H 4 Canal (du)
H 3 Canal (passage du)
H 4 Canal-de-St-Denis (quai du)
G 4 Caquet (place du)
G 3 Carnot (boulevard)
G 3 Catulienne
H 4 Cayeux
F 5 Chantilly (de)
G 2 Chanut (impasse)
F 4 Charles-Baudelaire
H 4 Charles-Cros
H 2 Charles-Michels
G 3 Charronnerie (de la)
G 3 Châteaudun (impasse)
K 4 Chaudron (impasse)
G 3 Chaumettes (des)
F 4 Che-Guevara (allée)
F 6 Chemin-Vert (du)
J 3 Cheminots (des)
K 3 Chevalier (impasse)
F 6 Chevalier-de-la-Barre (du)
I 4 Chimie (de la)
F 5 Choisy (de)
F 6 Chopin
H 3 Christ (du)
L 4 Cimetière (avenue du)

I 5 Clos-Saint-Quentin (du)
F 5 Clovis-Hugue (place)
F 5 Clovis-Hugues
H 2 Coignet (impasse)
F 3 Colonel-Fabien (avenue du)
G 4 Commune-de-Paris (boulevard de la)
F 5 Compiègne (de)
H 3 Compoint (passage)
F 3 Conje (allée de la)
G 3 Corbillon (du)
J 4 Cornillon (chemin du)
I 4 Cornillon (place du)
F 6 Corot
J 2 Cotrel (passage)
H 6 Courneuve (route de la)
G 6 Courses (des)
G 3 Courte
F 6 Courtille (cité de la)
I 4 Couture-St-Quentin (de la)
H 6 Crèvecoeur (chemin de)
J 4 Cristino-Garcia
K 4 Croix-Faron (de la)
G 4 Croult (chemin du)
G 4 Cygne (du)
G 4 Dagobert (place)
F 3 Dalmas (de)
H 2 Daniel-Féry (allée)
H 3 Danielle-Casanova
G 3 Danré (villa)
F 5 David-Siquéiros
G 3 Denfert-Rochereau
H 5 Denise-Brisson (allée)
H 3 Désiré-Lelay
F 5 Deuil (de)
G 3 Dezobry
G 6 Diderot
G 6 Diderot
E 3 19-Mars-1962 (du)
G 5 Dr-Delafontaine (du)
J 2 Docteur-Finot (du)
G 5 Docteur-Lamaze (avenue du)
I 2 Docteur-Poiré (du)
H 4 Dohis
K 4 Drapiers (des)
J 4 Driots-de-l'Homme (place des)
J 4 Duchef-Delaville (place)
G 4 Dupont (passage)
J 4 Dupont (passage)
I 2 Duval (impasse)
F 5 Eaubonne (d')
H 4 Ecluse (passerelle de l')
G 5 Écoles (passage des)
F 5 Écouen (d')
I 2 Edouard-Mazé
G 4 Edouard-Vaillant
H 6 Edouard-White
I 4 Ellipse (mail de l')
G 3 Elsa-Triolet
G 4 Émaillerie (de l')
G 3 Emile-Connoy
G 5 Emile-Zola
F 5 Enghien (d')
G 3 Équerre-d'Argent (passage de l')
F 3 Ermitage (place de l')
F 5 Ermont (d')
G 3 Ernest-Renan
G 4 Etienne-Michard
G 4 Étoffes (passage des)
G 4 Étuves (passage des)
F 3 Eugène-Fournière
E 3 Eugène-Hénaff
E 3 Eugène-Pottier
F 5 Ézanville (d')
F 7 Falla (de)
G 4 Félix-Faure (boulevard)
G 3 Ferdinand-Gambon
J 4 Ferdinand-Grenier
G 5 Ferme (de la)
G 5 Ferme (impasse de la)
F 6 Ferrer
F 6 Floréal (cité)
G 5 Folie-Brais (de la)
G 3 Fontaine
F 2 Fort-de-la-Briche (avenue du)
F 2 Fort-de-la-Briche (chemin du)
F 2 Fort-de-la-Briche (chemin du)
H 5 Fort-de-l'Est (du)
G 4 Four-Bécart (du)
J 3 Fraizier
H 4 Franc-Moisin (pont du)
H 5 Franc-Moisin (cité du)
I 5 Franche-Comté (allée de)
H 3 Franciade
J 4 Francis-de-Pressensé (avenue)
J 2 Francisque-Poulbot
H 4 Francisque-Sarcey
F 3 François-Mauriac
J 3 François-Mitterrand (avenue)
H 5 Francs-Moisins (avenue des)

G 3 Franklin (impasse)
G 3 Franklin
F 6 Frênes (allée des)
H 3 Frontier (impasse)
F 3 Fructidor (passage)
J 3 Fruitiers (chemin des)
H 4 Gabriel (villa)
F 4 Gabriel-Péri (square)
G 3 / H 3 Gabriel-Péri
G 2 Gare (place de la)
F 6 Garenne (de la)
I 5 Gascogne (allée de)
F 3 Gaston-Dourdin
F 3 Gaston-Dourdin
E 3 Gaston-Monmousseau
J 4 Gauguières (passage des)
J 4 Gaz (impasse du)
J 4 Gaz (passage du)
I 4 Gazomètres (des)
I 4 Général-de-Gaulle (avenue du)
H 4 Général-Gallieni (du)
G 5 Général-Joinville (du)
F 4 Général-Leclerc (place du)
H 3 Genin
F 6 Georges-Bizet
F 4 Georges-Politzer
F 6 Gérard-de-Nerval
F 3 Gérard-Philippe
H 4 Germain-Nouveau
F 3 Germinal (passage)
F 3 Gesse (de)
G 3 Gibault
G 2 Gisquet
F 7 Granados
J 2 Grumes (place aux)
F 3 Guernica (allée)
F 6 Guillaume-Apollinaire
H 5 Gutenberg (allée)
F 4 Guy-Môquet
E 4 Guynemer (cité)
E 4 Guynemer
E 4 Guynemer
G 3 Haguette (passage)
H 4 Haguette
L 4 Hainguerlot (pont)
G 4 Halle (place de la)
J 4 Hameau-du-Cornillon (chemin du)
F 3 Hélène-Boucher (passage)
F 5 Henri-Barbusse
I 4 Henri-Delaunay
J 4 Henri-Murger-Prolongée
J 2 Hotchkiss
G 3 8-Mai-1945 (place du)
G 2 Ile-Saint-Denis (pont de l')
F 6 Ile-de-France (square de l')
K 4 Imprimerie (de l')
I 2 Industrie (de l')
G 5 Irène-et-Frédéric-Joliot-Curie (avenue)
G 6 Jacques-Prévert
F 6 Jacques-Vaché
F 4 Jacques-Woog
F 3 Jacquis-Duclos (cité)
F 3 Jacquis-Duclos
G 3 Jambon (du)
G 5 Jean-Baptiste-Clément
G 6 Jean-Jacques-Rousseau
E 3 Jean-Pierre-Timbaud
F 3 Jean-Catelas (allée)
F 5 Jean-Cocteau
G 3 Jean-Jaurès (place)
G 4 Jean-Jaurès
F 2 Jean-Lurçat
H 4 Jean-Macé
G 3 Jean-Marcenac
F 3 Jean-Mermoz
F 4 Jean-Moulin (avenue)
G 2 Jean-Poulmarch (place)
G 5 Jean-Richard-Bloch (allée)
H 4 Jeanne-d'Arc
H 5 Jeanne-Labourde (allée)
I 4 Jesse-Owens
K 4 Jeumont
H 4 Joseph-Baum (sentier)
G 4 Jouy (passage du)
J 2 Jules-Daunay (impasse)
H 2 Jules-Génovési
G 3 Jules-Guesde (boulevard)
G 3 Jules-Joffrin
I 4 Jules-Rimet
I 3 Jules-Saulnier
F 4 Jules-Védrine
E 3 Julian-Grimau (place)
G 4 Lacroix (passage)
J 4 Landy (du)
J 3 Landy (du)
J 3 Langlier-Renaud
I 5 Languedoc (allée du)

G 3 Lanne
F 5 Las-Casas (allée)
F 4 Lautréamont (place)
H 4 Le-Roy-des-Barres
G 4 Légion-d'Honneur (de la)
F 4 Lénine (avenue)
J 4 Léon (impasse)
F 6 Léon-Carémé
H 5 Léonard-de-Vinci (allée)
K 4 Les-Jardins-Wilson
H 4 Lesne
G 2 Libération (boulevard de la)
F 4 Liberté (de la)
I 5 Limousin (allée du)
F 6 Livry (de)
H 3 Lorget
F 6 Lormier
I 5 Lorraine (allée de)
E 4 Loubet
J 2 Louis (impasse)
E 4 Louis-Collerais
G 6 Louis-Feuillade
F 5 Louis-Larivière
H 4 Louise-Michel (allée)
F 3 Lucien-Sampaix (place)
J 4 Maraîchers (des)
G 5 Marcel-Cachin (avenue)
F 5 Marcel-Croxo
G 3 Marcel-Sembay
H 5 Maréchal-Lyautey
F 6 Marialles (square des)
H 4 Marie-Dubois
F 6 Marnaudes (des)
G 4 Marronniers (des)
G 5 Marronniers (des)
F 4 Marti (allée)
I 2 Martin-Deleuze
F 3 Martyrs-Châteaubriant (des)
F 6 Marville (chemin de)
G 6 Massenet
H 5 Maurice-Audin
F 3 Maurice-Thorez
F 3 Max-Jacob
G 5 Ménand
F 5 Mériel (de)
F 3 Messidor (place)
F 5 Métairie (de la)
K 4 Métallurgie (avenue de la)
G 6 Metz (impasse de)
H 3 Meunier (passage)
J 4 Michel (impasse)
F 5 Miguel-Angel-Asturias (allée)
I 4 Mondial-1998 (du)
H 6 Monjardin (villa)
K 4 Montjoie (de la)
F 5 Montmagny (de)
F 4 Montmorency
G 3 Moreau
G 6 Moulin-Basset (chemin du)
G 4 Moulin-Choisel (passage du)
F 3 Moulins-Gémeaux (des)
F 6 Muande (square de la)
H 4 Muguets (des)
F 3 Myosotis (allée des)
G 3 Nay
F 5 Neuilly (de)
H 3 Nicolas-Leblanc
F 5 Nord (du)
I 5 Normandie (villa de)
H 5 Œillets (des)
I 4 Olympisme (de l')

J 2 Ornano (boulevard)
F 6 Palmiers (villa des)
I 4 Parc-à-Charbons (du)
H 3 Parmentier (place)
F 6 Pasteur
F 6 Pasteur
F 6 Paul-Cézanne
F 2 Paul-Éluard (place)
G 2 Paul-Éluard
J 4 Paul-Lafargue
F 4 Paul-Langevin (place)
H 4 Paul-Vaillant-Couturier (avenue)
F 4 Paul-Verlaine
G 4 Pays-Bas (chemin des)
H 5 Périgord (allée du)
K 3 Petits-Cailloux (chemin des)
I 2 Pianos (place des)
I 5 Picardie (allée de)
F 3 Picot (passage)
H 4 Picou (impasse)
F 3 Pierre-Brossolette
G 6 Pierre-Curie
G 4 Pierre-de-Montreuil (place)
H 4 Pierre-Giffard
E 3 Pierre-Sémard (place)
H 4 Pinel
G 5 Platanes (des)
I 2 Pleyel (carrefour)
I 2 Pleyel (carrefour)
J 2 Pleyel
F 6 Plouich
G 4 Pont-Godet (du)
G 4 Pont-Godet (place du)
F 3 Pont-Saint-Lazare (du)
G 2 Port (du)
H 3 Port (quai du)
H 3 Porte-de-Paris (place de la)
G 6 Postillons (chemin des)
G 6 Postillons (des)
F 3 Poterie (de la)
G 4 Poulies (chemin des)
G 4 Poulies (place des)
F 3 Prairial
F 5 Prairie (de la)
I 3 Pralet-Lefèvre
L 4 / J 4 Président-Wilson (avenue du)
J 4 Président-Wilson (du)
J 4 Procession (de la)
G 4 Professeur-Frühling (allée du)
H 4 Progrès (du)
H 4 Progrès (du)
K 4 Proudhon
I 5 Provence (allée de)
H 3 4-Septembre (du)
I 3 Queune (impasse)
F 3 Quinsonnas (de)
H 3 Raspail
J 2 Renouillères (des)
E 2 Répubique (avenue de la)
G 3 Résistance (place de la)
I 3 Révolte (pont de la)
I 2 Révolte (route de la)
H 3 Riant
E 3 Riboulet (impasse)
G 5 Robert-Coatanroch
F 5 Robert-Desnos
G 3 Robespierre (square)
F 4 Roger-Sémat (avenue)
H 4 Rolland-Vachette

G 5 Romain-Rolland
G 5 Romain-Rolland
G 3 Rosalie
F 5 Rouillon
G 3 Roussel
I 5 Roussillon
H 5 Ru-de-Montfort
G 2 Saint-Clément
G 2 Saint-Denis
G 4 Saint-Jean
K 4 Saint-Just
F 5 Saint-Léger
G 4 St-Michel-du-Deg
H 2 Saint-Ouen
G 5 Saint-Rémy
F 5 Salvador-Allende
H 3 Samson
F 6 Saules
G 4 Saulger
F 5 Saussaie
H 5 Savoie
H 4 Sergent-Bobillot
F 6 Sevran
F 3 Siegfried
H 4 Simon
F 6 Sisley
J 4 Soissons
J 2 Sorin
H 5 Sports
H 3 Square-de-Geyter
H 3 Square
H 3 Square-de-Geyter
H 3 Square-de-Geyter
J 4 Stade-de-France
F 5 Stalingrad
F 4 Stéphane-Mallarmé
F 4 Stéphane-Mallarmé
G 5 Strasbourg
G 4 Strasbourg
G 3 Suger
F 5 Suresnes
H 4 Taittinger
F 5 Tartres
H 4 Thierry
H 3 Thiers
F 3 Thomas-de-Colmar
G 5 Tilleuls
J 2 Torpédo
H 4 Toul
I 5 Touraine
I 4 Tournoi-des-5-Nations
H 4 Traverse
I 4 Trémies
K 3 Trézel
J 2 Tunis
G 3 Ursulines
H 6 Valentina-Terechkova
F 3 Vendémiaire
F 5 Verdun
E 4 Vert-Galant
F 3 Verte
H 5 Victimes-du-Franquisme
G 4 Victor-Hugo
G 5 Vieille-Mer
F 5 Villiers
G 3 Violet-Le-Duc
H 6 Virgil Grisom
H 6 Vladimir-Komarov
H 4 Voisine
G 6 Voltaire
F 5 Yves-Rousseau

# SAINT-MANDÉ - 94160

plan

B 6 Abbé-Pouchard (de l')
B 7 Acacias (allée des)
B 6 Allard
B 7 Alouette (de l')
C 6 Alphand (avenue)
A 6 Amiral-Courbet (de l')
B 6 Baudin
B 7 Benoît-Lévy
B 6 Bérulle (de)
C 7 Brière-de-Boismont
B 6 Cailletet
C 6 Carnot (villa)
B 7 Cart
B 7 Catalpas (square des)
B 7 Charles-Digeon (place)
C 6 Cdt-René-Mouchotte (du)
C 7 Daumesnil (avenue)
C 6 Durget
C 7 Épinette (de l')
C 7 Étang (chaussée de l')
B 7 Étang (villa de l')
C 7 Eugène-Ringuet
B 7 Faidherbe
B 7 Faidherbe (passage)
A 7 Faÿs

A 7 Foch (avenue)
A 6 Gallieni (avenue)
B 7 Gambetta (avenue)
B 7 Général-de-Gaulle (avenue du)
A 7 Général-Leclerc (place du)
B 7 Grandville
B 6 Guyanne (boulevard de la)
B 6 Guynemer
C 6 Hamelin
C 7 Herbillon (avenue)
B 6 Hirtz (villa)
C 7 Jean-Mermoz
B 7 Jeanne-d'Arc
A 7 Joffre (avenue)
B 6 Jolly
B 7 Lac (du)
A 7 Lagny (de)
B 8 Landucci (square)
C 6 Libération (place de la)
B 7 Liège (avenue de)
B 7 Lucien-Delahaye (place)
B 6 Marcès (villa)
B 8 Minimes (avenue des)
B 6 Mongenot
B 6 Nungesser (square)

B 6 11-Novembre
A 7 Ormes
A 7 Parc
A 7 Paris
B 7 Pasteur
B 6 Paul-Bert
C 7 Pelouse
B 7 Platanes
A 7 Plisson
B 7 Poirier
B 6 Première-Division-Franç
A 7 Prévoyance
A 6 Quilhou
B 7 Renault
B 6 Sacrot
C 7 Sainte-Marie
B 7 Sorbiers
B 7 Suzanne
A 6 Talus-du-Cours
A 7 Tourelle
A 6 Vallées
C 6 Verdun
B 6 Victor-Hugo
A 7 Viteau

# SAINT-MAURICE - 94410

plan p

C 22 Acacias (allée des)
B 18 Adrien-Damalix
B 18 Amandiers (des)
C 22 Aristide-Briand
C 22 Bâteaux-Lavoirs (allée des)
C 22 Bir-Hakeim (quai)
B 18 Bois (ruelle du)
B 22 Canadiens (avenue des)
C 21 Canadiens (carrefour des)
C 22 Canal (promenade du)
C 22 Canotiers (allée des)
C 18 Charenton (pont de)
C 20 Charentonneau (passerelle de)
C 22 Chemin-de-Presles (avenue du)
B 19 Cimetière (du)
B 18 Cuif
C 22 Curtarolo (place)
B 19 Docteur-Decorse (du)
C 22 Écluse (place de l')
B 18 Edmond-Nocard
B 19 Église (square de l')
B 18 Épinettes (des)
B 18 Épinettes (villa des)
B 18 Érables (allée des)
B 18 Eugène-Delacroix

C 22 Fragonard
C 22 Frères-Lumière (allée des)
C 22 Giovanni-Battista-Pirelli
C 22 Guinguettes (allée des)
B 18 Gravelle (avenue de)
C 21 Halage (chemin de)
C 21 Ile-des-Corbeaux (allée de l')
C 21 Jean-Biguet (allée)
C 21 Jean-Biguet (square)
C 22 Jean-Gabin
B 18 Jean-Jaurès (place)
C 22 Jean-Renoir
C 22 Jean-Viacroze (passage)
C 22 Joseph-François-Belbeoch (avenue)
B 18 Jules-Béclard
B 18 Junot (impasse)
B 18 Mal-de-L.-de-Tassigny (avenue)
B 20 Maréchal-Leclerc (du)
C 18 Mairie (square de la)
B 18 Marthe-Chenal
B 19 Maurice-Gredat
C 22 Montgolfier
C 21 Moulin-des-Corbeaux (allée du)
C 22 Navigation (square de la)

C 22 Paul-Verlaine
C 21 Petit-Bras
C 22 Platanes
B 18 Pompe
B 18 Pont (du)
C 22 Presles
C 22 Pdt-John-F.-Kennedy
C 22 Raoul-Dufy
C 18 République
C 22 Réservoirs
C 22 Saint-Louis
C 19 Saint-Maurice
C 22 St-Maurice-du-Valais
B 18 Saules (des)
B 18 Sureaux (des)
B 19 Tilleuls
C 22 Turenne
B 18 Vacassy
B 19 Vacassy
B 18 Val-d'Osne (du)
B 18 Val-d'Osne
B 18 Val-d'Osne
B 18 Verdun
C 22 Villa-d'Antony
C 21 Villa-d'Antony

# SAINT-OUEN - 93400

plan pa

I 19 Abbé-Grégoire (place de l')
J 20 Achille
K 21 Adrien-Lessesne
I 19 Adrien-Meslier
I 19 Albert-Dhalenne
J 19 Alembert (d')
J 19 Alexandre-Bachelet
K 18 Alexandre-Dumas
K 19 Alfred-Ottino
J 19 Alliance (de l')
J 20 Alphonse-Helbronner
J 19 Ambroise-Croizat
I 20 Amélie (passage)
I 19 Amilcare-Cipriani
J 19 Ampère
K 19 Angélique (impasse)
J 19 Anselme
K 18 Arago
J 18 Ardouin
I 19 Armes (place d')
J 20 Aubert (impasse)
J 20 Auguste-Rodin
J 19 Bateliers (des)
K 20 Baudin
J 20 Berthe
K 20 Biron
J 19 Biron (boulevard)
K 20 Biron (villa)

J 20 Blanqui
I 20 Bonnafous (passage)
K 19 Bons-Enfants (des)
K 20 Boute-en-Train (impasse des)
K 19 Buttes-Montmartre (des)
I 19 Cagé
J 18 Capitaine-Glarner (place du)
K 19 Capitaine-Glarner (avenue)
K 19 Carnot
K 20 Casses
J 19 Cendrier (villa)
J 19 Centre (villa du)
K 18 Cerisiers (villa des)
I 19 Chantiers (impasse des)
K 20 Charles-Garnier
K 19 Charles-Schmidt
I 19 Châteaux (des)
K 18 Chéradame (impasse)
I 20 Chevalier (impasse)
J 20 Cimetière-Parisien (avenue du)
K 20 Claude-Guinot
K 20 Claude-Guinot (impasse)
J 20 Claude-Monet
J 18 Clichy (de)
J 20 Clotilde (villa)
K 19 Compoint (impasse)
K 21 Condorcet (villa)
K 20 Dauphine (impasse)

K 21 Debain
K 19 Descoins
K 20 Desportes
K 19 Deux-Sœurs
J 19 Diderot
J 20 Dieumegard
J 20 19-Mars-1962
J 18 Docks (des)
K 19 Docteur-Babinsky (du)
K 20 Docteur-Bauer (du)
I 19 Docteur-Léonce-Basset (du)
J 19 Écoles (des)
J 19 Edgar-Quinet
K 19 Edgar-Quinet (villa)
K 19 Édouard-Vaillant
I 19 Égalité (de l')
K 18 Élisabeth
I 20 Émile-Cordon
K 19 Émile-Zola
K 20 Entrepôts (des)
J 20 Entrepreneurs (des)
J 19 Ernest-Renan
J 20 Ernestine (villa)
J 19 Estienne-d'Orves (d')
K 20 Etienne-Dolet
K 20 Étienne-Dolet
J 20 Eugène

sensé
(avenue)
(avenue)
(de la)
(impasse de la)
(du)
(impasse)
(des)
nta (impasse)
(de l')
(place du)
(villa de l')
ste (impasse)
n
(passage)
Clément
bre
-Rousseau
(place )
(boulevard)
(impasse)
(impasse)
(villa)
(passage)

I 20 / I 19 Landy (du)
I 19 Landy-Prolongée (du)
K 18 Latérale
K 19 Lécuyer
J 19 Louis-Blanc
K 19 Louis-Dain
J 20 Louisa (villa)
J 20 Madeleine
K 20 Marceau
K 20 Marceau (passage)
K 21 Marcel-Bourdarias
I 19 Marcel-Cachin
J 20 Marcel-Sembat
J 20 Marcelle (villa)
J 20 Marguerite (villa)
J 19 Marie (passage)
K 20 Marie-Curie
J 19 Mariton
J 19 Marmottant (square)
J 20 Marronniers (avenue des)
K 18 Martin-Levasseur
J 19 Martyrs-de-la-Déportation (des)
K 18 Massenet
K 19 Mathieu
K 20 / J 20 Michelet (avenue)
K 21 Molière (passage)
K 21 Morand
K 19 Mousseau (impasse)
I 19 Moutier (du)
K 20 Myrtille-Beer
K 19 Neuve-Pierre-Curie
K 19 Nicolet
K 19 Nouvelle (voie)
K 20 Odette (villa)
K 20 1er-Mai (allée du)
K 20 Paix-et-de-l'Amitié-entre-les-Peuples (place de la)
K 18 Palouzié
I 20 / I 19 Parc (du)
J 19 Parmentier (impasse)
K 19 Pasteur
K 20 Paul-Bert

J 19 Paul-Lafargue
I 19 Paul-Langevin
J 18 Pierre
K 18 Pierre (passage)
K 20 Pierre-Curie
H 19 Pierre-Nicolau
K 19 Plaisir (du)
I 19 Planty
K 18 Playret (place)
J 21 Poissonniers (chemin des)
J 21 Poissonniers (des)
J 19 Prévoyance (villa de la)
K 20 Professeur-Gosset (du)
J 19 Progrès (du)
K 19 R.-Rioux (allée)
I 19 Rabelais
K 19 Raspail
K 20 Réant (villa)
J 20 René-Miston
J 19 République (place de la)
K 18 Robespierre (passage)
J 20 Roger (villa)
J 20 Rolland
J 19 / K 20 Rosiers (des)
J 19 Rosiers (villa des)
I 19 Saint-Denis (de)
H 18 Saint-Ouen (pont de)
I 19 Salvador-Allende
H 19 / I 18 Seine (quai de)
I 20 Séverine
K 20 Simon (impasse)
I 19 Soubise
H 19 Ternaux
K 19 Toulouse-Lautrec
K 18 Touzet-Gaillard (passage)
K 19 Trois-Bornes (impasse des)
J 20 Trois-Entrepreneurs (des)
J 20 Trubert (impasse)
J 19 Union (de l')
J 20 Valentine (villa)
J 18 Victor-Hugo (boulevard)
K 20 Vidal (impasse)
J 20 Vincent-Palaric
K 20 Voltaire

## NES - 92150

plan page 104

(promenade de l')
-Stock (esplanade)
erre (avenue de l')
(des)
on
Darracq
trasse (avenue)
laumez (de l')
nt (allée de l')
riand (boulevard)
enteur
(du)
(des)
s (des)
ur
(allée du)
(du)
rielle (avenue de la)
(avenue de)
(de)
alon
(des)
(impasse des)
sins (des)
(des)
(du)
(impasse du)
-Ferber
(des)
ie (de la)
Péguy
Vert (du)
(des)
vets (impasse des)
vets (des)
r-de-la-Barre
(du)
nonts (des)
l
Burgod
s-Ermites (du)
s-Seigneurs (impasse)
ux (passage des)
t
Delestrée (avenue)
ère (du)
ences-de-Suresnes
(avenue des)
es (des)
ux (esplanade des)
oux (des)
(avenue de la)
u-Roy (carrefour de la)
(impasse du)
(allée des)
(cour des)
n
ssayns-de-Richemond
t
ile-Roux (du)
ur-Magnan (du)
-Bombiger (du)
(allée de l')
-Fournier (allée)
-Fournier (place)
rd-Nieuport
rd-Vaillant (avenue)
-Duclaux
-Zola
en-Colin
anuel-Kant (avenue)
rnelles-de-Constant
ne-Dolet
ne-Sue (place)
eray (du)
and-forest
u
s (des)

P8 Fontaine-du-Tertre (avenue de)
Q7 Fouilleuse (avenue de)
P8 Four (impasse du)
P8 Franklin-Roosevelt (avenue)
Q8 Frédéric-Clavel
N8 Fusillés-de-la-Résistance-1940-1944 (route des)
P8 Gabriel-Péri (avenue)
O8 Gabriel-Philippe
O9 Gallieni (quai)
O9 Gambetta
O8 Gardenat-Lapostol
P8 Gare-de-Longchamp (place)
P8 Gare-de-Longchamp (de la)
Q8 Garibaldi
O8 Gauchère (de la)
P8 Gal-Ch.-De-Gaulle (avenue du)
P9 Général-Leclerc (place du)
Q8 Georges-Appay
O9 Georges-Pompidou (avenue)
Q6 Gros-Buissons (allée des)
Q6 Grotlus (de)
P8 Guillaume-Lenoir
O8 Guillemette-Faussart
P9 Gustave-Flourens
Q6 Gustave-Stresemann (avenue)
P9 Henri-IV (place)
Q8 Henri-Régnault
Q8 Henri-Sellier (boulevard)
Q7 Hippodrome
P8 Hocquettes (chemin des)
O8 Honoré-d'Estienne-d'Orves
N8 Hubert-Charpentier
O8 Huché
B* P8 Huchette (place de la)
B* P8 8-Mai-1945 (allée du)
P8 8-Mai-1945 (place du)
O8 Jacques-Decour
Q8 Jean-Jacques-Rousseau
Q7 Jean-Jaurès (avenue)
Q7 Jean-Jaurès (place)
O9 Jean-Macé
Q6 Jean-Mazaryck (place)
P8 Jules-Ferry
B* P8 Jules-Ferry (allée)
O9 Keighley (place de)
Q6 Kellog
P7 Lakanal
P7 Landes (avenue des)
P7 Landes (des)
P9 Ledru-Rollin
Q8 Léon-Blum (quai)
Q6 Léon-Bourgeois (avenue)
O8 Leroy
O8 Liberté (de la)
N8 Liberté (chemin de la)
P7 Lilas (allée des)
Q6 Locarno (de)
P8 Longchamp (allée de)
Q7 Louis-Loucheur (boulevard)
P8 Madeleine (cours)
B* P8 Maraîchers (allée des)
Q8 Marcel-Dassault (quai)
O8 Marcel-Legras (place)
Q8 Marcel-Monge
P8 Maréchal-Juin (avenue du)
P7 Mal-de-L.-de-Tassigny (boulevard)
B* P8 Marguerite-Naseau (place)
Q7 Marronniers (allée des)
O8 Maurice-Payret-Dortail
B* P8 Melin (allée)
P8 Merlin-de-Thionville
Q8 Meuniers (des)
O9 Michelet
Q7 Montretout (de)
P7 Mont-Valérien (esplanade du)
P8 Mont-Valérien (du)
P7 Motte (chemin de la)

Q8 Moulineaux (des)
B* P8 Moutier (place du)
Q7 Nouvelles (des)
P9 Pagès
Q6 Paix (place de la)
P7 Panorama (passage du)
O8 Paréchaux (des)
O8 Parigots (des)
P7 Pas-Saint-Maurice (du)
O8 Passerelle (de la)
Q8 Pasteur
O7 Patriotes-Fusillés (carrefour des)
O8 Paul-Bert
N8 Pavillons (des)
P7 Pépinière (allée de la)
O8 Perronet
Q8 Petit-Clos (impasse du)
Q8 Petit-Clos (passage du)
P8 Pierre-Dupont
Q8 Pierre-Loti (passage)
Q7 Platanes (allée des)
P7 Point-Haut (du)
P9 Port-aux-vins (du)
Q7 Poterie (de la)
Q6 Président-Wilson (avenue du)
P8 Prévôté (place de la)
P7 Procession (de la)
P7 Prof.-Léon-Bernard (avenue)
O8 Puits (des)
B* P8 Puits-d'Amour (place du)
P8 Raguidelle (des)
O9 Ratrait (place du)
O9 Ratrait (du)
Q7 Raymond-Cosson
Q8 République (place de la)
Q8 République (de la)
A* P9 Rives-de-Bagatelle (allée des)
O8 Roger-Salengro
P7 Roses (chemin des)
O9 Rouget-de-Lisle
P8 Saint-Cloud (de)
B* P8 Saint-Leufroy (prom.)
P7 Saint-Maurice (impasse)
O9 Salomon-de-Rotschild
O9 Santos-Dumont
N9 Santos-Dumont
B* P8 Scheurer-Kestner (allée)
B* P8 Seaux-d'Eau (allée des)
O9 Sentou (impasse)
P8 Sèvres (de)
Q7 Sorbiers (sente des)
A* P9 Sources (allée des)
Q6 Stalingrad (place de)
O8 Station (villa de la)
Q6 Sully (avenue de)
P9 Suresnes (pont de)
P7 Syndicat-des-Cultivateurs (chemin du)
O8 Terrasse (de la)
P8 Terres-Blanches (des)
P8 Tertre (du)
Q7 Tilleuls (allée des)
Q7 Tourneroches (des)
Q7 Troënes (des)
Q7 Tuilerie (de la)
Q8 Val-d'Or (du)
Q8 Val-d'Or (passage du)
O9 Velettes (des)
B* P8 Venelle (allée de la)
O9 Verdun (de)
Q7 Victor-Diéderich
O8 Victor-Hugo
P8 Vignerons (impasse des)
P7 Vignes (des)
A* P9 Village-Anglais (allée basse du)
A* P9 Village-Anglais (allée haute du)
N8 Voltaire
O8 Washington (boulevard)
Q6 William-Penn (allée)
P8 Worth

## VES - 92170

plan page 101

t-Culot (place)
t-Legris (carrefour)
ndre (impasse)
ne-Fratacci
eil (villa d')
de-Briand
ste-Comte
ir (de l')
eux (impasse de)
ès
illon (de)
alier-de-la-Barre (du)
-Montholon (impasse du)
-Montholon (du)
enet (villa)
battants-d'A.F.N. (square des)
ton
rot
rançois-Arnaud (avenue du)
teur-Mailfaire (du)
Georges-Lafosse (du)
ont (villa)
les (passage des)
se (de l')
est-Laval
nne-Jarrousse (square)
ène-Baudoin

J 19 Eugène-Drouet (villa)
J 19 Eugénie (villa)
I 19 Falret
I 20 Ferme (allée de la)
I 20 François-1er
J 19 Franco-Russe (villa)
I 19 Frères-Chapelle (des)
H 19 Gabrielle-d'Estrées
I 20 Gambetta
I 20 Gare (villa de la)
I 19 Gaudray
J 18 Général-de-Gaulle (avenue du)
I 20 Général-Leclerc (Place du)
J 19 Georges-Clemenceau
J 19 Gresset
I 20 Guy-Môquet (avenue)
H 20 Henri-Martin
J 18 / J 19 Hoche
H 20 8-Mai-1945 (carrefour du)
I 20 Insurrection-Gérard-Orillard (carrefour de l')
I 19 Issy (d')
I 20 Jacques-Cabourg
I 20 Jacques-Jézéquel (avenue)
I 19 Jean-Baptiste-Potin
I 20 Jean-Bleuzen

H 20 Jean-Jaurès
J 18 Jeanne (villa)
I 20 Jules-Michelet
I 20 Juliette-de-Wills (villa)
H 19 Jullien
I 19 Kléber
I 20 Lamartine
J 19 Larmeroux
I 19 Larmeroux (impasse)
I 20 Léger (villa)
I 19 Louis-Blanc
I 19 Louis-Dardenne
H 21 Louis-Vicat (square )
H 20 Louis-Vicat
I 20 Lucien (villa)
I 19 Lycée (boulevard du)
H 19 Lycée (villa du)
J 19 Mansard
I 19 Marc-Sangnier
I 20 Marceau
I 20 Marcel-Martinie (avenue)
H 20 Marcel-Yol
H 20 Marcelin-Berthelot
I 19 Maréchal-de-Lattre-de-Tassigny (place du)
I 20 Mary-Besseyre
I 19 Matrais (sentier des)

J 20 Matrais (villa des)
H 20 Michel-Ange
J 19 Minard (impasse)
H 20 Monge
H 20 Moulin (du)
H 20 Murillo
J 19 Nouzeaux (villa des)
I 21 11-Novembre (square du)
J 19 Paix (avenue de la)
I 19 Parc (avenue du)
H 20 Pasteur (avenue)
I 20 Paul-Lefèvre

I 19 Platane (allée du)
I 19 Président-Kennedy (place du)
I 20 Progrès (allée du)
H 20 Provinces (place des)
I 19 Pruvot
I 19 Quincy (villa)
H 21 Rabelais
H 21 Rabelais (villa)
H 20 Raphaël
I 20 Raymond-Marcheron
I 20 René-Coche
I 20 René-Sahors

I 19 République (de la)
I 19 République (place de la)
I 19 / I 20 Sadi-Carnot
I 19 Sadi-Carnot (impasse)
I 20 Solférino
I 19 Valentine-Jacquet
I 20 Verdun (avenue de)
I 20 Verdun (avenue de)
J 19 Verne (allée)
I 20 Victor-Basch (avenue)
I 20 Victor-Hugo (avenue)



## VILLEJUIF - 94800

plan page 99

F 11 Alexandre-Dumas
F 12 Alfred-de-Musset
E 11 Alphose-Daudet (allée)
E 12 Ambroise-Croizat
F 12 Amont (villa d')
D 12 Anatole-France
D 12 André-Bru
F 11 André-Robert
G 12 Arago
G 11 Armand-Gouret
G 12 Auguste-Delaune (place)
G 12 Auguste-Delaune
G 11 Auguste-Perret
G 12 Auguste-Renoir
G 12 Auguste-Rodin (place)
D 13 Avenir (de l')
D 12 Babeuf
F 13 Baudelaire (voie)
E 13 Beaumarchais
E 13 Beaumarchais (sentier)
G 11 Beausoleil (allée)
G 12 Bel-Air (du)
E 11 Belvédère (villa du)
G 12 Benoît-Malon (sentier)
G 12 Berlioz (allée)
E 11 Berthelot
E 13 Bizet
F 13 Blanqui
F 12 Bois-Briard (impasse du)
H 12 Bosquets (allée des)
G 13 Bretagne (de)
E 12 Brive (impasse)
G 11 Bruyères (villa des)
F 12 Camélinat (allée)
H 12 Camille-Blanc
F 11 Camille-Desmoulins
D 12 Cardet (impasse)
E 11 Carnot
G 13 Cassini (passage de)
E 11 Castel (du)
E 13 Cézanne (impasse)
E 12 Chapelle (de la)
G 13 Chardons (avenue des)
F 10 Charles-Dehan (passage)
E 11 Charles-de-Gaulle (rond-point)
G 13 Charles-Fourier (sentier)
F 10 Charles-Grégoire
G 12 Charmoie (square de la)
E 12 Chastenet-de-Géry (boulevard)
H 11 Chevilly (de)
G 13 Chopin (voie)
E 11 Chrysanthèmes (impasse)
G 13 Clos-Fleuri (du)
G 13 Colonel-Fabien (avenue du)
F 12 Colonel-Marchand (du)
F 11 Cdtt-Louis-Bouchet (villa)
G 13 Commune (de la)
G 13 Commune (sentier de la)
E 13 Condorcet
D 12 Coquettes (des)
H 13 Corneille (passage)
F 13 Courbet
F 13 Courbet (sentier)
G 12 Courteline (impasse)
G 13 Dalou (voie)
G 13 Daniel-Féry
E 12 Danton
F 12 Darwin
F 12 Darwin (sentier)
F 13 Daumier
F 13 Daumier (sentier)
D 12 Dauphin
E 12 Delescluze
F 11 Descartes
G 13 Division-Leclerc (avenue de la)
G 13 Division-Leclerc (place de la)
F 12 19-Mars-1962 (du)
H 12 Docteur-Antomarchi (du)
G 12 Dr-Paul-Laurens (du)
G 12 Dr-Pierre-Rouquès (du)
F 10 Docteur-Pinel (du)
G 12 Docteur-Quéry (du)
D 12 Docteur-Roux (impasse du)
E 11 Douze-Février (du)
G 13 Dupont (passage)
F 12 Écoles (impasse des)
F 11 Edmond-Dubois
H 13 Édouard-Tremblay
F 11 Édouard-Vaillant
F 12 Église (place de l')
E 13 Émile-Bastard
H 11 Émile-Goeury
E 13 Émile-Zola
E 13 Émile-Zola (sentier)
G 11 Épi-d'Or (de l')
H 11 Épi-d'Or (avenue de l')
G 11 Épi-d'Or (impasse de l')

F 13 Ermitage (de l')
E 12 Ernest-Renan (impasse)
D 13 Espérance (de l')
E 11 Esselières (imapasse des)
E 11 Étienne-Dolet
E 12 Eugène-Pelletan
E 12 Eugène-Pottier
F 12 Eugène-Varlin
G 12 Fauvettes (des)
G 11 Fernand-Léger
G 11 Fernand-Pelloutier
H 12 Feuillantines (allée des)
H 12 Fleurs (allée des)
F 12 Fontaine (passage de la)
F 12 Fontaine (place de la)
H 13 Forez (du)
E 11 François-Billoux
E 11 Fitsch
F 12 Fusillés (place des)
F 10 Gabriel-Péri (avenue)
G 11 Gaîté (de la)
G 11 Gaîté (impasse de la)
E 12 Galilée (sentier)
E 12 Gambetta
G 12 Gaston-Cantini
E 11 Général-De-Gaulle (rd-pt du)
E 11 Gentilly (de)
G 11 Georges-Braque
F 12 Georges-Le-Bigot
G 12 Gérard-Philipe
E 13 Gournay (avenue de)
F 12 Griffuelhes
G 12 Guillaume-Apollinaire
E 12 Guipons (des)
H 11 Gustave-Eiffel
F 12 Gustave-Flaubert
F 12 Guy-Môquet
F 13 Guynemer
G 11 Hautes-Bruyères (avenue des)
E 11 Hautes-Sorrières (allée des)
D 12 Hauts-Fossés (des)
E 13 Henri-Barbusse
H 13 Henri-Luisette
G 12 Honoré-de-Balzac
E 11 8-Mai-1945 (place du)
G 12 Jacques-Duclos
F 12 Jean-Baptiste-Baudin
F 13 Jean-Baptiste-Clément
H 11 Jean-Prouvé
E 12 Jean-Jacques-Rousseau
E 12 J.-J.-Rousseau (impasse)
G 13 Jean-Jaurès
G 13 Jean-Lurçat
H 12 Jean-Mermoz
G 13 Joseph-Carlier
F 13 Jules-Guesde (sentier)
F 12 Jules-Joffrin
F 12 Jules-Vallès
E 11 Jules-Verne
G 11 Julian-Grimau (place)
F 13 Karl-Liebknecht
F 13 Karl-Liebknecht (sentier)
G 12 Karl-Marx (avenue)
H 12 Lamartine
F 10 Lavoisier (impasse)
D 12 Lénine (passage)
G 11 Léon-Moussinac
D 13 Liberté (de la)
H 12 Lilas (allée des)
G 12 Lina-Franziska-Garba (esplanade)
F 13 Lion-d'Or (du)
G 13 Louis-Aragon (avenue)
H 12 Louis-Blériot
G 13 Louis-Fabulet
E 13 Louise-Michel
F 13 Louise-Michel
H 12 Lozaits (impasse des)
G 13 Lucien-Cabouret
H 12 Maraîchers (allée des)
F 13 Marat
E 11 Marcel-Grosmenil
E 12 Marcel-Paul
H 13 Marguerite (allée)
G 13 Marronniers (passage des)
G 13 Massif-Central (du)
D 12 Matisse (allée)
F 12 Maurice-Thorez (place)
F 13 Maxime-Gorki (bd)
G 12 Mésanges (des)
E 11 Michelet
E 11 Michelet (impasse)
F 11 Militaire (chemin)
F 11 Molière
D 13 Montesquieu (impasse)
E 11 Monts-Cuchets (impasse des)
E 11 Monts-Gets (promenade des)
G 13 Monument (allée du)

F 12 Moulin (sentier du)
F 13 Moulin-de-Saquet (du)
F 12 Moustier (place du)
E 11 Octave-Mirbeau (impasse)
F 11 11-Arpents (place des)
G 12 11-Novembre (square du)
F 11 Pablo-Picasso
F 12 Paix (place de la)
F 13 Parc-des-Petits-Ormes
E 12 Paris (avenue de)
E 12 Parmentier
G 12 Pascal
D 12 Pasteur
D 12 Pasteur (cité)
F 12 Paul-Bert
G 13 Paul-Eluard (place)
G 13 Paul-Eluard
F 13 Paul-Lafargue (sentier)
F 12 P.-Vaillant-Couturier (avenue)
F 13 P.-Vaillant-Couturier (boulevard)
H 12 Pépinières (allée des)
H 12 Père-Christian-Roussin
E 10 Peupliers (impasse des)
F 13 Pierre-Curie
G 12 Pinsons (des)
G 11 Plantes (allée des)
G 13 Platanes (allée des)
E 11 Plateau (du)
F 12 Pommier-de-Bois (impasse)
G 12 Ponant (du)
F 11 Prés.-Allende (avenue du)
G 12 Prêtres (ruelle aux)
G 13 Provence (de)
F 12 Puits (ruelle aux)
E 12 Pyramide (passage de la)
D 13 14-Juillet (impasse du)
F 12 Rabelais (sentier)
H 13 Racine (impasse)
E 11 Rameau
G 12 Raspail
E 11 Ravel
F 13 Raymond-Lefebvre (sentier)
F 11 Redoute (chemin de la)
G 12 Rembrandt (allée)
F 11 René-Balayn
F 12 René-Hamon
D 12 René-Thibert
G 12 République (avenue)
E 13 Réservoirs (passage des)
E 12 Reulos
E 13 Rivière (passage)
H 12 Robert-Duchêne (impasse)
F 13 Robespierre
F 13 Robespierre (sentier)
F 12 Roger-Morinet
D 12 Rohri (impasse)
F 12 Romain-Rolland
G 13 Rome (de)
G 12 Rond-Point (allée du)
F 13 Rosa-Luxemburg
D 13 Roses (voie des)
E 11 Rossini
F 11 Sables (voie des)
E 12 Sacco-Vanzetti
H 12 Saint-Exupéry
F 13 Saint-Just
F 13 Saint-Roch
F 13 Saint-Simon (sentier)
H 12 Sainte-Colombe
H 11 Sainte-Yvonne
H 11 Sainte-Yvonne (impasse)
H 12 Sapin-Bleu (allée du)
G 13 Savry (impasse)
E 13 Séverine
F 12 Sévin
F 11 Sonia-Delaunay
H 13 Stalingrad (avenue)
H 13 Taillis (voie des)
F 13 Télégraphe (sentier du)
E 11 Tolstoï
F 12 Trou-Fary (sentier du)
E 11 Vaudenaires (sentier des)
G 13 Vaux-de-Rome (sentier)
D 13 Verbeuses (impasse des)
E 12 Vercors (allée du)
G 11 Verdun (de)
H 11 Verger (impasse du)
D 13 Vérollot
D 12 Victor (impasse)
G 12 Victor-Hugo
G 12 Victor-Hugo (impasse)
G 12 Villas (des)
E 12 Voltaire
G 12 Xavier-Guillemin
G 12 Youri-Gagarine

## VINCENNES - 94300

plan page 90

G 5 Anatole-France
G 5 André-Malraux (square)
F 4 Antoine-Quinson (avenue)
F 4 / F 5 Aubert (avenue)
F 5 Aubert (allée)
F 5 Beausejour (villa)
F 5 Belfort (de)
F 5 Bérault (place)
F 7 Bienfaisance (de la)
G 5 Carnot (avenue)
F 4 Céline-Robert
F 7 Charles-Deloncle
F 4 Charles-Marinier
F 5 Charles-Pathé
F 6 Charles-Silvestri
F 5 Charles-V (allée)
G 8 Charmes (avenue des)
F 6 Château (avenue du)
F 7 Clément-Viénot
G 5 Colmar (de)
F 6 Commandant-Mowat (du)
F 6 Condé-sur-Noireau (de)
F 6 Crébillon
F 5 Daumesnil
F 6 David (villa)
F 7 Defrance
F 5 Deux-Communes (des)
F 6 / F 7 Diderot
F 7 Diderot (place)
F 5 Docteur-Lebel (du)
F 7 Docteur-Louis-Georges-Serre (villa du)
F 7 Docteur-Schweitzer (allée du)
F 4 Dohis
G 5 Donjon (du)
F 5 Égalité (de l')
F 6 Église (de l')
F 7 Émile-Dequen
F 5 Estienne-d'Orves (d')
F 4 Eugène-Blot
F 5 Eugène-Lœuill
F 6 Eugène-Renaut
F 5 Eugénie-Gérard
F 6 Faie-Félix (villa)
F 6 Faie-Félix
F 7 Fayolle (avenue)

F 4 Fays
F 7 Félix-Faure
G 5 Félix-Nadar (allée)
G 5 Félix-Nadar (square)
F 6 Foch (avenue)
F 6 Fontenay (de)
G 5 Franklin-Roosevelt (avenue)
F 5 Fraternité (de la)
F 6 Gabriel-Péri (avenue)
G 5 Général-de-Gaulle (avenue du)
F 6 Général-Leclerc (place du)
F 4 G.-Clemenceau (avenue)
F 4 Georges-Huchon
F 7 Georges-Lamouret
G 5 Georges-Méliès (allée)
F 5 Georges-Pompidou (allée)
F 5 Gilbert-Clerfayt
F 7 Gounod
F 7 Guynemer
F 7 Henri-Dunant
F 5 8-Mai-1945 (mail du)
G 6 Idalie (d')
G 6 Idalie (villa d')
F 7 Industrie (de l')
F 7 Jacques-Bainville (allée)
G 5 Jacques-Daguerre (allée)
F 7 Jarry (de la)
F 5 Jean-Moulin
F 6 Joseph-Gaillard
F 7 Jules-Massenet
F 5 Lagny (de)
F 4 Laitières (des)
F 6 Lamarre (villa)
F 5 Lamartine (avenue)
F 6 Lejemptel
F 4 Lenain (impasse)
F 6 Leroyer
F 7 Libération (boulevard de la)
F 6 Liberté (de la)
G 5 Lieutenant-Heitz (du)
F 6 Lt-Quennehen (du)
G 5 Louis-Besquel
G 5 Louis-Lumière (cour)
F 7 Maladrerie (sentier de la)
F 7 Maréchal-Lyautey (place du)
G 5 Maréchal-Maunoury (du)
F 6 Marigny (cour)
F 6 Marseillaise (de la)

F 4 Massue
F 5 Meuniers (des)
F 6 Midi (du)
F 7 Minimes (avenue des)
F 6 Mirabeau
F 5 Monmory (de)
F 5 Montreuil (de)
G 5 Nicéphore-Niepce (allée)
G 6 Nogent (avenue de)
F 6 11-Novembre (square du)
F 5 Paix (de la)
G 6 Paris (avenue de)
F 7 Pasteur
F 7 Paul-Déroulède (avenue)
G 5 Petit-Parc (avenue du)
F 6 Pierre-Brosselette (avenue)
F 5 Pierre-Sémard (place)
F 7 Pommiers (des)
F 4 Prévoyance (de la)
F 4 Prévoyance (place de la)
F 6 Raymond-du-Temple
F 7 Renardière (de la)
F 4 Renon (place)
F 4 Renon
F 6 République (avenue de la)
F 5 Robert-Giraudineau
F 7 Sabotiers (des)
F 5 Saint-Joseph (villa)
F 4 Saint-Louis (square)
F 5 Saint-Méry (passage)
F 5 Saulpic
F 5 Segond
E 7 Solidarité (de la)
F 6 Strasbourg (de)
F 7 Trois-Territoires (des)
E 5 Union (de l')
F 5 Varennes (passage des)
E 6 Verdun (de)
F 5 Victor-Basch
G 5 Vignerons (passage des)
G 5 Vignerons (des)
G 5 Vignerons (impasse des)
F 5 Villebois-Mareuil
F 6 Vorges (avenue de)

8 9 10 11

J
80
K
L
M
N
O
80
P

8 SUITE PAGE 104 9
 10  11

13
14
15
16
J
K
L
M
N
O
P
81
81
SUITE PAGE 82
ASNIÈRES
plan page 82
CLICHY
plan page 82
LEVALLOIS-PERRET
Index page 75
USINE des EAUX de la VILLE de PARIS
CIMETIÈRE DE LEVALLOIS-PERRET
Sq. DE GARE de CLICHY - LEVALLOIS
PARC DE LA PLANCHETTE
Musée de la Pêche
HÔPITAL AMÉRICAIN
ÉCOLE NATIONALE des DOUANES
FONDATION GREFFULHE
HÔPITAL ANGLAIS
STADE L. BOBET
STADE P. NERUDA
PARC G. EIFFEL
page 76
UILLY-
UR-S.
PARIS
17
16
8
QUAI MICHELET
QUAI DU Dr DERVAUX
BOULEVARD BINEAU
AV. DE LA PTE DE CHAMPERRET
BD DE COURCELLES
AV. DES TERNES
AV. DE LA GDE ARMÉE
AV. FOCH
BD DE L'AMIRAL BRUIX
AV. DE MALAKOFF
LONGCHAMP
PL. DE LA PORTE MAILLOT
Palais des Congrès
PL. CH. DE GAULLE
Arc de Triomphe
Salle Wagram
Salle Pleyel
PL. DES TERNES
PTE DE CHAMPERRET
PTE DES TERNES
Stade P. Faber
Ctre Sportif J.P. Wimille
BD DE L'AMIRAL BRUIX
750 m

82

82

SUITE PAGE 81

18
19
20
21
G
H
J
K
L
83
ST-OUEN
VILLENEUVE-LA-GARENNE
GENNEVILLIERS
ÎLE ST-DENIS
plan page 84
ST-DENIS
plan page 84
SEINE
La Plaine St-Denis
SUITE PAGE 85
Index page 78
PARIS
ZI
DE LA BERTRANE ET DE LA LITTE
Z.I. CHAMP DE L'AUTEL
ZA
PLAINE PLEYEL
SÉCURITÉ SOCIALE
ÉCOLES
ÉCOLE
ENSEMBLE SPORTIF DE L'ÎLE DE VANNES
CHÂTEAU
PARC ABEL MÉZIÈRES
CENTRE D'HÉBERGEMENT
CET
STADE
CLINIQUE du LANDY
ANNEXE MAIRIE
ÉCOLE EPA
CARREFOUR PLEYEL
TOUR PLEYEL
ALLOCATION FAMILLIALES
RATP
MAIRIE DE ST-OUEN
Hôtel de Ville
POLICE
CRÈCHE
PTT
CIMETIÈRE PARISIEN DE SAINT-OUEN
STADE du RED-STAR 93
SACRÉ-CŒUR
ATELIERS RATP
N.D. du ROSERAIE
GARIBALDI
PLACE DU CAPne GLARNER
Saint-Ouen
PARC MOZART
LYCÉE A. BLANQUI
LYCÉE
Mché
Mché AUX PUCES
PORTE DE CLIGNANCOURT
Stade Bertrand Dauvin
Université
Stade des Poissonniers
Caserne de Clignancourt
Lycée Rabelais
PTE DE ST-OUEN
Stade Max Roussy
SQ. É. BOREL
Hôpital Bichat Claude Bernard
Cimetière Parisien
École Nationale de Commerce
PORTE MONTMARTRE
GARE DE MARCHANDISES LA CHAPELLE ANNEXE
BD PÉRIPHÉRIQUE
D 1
D 20
D 410
D 111
D 14
D 912
N 14
RER D
750 m

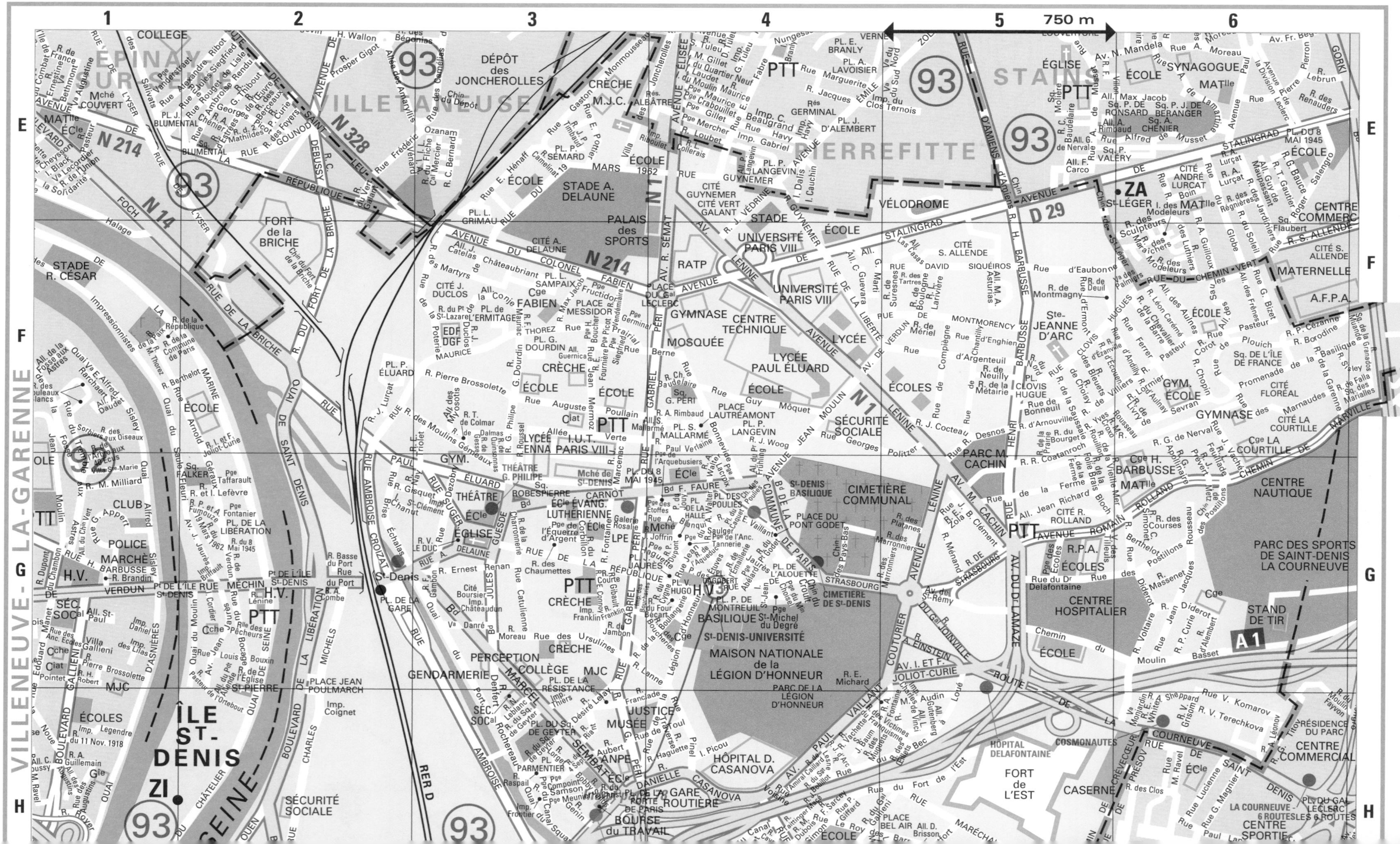
1
2
3
4
5
6
E
F
G
H
750 m
ÉPINAY-SUR-SEINE
VILLETANEUSE
PIERREFITTE
STAINS
ÎLE ST-DENIS
VILLENEUVE-LA-GARENNE
93
N 214
N 14
N 328
N 1
D 29
A 1
RER D
SEINE
FORT de la BRICHE
DÉPÔT des JONCHEROLLES
STADE A. DELAUNE
PALAIS des SPORTS
STADE R. CÉSAR
VÉLODROME
UNIVERSITÉ PARIS VIII
LYCÉE PAUL ÉLUARD
CENTRE TECHNIQUE
MOSQUÉE
GYMNASE
SÉCURITÉ SOCIALE
PARC M. CACHIN
CIMETIÈRE COMMUNAL
CIMETIÈRE DE St-DENIS
St-DENIS BASILIQUE
BASILIQUE
St-DENIS-UNIVERSITÉ
MAISON NATIONALE de la LÉGION D'HONNEUR
PARC DE LA LÉGION D'HONNEUR
HÔPITAL D. CASANOVA
HÔPITAL DELAFONTAINE
COSMONAUTES
FORT de L'EST
CASERNE
CENTRE HOSPITALIER
CENTRE NAUTIQUE
PARC DES SPORTS DE SAINT-DENIS LA COURNEUVE
STAND DE TIR
THÉÂTRE G. PHILIPE
THÉÂTRE
ÉGLISE
PTT
JUSTICE
MUSÉE
PERCEPTION
GENDARMERIE
COLLÈGE
MJC
CRÈCHE
ÉCOLE
POLICE
MARCHÉ
H.V.
ZA
ZI
St-Denis
PL. DE LA GARE
PL. DU 8 MAI 1945
PL. JEAN JAURÈS
PL. DE LA RÉSISTANCE
PORTE DE PARIS
BOURSE du TRAVAIL
GARE ROUTIÈRE
CENTRE COMMERCIAL
LA COURNEUVE - 6 ROUTES
QUAI DE SAINT DENIS
BOULEVARD DE LA LIBÉRATION
BOULEVARD MARCEL SEMBAT
RUE AMBROISE CROIZAT
AV. DU Dr LAMAZE
AVENUE DE STALINGRAD
AV. R. SEMAT
AVENUE LÉNINE
AVENUE PAUL VAILLANT COUTURIER
ROUTE DE LA COURNEUVE
RUE GABRIEL PÉRI
RUE DE LA RÉPUBLIQUE
RUE HENRI BARBUSSE
AVENUE ROMAIN ROLLAND

I J SUITE PAGE 86 K L

I J SUITE PAGE 83 K L

86
AUBERVILLIERS
Index page 72
SUITE PAGE 85
plan page 84
ST-DENIS
LA COURNEUVE
93
D 20
D 27
N 301
N 2
PORTE D'AUBERVILLIERS
PTE DE LA VILLETTE
PARIS
18
19
Cité des Sciences et de l'Industrie
GÉODE
Argonaute
ZÉNITH
PARC DE LA VILLETTE
Grande Halle
Cité de la Musique
PTE DE PANTIN
Entrepôts Macdonald
BOULEVARD MACDONALD
BOULEVARD NEY
AV. JEAN JAURÈS
BASSIN DE LA VILLETTE
RUE DE FLANDRE
AV. C. CARIOU
CORENTIN CARIOU
CRIMÉE
RIQUET
LAUMIÈRE
OURCQ
AUBERVILLIERS 4 CHEMINS
H.V.
PTT
STADE A. KARMAN
ÉDITIONS PONCHET
PLAN NET
N
S
E
O
I
J
K
L
M
N
O
4
5
6
7
86

87
SUITE PAGE 88
87

SUITE PAGE 87

SUITE PAGE 90

SUITE PAGE 88

SUITE PAGE 96
SUITE PAGE 9?

ROSNY-SOUS-BOIS
FORT DE ROSNY
MONTREUIL
FONTENAY-SOUS-BOIS
93
94
A 86
A 186
D 41
D 37
D 43
MAISON DES JEUNES TRAVAILLEURS
Hôtel de Ville
GARE de ROSNY
MUSÉE de L'HISTOIRE
PARC DE MONTREUIL DANIEL RENOULT
CHÂTEAU de MONTREUIL
STADE WIGHISOFF
STADE BARRAN
THÉATRE
CENTRE CULTUREL
ZONE ARTISANALE
STADES COUBERTIN
MAISON DE LA CULTURE J. BREL
FORT DE NOGENT
CENTRE COMMERCIAL
CENTRAL TÉLÉPHONE
FONTENAY-sous BOIS
RER A
750 m
8
9
10
11
B
C
D
E
F
G

plan page 92

SUITE PAGE 91

SUITE PAGE 90

6 7 8 9 10

D E F G H I

SUITE PAGE 95

11
12
13
14
D
E
F
G
H
I
93
NEUILLY-PLAISANCE
la Maltournée
Hôtel de Ville
NOISY-LE-GRAND
NEUILLY-SUR-MARNE
LE PERREUX
BRY-SUR-MARNE
CHAMPIGNY
Marne
ILE DES LOUPS
ILE DU MOULIN
ILE D'AMOUR
CIMre DE NOGENT
CIMre DU PERREUX
STADE LÉOPOLD BELLAN
TERRAIN de SPORTS
CHÂTEAU DE BRY
Hameau des Gilbardes
N 34
N 186
D120
A 86
750 m

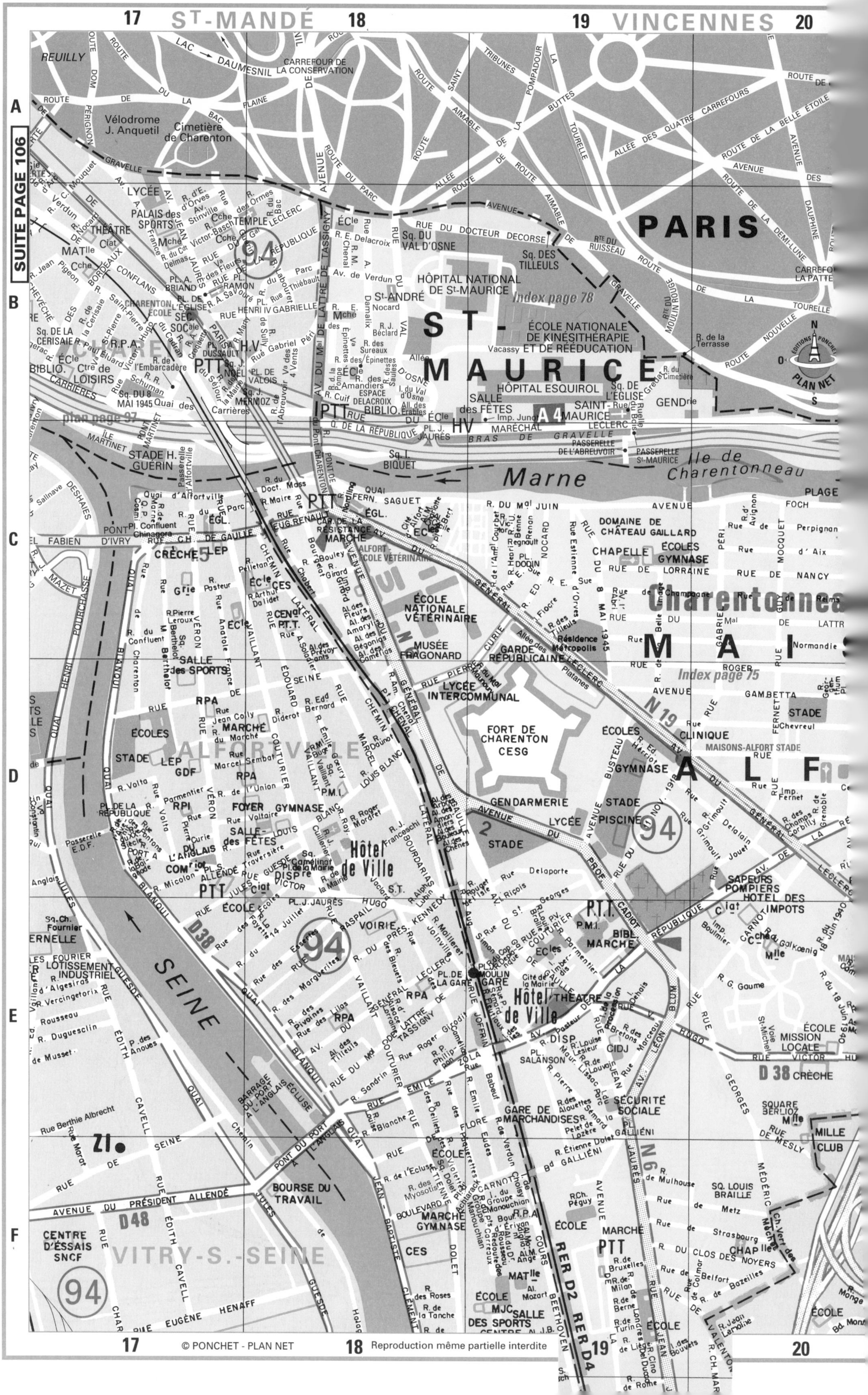

17
ST-MANDÉ
18
19
VINCENNES
20
94
A
B
C
D
E
F
SUITE PAGE 106
REUILLY
Vélodrome J. Anquetil
Cimetière de Charenton
CARREFOUR DE LA CONSERVATION
ROUTE DU LAC DAUMESNIL
ROUTE DE LA PYRAMIDE
ROUTE DE LA TOURELLE
ALLÉE DES QUATRE CARREFOURS
ROUTE DE LA BELLE ÉTOILE
PARIS
RUE DU DOCTEUR DECORSE
Sq. DU VAL D'OSNE
Sq. DES TILLEULS
HÔPITAL NATIONAL DE St-MAURICE
Index page 78
ST-MAURICE
ÉCOLE NATIONALE DE KINÉSITHÉRAPIE ET DE RÉÉDUCATION
HÔPITAL ESQUIROL
SALLE des FÊTES
A 4
GENDrie
PLAN NET
LYCÉE
PALAIS des SPORTS
THÉÂTRE
CONFLANS
CHARENTON
PTT
plan page 97
STADE H. GUÉRIN
Marne
Ile de Charentonneau
Passerelle de l'Abreuvoir
Passerelle St-MAURICE
Quai d'Alfortville
PONT D'IVRY
ÉCOLE NATIONALE VÉTÉRINAIRE
MUSÉE FRAGONARD
GARDE RÉPUBLICAINE
LYCÉE INTERCOMMUNAL
FORT DE CHARENTON CESG
DOMAINE DE CHÂTEAU GAILLARD
Charentonneau
MAISONS-ALFORT
Index page 75
N 19
CLINIQUE
MAISONS-ALFORT STADE
GENDARMERIE
STADE
PISCINE
SALLE des SPORTS
ALFORTVILLE
ÉCOLES
STADE
FOYER
GYMNASE
SALLE des FÊTES
Hôtel de Ville
SEINE
D 38
SAPEURS POMPIERS
HOTEL DES IMPOTS
Hôtel de Ville
THÉÂTRE
SÉCURITÉ SOCIALE
GARE DE MARCHANDISES
LOTISSEMENT INDUSTRIEL
ZI
BOURSE DU TRAVAIL
AVENUE DU PRÉSIDENT ALLENDÉ
D48
CENTRE D'ESSAIS SNCF
VITRY-S.-SEINE
MARCHE GYMNASE
CES
MJC
SALLE DES SPORTS
RER D2 RER D4
N 6
MILLE CLUB
SQUARE BERLIOZ
SQ. LOUIS BRAILLE
D 38
ÉCOLE MISSION LOCALE
17
18
19
20
94

SUITE PAGE 102

MONTREUIL
SUITE PAGE 90
PARIS
ST-MANDÉ
Index page 78
94
12
11
20
13
PORTE DE VINCENNES
COURS DE VINCENNES
PLACE DE LA NATION
AVENUE DE SAINT MANDÉ
BD DE PICPUS
AV. DU DOCTEUR ARNOLD NETTER
BOULEVARD PÉRIPHÉRIQUE
AV. COURTELINE
BD SOULT
AV. DAUMESNIL
BD DE REUILLY
RUE DE CHARENTON
RUE DE BERCY
QUAI DE LA RAPÉE
BOULEVARD DIDEROT
AVENUE LEDRU ROLLIN
AVENUE DE LYON
Gare de Lyon
Hôpital St-Antoine
Caserne de Reuilly
Office National des Forêts
Maison de Santé des Diaconesses
Cimre de Picpus
Hôpital Rotchschild
Immaculée Conception
Lycée Paul Valéry
Cimre Sud de St-Mandé
Msée des Arts d'Afrique et d'Océanie
PORTE DORÉE
Stade Léo Lagrange
PORTE DE CHARENTON
PORTE DE BERCY
Ministère de l'Économie et des Finances
PALAIS OMNISPORTS DE PARIS-BERCY (P.O.P.B)
Gare de Bercy Auto-Train
PARC DE BERCY
Bibliothèque Nationale de France Fr. Mitterrand
QUAI FRANÇOIS MAURIAC
RUE DE TOLBIAC
BOULEVARD NATIONAL
BD MASSÉNA
BOIS DE
LAC DAUMESNIL
ÎLE DE BERCY
ÎLE DE REUILLY
Temple Bouddhique
PARC ZOOLOGIQUE
Grand Rocher (70 m)
LAC ST-MANDÉ
Maison de la R.A.T.P.
(SECTEUR EN TRAVAUX)

PAGE 94

SUITE PAGE 99

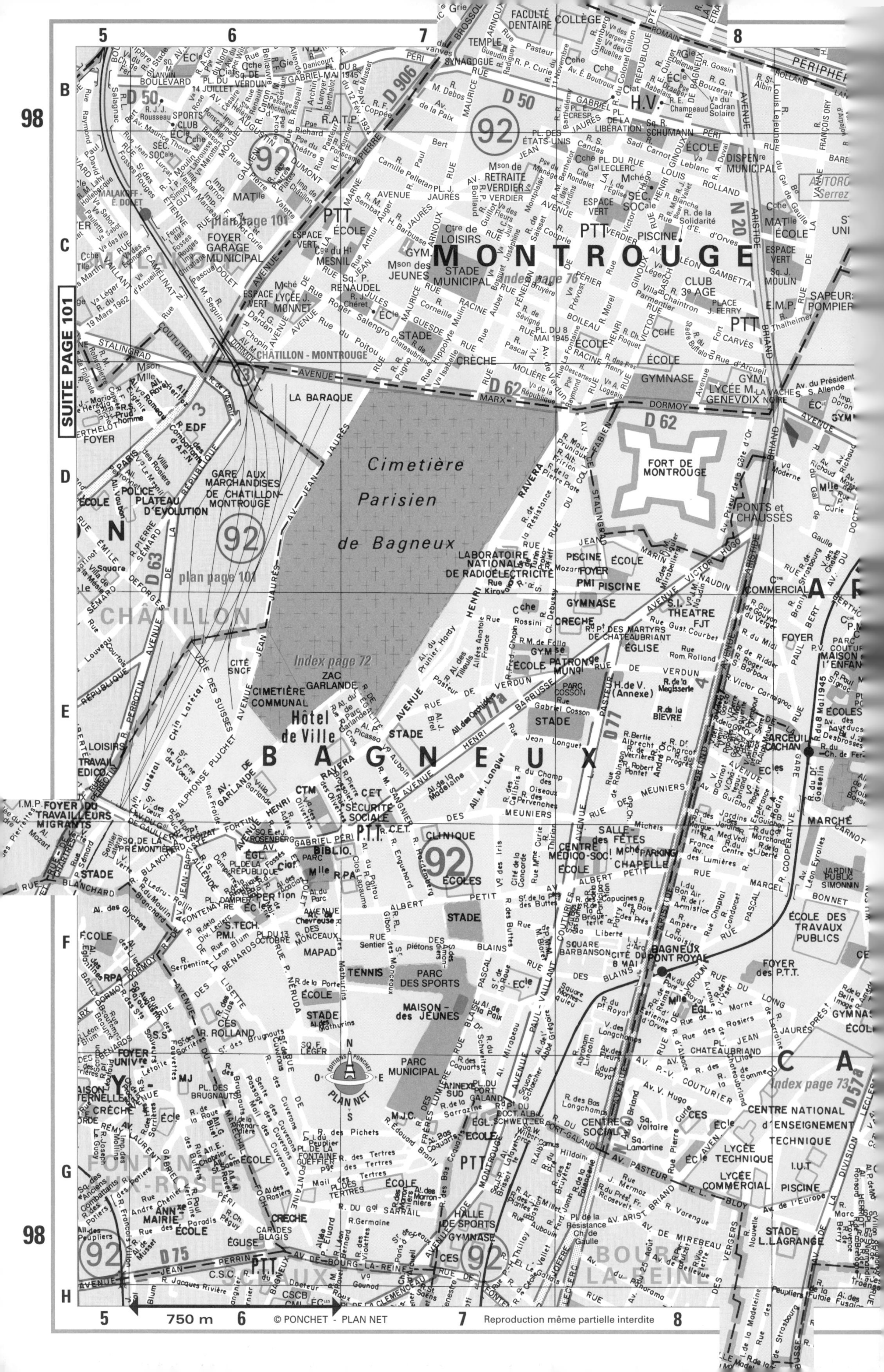
5
6
7
8
B
C
D
E
F
G
H
MONTROUGE
BAGNEUX
CHÂTILLON
FONTENAY-AUX-ROSES
BOURG-LA-REINE
Cimetière Parisien de Bagneux
FORT DE MONTROUGE
CIMETIÈRE COMMUNAL
Hôtel de Ville
PÉRIPHÉRIQUE
D 906
D 50
D 62
D 63
D 75
D 77
D 77a
N 20
92
SUITE PAGE 101
plan page 101
Index page 76
Index page 72
Index page 73
MALAKOFF - É. DOLET
CHÂTILLON - MONTROUGE
GARE AUX MARCHANDISES DE CHÂTILLON-MONTROUGE
PLATEAU D'EVOLUTION
LA BARAQUE
LABORATOIRE NATIONAL DE RADIOÉLECTRICITÉ
STADE MUNICIPAL
FACULTÉ DENTAIRE
TEMPLE
SYNAGOGUE
H.V.
PTT
BAGNEUX PONT ROYAL
PARC DES SPORTS
PARC MUNICIPAL
MAISON des JEUNES
CENTRE MÉDICO-SOC
SALLE des FÊTES
CLINIQUE
ÉCOLE DES TRAVAUX PUBLICS
CENTRE NATIONAL d'ENSEIGNEMENT TECHNIQUE
LYCÉE TECHNIQUE
LYCÉE COMMERCIAL
STADE L.LAGRANGE
PONTS et CHAUSSÉES
LYCÉE M. GENEVOIX
FOYER DES TRAVAILLEURS MIGRANTS
HALLE DE SPORTS
PLAN NET
ÉDITIONS PONCHET





750 m

SUITE PAGE 97

SUITE PAGE 103

19
20
21
22
G
H
I
J
K
L
M
101
SUITE PAGE 98
PARIS
VANVES
MALAKOFF
CHATILLON
BAGNEUX
Cimetière Parisien de Bagneux
PARC GEORGES BRASSENS
BOULEVARD PÉRIPHÉRIQUE
PORTE BRANCION
PORTE DE VANVES
Pte DE LA PLAINE
Pte DE CHÂTILLON
Pte DE VERSAILLES
Parc des Expositions
Stade de la Pte de la Plaine
Stade Ch. Rigoulot
Stade Didot
Lycée Fr. Villon
LYCÉE MICHELET
C.N.E.P.C.
RÉSIDENCE des JEUNES
PARC JEAN PAUL II
PARC MUNICIPAL FRÉDÉRIC PIC
STADE A. ROCHE
FORT DE VANVES
STADE M. CERDAN
CHAPELLE
GARE AUX MARCHANDISES DE CHATILLON-MONTROUGE
CHÂTILLON - MONTROUGE
LA BARAQUE
CIMETIÈRE COMMUNAL
Hôtel de Ville
FONDATION LAMBRECHTS
THÉÂTRE Ctre CULTl
Index page 79
Index page 73
plan page 98
D 50
D 130
D 906
D 63
92
15
14
750 m

SUITE PAGE 104

14
15
16
17
C
D
E
F
G
H
I
BOIS DE BOULOGNE
PARIS
16
PELOUSE DE ST-CLOUD
LAC SUPÉRIEUR
HIPPODROME DE LONGCHAMP
HIPPODROME D'AUTEUIL
L'HIPPODROME
Services Municipaux
Jeu de Boules de Passy
Parcours Sportif
TRIBUNES
BUTTE MORTEMART
PTE DE PASSY
CARREFOUR DES CASCADES
PORTE DE L'HIPPODROME
HÔPITAL A. PARÉ
PTE DE BOULOGNE
CARREFOUR DES ANCIENS COMBATTANTS
AV. DE LA PORTE D'AUTEUIL
STADE ROLAND GARROS
JARDIN DES POÈTES
JARDIN DES SERRES D'AUTEUIL
PTE D'AUTEUIL
PTE MOLITOR
BOULEVARD D'AUTEUIL
RUE MOLITOR
Stade Jean Bouin
Parc des Princes
Musée du Sport
Centre Sportif G. Hébert
Centre Sportif Suchet
BOULEVARD MURAT
RUE MICHEL ANGE
EXELMANS
Lycée J.-B. Say
École Normale d'Instituteurs
Lycée La Fontaine
Lycée Cl. Bernard
Ste-Geneviève
St-François
AV. DE LA PTE DE ST-CLOUD
PORTE DE ST-CLOUD
Stade P. de Coubertin
CIMETIÈRE DE BILLANCOURT
PARC DE L'EUROPE
ÎLE St GERMAIN
ÎLE SEGUIN
ISSY
Plan page 100
ISSY VAL-DE-SEINE
TENNIS
STADE J. BOUIN
GARAGE MUNICIPAL
TRI POSTAL
LES JARDINS IMPRÉVUS
TF1
BOULOGNE-BILLANCOURT
BOULOGNE - J. JAURÈS
MARCEL SEMBAT
BILLANCOURT
PONT DE SÈVRES
CHAMBRE de COMMERCE et de L'INDUSTRIE
HÔTEL des IMPÔTS
CIMre DE BOULOGNE
TERRAIN DE SPORT
GARAGE ATELIERS MUNICIPAUX
IMMACULÉE CONCEPTION
SALLE OMNISPORTS
PARC DE BILLANCOURT
N 10
D 907
D 50
D 2
92
RER C
SUITE PAGE 101
750 m

103

103

SUITE PAGE 102

750 m

# LIGNES RER-RATP-SNCF

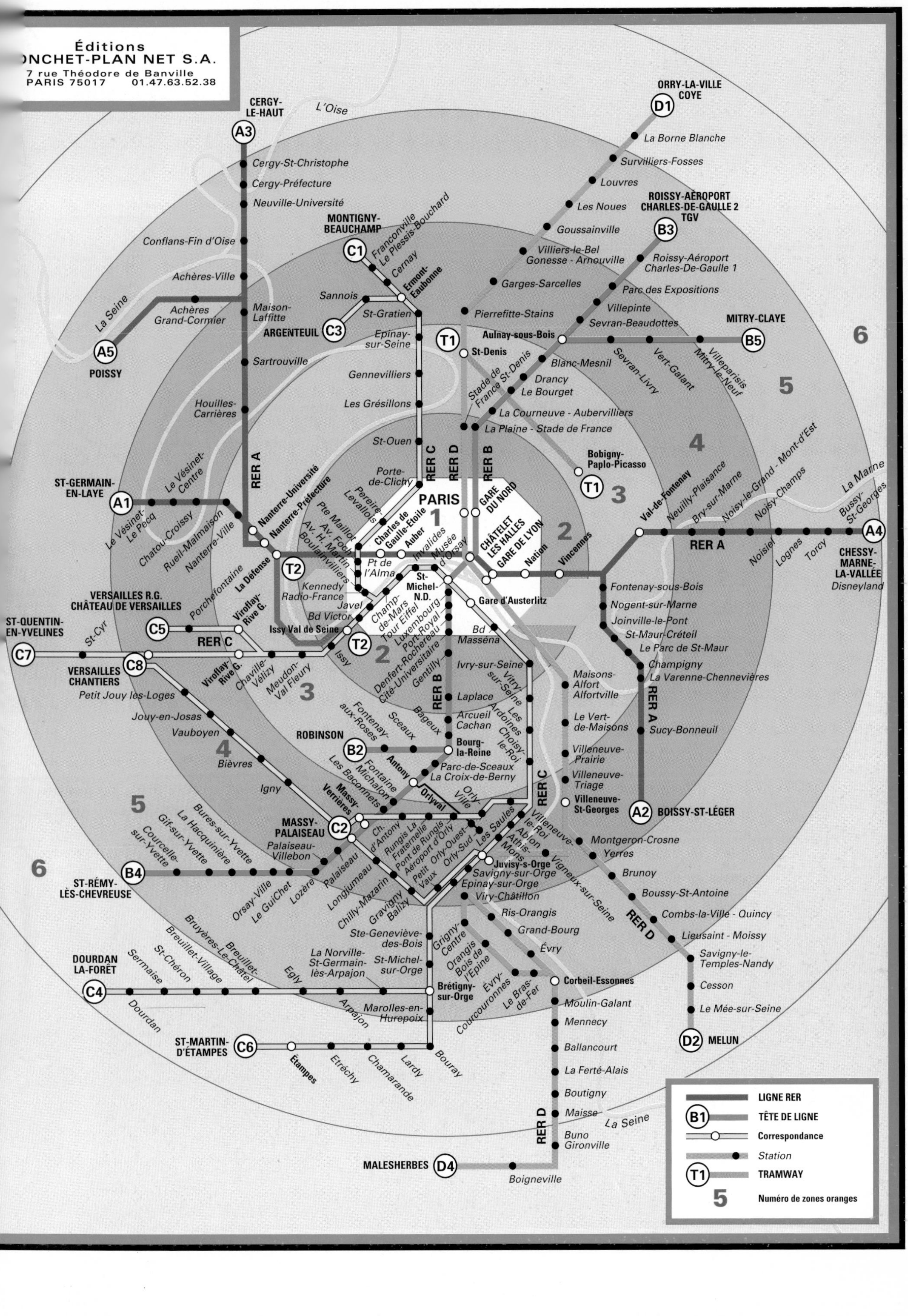

SORTIES DE PARIS
Éditions PONCHET - PLAN NET
7 rue Théodore de Banville 75017 - PARIS
Tél : 01.47.63.52.38- r.c. Paris B 309 361 509
95
92
91
78
ACHÈRES
MAISONS-LAFFITTE
SARTROUVILLE
ARGENTEUIL
SANNOIS
ERMONT
St.GRATIEN
ENGHIEN les Bains
CORMEILLES-en Parisis
le MESNIL-le Roi
HOUILLES
BEZONS
GENNEVILLIERS
COLOMBES
BOIS-COLOMBES
ASNIÈRES
CLICHY
MONTESSON
CARRIÈRES-sur Seine
St.GERMAIN en Laye
CHATOU
la GARENNE-COLOMBES
LEVALLOIS-PERRET
COURBEVOIE
NANTERRE
La Défense
PUTEAUX
NEUILLY-sur Seine
le PECQ
le VÉSINET
CROISSY-sur Seine
MAREIL-MARLY
le PORT-MARLY
SURESNES
RUEIL-MALMAISON
MARLY-le Roi
BOUGIVAL
LOUVECIENNES
la CELLE-St.CLOUD
GARCHES
St.CLOUD
VAUCRESSON
BOULOGNE-BILLANCOURT
BAILLY
ROCQUENCOURT
MARNES-la Coquette
le CHESNAY
VILLE d'AVRAY
SÈVRES
ISSY-les Moulineaux
VANVES
MALAKOFF
VERSAILLES
CHAVILLE
MEUDON
CHATILLON
VIROFLAY
CLAMART
BAGNEUX
VÉLIZY-VILLACOUBLAY
FONTENAY-aux Roses
BUC
PLESSIS-ROBINSON
SCEAUX
JOUY-en Josas
CHÂTENAY-MALABRY
les LOGES-en Josas
BIÈVRES
VERRIÈRES-le Buisson
ANTONY
TOUSSUS le Noble
IGNY
SACLAY
PARIS
secteur de banlieue figurant dans le guide
secteur de banlieue hors guide